Wioletta Sawicka

WYSPY SZCZĘŚLIWE

Prószyński i S-ka

Projekt okładki
Agencja Interaktywna Studio Kreacji
www.studio-kreacji.pl

Zdjęcie na okładce
© Buffy Cooper/Trevillion Images

Redaktor prowadzący
Anna Derengowska

Redakcja
Ewa Witan

Korekta
Katarzyna Kusojć
Bożena Hulewicz

Łamanie
Jacek Kucharski

ISBN 978-83-8097-090-8

Warszawa 2017

Wydawca
Prószyński Media Sp. z o.o.
02-697 Warszawa, ul. Rzymowskiego 28
www.proszynski.pl

Druk i oprawa
Drukarnia POZKAL Spółka z o.o.
88-100 Inowrocław, ul. Cegielna 10-12

Marcie Matyszewskiej

ROZDZIAŁ I

Joanna stała pośrodku salonu w swoim domu, powoli rejestrując to, co miała przed oczami. Widziała, ale kompletnie nie rozumiała, co widzi. Wszędzie, na każdym meblu, sprzęcie, obrazie, na porcelanie, widniały dziwne białe naklejki z czerwonymi pieczęciami. Było ich tyle, iż miała wrażenie, że wirują jej w oczach. Intuicyjnie czuła, że wydarzyło się coś bardzo złego. Coś, czego jej mózg jeszcze nie wychwycił. Jakby wyłączył zdolność przetwarzania informacji, a przecież funkcjonował.

Oddychała, poruszała oczami, nawet słyszała za plecami rumor, gdy Artur wnosił do domu walizki jej i Tosi. Przecież nie zwariowała.

Jeszcze przed chwilą, gdy żartowali w samochodzie Pakulskich, mózg Joanny zachowywał się, jak należy. Pamięta, że była wdzięczna przyjaciołom za podwiezienie do Izabelina. Tomasz, jeszcze nim wystartowali z Palermo, zapowiedział, że nie będzie mógł po nie przyjechać na lotnisko, ponieważ zatrzymały go pilne sprawy.

Aby zrekompensować przyjaciołom nadłożenie drogi, Joanna zaprosiła ich na niedzielny obiad. To też dokładnie pamiętała. Tak samo jak swoją radość, gdy otworzyła się brama i wjechali na podjazd przed domem. Nie nazbyt okazałym, nie za skromnym, takim w sam raz. Po białych ścianach pięły się róże, duże okna zdobiły fantazyjnie upięte firany, a czerwony dach wieńczył wiatrowskaz ozdobiony czterolistną koniczyną. Pamięta, że z czułością spojrzała na powitalną tabliczkę z nazwą willi – „Wyspy szczęśliwe".

Przed oczami stanął jej dzień, gdy Tomasz przytwierdził ten szyld do bramy. Śmiał się z nazwy, którą Joanna zaczerpnęła z wiersza Gałczyńskiego, ale dla niej była kwintesencją tego, o czym całe życie marzyła, dorastając w dystyngowanym, lecz chłodnym domu ciotki Eleonory.

Joanna nie pragnęła od życia niczego więcej, jak tylko odizolowanego od świata miejsca, gdzie będzie panować miłość, czułość i spokój. I taki świat stworzyła. Błogosławiła los, który obdarzył ją tak hojnie, jakby chciał wynagrodzić jej to, co kiedyś brutalnie odebrał.

Wyszła za Tomasza wbrew całemu światu, zwłaszcza wbrew ciotce i Adamowi, lecz nie żałowała ani jednej sekundy ze wspólnie przeżytych sześciu lat.

Kochający mąż, śliczna córeczka, wymarzony dom i rodzina, którą stworzyli. Temu oddała całe serce.

Nawet dwa tygodnie poza tym miejscem dla Joanny były wiecznością. Nigdzie nie czuła się tak dobrze i bezpiecznie jak w swoim domu. To był jej raj. Jej wyspy szczęśliwe, do których właśnie wracała.

Pamięta dokładnie te wszystkie ciepłe uczucia, które towarzyszyły jej od bramy do wejścia do domu. Z niecierpliwością dziecka przekręcała zamek w drzwiach, a gdy je otworzyła i z rozkoszą wciągnęła w nozdrza znajomy zapach, była w euforii. Tylko dlaczego teraz czuła się jak ogłuszona?

Ostrożnie podeszła do pierwszej karteczki naklejonej na pianinie, przy którym stała już Tosia. Dziewczynka przysunęła pulchny paluszek do pieczątki i czytała po literkach. Joanna zbliżyła się do córeczki i wbiła wzrok w okrągły stempel.

– K… o... mamusiu, dobrze czytam? Ale dalej nie umiem. – Pięciolatka skierowała ufne oczka na matkę. – Co tu pisze?

Komornik, dokończyła w myślach Joanna i struchlała ze strachu. Czuła, jak oszalały puls rozrywa jej szyję i skronie. Mogła ze słuchu policzyć jego uderzenia.

– Co tu pisze, mamusiu? – Mała pociągnęła ją za sukienkę. – I czemu tak dużo pisze?

– Tuuu… piszeee… – wyjąkała Joanna przez zaciśnięte gardło.

– Tosiu, chodź, przywitasz się ze swoim pokoikiem. – Skonsternowana Dominika Pakulska wzięła dziewczynkę za rączkę i poprowadziła w głąb domu.

Joanna poczuła na plecach dłoń Artura. Odwróciła się powoli w jego stronę. Bezgłośne słowa zatrzymały się na jej ustach, w szeroko otwartych niebieskich oczach malowało się absolutne zdziwienie. Artur podprowadził ją do kanapy.

– Przyniosę ci wody, żebyś nie zemdlała – powiedział zszokowanej kobiecie i ruszył do kuchni.

– Mamusiu! Mamusiu! – Usłyszała wołanie córeczki i tupot jej nóżek. – U mnie też są takie karteczki. Tatuś wymyślił nową zabawę? – Dziewczynka z impetem wskoczyła matce na kolana i objęła ją za szyję.

Ta gwałtowna pieszczota dziecka, jej pachnące waniliowym szamponem jasne loczki, uścisk pulchnych łapek sprawiły, że Joanna otrząsnęła się z chwilowego odrętwienia.

– Tak – wykrztusiła. – To taka nowa... zabawa.

– Jaka? Jaka? – dopytywała się podekscytowana Tosia.

Wrócił Artur.

– W kuchni też kom... – zaczął, ale się zmitygował, widząc ostrzegawcze spojrzenie żony. Ta wskazała dyskretnie na dziecko, kładąc palec na ustach. – W kuchni też kom... pletnie się gubię. Nie mogłem znaleźć szklanki – skłamał na poczekaniu. – Wypij, poczujesz się lepiej.

– Może chcesz tabletkę? – spytała z troską Dominika. Usiadła przy Joannie i objęła ją za ramiona.

– Jesteś chora? – Dziewczynka się zmartwiła.

– Nie, córeczko. – Joanna upiła łyk wody. – Jestem tylko zmęczona i bardzo chciało mi się pić. Może pójdziesz do ogrodu na huśtawkę?

– Świetny pomysł. – Dominika wstała, aby otworzyć drzwi na taras. – Idź, Tosiu, przewietrzysz się po tej długiej podróży.

Do pokoju wpadło letnie powietrze przesycone słodkim zapachem róż. Promienie popołudniowego słońca rozproszyły się miękko po salonie. W takim świetle prezentował się szczególnie pięknie. Urządzony w drewnie i ciepłych kolorach był wyjątkowo przytulny, ale Joanna po raz pierwszy poczuła się w nim nieswojo, wręcz obco. Jakby już nie był jej. To absurdalne, ale tak właśnie pomyślała.

Dominika na powrót usiadła przy Joannie, a Artur przechadzał się po pokoju i przyglądał zajętym sprzętom.

– Joasiu, to musi być jakaś pomyłka – odezwała się koleżanka. – I mam nadzieję, że da się to jakoś racjonalnie wyjaśnić. Artur, jak sądzisz?

Odstawił na komódkę srebrną ramkę ze zdjęciem Tomasza. Na niej też widniała karteczka od komornika.

– Pomyłki się zdarzają – przyznał, strzepując z palców niewidoczne paprochy. – Komornicy są wredni. Najpierw zajmują wszystko jak leci, a potem trzeba odkręcać sprawę. Ale my tu nic nie wyjaśnimy. Najlepiej zrobi to Tomek.

– No właśnie. – Dominika wpadła mężowi w słowo. – Gdzie on jest?

– Nie wiem, kiedy rozmawialiśmy ostatnio, mówił, że ma jakieś spotkanie. Naprawdę uważacie, że to pomyłka? – spytała, szukając potwierdzenia u przyjaciół.

Ci jak na komendę jednocześnie wciągnęli powietrze. Artur przejechał ostrożnie ręką po starannie wymodelowanych blond włosach. Dominika zdjęła zawój z głowy. Dziesiątki brązowych warkoczyków rozsypały się na jej opalonych ramionach i opadły na hinduską sukienkę.

– No cóż. – Pakulski odezwał się pierwszy, wytrzymawszy wyczekujące spojrzenie Joanny. – W życiu pewna jest tylko śmierć. Poza tym wszystko inne jest, niestety, możliwe.

– Boże – szepnęła Joanna prawie nieruchomymi wargami – nawet tak nie mów. Przecież rozmawialiśmy kilka godzin temu, przed wylotem z Palermo. Powiedziałby, gdyby coś było nie tak. Pytałam, czy wszystko w porządku. Zapewnił, że w najlepszym, zresztą przez cały czas mi to mówił. Nic z tego nie rozumiem.

– Sama widzisz – odrzekła Dominika, gładząc ją po plecach. Pod palcami wyczuwała delikatne drżenie. – Skoro nic ci nie powiedział, to znaczy, że nie ma większego problemu. Poważnych spraw nie da się ukryć. Może podżyrował komuś kredyt albo miał jakieś chwilowe trudności, jak to w firmie? Może już wszystko załatwił, tylko nie miał czasu pozdejmować przed twoim przyjazdem tych kartek? – podsuwała. – A nic ci nie mówił, żebyś się nie martwiła niepotrzebnie.

– Naprawdę tak myślisz? – Joanna spojrzała na nią z nadzieją.

– Tak mi się wydaje – odparła tamta ostrożnie.

– Dlatego na razie głowa do góry, najgorzej to martwić się na zapas – dodał mąż Dominiki, zerkając na zegarek. – Nika, dochodzi piąta. Musimy wracać do domu, Emilka czeka. Zanim dojedziemy do Wilanowa, to godzina zejdzie, a już stęskniłem się za tą gadułą. Dwa tygodnie bez jej paplania to za długo.

Dominika się podniosła.

– Dzwoń do Tomka i daj znać od razu, jak czegoś się dowiesz.

Cmoknęła policzek Joanny, pomachała ręką Tosi na pożegnanie i wyszła z salonu, a za nią Artur.

*

W tym samym czasie, kiedy Joanna wciąż tkwiła oszołomiona na sofie, Eleonora Krzemieniecka-Gintowtt odłożyła gazetę. Starsza pani, zgodnie ze swym arystokratycznym pochodzeniem i wychowaniem, zazwyczaj nie okazywała gwałtownych emocji, ale po tym, co właśnie przeczytała, zawołała głośno:

– O mój Boże! O Boże!

Jej głos wypełnił ciasne, zastawione sprzętami, dwupokojowe mieszkanie w kamienicy przy Nowym Świecie. Pełno w nim było obrazów, kilimów, zdjęć, wysłużonych mebli i kwiatów umieszczonych na słupkach na tle oliwkowych ścian. Gromkie wołanie zbudziło śpiącego w fotelu starszego mężczyznę. Z jego rąk wysunęła się sfatygowana książka. Sięgnął po nią z trudem, jego osiemdziesiąt lat coraz bardziej dawało się we znaki.

– Ludwiku! – zawołała z sąsiedniego pokoju zdenerwowana małżonka. – Podaj mi, proszę, krople nasercowe!

Eleonora osunęła się na oparcie stylowego krzesła i wachlowała twarz gazetą.

Co ją podkusiło, żeby kupić dziś „Wyborczą"? Zazwyczaj czytywała „Rzeczpospolitą" lub „Tygodnik Powszechny", od „Wyborczej" stroniła. I akurat dziś, znęcona załączonym do gazety dodatkiem o planach przyszłorocznej waloryzacji emerytur, kupiła ją także. Ich skromniuteńki domowy budżet, który ledwo wiązał koniec z końcem, powitałby z wdzięcznością każdy dodatkowy grosz. A że pani Eleonora miała w zwyczaju czytać prasę od deski do deski, by nie marnotrawić wydanych pieniędzy, natknęła się na hiobową wieść, po której nie mogła dojść do siebie.

– Eleonoro, cóż takiego się stało? – Rozległo się szuranie dziennych pantofli i w salonie zjawił się Ludwik Gintowtt.

Niewysoki przygarbiony starszy mężczyzna o gęstych białych włosach miał na sobie bonżurkę, pod nią pastelową koszulę i apaszkę pod szyją. Jego jedna dłoń, z rodowym sygnetem na palcu, spoczywała na lasce, którą się podpierał. W drugiej niósł maleńką tackę z kroplami i szklanką wody. Ostrożnie postawił wszystko na stole, starając się zapanować nad narastającym drżeniem ręki. Starość jednak się nie udała Panu Bogu, pomyślał, nie pierwszy raz zresztą, i usiadł obok ogromnie poruszonej czymś małżonki.

– Pytasz, co się stało? – Eleonora przyjęła bardziej elegancką pozycję. – Proszę, spójrz, czytaj. Sam zobaczysz, co się stało. – Podsunęła mężowi gazetę.

– Nie wziąłem okularów – stropił się pan Ludwik, pochylając głowę nad zupełnie nieczytelnymi w tym momencie drobnymi literkami.

– Weź moje. – Starsza pani zdjęła z pomarszczonej twarzy, wciąż noszącej ślady dawnej urody, prostokątne szkła w złotych oprawkach.

Wzdychając raz po raz, wyjęła szczypczykami ze srebrnej cukiernicy kostkę cukru, po czym zaczęła ją nasączać precyzyjnie odmierzanymi kroplami. Zażyła lekarstwo, poprawiła gustowną broszkę pod szyją jedwabnej bluzki, przycisnęła dłonią siwe włosy, ułożone w fale, i czekała, aż mąż skończy czytać.

– I co teraz powiesz? – zapytała, gdy odłożył gazetę. Małżonek gładził czubkami palców zielony welurowy obrus, wyraźnie coś rozważając.

– Eleonoro – odezwał się po chwili. – To zapewne nieporozumienie, które da się, jak mniemam, wyjaśnić. Nie wierzę, aby...

– Nieporozumienie? – przerwała mu żona.

Tego również nie miała w zwyczaju. Przerywanie rozmówcy uważała za wyjątkowy nietakt i brak ogłady, teraz jednak nie mogła się powstrzymać.

– Ależ, mój drogi, tu wszystko się zgadza. Nie ma mowy o nieporozumieniu!

– No cóż – Ludwik Gintowtt westchnął ciężko – jeśli istotnie to prawda, jest to bardzo przykra sytuacja. Bardzo.

– Przykra? – Pani Eleonora z trudem powściągnęła oburzenie. – Ludwiku, to skandal, hańba, sromotny wstyd!

– Eleonoro – powiedział łagodnie, kładąc rękę na jej dłoni. – Proszę, nie unoś się, jeszcze sobie zaszkodzisz. Trzeba zaczekać na wyjaśnienie tej sytuacji i wtedy zastanowić się, co począć.

– Nie byłoby tej sytuacji, gdyby ktoś kiedyś mnie posłuchał. – Jego małżonka delikatnie uderzyła czubkami palców w stół. – Prosiłam, ostrzegałam, perswadowałam, ale ona postawiła na swoim. Adam też jej tłumaczył, przypomnij sobie tamtą koszmarną awanturę. Boże Wszechmogący! – Splotła dłonie i spojrzała w sufit. – Mój pradziad zginął w powstaniu styczniowym, dziadek walczył pod marszałkiem Piłsudskim, siostra poległa w powstaniu warszawskim. Ojca, jak tylko wrócił z wojny, zakatowali na Rakowieckiej. Z mojej świętej pamięci matką i maleńkim Fryderykiem zostaliśmy sami na świecie, prawie bez kawałka chleba. Matka wyprzedawała, co mogła, żeby przeżyć, ale godności, rodowej dumy Krzemienieckich nie utraciła. Boso, ale w ostrogach, tak nam zawsze mówiła, i to dla mnie nienaruszalna świętość. – Przyłożyła rękę do piersi i załkała cicho.

– Wiem, moja droga. – Pan Ludwik westchnął głęboko. – Twoja rodzina wiele przeszła. Innych też los nie oszczędzał.

Zerknął na złoty sygnet z wytłoczonym w nim herbem, jedyną pamiątkę, jaka mu została po ojcu. Nie chciał bardziej rozdrażniać i tak roztrzęsionej małżonki, więc zachował dla siebie bolesne wspomnienia.

– Tak. Nasza historia pisana jest krwią i cierpieniem – nieco patetycznie podsumowała Eleonora. Jednak nie było w tym krzty udawania, tylko manifestacja przekonań, którym niezmiennie hołdowała. – Krzemienieccy nieraz kładli na szali największe ofiary. I ja to podziwiam. Można wszystko stracić, majątek, życie, ale w słusznej sprawie. Dla honoru, ojczyzny, wyższej idei, ratowania bliskich, jednak nie w taki sposób! – Popukała palcem w gazetę. – Toż to upadek! Pohańbienie rodowego nazwiska! Sprzeniewierzenie wartości! Ona przecież też po ojcu jest Krzemieniecka! Hrabianka Krzemieniecka pójdzie z torbami!

– Zastanawia mnie jedno... – Pan Ludwik potarł ręką czoło. – Dlaczego Joasia nic nam wcześniej nie powiedziała?

– No właśnie, dlaczego? – Starsza dama jakby oprzytomniała. – Liczyli, że wszystko się ukryje? To wręcz niedorzeczne. A Joasia wciąż jest taka naiwna. Co począć, Ludwiku, co począć? – Posłała małżonkowi pytające spojrzenie.

– Nie wiem, moja droga – odparł bezradnie. – Musimy zaczekać, aż się z nią rozmówimy.

ROZDZIAŁ II

Joanna siedziała na kanapie, nogi podkuliła pod brodę. Była zupełnie odrętwiała, jakby nagle ktoś wyssał z niej wszelkie siły albo przemienił w posąg. Wpatrywała się niewidzącym wzrokiem w stronę ogrodu, gdzie przy krzewach róż bawiła się Tosia.

Powinna zająć się dzieckiem, przygotować coś do jedzenia, rozpakować walizki, podlać kwiaty, posprzątać, wziąć prysznic. Jednym słowem, zrobić wszystko to, co zwykle po powrocie z długiej podróży. Tymczasem nawet nie miała siły, żeby sięgnąć po telefon i zadzwonić do męża. Może bała się tego, co usłyszy? A chciała usłyszeć tylko jedno, że to jakaś koszmarna pomyłka.

– Mamusiu, jestem głodna. – Do salonu wpadła zarumieniona Tosia.

Ten najprostszy komunikat córeczki, jej rączki na szyi Joanny, zaślinione usteczka całujące matkę tchnęły w odrętwiałą kobietę nieco życia.

– Już robię, Tosiu. – Wstała jak automat, ale nogi wciąż miała miękkie.

Wyjęła z torebki telefon i wyszła z salonu. Ze zdenerwowania drżały jej ręce, gdy idąc do kuchni, wybierała w komórce numer męża. Zagryzła wargę, gdy zobaczyła upstrzone komorniczymi śladami sprzęty. Kartki były nawet na lodówce i niczym upiory straszyły i tak wystraszoną Joannę.

– Zrobię naleśniki – rzuciła gdzieś w przestrzeń.

Nie dość, że wszystko leciało jej z rąk, to zaczęła się gubić we własnej kuchni. Trwało to chwilę, nim sobie przypomniała, co gdzie zwykle leży. Chaotycznie wyjmowała miskę, mąkę, jajka, prawie nie odrywając telefonu od ucha.

Tomasz nie odbierał. Gdzieś pomiędzy tą krzątaniną i entym przyciśnięciem zielonej słuchawki, kiedy nerwy Joanny były napięte do ostateczności, padło zwyczajne dziecięce pytanie:

– Co to za zabawa, którą wymyślił tatuś? – Dziewczynka jak gdyby nigdy nic usadowiła się na wysokim taborecie przy blacie, gotowa do mieszania naleśnikowego ciasta.

– Co? – spytała nieprzytomnie Joanna.

– Co to za zabawa? W te karteczki.

– Nie wiem – odpowiedziała krótko i dość szorstko po kolejnej bezowocnej próbie skontaktowania się z mężem. – Powie, jak wróci.

– A kiedy wróci?

– Niedługo.

– A kiedy jest niedługo? – dociekała Tosia i trochę niezdarnie przesypywała mąkę w misce.

– Niedługo to niedługo. – Joanna się zniecierpliwiła. – Uważaj, nie rozsypuj mąki. Daj, ja to zrobię szybciej. Idź się pobawić albo pooglądaj telewizję.

W normalnych warunkach nie zareagowałaby w ten sposób, ale przecież to nie były normalne warunki. Ciasto rozbryzgiwało się spod miksera na wszystkie strony, przypaliła kilka naleśników, nim w końcu usmażyła jeden nadający się do jedzenia. Co chwilę telefonowała do męża, aż stało się to absurdalne. Palec sam, jakby poza kontrolą mózgu, non stop wciskał przeklęty klawisz połączenia. Komórka Tomasza wciąż milczała. Natomiast telefon Joanny dzwonił dość często. Kilka razy telefonowała ciotka Eleonora i Ewa, najbliższa przyjaciółka, Dominika, nawet Daniel, który też był z nimi na Sycylii – jakby wszyscy się uparli, by porozmawiać z nią w tym samym czasie. Wcześniej nie przeżywała takiego oblężenia. Żadnego z połączeń nie odebrała. Z nikim nie była w stanie rozmawiać, prócz Tomasza. Lecz mijała godzina za godziną, a on nie dawał znaku życia.

Joanna nie mogła sobie znaleźć miejsca we własnym domu. Wszędzie, gdzie się tylko obróciła, towarzyszyły jej te upiorne karteczki. Znalazła je nawet w garażu. Trochę ją zastanowiło, dlaczego są tam oba samochody. Jej i Tomka. Czym w takim razie pojechał na to spotkanie? Może wziął taksówkę, ponieważ potem planował wizytę w barze, co czasem mu się zdarzało. Wracał niekiedy nad ranem i tłumaczył zdawkowo, że niektóre sprawy trzeba oprzeć o bufet.

Położyła wcześniej spać Tosię, która resztę wieczoru spędziła przed telewizorem. Nawet drażniły ją dźwięki pianina, kiedy córeczka wystukiwała pierwsze nuty *Dla Elizy*.

Wszystko ją irytowało, a najbardziej milczenie Tomka. Natłok myśli sprawił, że rozbolała ją głowa. Minęła dziesiąta wieczorem, gdy wreszcie zabrzmiał gong przy furtce. Joanna odetchnęła z ulgą i wybiegła z domu.

Przed ogrodzeniem stał srebrny nissan Ewy i ona sama, wyraźnie czymś przejęta.

– Ewa, co ty tu robisz? – spytała Joanna, nawet nie kryjąc rozczarowania, że to jednak nie Tomasz.

– A jak myślisz? – odparła ładna blondynka z prostymi włosami do ramion. Pchnęła energicznie furtkę, zasypując Joannę pretensjami. – Milion razy usiłowałam się do ciebie dodzwonić. Wiedziałam, że dziś wracasz. Zawsze odbierałaś albo oddzwaniałaś, a teraz nic. Grobowa cisza. A ja dzwonię i dzwonię jak ta głupia. Musiałam przyjechać, żeby sprawdzić, jak się trzymasz. Nie mogłam wysiedzieć w redakcji. Ledwo skończyłam montaż, wsiadłam do samochodu i zaiwaniam do ciebie przez połowę Warszawy, żeby zobaczyć, czy wszystko w porządku. Rób kawę i mów – zakomenderowała autorytarnie, jak to miała w zwyczaju.

– Co mam mówić? – spytała smętnie Joanna. Z pochyloną głową i skulonymi ramionami stanowiła wyraźne przeciwieństwo energicznej przyjaciółki.

Nie chciała zapraszać Ewy do środka. Mimo ich zażyłej przyjaźni czuła się upokorzona widokiem, jaki teraz przedstawiał jej dom. Wolała nikomu tego nie pokazywać, zanim sprawa się nie wyjaśni. Żałowała nawet, że Pakulscy wszystko widzieli. W życiu nie zgodziłaby się na podwiezienie, gdyby miała choć cień podejrzenia, że zastanie na miejscu coś takiego. Jednak Ewa, bezkompromisowa i pewna siebie dziennikarka telewizyjna, nie dała się tak łatwo zbyć.

– No chyba nie o Sycylii, tylko o licytacji domu – oświadczyła wprost.

Joannie odebrało głos.

LICYTACJA?!

Jaka licytacja, na miłość boską?! Już dom upstrzony kartkami komornika był wystarczającym szokiem, a tu jeszcze jakaś licytacja? O co w tym wszystkim chodzi?! Boże, czy ja śnię, czy to dzieje się jednak naprawdę?! Uciskała palcami skronie, jakby to miało pobudzić jej mózg, by zrozumiał cokolwiek z tej niepojętej sytuacji.

– Jakiej… licytacji? O czym ty, do cholery, mówisz? – wydusiła w końcu.

– To ty nic nie wiesz? – Ewa zrobiła wielkie oczy. Zaczęła grzebać w przepastnej torbie przewieszonej przez ramię i wyjęła z niej „Wyborczą". – Tu jest wszystko napisane. Stąd wiem. Może jednak wejdziemy do środka? – Wskazała gazetą w stronę drzwi.

Litery tańczyły w oczach Joanny, gdy chwilę później wpatrywała się w ogłoszenie o licytacji jej domu. Nie mogła uwierzyć w to, co ma przed sobą. Musiała przeczytać wszystko kilka razy, zanim dotarła do niej ta przerażająca wiadomość.

Przycisnęła mocno rękę do ust, żeby zdławić rodzący się w gardle krzyk. Ma stracić dom?! Swój wymarzony, wyśniony dom?! Swój raj, wyspy szczęśliwe? Dlaczego?! Boże święty, dlaczego?! To niemożliwe! To po prostu niemożliwe!

Na przemian robiło jej się gorąco i zimno, drżały kolana, dusiło ją w gardle, piekło w oczach, bolało w sercu, nie mogła złapać tchu i kręciło jej się w głowie. Siedziała na kanapie, kurczowo zaciskając palce na gazecie. Dopiero Ewa wyszarpnęła jej „Wyborczą" z rąk.

– Aśka – zaczęła ostro. – Wybacz moją szczerość, ale wydawać kasę na sycylijskie wojaże, kiedy położył na was łapę komornik, to po prostu głupie. Już nie mówię, że nieodpowiedzialne, ale zwyczajnie głupie. Dlaczego mi nie powiedziałaś, że macie aż takie kłopoty? – Wychyliła się z fotela ku przyjaciółce.

– O niczym nie wiedziałam. Dopiero jak wróciłam, to... to... – Joanna chwyciła ozdobną poduszkę i przycisnęła ją do twarzy.

– Nie wiedziałam, nie wiedziałam – przedrzeźniała ją Ewa. – Co ci powiedział Tomek? Gdzie on w ogóle jest?

– Nie wiem. Nie odbiera telefonów – wymamrotała w poduszkę.

– Czyli Tomeczek narobił syfu i zniknął – podsumowała bez ogródek tamta.

– Przestań! – Joanna podniosła i głos, i głowę. – Nie masz prawa tak mówić. Jest uczciwy, dobry, odpowiedzialny, kocha nas. Nie mógłby nam tego zrobić! Każdy, tylko nie on! Nie on. Nie ma go, bo jest na ważnym spotkaniu!

– A świstak siedzi i zawija w te sreberka... – skwitowała sarkastycznie Ewa. – Tyle razy ci mówiłam, że ta naiwność kiedyś cię zgubi. Wierzyłaś ślepo w każde jego słowo, zapewnienia, deklaracje. Zgadzałaś się na wszystkie jego pomysły.

– Bo mu ufałam... – Joanna na moment zawiesiła głos – to znaczy ufam. Czy to takie dziwne, że żona ufa mężowi? Przecież na tym polega miłość.

– Mogłaś sobie ufać, ale nic by się nie stało, gdybyś czasem go sprawdziła. – Ewa oskarżycielsko wysunęła palec w stronę przyjaciółki. – Życie to nie bajka. I najlepiej polegać wyłącznie na sobie. Przenigdy nie pozwolę, aby jakikolwiek facet przejął nade mną kontrolę. Ty zaś bez mrugnięcia okiem oddałaś swój los w ręce Tomasza. Wolałaś wierzyć w bajki, snuć iluzje o jakiejś rajskiej krainie, zamiast twardo stąpać po ziemi i brać życie takie, jakie jest, a nie takie, jakim chciałaś je widzieć. I co teraz z tego masz? Komornika, a mąż jak na razie kamień w wodę. – Pstryknęła palcami, błyskając krwistoczerwonym lakierem na długich paznokciach.

– Jak masz się nade mną jeszcze pastwić, to lepiej wyjdź – wychlipała Joanna. – Po co tu przyszłaś? A może zwęszyłaś dobry temat, co? No już, wyciągaj kamerę. Zrób newsa. Na co czekasz? – wyrzucała z siebie roztrzęsiona do granic.

– Ani myślę stąd wychodzić. – Ewa przesiadła się i ją objęła. – Przyszłam, żeby ci pomóc. Wybacz te ostre słowa, ale wiesz, że walę prawdę w oczy. Znamy się od dziecka, jesteś dla mnie jak siostra. Ślepa i naiwna, ale siostra, i nie zostawię cię z tym wszystkim, choć uważam, że sama jesteś sobie trochę winna. Naprawdę niczego, ale to niczego się nie domyślałaś? – pytała, ścierając dłonią łzy z policzków Joanny. – To po prostu niemożliwe.

– Nie miałam nawet cienia podejrzeń. Kiedy o cokolwiek pytałam, Tomek zawsze mówił, że wszystko jest dobrze. Dlaczego miałam mu nie wierzyć? Ewa, a może... może coś mu się stało? – spytała zdjęta nagłym lękiem. – Może leży gdzieś nieprzytomny w szpitalu albo...

– Chyba sama nie wierzysz w to, co mówisz. – Przyjaciółka przerwała te czarne wizje. – Gówno mu się stało i tyle. Czekajmy, może w końcu się odezwie.

Joanna tak uporczywie wpatrywała się w aparat, jakby w ten sposób chciała wymusić oczekiwane połączenie. Niepokój o Tomasza narastał w niej z każdą minutą. Dlatego, nie przejmując się pełnymi politowania spojrzeniami Ewy, jednak sprawdziła warszawskie szpitale. Po to tylko, by usłyszeć, że w żadnym nie ma takiego pacjenta. Powinna poczuć ulgę, lecz tak się nie stało. Wolałaby najgorszą prawdę od tej paraliżującej niepewności.

Minęła północ, gdy weszła na palcach do pokoju córeczki. Dziewczynka spała mocno w pościeli w księżniczki. Uśmiechała się przez sen, tuląc do siebie pluszowego króliczka. Delikatne światło lampki na ścianie rzucało żółtawą poświatę na dziecko. Joanna podciągnęła na ramionka małej kołderkę, poprawiła zwisające z sufitu tiulowe zasłonki nad łóżkiem i usiadła na podłodze przy Tosi.

W nocnej ciszy zaczęła powolutku porządkować w głowie wszystkie maleńkie elementy układanki, które dopiero w nowej rzeczywistości ukazały jej się w innym świetle.

Tomasz tak bardzo nalegał na ten wyjazd, jakby chciał się nas… pozbyć. Albo karty do bankomatu. Tomek namawiał, by zostawiła je w domu, a zabrała tylko gotówkę.

„Kochanie, to w końcu Sycylia. Mafia, Corleone i takie tam. Nie ufam ichnim bankomatom. Weź lepiej pieniądze, a karty niech zostaną w domu. Przynajmniej będę pewien, że na nic wam nie zabraknie" – zabrzmiały jej w uszach słowa męża sprzed dwóch tygodni.

Posłuchała go. Zawsze mu bezgranicznie ufała. Nie miała głowy do pieniędzy ani biznesu, to była przestrzeń Tomka. Skoro twierdził, że tak będzie lepiej, uznała, że miał rację. A potem, gdy odwoził je na lotnisko, tak czule się z nią żegnał. Obsypywał ją pocałunkami, mimo że wokoło stali obcy ludzie. Patrzą przecież na ich miłość, a w niej nie ma nic złego, tak wtedy myślała Joanna, wtulając się w ramiona męża.

Teraz zaś gdzieś w najgłębszych zakamarkach jej podświadomości pojawiła się myśl, że tamto pożegnanie nie było obliczone na dwutygodniową rozłąkę, tylko... wyglądało, jakby...

Z początku nieśmiała myśl nagle rozrosła się do monstrualnych rozmiarów i sprawiła, że Joanna czym prędzej poszła do sypialni.

– Co robisz? – Gdy otwierała przestronną garderobę, do pokoju zajrzała Ewa.

– Sprawdzam jego rzeczy. – Nerwowymi ruchami przesuwała chaotycznie garnitury i męskie koszule wiszące w schludnym rzędzie. Niektóre z pośpiechu zrzuciła na podłogę. – Nie wiem, wydaje mi się, że niczego nie brakuje. Chociaż...

Jej wzrok powędrował na najwyższą półkę, gdzie zawsze leżały walizki. Jedna, druga... nie, dwa... trzy... Próbowała je chaotycznie liczyć, ale wszystkie zaczęły jej latać przed oczami. Brakowało jeszcze dwóch, prócz tych, które miała na Sycylii.

– Nie ma szarej i czarnej walizki. Ewa, nie ma dużej szarej walizki i małej czarnej. O Boże, on chyba... naprawdę... wyjechał. Zostawił nas... i uciekł... – zdołała wyjąkać, nim zakręciło jej się w głowie do tego stopnia, że zatoczyła się na drzwi. Przyjaciółka podtrzymała ją w ostatnim momencie.

– Jezus Maria, Aśka, wezwę karetkę! – Ewa zdenerwowała się nie na żarty. – Chodź, musisz się położyć, dojść do siebie. Żaden facet nie jest wart, żebyś przez niego zeszła na serce. Masz Tośkę, jeszcze długo będziesz jej potrzebna – tłumaczyła, prowadząc przyjaciółkę do łóżka.

– Ewa, błagam – łkała zwinięta w kłębek Joanna. – Powiedz, nawet jeśli miałabyś skłamać, że to tylko sen. To nie dzieje się naprawdę!

– Najlepiej zrobisz, jak wreszcie dowiesz się tej prawdy. Cokolwiek to będzie. – Ewa pogładziła ją po ramieniu. – Przesunę jutrzejszy montaż i zajmę się Tośką. Pójdziemy na pizzę albo do Kopernika czy kina, a ty dowiesz się wszystkiego u tego komornika. Ma kancelarię na Żoliborzu. Tylko... nie wkładaj tego jutro. – Wskazała złoty zegarek na ręce Joanny, niedawny prezent od Tomasza na ich szóstą rocznicę ślubu. – Lepiej, żeby komornik go nie widział. W ogóle im mniej wie, tym lepiej.

Stanowczy głos Ewy, jej energia, obecność dodały Joannie odrobinę otuchy.

– Dzięki, że przyszłaś, że w ogóle jesteś – szepnęła z twarzą wciśniętą w letni żółtawy żakiecik przyjaciółki. – Zostaniesz u mnie na noc?

– No przecież nie będę teraz się telepać na Kabaty.

– Tylko nie mów nic Tosi, dobrze? Ona myśli, że te naklejki to nowa zabawa, którą wymyślił Tomek.

– Całkiem niezła zabawa. – Ewa cmoknęła z przekąsem. – Lepsza niż ostra jazda bez trzymanki. Może mam niewyparzony język, ale nie jestem kretynką, żeby straszyć dziecko. Nie obawiaj się. Sama w końcu będziesz musiała jej to powiedzieć. A teraz śpij i nie myśl o tym draniu.

Joanna nie mogła zasnąć. Resztę nocy przesiedziała w fotelu przy oknie z poczuciem, że oto do jej bajki wtargnął zły duch i zniszczył wszystko, co tak pieczołowicie poukładała. Wpatrywała się w ciemność rozświetloną żółtawym blaskiem latarni, podświadomie wyczekując powrotu męża. Wręcz wytężała wzrok, by wyłowić w mroku jego sylwetkę. Nad ranem, gdy na zewnątrz dobrze już dniało, Joanna usłyszała jakiś rumor przed bramą. Pobiegła czym prędzej ku wyjściu z cieniem nadziei, że to Tomek tak hałasuje przy kubłach na śmieci. Spłoszyła jedynie dwa harcujące tam koty.

ROZDZIAŁ III

Czy pani mnie słyszy?

Kobiecy głos dolatywał jakby zza ściany. Towarzyszyły mu jakieś szurania i brzęki. Kto to do mnie mówi? – zastanawiała się, powoli otwierając oczy. Pochylała się nad nią biała plama, dziwnie nieostra.

– Pamięta pani, co się stało?

Teraz słyszała wyraźniej, tylko obraz nadal był rozmyty.

Czy pamiętam?

Co mam pamiętać? Joanna usiłowała połączyć strzępy myśli w głowie. Namacała ręką gładki materiał. Leżała w łóżku, tylko nie kojarzyła dlaczego. Chciała coś powiedzieć, ale nie mogła wypchnąć słów przez usta. Gdzie ja jestem? Jak się tu znalazłam, myślała z wysiłkiem. Pamięć wracała powoli. Zaraz, już chyba wiem.

Najpierw byłam w… banku...

Nie, nie w banku. Szukałam w domu kart do bankomatu. Nigdzie ich nie znalazłam, dlatego pomyślałam o banku. Ale najpierw byłam w firmie Tomka. W tym dużym wieżowcu w Śródmieściu, gdzie wynajmował biuro. Co mi tam powiedzieli? Aha, że firma zbankrutowała trzy miesiące temu… i że zalega z opłatami za pół roku… Pracownikom też zalega… chyba dużo, bo poszli już do sądu.

Zrobiło mi się słabo i jacyś ludzie dali mi wody, to też pamiętam. Siedziałam tam trochę, dzwoniłam do Tomka. Nagrałam mu wiadomość, a potem poszłam do banku… Nie, najpierw do komornika...

Przed oczami Joanny przesuwały się chaotyczne obrazy, ale coraz dokładniej wyławiała je z pamięci.

Jechała tramwajem na Żoliborz. Pamięta, że ledwo się trzymała na nogach w zatłoczonym wagonie. Kręciło jej się w głowie, czarna sukienka lepiła się do pleców. Musiała przystawać dwa razy, nim doszła do budynku, gdzie miał kancelarię komornik.

Dzień był upalny, słoneczny, taki, jaki powinien być w połowie lipca. Powinien nastrajać optymizmem, ale na Joannę spłynął jakiś mrok, prawie ciemność. Więc firmy nie ma od trzech miesięcy, to już wiem. Pamięta, że bała się wizyty u komornika; choć pragnęła wreszcie poznać prawdę, to jednak najchętniej uciekłaby stąd gdzie pieprz rośnie, tak lękała się tego, co za chwilę usłyszy.

Na przyjęcie musiała trochę poczekać. „Pan komornik jest na czynnościach" – tak jej powiedzieli jacyś ludzie znad stert akt.

A potem siedziała kredowoblada przed łysiejącym grubym mężczyzną bez żadnego wyrazu twarzy, o zimnych oczach i w trudnym do określenia wieku.

Patrzył na nią z wyższością, świadom swojej przewagi. Potężne ramiona ledwo mieściły się w rękawach jego koszuli. Ona, Joanna, niewysoka i drobna, przy tym masywnym mężczyźnie wydawała się jeszcze mniejsza.

Ledwo się przedstawiła i zajęła miejsce przed wielkim biurkiem, komornik jednym zdaniem rozwiał jej wszystkie złudzenia. To nie pomyłka, tylko najprawdziwsza prawda. I to nie Tomasz, tylko ona za wszystko odpowiada.

– Ja? Jak to... ja? – pytała nieprzytomnie. Tak osłabła, że musiała obiema rękami przytrzymać się krzesła, aby nie runąć na podłogę.

– Zwyczajnie, droga pani. – Komornik rozłożył ręce. – Ma pani rozdzielność majątkową z mężem. Majątek w postaci nieruchomości w Izabelinie stanowi pani pełną własność. Firma jest zarejestrowana na panią, więc spłata powstałego zadłużenia obciąża wyłącznie panią. A ponieważ to firma prywatna, a nie spółka, co mnie trochę dziwi, dlatego będzie pani odpowiadać prywatnym majątkiem – mówił, stukając rytmicznie długopisem w blat ciemnego biurka.

– Zrobiłam rozdzielność i zarejestrowałam firmę na siebie, ponieważ mąż powiedział, że jest to tylko formalność, że tak będzie lepiej... – tłumaczyła ze łzami. – Miał moje upoważnienie i potem sam się wszystkim zajmował. Ja prowadziłam tylko dom i opiekowałam się córeczką. Nie miałam o niczym pojęcia. Nie znam się ani na budownictwie, ani na biznesie. Musi mi pan uwierzyć. Sprawami firmy i całą resztą zajmował się wyłącznie mój mąż i zawsze zapewniał mnie, że wszystko jest w najlepszym porządku. Tylko że od wczoraj nie mogę się z nim skontaktować. – Z jej ust wylatywały chaotyczne zdania.

Gotowa była zaklinać się na wszystkie świętości, aby przekonać tego bezdusznego urzędnika, że mówi prawdę. Tymczasem on w ogóle nie przejął się jej dramatycznymi wyjaśnieniami.

– Sprawy osobiste między małżonkami nie leżą w mojej kompetencji – zakomunikował krótko. – Nie ma znaczenia, w co i komu wierzę. Według prawa ciążą na pani zobowiązania i jest pani zmuszona je spłacić. Tak to się przedstawia. Ze swojej strony zrobię wszystko, co jest przewidziane prawem, żeby zaspokoić interesy wierzycieli, czyli skarbu państwa, banków, firm Inerco, Eston... – mówił, wertując akta. – Zapewne niebawem zgłoszą się następni. Pani majątek zostanie zlicytowany, aby zaspokoić ich roszczenia. Nic z zajętych rzeczy nie może pani sprzedać, ukryć ani zniszczyć.

– Pianino należy do mojej córeczki, dostała je w prezencie od mojej ciotki, ponieważ uczy się grać. Nie może pan go jej zabrać.

Wytoczyła tak nieistotny i lichutki argument przeciwko prawnej machinie paragrafów oraz klauzul, że komornik popatrzył na nią z politowaniem i oświadczył:

– Wszystko mogę. Nawet panią przeszukać. A sprawę własności pianina proszę udowodnić w sądzie. W przeciwnym wypadku zostanie sprzedane. Posiada pani jeszcze jakieś wartościowe przedmioty?

Pokręciła przecząco głową. Posłuchała Ewy i zostawiła w domu zegarek.

– Ale ja naprawdę o niczym nie wiedziałam… – powtórzyła płaczliwie. – Nie mogę nic z tego pojąć. To jest tak… nagłe…

– Nie ma tu nic nagłego. – Komornik pokręcił głową. – Wierzyciele monitowali wiele razy firmę, zanim oddali sprawę do sądu. Tylko że państwo nie reagowali na wysyłane ponaglenia do zapłaty.

– Nigdy nie widziałam żadnego ponaglenia w tej sprawie.

– Powtórzę. Sprawy osobiste między małżonkami nie leżą w mojej kompetencji. A ponieważ nie było reakcji na moje pisma, złożyłem państwu wizytę dziesięć dni temu. Małżonek nie wyglądał na tak zaskoczonego jak pani. – Komornik przechylił głowę w bok i popatrzył nieco kpiąco na Joannę. – Tak sobie myślę, że całkiem zgrabnie wychodzi pani ten przedstawiany dramacik, ale nie takie sztuczki już widziałem.

– Niech pan sobie myśli, co chce, ale nie robię żadnych sztuczek. Co teraz będzie z moim dzieckiem? Ze mną? Wylądujemy na ulicy? – spytała, pochylając głowę.

Nie mogła znieść ani tej rozmowy, ani bezwzględności człowieka, od którego teraz zależał los jej i Tosi.

– Zostanie pani eksmitowana. Prawdopodobnie sąd przyzna pani lokal socjalny.

– Błagam pana... – Zabrzmiało to jak rozpaczliwa prośba o litość. – Niech pan tego nie robi. Ja nie jestem niczemu winna. Nic złego nie zrobiłyśmy, ani ja, ani moja córeczka.

– Ależ naturalnie, droga pani Pyrka! – odparł drwiącym tonem. – W tej chwili mogę odstąpić od czynności, jeśli wpłaci pani... – ponownie spojrzał w akta – milion trzysta dwadzieścia trzy tysiące złotych. Tyle na dziś wynoszą podstawowe zobowiązania ciążące na pani firmie. A ja zamierzam to wszystko wyegzekwować, choćbym miał ściągać należności z pani przyszłej emerytury. I nie radzę uciekać z majątkiem. Przede mną nie da się uciec. Jestem naprawdę bardzo skuteczny – podkreślił z satysfakcją w głosie. W oczach miał lód. – Tak ten świat poukładany, że swoje długi trzeba spłacać, na tym polega sprawiedliwość. W życiu nie ma nic za darmo, chyba że śmierć, ale już za pogrzeb trzeba zapłacić. – Dźgnął ją boleśnie tymi słowami i zerknął na zegarek. – Coś jeszcze? Spieszę się do sądu.

– Tak – potwierdziła, choć zupełnie nie wiedziała, jak zdołała wydobyć z siebie głos, gdyż wargi miała zdrętwiałe. – Z czego będziemy żyły, skoro zabierze nam pan wszystkie pieniądze? Za co utrzymam dziecko? To ma być ta sprawiedliwość?

– A to już pytania nie do mnie. – Mężczyzna wstał. Sięgnął po skórzaną teczkę oraz brązową marynarkę. Włożył ją pospiesznie i oświadczył chłodno: – Ja tylko wykonuję wyroki sądu. Ale szkopuł w tym, że właśnie nie znalazłem, jak to pani określa, pieniędzy. Kiedy dwa, a nawet prawie trzy tygodnie temu wysłałem do banku nakaz blokady pani kont, były już puste. Będę wyjaśniał, czy ktoś z pracowników banku uprzedził państwa o zajęciu. Jeśli tak, wyciągnę konsekwencje – zakończył już w drzwiach.

Akurat z tej wizyty Joanna zapamiętała wszystko, jakby rozmowa z komornikiem wżarła się w jej mózg. Przed oczami wciąż miała bezwzględną twarz tego człowieka. Wiedziała, że ten widok długo będzie ją prześladował.

– Jak się pani nazywa?

Znów usłyszała nad sobą tamten głos.

Joanna, odpowiedziała w duchu, wracając myślami do tego, co jeszcze się wydarzyło, gdy wyszła od komornika. I nijak nie mogła skojarzyć, w jaki sposób dotarła do banku. Wzięła taksówkę?

Nie, miała tylko czterdzieści złotych i euro... Szła pieszo czy jechała tramwajem? Jak doszła do tego banku i... po co? Przecież Tomek, bo nie ona, opróżnił konto. Zabrał wszystko, więc po co tam poszła? Czego jeszcze chciała się dowiedzieć?

Joanna znów wytężyła pamięć.

Już wiem... lokata Tosi. Tosia miała lokatę, chciałam sprawdzić...

– Przykro mi, proszę pani – przypomniał jej się głos urzędniczki. – Dwa tygodnie temu pani mąż zerwał lokatę i wypłacił z niej pieniądze.

Była zdruzgotana.

To, że oszukał i okradł ją, to jedna rzecz, ale że zrobił coś takiego własnemu dziecku i zostawił je bez środków do życia, było ponad siły Joanny.

Poczuła gwałtowne ciepło rozlewające się po całym ciele. W oczach zawirowała jej sala bankowa, a ona, Joanna, wpadła w czarną przepaść. Dopiero ta nachylająca się nad nią kobieta przywróciła jej względną świadomość.

– To jak pani na imię?

– Joanna – wyszeptała. W ustach miała nieznośną suchość. – Pić.

Kobieta w białym ubraniu zanurzyła łyżeczkę w kubeczku i otarła nią usta Joanny. Joanna chciwie przełknęła spływające krople.

– Pani Joanno, jestem lekarzem. Jest pani w szpitalu na Lindleya. Straciła pani przytomność i doznała urazu głowy.

– Moje dziecko. Co z moim dzieckiem? – dopytywała się zdjęta panicznym lękiem. Chciała usiąść, ale dłonie lekarki przytrzymały jej ramiona i delikatnie, acz stanowczo ją unieruchomiły.

– Nie wolno pani wstawać ani wykonywać gwałtownych ruchów. Proszę leżeć spokojnie. Zaraz zabieramy panią na tomografię, musimy sprawdzić, co z głową, potem zajmiemy się raną. Pamięta pani, co się stało?

Dopiero teraz poczuła dziwne ściąganie nad skronią. Dotknęła ręką grubego opatrunku.

– Co z moim dzieckiem? – spytała, wbijając wzrok w młodą kobietę o kruczych włosach związanych w wysoki kucyk. Znów usiłowała wstać. I znów, jak przed chwilą, ręce lekarki przycisnęły ją do łóżka. – Muszę iść do mojej córeczki... Ma tylko mnie...

Tylko mnie, powtórzyła w myślach i poczuła taki ból, jakby ktoś wbił w jej serce rozżarzony pręt.

– Z pani córeczką wszystko w porządku. Kilka razy dzwonił pani telefon, więc pielęgniarka odebrała. Pani przyjaciółka, Ewa Rostocka, powiedziała, że zajmie się Tosią tak długo, jak będzie trzeba. Będziemy musieli panią zatrzymać na obserwacji. Ma pani bardzo wysokie ciśnienie.

– Jaki dziś dzień? – spytała w oderwaniu od słów lekarki.

– Wtorek.

To znaczy, że wczoraj był poniedziałek. Jeszcze rankiem byłam na Sycylii i wierzyłam, że jestem szczęśliwa. Wystarczyła jedna doba, a znalazłam się na innym biegunie życia, wyrwano ze mnie serce. Jak będę żyć bez serca? – myślała wpatrzona w pęknięcie na suficie.

Nieszczęścia spadły na nią jak grom z jasnego nieba. Nie wiedziała, które z nich jest większe. Czy to, że zostaną z Tosią bez dachu nad głową i środków do życia, natomiast z potężnymi długami? Czy to, że mężczyzna, którego kochała, któremu ufała, okazał się kimś zupełnie innym? Dlaczego nie powiedział jej prawdy? Przecież mieli być razem na dobre i na złe. Na tym polega miłość. Do wczoraj wierzyła, że ich taka właśnie jest, silniejsza nad wszystko.

Naprawdę byłam aż tak naiwna i głupia, że dałam się zwieść? Mogłabym aż tak się pomylić? Jak teraz dam radę poskładać życie, gdy drugi raz wszystko roztrzaskało mi się na kawałeczki?

Wtedy, po tamtym wypadku, też leżała w szpitalu. Miała trzynaście lat.

Mama zginęła na miejscu, tata zmarł po dwóch dniach. Nawet nie odzyskał przytomności. Ona, Joanna, wyleciała przez szybę samochodu wprost na mokrą ziemię. Podobno dzięki temu przeżyła. Tylko Adamowi nic się nie stało. Prawie nic, złamał rękę. A Joannie złamał całe życie. Wtedy zrobił to Adam, teraz Tomek.

Przecież mówiłeś, że mnie kochasz, ciągnęła swą wewnętrzną przemowę, jakby ten, do którego była skierowana, miał ją usłyszeć. I zamiast pęknięcia w suficie nad sobą widziała wyraźnie twarz męża, przystojną i gładką – lecz to nie była jego twarz, teraz już wiedziała. To była tylko piękna maska, a krył się pod nią zupełnie inny człowiek. Obcy, nieludzki, nie ten, którego pokochała, któremu oddała serce i duszę. Tamten nie mógłby jej wprowadzić do raju, a potem bez skrupułów stamtąd wypędzić. Z oczu Joanny spłynęły łzy.

ROZDZIAŁ IV

Zima tysiąc dziewięćset czterdziestego piątego roku była sroga. Marta słyszała, jak ludzie opowiadali po chatach, że najstarsi Mazurzy takiej nie pamiętali. Nauczyciel, mieszkający w ich wsi, mówił, że od kilku dni jest trzydzieści stopni mrozu. Jezioro Małszewskie skuł taki lód, że ci, którzy do Pasymia jechali, skracali drogę i przeprawiali się przez nie saniami. Marta z siostrami czasem ślizgała się na nim, ale od niedzieli było jeszcze zimniej i mama zakazała im tam chodzić.

Zaspy sięgały do połowy chat, czapy śniegu pokryły dachy, a ze strzech zwisały wielkie sople. Lodowaty wicher smagał policzki, gdy Marta szła do szopy po opał. Owijała się matczynym kożuchem, zawiązywała wełnianą chustę na głowie, wkładała grube buty i biegła, żeby naznosić polan. Niekiedy brała siekierę i rąbała mniejsze kłody, choć miała dopiero dziewięć lat. Rozgrzewała się wtedy troszkę. Chciała też pokazać mamie, starszym siostrom i dziadkowi, że jest już duża i umie robić takie rzeczy.

Tego dnia nie musiała rąbać drzewa, zrobili to jej dwaj starsi bracia, Gustaw i Gottlieb, nim wrócili do wojska z krótkiej przepustki.

Do ich zacisznej wsi Małszewo, otoczonej lasami i ciągnącej się wzdłuż jeziora, wojna właściwie nie docierała. Tylko wyludnione z mężczyzn okoliczne domy świadczyły o jej trwaniu. Każda z sąsiedzkich rodzin miała w Wehrmachcie ojców, stryjów lub braci.

Jednak gdyby nie opowieści i gazety, które czytał dziadek Anton, sąsiedzi czy nauczyciel, modlitwy matki za powrót braci i ojca, Marta nie wiedziałaby ani że trwa wojna, ani jakie niesie ze sobą okrucieństwa. Do Prus docierały jej dalekie echa albo żołnierskie mundury, gdy ktoś z miejscowych przyjeżdżał na przepustkę czy przysyłał listy i jakąś fotografię z frontu. Od ojca listu nie było od wiosny.

Ale od połowy stycznia coś się zmieniło. Nawet ona, Marta, wyczuwała panujący w ich wsi niepokój. Wszyscy czegoś wyczekiwali albo pakowali dobytek i nagle gdzieś wyjeżdżali załadowanymi wozami.

Dziewczynka włożyła do kosza polana i dźwigając go przed sobą, wracała do chaty. Śnieg skrzypiał pod jej butami. Skrzył się srebrzyście w schodzącym dniu, a powietrze było wręcz przezroczyste. Przez chwilę dla zabawy wypuszczała oddech ustami i patrzyła, jak para powoli miesza się z lodowatym zimnem.

Postawiła w sieni wypakowany po brzegi kosz i wspięła się na palce, by powiesić kożuch na gwoździu. Jeszcze nie dosięgała tak wysoko jak Erna, jej czternastoletnia siostra, która robiła to bez trudu. Marta zazdrościła jej, że jest już taka duża i w dodatku ładna.

Erna miała grube jasne warkocze i duże piersi. Jeszcze nie takie jak starsze siostry, Emma i Augusta, ale i tak dokuczała małej Marcie, że ta jest jeszcze dzieckiem. Nawet buciki miała dziecięce, tymczasem siostry, zwłaszcza do kościoła, wkładały takie na obcasikach. To był znak, że są już dorosłe. Marta nie mogła się doczekać, kiedy i ona pójdzie w takich butach do kościoła. Czasem prosiła siostry, by dały jej po izbie ponosić swoje, nim dostanie własne. Teraz też chciałaby jakieś przymierzyć, ale usłyszała nawołujący głos mamy:

– Martuś, chodźże się ogrzać, zimno takie, a ty, dziewcaku, zmarudziłaś tak długo. Psa nie wygonić z chaty w taki ziąb!

– Idę! – odkrzyknęła.

Otrzepała się z resztek śniegu i weszła do kuchni, gdzie mama, obwiązana długim fartuchem, gotowała krupy ze słoniną. Emma zagniatała ciasto na chleb, a Augusta z Erną zszywały płótno przy okienku. Obok nich siedział, podparty z przodu laską, dziadek Anton i kurzył fajkę.

Miał chyba ze sto lat i długie białe wąsy. Włosy dziadka też były białe i sięgały aż za kołnierz. Marta nigdy nie widziała nikogo tak starego jak jej dziadek. Nawet chodzić już nie mógł, tylko kuśtykał na cienkich kulasach. Był chudy, bardzo pomarszczony, a na plecach wyrósł mu garb. Dziwnie też mówił, inaczej niż wszyscy. Mieszał słowa polskie, niemieckie i mazurskie. Marta nie zawsze go rozumiała, ale lubiła słuchać, jak opowiadał, bo zawsze wszystko wiedział. Teraz, gdy nie było w domu ojca i braci, dziadek Anton był najważniejszy.

– Agnes – odezwał się skrzekliwym głosem do mamy. – Człozieki godajo, co siła Ruskich na Prusy wnet znijdzie. Trza nam dziatki brać i jechać, jak drugie. August poza wczora na banhofa z familijo pojechał. Godał, co na „Gustloffa" trza i bez morze iść. Godajo, co Ruski to diabuł, nie człoziek. I nam trza, Agnes, trza.

– Ojciec. – Mama odłożyła chochlę. – Nie godajcie tak. Jak nam stąd jechać? A Gottlieb, Gustaw, a mój? Gdzie my po tym świecie szukać się będziem?

– Oni żołniyry. Zwykła im zec na wojnie zginąć, taka ich dola. A my, Agnes, bojać o te tu musim. – Dziadek wskazał na Martę i jej trzy siostry.

Najstarsza była Emma, miała siedemnaście lat. Augusta, ulubienica dziadka, była rok młodsza. Po niej urodziła się Erna, a na końcu Marta.

– Nie, ojciec. – Mama się nie zgadzała. – Tu ostaniem. W naszym domu. Będziem na nich czekać. I nie godajcie tak o tej śmierci, bo złe licho jeszcze usłyszy. Tylko patrzeć końca tej wojny i moi synkowie wrócą. I Erwin też wróci, przed Bogiem mi to przysięgał, jak go w mundur brali. A sen taki pozawczoraj miałam, że we krwi chata nasza cała płynęła i ogień wszędzie się palił. A we snach to na odwrót jest. Tera to ja ufam, że wnet oni wszystkie do nas szczęśliwie powrócą. Caluśką noc się o tom modliła, jutro niedziela to i na mszę w kościele za ich powrót intencję ofiaruję – dodała i wróciła do gotowania.

Marta widziała jednak, jak ukradkiem wytarła rąbkiem fartucha mokre od łez oczy. Siostry nic nie mówiły, choć zwykle, jak szyły czy pomagały mamie w kuchni, to śpiewały.

I dziadek wyglądał tak markotnie, że Marta odczuła większy niż ostatnio niepokój.

Po kolacji, na którą zjedli kaszę ze skwarkami, mama zaczęła wspólną modlitwę. Dopiero te pacierze trochę uspokoiły dziewczynkę. Ów cowieczorny niezmienny rytuał sprawiał, że mniej się bała. Było jej swojsko i bezpiecznie. Wierzyła, że dobry Bóg i Anioł Stróż, do którego modlili się wszyscy, nie dadzą im zrobić krzywdy.

W domu Marty modlono się i mówiono po polsku. Choć w szkole musiała się uczyć po niemiecku, w domu ojciec zabraniał używania niemczyzny. „My polskie Mazury, pamiętajcie do śmierci", przykazał dzieciom, kiedy najpierw jego, a później braci Marty siłą wcielono do Wehrmachtu.

Marta leżała już pod pierzyną obok Erny i ukradkiem obserwowała mamę. Siedziała przy ciemnym okienku i czekała na dziadka, który wyszedł gdzieś w ten trzaskający mróz.

Nawet pod puchowym przykryciem dziewczynce było trochę zimno, dlatego przytuliła się do pleców Erny i zasnęła, kołysana spokojnym oddechem śpiącej siostry.

Wydawało jej się, że śpi zaledwie chwilkę, gdy poczuła gwałtowne szarpanie za ramię, któremu towarzyszyło pokrzykiwanie dziadka Antona.

– Łodziewać sie! Ruskie idą!

Wszystkie zerwały się od razu.

Zrobił się taki tumult, że Marta nie miała czasu się bać. Mama prędko zawijała jedzenie w płótna, siostry pakowały dobytek w tłumoki, zbierały pierzyny z łóżek, dziadek, w podwiewanej wichrem kapocie, zaprzęgał konia do furmanki.

Na zewnątrz było jeszcze ciemno, ale zewsząd dobiegały krzyki sąsiadów, rżenie koni, szczekanie psów, ryk bydła.

– Na furę! Na furę! – poganiał je dziadek Anton. Prędko otwierał chlewik i obórkę, by wypuścić z nich inwentarz. Poowijane grubymi chustami starsze siostry wrzucały dobytek na wóz. Mama okutała Martę w swój kożuch, a ten ojca oddała Ernie.

– Mama, ja się boję! – płakała Erna. – Ruskie nas zabiją.

– Nie zabiją. – Mama próbowała ją uspokajać. – Uciekniemy im. Ty, Marta, też się nie bój.

– Nie boję się – zapewniła dziewczynka, choć zęby jej szczękały ze strachu i zimna, kiedy wyszła przed chatę.

Zerwała się potężna wichura, a mroźny wiatr smagał je niemiłosiernie. Marta chowała głowę w kołnierz kożucha. Obok niej trzęsła się Erna. Tuliły się do siebie jak dwa wystraszone pisklaki.

– Chyżo! Włazić! – Emma z Augustą siedziały już na wozie i wyciągnęły ręce do młodszych sióstr, by pomóc im wejść. Mama nakazała córkom położyć się nisko i ukryć pod pierzynami.

– Mama, sobie ta ostaw. – Emma protestowała, gdy mama oddała jej ostatnią pierzynę.

– Mnie ciepło – odrzekła jedynie, siadła na kozioł obok dziadka i złapała lejce. Już mieli wyjeżdżać, ale od furtki podbiegł ku nim sąsiad, pochylony wpół od silnego wiatru.

– Anton!!! – krzyczał, przykładając złożone ręce do ust, ale i tak wyjący wicher tłumił jego słowa. – Na Łajs! Wszystkie ludzie jadą na Łajs! Godają, że tam pośród boru Ruskich nie bandzie, bo w Bałdach w gorzelni popili. Wy z nami na Łajs?!

– Jo! – odkrzyknął dziadek.

Przez rąbek pierzyny na głowie Marta zobaczyła, jak mama odwróciła się za siebie i popatrzyła przez chwilę na ich drewnianą chatkę z niebieskimi okiennicami.

– My już tu nie wrócim, ojciec – odezwała się cicho do dziadka, a po policzkach popłynęły jej łzy. – Nie wrócim w nasz raj.

– Wrócim, Agnes, nie wszystkie, ale wrócim – odparł, wziął od mamy lejce i zaciął konia. – Wio!

Wyładowana dobytkiem i szóstką ludzi furmanka ruszyła z obejścia. Z sąsiednich chat też wyjeżdżały takie wozy.

Marta słyszała, jak ludzie się zmawiali, żeby jechać gromadą przez las, bo wtedy będzie bezpieczniej. Skrzypiały furmanki, pod kołami chrzęścił śnieg, słychać było płacz dzieci.

Marta też popłakiwała, wciśnięta między siostry. Leżały pod pierzynami prawie jedna na drugiej, wszystkie tak samo wystraszone.

– Zaśpiewajmy, siostrzyczki, mniej straszno nam będzie – odezwała się Emma, jedną ręką tuląc do siebie trzęsącą się Ernę, a drugą zapłakaną Martę. – To, co najwięcej lubim. Augusta, ty pierwsza.

Średnia siostra zsunęła z ust skrawek chusty, wytarła rożkiem czerwone od zimna mokre policzki i rozpoczęła cichutki śpiew, jeszcze przy tym pochlipując:

– *Miała... baba pofajdoka... roz, dwa... trzy...*

Augusta miała najładniejszy głos w całym Małszewie, nawet w kościele czasem śpiewała sama, ale teraz rwał się i rwał, duszony łzami.

– *Wsaziuła go... na prosioka... roz, dwa, trzy...* – dołączyły pozostałe siostry.

Początkowo ich śpiew był rzewny, podszyty strachem, ale w kolejnych pieśniach stawał się pewniejszy i siostry zaczęły się uspokajać. I zimno było im trochę mniej, kiedy ogrzewały się wzajemnie.

W końcu Marta wysunęła głowę spod przykrycia. Dokoła już pojaśniało. Jechali rzędem przez las tatarskim szlakiem. Zadymka trochę ustała, a ranne słońce niedzielnego poranka przebijało się między gęstymi drzewami. Dziewczynka naliczyła sześć furmanek.

Na pierwszej siedziała stara Gertruda z córką Wilhelmą. Marta wiedziała, że Wilhelma jest brzemienna i na wiosnę urodzi dziecko. Potem była ich furmanka, a za nią cztery inne. Wąskim duktem, między wysokimi sosnami i bujnymi świerkami, dojeżdżali do leśnej krzyżówki na Łajs. Tam droga rozwidlała się na dwie strony.

Nagle koń Gertrudy zarżał głośno. Dziadek Anton ściągnął lejce, zatrzymał wóz i zawołał:

– Cichojta!

Siostry umilkły pod pierzyną. Teraz wszystkie wychyliły głowy. Reszta wozów też stanęła. W tej leśnej ciszy pojawił się jakiś szelest, jakby ktoś zbliżał się z naprzeciwka. Dało się słyszeć coraz wyraźniej obce słowa i wtedy…

– Ruuuskieee!!! W bóóór!!! – Dziadek Anton rzucił lejce, zeskoczył z wozu tak zwinnie, jak nie dziadek, i ruszył w las, nim mama zdążyła złapać go za kapotę.

Zza zakrętu krzyżówki wybiegli żołnierze z karabinami.

Podniósł się straszny krzyk. Wszyscy w popłochu zaczęli uciekać, gdzie kto mógł. Pierwsza za dziadkiem Antonem pospieszyła Wilhelma, podtrzymując ręką duży brzuch. Marta najpierw usłyszała przeszywający powietrze huk, a potem zobaczyła, jak Wilhelma zatrzymuje się gwałtownie, wyrzuca ręce w górę i pada na ziemię.

– Wiiilaaaa!!! Zabili moją Wiiileee!!! Mordercy!!! Zbóje!!! – Stara Gertruda, zawodząc rozdzierająco, pobiegła do córki, ale i ją zastrzelili.

Kobiety zaczęły lamentować, jednak wnet ucichły, gdy jeden z żołnierzy puścił z automatu serię w niebo.

Przerażona mama tuliła do siebie wszystkie córki.

– *Ruki w wierch, faszysty!!! Wsiech ubijom, kak zwieriow!!! Wniz, psubraty!!! Na ziemlie!!! Bystrej!!! Bystrej!!!*

Wrzeszczeli jeden przez drugiego i karabinami spychali resztę ludzi z wozów. Żołnierzy było kilkunastu. Wielcy i straszni, śmierdzieli gorzałką. Zbili wystraszonych ludzi w jedną gromadę i znów podnieśli przed siebie pepesze.

– *Nu, germańskije sobaki, tiepier' pogawarim po naszamu!* – Najwyższy z nich śmiał się strasznie ustami bez zębów. Wtedy mama schowała za siebie córki i rzuciła się przed nim na kolana.

– Panie, my nie Germańscy! My polskie Mazury... – załkała, składając przed nim ręce.

– *Małczi, swołocz!!!* – ryknął i kopnął ją w twarz. Z nosa Agnes od razu trysnęła krew.

– Maaamaaa!!! – Najstarsza siostra pierwsza rzuciła się jej na pomoc, ale ledwo zdążyła przykucnąć przy leżącej na śniegu matce, żołnierz schwycił Emmę za włosy i pociągnął za sobą. Próbowała się wyrywać, bronić, lecz tamten był bardzo silny.

Przy ostatniej furmance rzucił Emmę na plecy, przydusił ją kolanami i zaczął rozpinać swoje portki. Drugi z żołnierzy w ten sam sposób powlókł Augustę. Widząc to, mama zerwała się, podbiegła do żołnierzy i obejmując jednego za buty, błagała:

– Weźcie mnie! Panie, weźcie mnie! One niewinne, to jeszcze dzieci...

– *Paszła won!* – Ruski znów ją kopnął. Marta chciała biec do mamy, ale nie mogła nawet drgnąć, stłoczona w trzymanej pod karabinami grupce sąsiadów.

A potem zobaczyła, jak żołnierze jeden po drugim opuszczali portki i kładli się na siostry, a one płakały tak strasznie, że Martę przechodziły ciarki.

Mama zawodziła, krzyczała „bandyci", próbowała ich odciągać, lecz inni żołnierze bili ją po głowie, po plecach. Struchlała ze strachu Marta schowała głowę w kożuch Erny. Tymczasem siostra wyglądała jak lodowa figura. Śmiertelnie blada, z nieruchomymi oczami, stała jak zaklęta, wpatrzona w to samo miejsce, co wszyscy.

– *Nu, Stiopa, kanczaj, ja toże chacziu parobuwat' Giermanku!*

Marta usłyszała złowieszczy głos tuż obok siebie. To wołał jeden z tych, co trzymał ich pod karabinem.

– *Bieri, kakuju chocziesz! Eta wsio uże nasze!* – odkrzyknął inny. Marta poczuła mocne szarpnięcie. Ruski, który wołał Stiopę, odepchnął ją w bok i szarpnął ku sobie Ernę. Ta nagle ożyła.

– Nieeeeee…!!! – krzyknęła tylko, wywinęła się z jego rąk i na oślep pomknęła przed siebie.

– Suka! – zaklął, odbezpieczył karabin i strzelił jej w plecy.

– Eeeeernaaaa!!! Córeeeeczkooo!!! – Marta usłyszała rozdzierający krzyk mamy.

Nie patrząc już na nic, przerażona dziewczynka przeczołgała się między nogami sąsiadów i pobiegła do matki. Ledwo zdołała do niej przypaść, padły kolejne strzały. Prosto w piersi leżących na śniegu Emmy i Augusty. Teraz wszyscy żołnierze ustawili się w szereg i podnieśli automaty.

– *Nu, faszysty, wsio akończyłoś!* – Najstarszy z nich podniósł do góry rękę. – *Agoń!*

Powietrze rozdarł huk wystrzałów, ludzie zaczęli padać jeden po drugim. Marta poczuła przeraźliwy ból, który rozrywał ją na pół. Coś podrzuciło ją w górę, a potem zapadła cisza i zrobiło się strasznie ciemno.

Naraz zobaczyła ich pole za domem. Takie złociste, pofałdowane, ciągnące się aż pod las. W dali migotało jezioro. To czas żniw. Szczęśliwy czas. Słońce świeciło wysoko, a na niebie nie było ani jednego obłoczka, tylko błękit aż po horyzont.

Siostry, w białych długich sukienkach, wiązały zboże w snopki i śpiewały przy tym radośnie. Wszystkie tak pięknie jaśniały w słońcu, aż Marta musiała mrużyć oczy od tego ich blasku.

Na rozpuszczonych długich włosach miały wianki z polnych kwiatów.

Nieopodal ojciec, w jasnej koszuli z szerokimi rękawami, ostrzył kosę, czasem podkręcał wąsa i odśpiewywał do córek. Głos miał piękny, donośny. Widziała też braci, jak pili kwaśne mleko, które przyniosła na pole mama. Pogładziła ich po głowach, a oni ucałowali jej ręce i wrócili do żęcia.

Szu, szu, szu... Marta wyraźnie słyszała odgłosy ścinanej pszenicy i znajomy śpiew sióstr:

Miała baba pofajdoka, roz, dwa, trzy.

Wsaziuła go na prosioka, roz, dwa, trzy...

Tylko dlaczego nigdzie nie widziała tam siebie? Jakby jej w ogóle nie było. Dziadka Antona też nie widziała. A przecież zawsze chodził pomagać w pole, gdy przyszły żniwa. Marta też chodziła.

Znów zrobiło jej się zimno. Bardzo zimno. I jakieś głosy w oddali słyszała, jakby chrzęścił śnieg pod czyimiś butami. Albo to wozy tak skrzypiały? Nie mogła nic zobaczyć ani się ruszyć. Wyraźnie jednak czuła, że ktoś bierze ją za rękę.

– Marta...

Mamusia?

– Marta... córeczko... – Znów usłyszała znajomy głos. Cichuteńki, rwący się, ale matczyny. Najdroższy na świecie. Dziewczynka z wysiłkiem otworzyła oczy. Nad sobą zobaczyła czubki zaśnieżonych drzew i białe niebo.

– Marta... żyjesz? – Mama mocniej ścisnęła jej rękę.

– Nie wiem – odpowiedziała i odwróciła się do niej powolutku.

Przestraszyła się bardzo, gdy zobaczyła z bliska jej pobitą twarz i krew, która płynęła z głowy. Usta i policzki mamy były sine i opuchnięte, nos rozbity, ale oczy patrzyły tak jak zawsze. Z miłością.

– Słuchaj, co powiem... – Głos mamy był teraz jeszcze słabszy. – Zamknij oczka i leż... cichusio, nie ruszaj się, a jak już... pójdą, uciekaj. Musisz żyć, ty jedna...

Nie dokończyła. Jakiś długi jęk wydobył się z jej ust. Uścisk zelżał, otwarte oczy znieruchomiały i patrzyły w niebo. Mama wyglądała teraz tak samo jak leżące obok niej Emma i Augusta.

– Mamusiu... – Marta trąciła nieruchome ciało. – Nie umrzyj... ja się boję...

Chciała krzyczeć, ale usłyszała zbliżające się kroki i obce słowa. Dostrzegła jeszcze, jak żołnierz szturcha zabitych karabinem, szuka czegoś w ubraniach ludzi. Inni Ruscy zrzucali tobołki z furmanek. Marta zamknęła oczy i leżała bez ruchu, tak jak mówiła mama. Kiedy tamten z bronią się zbliżył, dziewczynka wstrzymała oddech. Słyszała, jak żołnierz robił coś przy mamie i siostrach, ale bała się drgnąć.

Nawet gdy wokół ucichło i żołnierze już odeszli, jeszcze długo udawała nieżywą.

A kiedy wreszcie otworzyła oczy, zobaczyła nad sobą ciemne niebo pełne gwiazd. Było ich tyle i świeciły tak jasno jak nigdy.

Chciała wstać, lecz nie mogła się ruszyć. Tak strasznie bolała ją noga, ciało prawie przymarzło do śniegu. Było jej zimno. Bardzo zimno. Tak jak jeszcze nigdy. I czuła strach tak wielki, jakiego jeszcze nie znała. Płakała długo, żałośnie, ale nikt w wielkim lesie jej nie słyszał. Żadne z kilkunastu leżących wokół ciał nie drgnęło. Była zupełnie sama. Nie wiedząc, co robić, żeby choć troszkę przestać się bać, zaczęła śpiewać rwącym się głosikiem:

– *Miała baba... pofajdoka, roz... dwa... trzy. Wsaziuła... go...*

Przerwała jednak. Ulubiona piosenka teraz nie pomagała. Dziewczynka pobiegła myślami do tych wszystkich wieczorów w chacie i przywołując przed oczy swoich bliskich, zaczęła szeptać:

– Aniele Boży, stróżu mój...

ROZDZIAŁ V

Marta ocknęła się z krótkiego snu. Coraz częściej zapadała w takie drzemki. Czasem trwały tylko kilka minut, a czasem dłużej balansowała na granicy świadomości i majaków. Obojętne jednak, jakie były, często powtarzał się taki sen, w którym wracała do tego, co już dawno minęło. Zupełnie tak, jakby ci, których już nie było, przychodzili do niej stamtąd, gdzie się teraz znajdowali.

Siedziała na ławeczce za domem w niewielkim, ale zadbanym ogrodzie, owinięta kraciastą chustą. Obok grzał się w popołudniowym słońcu czarny kot.

Marta odkaszlnęła i głębiej wciągnęła wilgotne powietrze. W starych kościach też je czuła. I w stawach ją darło na zmianę pogody, i kolana bolały mocniej. Roztarła je rękoma. Nawet przez gruby materiał spodni czuła twardą jak drewno skórę. Smarowała ją latami gliceryną, lecz niewiele to pomagało.

Paskudne miała te kolana, tak zgrubiałe od chodzenia, że przypominały końskie kopyta.

– Idzie na deszcz – odezwała się do siedzącego nieopodal na pieńku zamyślonego trzydziestokilkuletniego mężczyzny w brązowym swetrze z dziurą na rękawie.

Palił papierosa zapatrzony gdzieś przed siebie. Sprawiał wrażenie, jakby przyglądał się karłowatym jabłonkom, ciężkim od owoców, albo kolorowym malwom pod drewnianym płotem, ale Marta była więcej niż pewna, że tego nie widział. Niby siedział obok niej, myślami jednak błądził daleko stąd.

Często się tak zamyślał i mało do kogo odzywał. Z nikim się szczególnie nie bratał, ale też i nikomu nie wchodził w drogę. Jako że mieszkał u Marty, która cieszyła się w okolicy dużym szacunkiem, ludzie byli obcemu przychylni, choć niewiele o tym olbrzymie wiedziano. Pytać go nie śmieli, a on sam nie był skłonny, by o sobie opowiadać. I tak wrastał w małszewską rzeczywistość, aż zaczęli go traktować jak swojego, zwłaszcza że, mimo gburowatego zachowania i muru tajemnicy, który wokół siebie zbudował, był pomocny ludziom, choć budził respekt.

– Wiktor, słyszałeś? Idzie na deszcz – odezwała się ponownie Marta.

– Yhmm – mruknął, przydusił niedopałek i wrzucił go do wypełnionego petami słoika.

– Kiedy wreszcie przestaniesz się tym truć? – spytała z troską w głosie.

Nie raz już prosiła go, żeby dał sobie spokój z paleniem, ale nie słuchał. Nawet nie obiecywał, że posłucha. Ciągle kurzył, tak jak kiedyś dziadek Anton.

Wiktor miał coś w sobie z dziadka Antona, Marta wyraźnie to dostrzegała, choć nie potrafiła określić co to.

Może jego upór? Bo na pewno nie małomówność. Dziadek lubił opowiadać różne historie, prawdziwe czy zmyślone, tymczasem Wiktor odzywał się mało i nie do każdego. Jako tako otwierał się w domu, wśród swoich. Przy obcych zachowywał dużą powściągliwość. A jednak gdyby Marta miała powierzyć komuś swoje życie, to tym kimś byłby właśnie Wiktor. Przyjaźnili się, choć dzieliło ich prawie pięćdziesiąt lat.

– Modliłaś się przez sen. – Odwrócił się ku niej.

Przez cały jego policzek ciągnęła się paskudna, nierówna blizna. Zaczynała się od brody, a kończyła aż przy skroni. Wyglądało to tak, jakby ktoś poszarpał mu zygzakiem połowę twarzy, a potem nieudolnie ją zszył. Brzydką szramę słabo maskował niechlujny ciemny zarost.

Mężczyzna wstał. Jego atletyczna sylwetka, oświetlona resztkami słońca wychodzącego zza deszczowych chmur, rzucała cień na drobniutką siwowłosą staruszkę o krótko przyciętych włosach.

– Dobrze, że nie bluzgałam. – Marta się zaśmiała. – Idziemy do domu. Pułkownik prosił o placek z kruszonką, a śpiewaczka z Marylką zaraz powinny wrócić ze Szczytna. A potem usiądziemy do tej twojej piekielnej maszyny i zobaczymy, co tam słychać w naszych sprawach.

– Do komputera – poprawił i wsunął ręce w kieszenie przybrudzonych dżinsów.

– Niech ci będzie. – Ze stęknięciem podniosła się z ławki. – Ale dla mnie to piekielna maszyna. Zaceruję ci dziurę w swetrze, nie możesz chodzić niczym jakiś oberwaniec. Chodź, Felek. – Podrapała kciukiem łeb kota.

Zwierzak zeskoczył z ławki, wygiął grzbiet i w kilku susach czmychnął do domu. Marcie pokonanie kilkunastu metrów zajęło więcej czasu.

Wieczorem wszyscy zebrali się w dużej kuchni, gdzie wciąż unosił się zapach domowego placka. Ta kuchnia z meblami, jakie czasem widuje się w skansenach, była sercem tego domu.

Centralne miejsce zajmował stół. Ciężki, stary, z prawdziwego drewna. Stały przy nim, zamiast krzeseł, drewniane ławy z oparciami. Przy ścianie znajdował się wiekowy kredens, obok malowana w kwiatki skrzynia, pod oknem wersalka, a w rogu kołowrotek do przędzenia wełny. Zachował się też chlebowy piec, w którym Marta trzymała garnki. Wyszorowane do czysta deski podłogi zaścielały tkane na krosnach chodniki. Z sufitu zwisały wycinane z papieru ozdoby. Jednak najważniejszy w tym pomieszczeniu, gdzie czas się zatrzymał kilkadziesiąt lat temu, był klimat. Dlatego wszyscy lubili się tu schodzić wieczorami. Tak jak dziś.

Pułkownik ogrywał Marylkę w karty, śpiewaczka, z gardłem owiniętym szalem, malowała paznokcie u rąk, nucąc pod nosem, a Wiktor robił coś w komputerze.

Marta, która jeszcze obywała się bez okularów, zaszywała dziurę w męskim swetrze. Kciukiem prawej ręki przyciskała do dłoni igłę, wbijała ją w dzianinę, po czym wyciągała w ten sam sposób lewą ręką.

Na pierwszy rzut oka mogło to wyglądać na naukę cerowania, ale to tylko pozory. Igła sprawnie poruszała się w rękach starej kobiety, dlatego nikt niczemu się nie dziwił. Zwłaszcza w tym domu.

Poza nim czasem patrzono na Martę ze współczuciem lub ciekawością. Z latami przywykła do tych spojrzeń. Tak jak do snu, który dziś miała, też przywykła. Tylko nie mogła się nadziwić, że ten sam sen powracał od prawie siedemdziesięciu lat.

Wciąż miała w nim przed oczami tamto rozgwieżdżone niebo, które potem zrobiło się jasne, następnie znów poczerniało i ponownie zjaśniało. Zmieniało się tak trzy razy.

Trzy razy dzień ustępował nocy, a ona, Marta, wciąż leżała między ciałami mamy i sióstr, przysypanych nawiewanym przez wicher śniegiem, czekając na to, co będzie.

Choć bardzo chciała, nie mogła wtedy wstać i uciec, mimo że wokół ucichło. Żołnierze dawno już odeszli, a ona wciąż leżała na śniegu, w tym samym miejscu, gdzie upadła trafiona kulą. Nie mogła się ruszyć, jakby naprawdę przymarzła do ziemi.

A tak bardzo chciała dotknąć nieruchomej ręki mamusi. Była tak blisko, bliziutko, prawie przy niej, lecz nie mogła jej dosięgnąć zmrożonymi palcami. Potem te palce zaczęły ją palić ogniem. Wręcz płonęły, podobnie jak stopy. Miała wrażenie, że ktoś wrzucił je do rozgrzanego pieca. I ten ból, tak wielki, jakiego nigdy nie znała. I strach, jakiego nigdy nie czuła. I obrazy, których nigdy nie powinna była zobaczyć.

Otaczały ją zewsząd martwe ciała, leżące w nienaturalnych pozach w zastygłej wokół krwi, patrzyły na nią wytrzeszczone niewidzące oczy. Marta bardzo chciała pić, a mogła tylko ruszyć głową. Odwracała ją w bok, by zlizać choć troszkę śniegu tam, gdzie nie sczerwieniał, ale nie dosięgała. Otwierała więc usta i łapała spadające z nieba płatki.

Jak miała uciekać, kiedy ręce i nogi nie chciały jej słuchać, a na wołanie o pomoc zabrakło już sił? Czuła, że umiera i unosi się nad skostniałym ciałem. Już nawet nie było jej zimno, tylko tak lekko i dobrze.

Zamiast poczerwieniałego śniegu zobaczyła ukwieconą łąkę i mamusię w oddali. Marta biegła do niej boso po miękkiej trawie, ale mama jej nie widziała. Stała odwrócona bokiem do słońca, więc dziewczynka zaczęła ją wołać.

– Mamo... mamuusiuuu...

Gnała przed siebie z wyciągniętymi rękami, byle prędzej przytulić się do niej.

Mama odwracała się powoli, bardzo powoli, aż wreszcie ją dostrzegła, ale wtem ktoś mocno szarpnął ciałem Marty. Poczuła, że skądś spada, a chwilę potem ktoś powlókł ją za nogi po ziemi. Już nie było trawy, tylko zmarznięty na kamień śnieg, który czuła pod plecami. Potem położono ją na czymś twardym, ale ciepłym. Widziała nad głową przesuwające się gwiazdy na niebie. Gdzieś jechała. Resztką świadomości dostrzegła przed sobą pochylone plecy kogoś, kto ją ciągnął na saneczkach...

– Gotowe.

Głos Wiktora wyrwał Martę z zamyślenia. Odłożyła cerowanie i przysunęła twarz do monitora. Reszta domowników zrobiła to samo, oglądając z zainteresowaniem stronę internetową ich niedawno założonej fundacji.

– I myślicie, że to wystarczy? – spytała sceptycznie Teresa, zwana przez wszystkich śpiewaczką. Miała około pięćdziesięciu lat, bujną figurę, obfity biust i odznaczała się wrodzoną elegancją. Nawet w welurowych dresach, które teraz włożyła, wyglądała jak dama. – Jakoś nie wierzę w moc tego Internetu.

– Ciociu – Marylka, prześliczna nastoletnia dziewczyna o długich jasnych włosach, spojrzała na nią pobłażliwie – teraz każdy jest podłączony, nawet babcia. W necie jest moc.

– Ja jednak uważam, że dziwne czasy nastały. – Teresa trwała przy swoim. – Mamy coraz więcej komputerów, a coraz mniej ludzi wokół.

– Jak nie spróbujemy, to się nie dowiemy, Teresko, co ten Internet jest wart – podsumował pułkownik. – Całego świata nie zbawimy, ale jeśli można pomóc choć garstce, warto to zrobić. Niech żyje fundacja i jej inicjatorka, nasza Marta!

– To nasza wspólna sprawa – odrzekła skromnie. – Sama, bez was, a zwłaszcza bez rodziców Marylki, nic bym nie zdziałała. Stara jestem przecież i nic a nic się nie wyznaję na tych piekielnych maszynach. No bo jak można tak siąść i wszystko od razu z nich wiedzieć? Dawniej trzeba było iść do biblioteki albo nauczyciela pytać czy księdza, a teraz tylko guzik wystarczy wcisnąć i już. – Powiodła zdziwionym wzrokiem po wszystkich.

Wiedzieli, że staruszka jest tak samo przestraszona nowoczesną techniką, jak i ogromnie jej ciekawa. Dlatego bez wahania zgodziła się na zainstalowanie Internetu, choć sama ani razu nie dotknęła

„piekielnej maszyny” z obawy, by czegoś w niej nie popsuć.

– I nazwa naszej fundacji taka ładna. Popatrzcie tylko na te kolorowe literki. Toż to jak tęcza. „Kocham Cię, Życie” – słyszycie, jak to brzmi? Pięknie to wymyśliłeś, Wiktor. – Marta nie mogła się nazachwycać projektem ani go nachwalić.

– Ja? – zdziwił się. – To był twój pomysł, Marto. Dla mnie ta nazwa jest za bardzo ckliwa.

– Pewnie, że nie twój. – Marylka się skrzywiła. – Jesteś drętwy jak drewno i nie masz pojęcia o miłości, ponurasie.

– Uważaj – rzucił spode łba.

– Babciu, powiedz mu, że jest drętwy. – Dziewczyna kucnęła przy Marcie. – Drętwy, brzydki i jeszcze zgred.

– Doigrasz się – zagroził.

– No to mnie złap. – Marylka pokazała mu język i czmychnęła na koniec kuchni. Wiktor w dwóch susach dopadł nastolatki, lecz przemknęła mu pod ręką i z piskiem pognała do pokoju.

– Co za wariacki dom. – Śpiewaczka wzniosła oczy w belkowany sufit. – Przestańcie się tak ganiać, ściany drżą! – wołała za umykającą dziewczyną i goniącym ją mężczyzną.

– A niech dokazują, Tereniu. – Marta się zaśmiała. – Młodzi są przecież, a dziś musi być u nas wesoło. Pułkowniku, przynieś akordeon – zwróciła się do szczupłego starszego mężczyzny o wyprostowanej jak struna sylwetce. – Pośpiewamy. Będziemy świętować.

– To może i naleweczkę z czarnej porzeczki przyniosę? Albo twoją ulubioną pigwówkę, Marto? – Zatarł ręce z zadowolenia.

Do kuchni wrócił Wiktor, niosąc przerzuconą przez ramię Marylkę.

– A przynieś obie, mój drogi – powiedziała do pułkownika Marta. – Musimy uczcić naszą fundację. Od dziś będziemy też pomagać przez... intarnet.

– Internet – poprawił ją odruchowo Wiktor, stawiając dziewczynę na podłodze. – Po co wzięłaś sobie na głowę jeszcze fundację? Mało ci tego, co i tak robisz? – spytał, a wszyscy nagle spoważnieli.

Ich spojrzenia spoczęły na staruszce trzymającej na kolanach cerowany sweter. Na jej ręce tylko z resztkami kciuków, na nienaturalnie sztywne nogi w brzydkich butach, które nigdy nie okrywały prawdziwych stóp. Na pomarszczoną ze starości twarz, w której uważny obserwator mógł dopatrzyć się śladów cierpienia. Do tej twarzy nie pasowały oczy pełne ciepła, jasne i pogodne, spoglądające na świat z optymizmem.

– Nic takiego nie robię – odpowiedziała prosto i szczerze. – Ja tylko kocham życie, a trzeba je wypełnić czymś pożytecznym. Inaczej nie warto żyć, moi mili. Ale co tam będziemy gadać o starej babie. Tereniu, zaczynaj, jeśli dasz radę.

– Dam. Od tego co zwykle? – spytała, gdy pułkownik wrócił z akordeonem. – Zresztą niepotrzebnie pytam. Zawsze od tego zaczynamy.

Wiktor rozlewał nalewkę do kieliszków, omijając podsuwany przez Marylkę.

– Zapomnij. – Puknął się palcem w czoło.

– Za dwa miesiące będę już pełnoletnia. – Dziewczyna obruszyła się trochę.

– To dostaniesz za dwa miesiące – uciął temat.

Pułkownik siadł z instrumentem przy stole, śpiewaczka zdjęła szal z szyi i odchrząknęła kilka razy. Ze starego akordeonu popłynęły pierwsze dźwięki, a potem rozbrzmiał nieco chrypiący i nie tak mocny jak kiedyś sopran Tereni:

– *Miała baba pofajdoka, roz, dwa, trzy…*

– *Wsaziuła go na prosioka, roz, dwa, trzy…* – dołączyła reszta.

Marta przymknęła oczy. Znów miała dziewięć lat i była w domu, wśród najbliższych.

ROZDZIAŁ VI

Mamusiu, gdzie byłaś tak długo?! – Tosia rzuciła się na szyję matce, ledwo ta weszła do mieszkania wujostwa przy Nowym Świecie.

Joanna leżała w szpitalu ponad tydzień. Trzymano ją tam niemal siłą. Podobno lekarze musieli ustabilizować szalejące ciśnienie, a także uspokoić serce, które nie wiedzieć czemu nagle zaczęło wypadać z rytmu. Dwa razy traciła przytomność i coś tam jeszcze wynajdywali przy kolejnych obchodach. Wspominali o jakimś załamaniu nerwowym, próbowali dociekać przyczyn, ale Joanna milczała.

Co to wszystko znaczyło wobec bólu, który ją dręczył od środka. Wiedziała, że nie pochodził z dolegliwości ciała, tylko z ran zadanych duszy.

Tomasz nie dawał znaku życia. Zostawił ją z dzieckiem na pastwę losu i komornika. Okradł nie tylko z pieniędzy, ale z czegoś zdecydowanie więcej, z godności i poczucia bezpieczeństwa. Szprycowany lekami i kroplówkami organizm dało się naprawić, ale dusza była jak martwa.

Odrętwiała Joanna leżała pod szpitalną kołdrą wpatrzona pustym wzrokiem w tę nieszczęsną rysę na suficie. Nawet głodu nie czuła, choć od tygodnia prawie nic nie miała w ustach. Nie mogła się zmusić, by przełknąć cokolwiek. I tylko jedna myśl zdołała tchnąć w nią wolę życia.

Musi chronić Tosię.

Dlatego dziś wypisała się na żądanie i wreszcie przytuliła do siebie stęsknioną córeczkę.

– Płakałam bez ciebie – żaliła się mała, wisząc na szyi matki. – Co tu masz? – Dotknęła szwów na głowie Joanny.

– Nic takiego. Przewróciłam się i pani doktor musiała mamusi zaszyć dziurkę. Dlatego mnie nie było, kochanie. Płakałaś, mój koteczku? Już jestem, córeczko. – Joanna mocniej przytuliła dziewczynkę.

– Idziemy do domku. – Mała zsunęła się z rąk matki na podłogę i zaczęła wkładać buciki, gdy Joanna witała się z wujostwem.

– Zmizerniałaś, Joasiu. – Wuj Ludwik czule objął bratanicę małżonki. Pani Eleonora ograniczyła się do pocałunków w policzki.

– Istotnie, jesteś mizerna – rzekła chłodnym tonem. – Co mówią lekarze?

– Już wszystko dobrze – odpowiedziała Joanna, przywołując na twarz sztuczny uśmiech.

– Chcę do naszego domku. – Tosia z zadartą do góry główką pociągnęła matkę za sukienkę.

Niedługo nie będzie nasz, stwierdziła w myślach Joanna i poczuła znajome pieczenie w sercu.

– Antonino – odezwała się surowo Eleonora. Joanna znała niechęć ciotki do wszelkich zdrobnień imion. Sama doświadczała tego chłodu przez wiele lat. Niczego jednak nie skomentowała. Była wdzięczna wujostwu, że zajęli się Tosią, kiedy Ewa musiała wrócić do pracy. – Cóż to za brewerie wyczyniasz? Proszę, pójdź umyć ręce i siądź grzecznie do stołu. Zaraz będzie obiad. Chcemy porozmawiać z twoją mamą.

Coś było w głosie starszej damy, w jej spojrzeniu, spokojnych gestach i surowej twarzy, że nachmurzona dziewczynka usłuchała.

Joanna weszła do łazienki, która nie zmieniła się od powojnia. Wielka żeliwna wanna, stare kurki w ścianie i płytki pokryte patyną czasu. Nawet lustro nad umywalką miało pod taflą leciwe zacieki.

Joanna przyjrzała się swojemu odbiciu. Wychudła przez te kilka dni, twarz jej się zapadła. Oczy miała niewidzące, puste, kąciki ust opadły jej ku dołowi. Jak prędko człowiek może się zestarzeć, stwierdziła, patrząc na siebie. W tym krótkim czasie przybyło jej lat. Miała dopiero trzydzieści jeden, a wyglądała na czterdzieści. Nawet opalenizna zżółkła jej nieładnie, a rude włosy zmatowiały.

Przemyła twarz wodą i z ociąganiem wróciła do pokoju. Znała siostrę swojego ojca, wiedziała, że nie ominie jej sąd rodzinny, bezlitosne napiętnowanie za decyzję sprzed lat. Nie pomyliła się w przewidywaniach.

Pani Eleonora wytrzymała we względnym spokoju przez czas trwania obiadu. Jednak ledwo wuj Ludwik poskładał talerze, ciotka odesłała Tosię do drugiego pokoju, po czym zasypała bratanicę lawiną pytań.

Joanna odpowiadała. Cicho, prawie szeptem, z udręczoną twarzą i wzrokiem utkwionym w ledwo tknięty obiad. Zgarbiła się, wręcz skuliła w sobie. Wyglądała jak spłoszone zwierzątko zagnane do kąta. Jej wycofanie kontrastowało z niespotykaną egzaltacją pani Eleonory.

– A mówiłam, prosiłam, perswadowałam, żebyś trzymała się z dala od tego oszusta, który zawrócił ci w głowie – wypomniała oskarżycielsko ciotka. – Twój brat też cię przed nim ostrzegał. Przypomnij sobie, co mówił o Tomaszu. Znał go jeszcze ze studiów. Kombinator i lawirant, tak o nim mówił. Nie pamiętasz już, jak Adam cię zaklinał, żebyś nie sprzedawała mieszkania po moim świętej pamięci bracie i nie pakowała się w ten dom, który teraz zlicytuje komornik? Zgubiła cię własna naiwność i zaślepienie, Joanno. Otumanił cię ten gładysz. Zatraciłaś się w szaleństwie i za nic miałaś ostrzeżenia Adama. Nie wiem, czy wynika to z różnicy wieku między wami, czy z większego podobieństwa Adama do Fryderyka, ale twój brat jest niestety dużo rozsądniejszy od ciebie. – Ciotka wysunęła palec w stronę przygnębionej bratanicy.

– Zawsze wolałaś Adama ode mnie – szepnęła Joanna z głową odwróconą w stronę drzwi do drugiego pokoju.

Widziała, jak Tosia buduje domek z kart. Rozsypywał się, kiedy dziewczynka usiłowała wznieść drugą kondygnację. Nasz dom też okazał się z kart, choć postawiliśmy go z cegieł, Joanna poczuła kolejne ukłucie w sercu.

– Nonsens. – Ciotka machnęła ręką w powietrzu. – Nigdy żadnego z was nie wyróżniałam. Tak samo troszczyłam się o ciebie, jak i o twojego brata. Traktowaliśmy was z wujem jak rodzone dzieci, których Bóg nam nie dał. Staraliśmy się wpoić wam takie same wartości, w jakich nas wychowano. Odpowiedzialność, uczciwość...

– Eleonoro – przerwał jej wuj – nie czas teraz na takie rozważania. Zastanówmy się, co począć. Joasiu, dziecko drogie, jak możemy ci pomóc? – spytał zatroskanym głosem.

– A cóż my możemy zrobić? – Pani Eleonora spojrzała ze zdumieniem na małżonka, nim Joanna zdążyła otworzyć usta. – Trzeba było zawczasu o tym myśleć, a nie zakładać firmę na siebie i sprzedawać na pstryknięcie takie piękne mieszkanie na Mokotowie. – To mówiąc, starsza dama przeniosła wzrok z męża na bratanicę. – Przypomnij sobie, jak Adam prosił, tłumaczył, żebyś tego nie robiła, ale ty się uparłaś. Wymusiłaś na nim zgodę. Mieszkanie było waszym wspólnym spadkiem po rodzicach. Nie znam się na tym, ale gdyby tak zostało, komornik może by go nie tknął i miałabyś dach nad głową.

– Spłaciliśmy Adama – przypomniała jej Joanna.

– Oczywiście, ale ceną twojej absurdalnej decyzji, tego niepojętego uporu są zerwane więzi i ta wojna między wami – wytknęła ciotka. Wskazała wiszącą na ścianie fotografię ojca Joanny. – Fryderyk chyba by tego nie przeżył.

Joanna powędrowała wzrokiem ku czarno-białej fotografii ojca.

Wśród licznych zdjęć widocznych na ścianach i półkach pokoju były prawie wszystkie podobizny bliższych i dalszych krewnych. Znajdowało się tam też kilka zdjęć Joanny i Adama, ale ani jednej fotografii ich matki.

Ojciec, inaczej niż ciotka, za nic miał swoje arystokratyczne pochodzenie i ożenił się z plebejuszką, jak mówiła ciotka, nie mogąc tego przeboleć. Dlatego traktowała dość chłodno swoją bratową, wrażliwą i zdolną artystkę.

Joanna podeszła do podobizny ojca. Adam był kopią ojca. Obaj mieli czarne włosy i ciemne oczy. Mama też była brunetką, tylko Joanna urodziła się ruda, lecz delikatne rysy twarzy odziedziczyła po matce.

Myśli młodej kobiety pobiegły do czasów, kiedy w domu rozbrzmiewał śmiech mamy. Jeszcze miała w uszach jej melodyjny głos, gdy nuciła nad gobelinem przygotowywanym na kolejną wystawę. Pamiętała żarty taty nad deską kreślarską, jego upaprane tuszem palce. Szelest pergaminu, gdy zwijał projekty. Mocne ręce, kiedy podrzucał ją, Joannę, w górę. Czułości, których nie szczędził mamie, wygłupy z Adamem. Długie rodzinne dyskusje o wszystkim i niczym, toczone nieraz do późnej nocy, wyprawy pod namiot, wycieczki za miasto. Tamte szczęśliwe chwile uleciały zbyt nagle. Wystarczył jeden moment. Tak samo jak teraz u niej.

– Takie są skutki mezaliansu. – Usłyszała za plecami ostatnie zdanie ciotki, mówiącej coś, czego pogrążona we wspomnieniach Joanna nie słyszała. Odwróciła się od zdjęcia z pytaniem w oczach.

– Co masz na myśli, Eleonoro? – Pan Ludwik popatrzył na małżonkę, która siedziała przy stole, trzymając dłoń przyciśniętą do czoła.

– Pyrka! – Ciotka prychnęła. – Jak można zaufać komuś z takim nazwiskiem?

– Daruj, moja droga – zaoponował delikatnie – ale to nazbyt dalekie uogólnienie. Nazwisko nie czyni człowieka. Rodząc się, nie mamy wyboru, pod jakim szyldem przychodzimy na świat.

– Naturalnie, ale potem możemy świadomie dobierać te osoby, które są nam najbliższe – naszej tradycji, pochodzeniu, wartościom. – Pani Eleonora, broniąc swojej teorii, zatoczyła ręką półkole. – Przyjrzyj się, Joanno, swoim przodkom. Niektórzy potracili wszystko, lecz nie z powodu długów, wynikających z oszustwa. Dałaś się omotać człowiekowi bez honoru i charakteru, dlatego tak się stało.

– Chciałam tylko być szczęśliwa – wyznała szeptem młoda kobieta.

– Za ułudny naparstek szczęścia będziesz teraz płacić wiadrami goryczy. – Ciotka podniosła się od stołu i podeszła ku Joannie. – Jak to możliwe, że w niczym się nie zorientowałaś? Z czego spłacisz te kolosalne długi? Masz ty w ogóle jakieś pieniądze?

– Trochę ponad tysiąc euro, to, co przywiozłam z Sycylii.

– Skończyły się dobre czasy, teraz musisz dwa razy oglądać każdą złotówkę, nim ją wydasz. My nie mamy żadnych oszczędności, ledwo nam wystarcza na życie. Wiesz, ile kosztują leki dla wuja i dla mnie? Co miesiąc zostawiamy w aptece kilkaset złotych. Nie damy rady was utrzymać. Z czego będziecie żyły? Gdzie będziecie mieszkać? Przecież chyba nie tu? I tak w tej ciasnocie nie ma gdzie szpilki wcisnąć. A już nie mówię o dodatkowych łóżkach dla was. Gdzie znajdziesz odpowiednią pracę po tej swojej polonistyce? Jaką przyszłość zapewnisz dziecku?

Antonina powinna grać, ma dobry słuch. To rzadkość, żeby dziecko grało *a vista*, jak ona próbuje. Na czym będzie grać, skoro pianino pójdzie pod młotek? Taki Petrof, tak doskonale brzmiący! Mógł zostać tutaj, przynajmniej dziecko miałoby na czym ćwiczyć, a tak zaprzepaści talent. – Ciotka, emerytowana nauczycielka muzyki, załamała ręce.

Mam poważniejszy problem niż głupie pianino, stwierdziła w duchu Joanna. Jednak czuła wpojony w dzieciństwie zbyt duży respekt dla starszej damy, by powiedzieć to na głos. Dlatego jedynie szepnęła ze wzrokiem wbitym w podłogę:

– Nie wiem, ciociu.

I była to jedyna prawdziwa odpowiedź, jakiej mogła udzielić. Na pozostałe, równie ważkie pytania, także ich nie znała. Sama od ponad tygodnia pytała siebie o to samo.

– Powinnaś pójść na policję i zgłosić tego oszusta, niech go odnajdą, by odpowiedział za swoje postępki. Gdzie się podziewa teraz ten twój mąż? – Pytanie ciotki zbiegło się z zadanym jednocześnie przez Tosię:

– Gdzie jest tatuś?

Dziewczynka stała w progu pokoju, oczy miała szeroko otwarte, gniotła w rączkach dół różowej sukienki. Zadarła ją sobie aż na brzuszek. Wyglądała tak bezbronnie i nieporadnie, że Joannie ścisnęło się serce. Spośród dziesiątek pytań to było najtrudniejsze. Jak powiedzieć o tym wszystkim małemu dziecku?

Zrobiła to kilka godzin później, gdy pożegnała się z wujostwem. I choć najchętniej zaszyłaby się w ten słoneczny dzień w ciemnym pokoju pod kocem, by w samotności przeżywać swoje nieszczęście, zabrała córeczkę na lody, a potem na spacer do Łazienek.

Wszelkimi sposobami odwracała uwagę małej od pytania, które dziewczynka zadała. Potrzebowała czasu, by opracować sobie w głowie odpowiedź. Początkowo nawet jej się udawało zmylić dziecko. Tosia zajęła się gonieniem wiewiórek w parku, próbowała głaskać ogon pawia, rzucała kamyki do stawku. Jednak wieczorem, już w domu, po kolacji, córeczka jeszcze raz zagadnęła o to samo.

– To gdzie jest tatuś, powiesz mi już? – spytała, pozornie skupiona na ulokowaniu Barbie w domku dla lalek.

Co mam powiedzieć? Jak mam wyjaśnić, że byłam ślepą idiotką, a twój ojciec okazał się ostatnim gnojem?

Najchętniej wykrzyczałaby całą prawdę, aby poczuć choć minimalną ulgę. Jednak nie mogła zafundować córeczce traumy porzuconego dziecka ani wtłaczać w nią swojej złości. Tosia musi być szczęśliwa tak jak dotąd. Dlatego wbrew temu, co czuła, usiadła przy małej na podłodze i zaczęła improwizować.

– Tosiu, wiesz, że tatuś bardzo cię kocha. Jesteś jego królewną. – Pogładziła loczki dziewczynki.

– Ożenię się z tatusiem, jak będę duża. I będę miała taką sukienkę. – Dziewczynka wskazała na strój Barbie.

– Bardzo ładna, ale dziewczynki wychodzą za mąż. To chłopcy się żenią.

– Więc tatuś ożeni się ze mną, ale jak ja będę żoną tatusia, to czyją ty będziesz? – Mała wyraźnie się stropiła.

– Myślę, córeczko, że jak już będziesz duża, wyjdziesz za kogoś zupełnie innego. Dzieci nie biorą ślubów ze swoimi rodzicami. Tak już jest.

– Aha.

– Tosiu, powiem ci teraz ważną rzecz...

Joanna z całych sił próbowała zapanować nad głosem. Żeby tylko się nie załamał, żeby zdołała utrzymać łzy na wodzy, żeby nie zdradził jej nienaturalnie słodki ton. Wiedziała, że właśnie karmi dziecko sztucznym miodem. Jednak przynajmniej na razie nic lepszego nie zdołała wymyślić.

– Otóż... czasem tak się zdarza, że rodzice jakiejś dziewczynki albo chłopczyka przestają mieszkać razem, wiesz?

– Dlaczego? – Tosia przerwała zabawę i popatrzyła wyczekująco na matkę. Joanna nabrała powietrza, jej serce zaczęło bić mocniej. Przyciągnęła córeczkę bliżej, objęła ją ramionami i zaczęła mówić, tak jak dyktowała jej intuicja.

– Z różnych powodów. Czasem jedno z rodziców musi wyjechać daleko do pracy albo nie są razem szczęśliwi, dlatego postanawiają, że nie będą już razem mieszkać. Jednak nadal są rodzicami i bardzo kochają swoje dzieci. To się nigdy nie zmieni, nawet jeśli będą mieszkali osobno, tak jak my z tatusiem. Rozumiesz?

– Nie. Chcę do taty! – Tośka zaczęła się szamotać w jej objęciach. – Żeby powiedział o tej nowej zabawie.

– Ja to mogę zrobić, kochanie. – Joanna mocniej przytuliła dziewczynkę.

– Skąd ją znasz? – zaciekawiła się Tosia i przestała się wiercić.

– Dowiedziałam się od jednego pana. – Joanna wzdrygnęła się nieznacznie na samo wspomnienie komornika. – Dorośli czasem się w to... bawią.

– Ja też chcę się bawić w karteczki. Jak się nazywa ta zabawa?

– Nazywa się... – Boże, dopomóż. Joanna zaklinała wszystkie myśli, by w jak najłagodniejszy sposób przedstawić Tosi czekające je w niedalekiej przyszłości zmiany. – Zabawa w szczęście. Chodzi w niej o to, żeby uszczęśliwiać innych.

– Nie rozumiem. – Tosia odwróciła się i ssąc kosmyk włosków, patrzyła pytająco.

– Spróbuję ci wyjaśnić. – Joanna resztką sił wymusiła z siebie uśmiech, choć w środku cierpiała katusze. – Lubisz dostawać prezenty, prawda?

– Tak.

– No właśnie. Wtedy się cieszysz i jesteś zadowolona. Inni ludzie też lubią dostawać prezenty. Te karteczki, które są w naszym domu, to takie czarodziejskie znaki. Każdą z tych rzeczy, na których są, sprezentujemy innym ludziom, żeby byli szczęśliwi. Nasz domek też niedługo komuś... oddamy – dokończyła pewnym głosem, pomimo że serce jej się krajało w talarki.

– Ale ja lubię nasz domek. Nie chcę go oddawać! – Tośka zacisnęła powieki.

– Wiem, ale myśmy się już nim nacieszyli, córeczko. Teraz musi sprawić radość innym. To trudna zabawa, taka tylko dla dorosłych albo dla mądrych dziewczynek, które już rozumieją, że fajnie jest nie tylko dostawać prezenty, ale też dawać je innym. To się bardziej liczy.

– A ja jestem mądra, mamusiu?

– Bardzo mądra, kochanie. – Joanna ucałowała dziewczynkę.

– Ale jak oddamy nasz domek ludziom, to będziemy mieszkać z nimi?

– Nie, córeczko. My poszukamy sobie nowego domku, który gdzieś tam jest i czeka, aż wreszcie go znajdziemy.

– Już wiem! – Tosia zerwała się z kolan Joanny. – Tatusia nie ma, bo szuka tego nowego domku. A jak go znajdzie, to przyjedzie?

– Nie, Tosiu… – Głos Joanny zadrżał niebezpiecznie, kiedy patrzyła w ufną twarzyczkę dziewczynki. – Same musimy znaleźć sobie ten domek. Tatuś na razie nie przyjedzie. Musiał wyjechać bardzo daleko. – Joanna przytuliła córeczkę. Nagle wpadł jej do głowy pewien pomysł. – Za daleko, żeby przyjechać, ale będzie pisał do ciebie listy.

– Co to listy?

– A co wysyłasz do Świętego Mikołaja? To są właśnie listy. Teraz będziesz je dostawać od taty. A jak będziesz chciała, to możesz mu też odpisywać.

– Ale ja nie umiem pisać – odrzekła Tosia, szeroko otwierając oczy ze zdziwienia.

– Niebawem się nauczysz. – Joanna czułym gestem pogładziła córeczkę po główce. – A do tego czasu będę pisała w twoim imieniu wszystko, co mi podyktujesz, zgoda?

– Zgoda.

Matka i córka siedziały chwilę w milczeniu. Każda na swój sposób analizowała tę rozmowę. Mogę się smażyć w piekle za to oszustwo, będę pisała te przeklęte listy, żeby tylko Tosia nie czuła się porzucona; Joanna zaciskała zęby z bezsilnej złości. Będę utrzymywała w niej wizję kochającego ojca, choćby potem Tosia miała mnie za to znienawidzić.

ROZDZIAŁ VII

Dlaczego właśnie on? – zapytał Wiktor.

Z ekranu monitora spoglądał czteroletni chłopczyk o nienaturalnie ułożonych nóżkach. Trzymał je skrzyżowane po turecku przed sobą, a stopy były wykręcone w przeciwną stronę niż normalnie. Obok widniał apel rodziców: Chłopiec porusza się na pupie i kolanach. Tylko kosztowna operacja w Stanach da dziecku szansę na normalne życie. Proszą o pomoc dla Ignasia.

Wiktor siedział z laptopem przy łóżku Marty. W ostatnich dniach staruszka osłabła. A jeszcze przyplątało jej się jakieś paskudne przeziębienie z długimi atakami kaszlu. Do pokoju weszła śpiewaczka z ciepłym bulionem.

– Wypij. – Podała staruszce kubek. – Rozgrzejesz się i wzmocnisz. Jak się czujesz?

– Dziękuję, Tereniu, dobrze – odparła Marta, wypiwszy rosół. – Smaczny. Bardzo smaczny. Jedziecie po zakupy do Jedwabna czy Szczytna?

– Do Szczytna, tak za… – spojrzała na zegarek – jest czternasta, czyli gdzieś za kwadrans ruszymy. Pułkownik nalewa płyn do spryskiwaczy. Taka szaruga na dworze i błoto na szyby leci. Paskudny ten koniec września. Mamy kupić, prócz rzeczy spożywczych, te kurteczki dla małych Zielskich?

– Tak, tak. Tyle tego drobiazgu tam u nich, a ojciec z matką pracę potracili. Trzeba im pomóc, bo przecież zima idzie, a dzieciaki bez ciepłego ubrania poprzeziębiają się jak nic. A zabierzcie ze szkoły Marylkę. Ona taka zmyślna, to na pewno coś dobrego maluchom wybierze – poradziła staruszka.

– Sprawdźcie lepiej, czy prochów nie chowa po kieszeniach – mruknął Wiktor.

– Daj już jej spokój. Tylko czepiasz się dziewczyny i czepiasz. Od pół roku jest przecież czysta. Pochwal ją, zamiast jej dogryzać. – Teresa ujęła się za Marylką.

– Nie dla pochwał mnie wynajęto.

– Wiem, ale mógłbyś już jej trochę odpuścić. – Śpiewaczka nie ustępowała. – Święty by przy tobie się zbuntował.

– Robię tylko to, do czego się zobowiązałem – oświadczył stanowczo.

Teresa machnęła ręką, uznając dalszą rozmowę na ten temat za bezcelową.

– To ten chłopczyk, o którym wczoraj rozmawialiśmy? – zapytała, pochyliwszy się nad monitorem.

W powietrzu uniósł się zapach mięty z jej ust, zmieszany z ciężkimi perfumami artystki.

– Ten. Ignaś. Ładniutki, a oczka ma jak iskierki. – Marta z ciekawością przyglądała się dziecku. – Wiktor, ile już mamy pieniędzy? Ta maszyna powie tak od razu bez jakiego oszustwa? – zagadnęła nieufnie.

– Powiedziała godzinę temu. Jest osiemdziesiąt pięć tysięcy – odrzekł.

– Ooo, całkiem sporo. – Teresa uniosła brwi. – Niedawno było ze czterdzieści. Hojni są ci ze Związku Polaków w Niemczech.

– Nie tylko oni. Rodzice Marylki dużo dołożyli, a i Ernest, jak wczoraj dzwonił – Marta ożywiła się na wspomnienie bratanka mieszkającego od lat w Bochum – mówił, że też sporo u siebie zebrali i mają przysłać. A i dalej zbierać będą.

– Chwała im. – Wiktor zamknął monitor i wstał. – Ale dlaczego właśnie on, a nie ten drugi z chorym okiem albo ta mała z oparzeniami? Możemy podzielić to, co mamy, między ich troje. Dlaczego jeden dzieciak ma dostać wszystko? Tamci też potrzebują pomocy – naciskał.

– Straszne, jak ludzie chorują, a zwłaszcza dzieci. – Teresa pokręciła głową. – Przecież nawet życia nie użyły. Dopiero jak się widzi takie nieszczęście, człowiek sobie uświadamia, co w życiu jest najważniejsze. Wszystkim nie pomożemy, choć z serca chciałoby się każdemu dać, ale zgadzam się z Wiktorem. Podzielenie tego, co mamy na koncie, jest lepszym rozwiązaniem. Pułkownik też tak uważa. Marto, prezesko nasza, a ty co powiesz? – spytała. – Twój głos jest najważniejszy.

Staruszka się zamyśliła.

Ten chłopczyk wyjątkowo ujął ją za serce i jemu chciała pomóc najprędzej, choć przecież go nie znała, ale sama wiedziała, jak to jest patrzeć na świat z pozycji psa. Ten argument zachowała jednak dla siebie. Oni jej nie zrozumieją, tego nie zrozumie nikt, kto czegoś takiego nie przeżył. Ale wbrew temu, co czuła, powiedziała:

– Macie rację. Powinniśmy dać każdemu po trochu. A jak nazbieramy więcej, znowu dołożymy. Zostawcie mnie teraz, moi mili, odpocznę troszkę. – To mówiąc, przymknęła oczy.

Ile to lat patrzyła na świat z pozycji psa? Trzy? Nie, chyba więcej... Zaczęła liczyć w myślach. Znów widziała dawne obrazy. Wciąż tak samo żywe jak wtedy.

Pięć... to było pięć lat, stałam się już podlotkiem, porachowała w myślach. Ładnym podlotkiem. Urosły jej piersi, włosy zjaśniały, a oczy niebieściły się jak niezapominajki. Tylko że nikt nie chciał nawet najpiękniejszej panny, która chodziła na kolanach.

Marta nie zapomniała tamtych drwin z niej, gdy niezgrabnie przesuwała się przez podwórze, czasem pomagając sobie rękoma.

– Niemra, daj głos! Hau, hau! Przynieś patyk!

Wiejskie wyrostki drwiły z niej, jak tylko wysunęła się z chaty, choć wychodziła rzadko. Uciekała wtedy, nie tak szybko, jak może biec pies, choć co sił przebierała kończynami, byle prędzej umknąć dręczycielom.

W domu czy na podwórzu chodziła tylko na kolanach, lecz by uciec od prześladowców, musiała używać też rąk.

Czasem czyhali na nią i wyskakiwali z ukrycia, gdy tylko pojawiła się na dziedzińcu. Pokładali się ze śmiechu, gdy wystraszona i zaszczuta niczym zwierzę, umykała przed nimi, jak mogła najprędzej. Niekiedy stanął w jej obronie ktoś ze starszych i przetrzepał skórę młodym łobuzom. Dawali jej wtedy chwilowy spokój.

Na początku od takiego chodzenia bolały ją kolana, choć owijała je grubo szmatami. Lżej było jej chodzić, gdy z czasem skóra stwardniała na kamień, ale tamci i tak wciąż jej dokuczali.

– Co im zrobiłam, że mi żyć nie dają? Dlatego, żem kaleka? – pytała czasem dziadka.

– Po wojnie kaleki zwykła zec. My dla nich Niemce, Marta, nie Poloki, to i uzywajom na tobie. Nie bec na ich ocach. Musis silna być i nie dać się zasrańcom.

Dziadek Anton, choć już bardzo stary, gonił jej prześladowców, wygrażał im kosturem, mimo że sam też ledwo się trzymał na nogach. Niejednego przez plecy zdzielił albo poskarżył na chuligana rodzicom. Na niewiele się to jednak zdało.

W ich okolicy rdzennych mieszkańców już prawie nie było. Ci, co nie zginęli od kul Ruskich czy później nie potopili się na „Gustloffie", uciekli do Niemiec. Miejscowi na pewno tak by jej nie dokuczali. Ci nowi, którzy nastali tu razem z Polską, byli inni, obcy.

Przyjechali do Prus ze Wschodu, zajęli cudze domy i wprowadzili swoje porządki. Dla nich to Marta była ta obca, choć ona została przecież u siebie.

Wróciła do rodzinnego domu, tak jak chciała mama. Nie zapomniała, co mówił ojciec, że jest polską Mazurką, lecz dla tych nowych była znienawidzoną Niemrą, na której należało się mścić.

Dziadek czasem mówił, że i im trzeba stąd jechać, jednak na podróż, zwłaszcza z chorą wnuczką, nie miał pieniędzy. I tak cienko przędli, jedli w kółko zacierki lub kartofle. Bieda zaglądała im głęboko w oczy, a widoków na lepsze życie nie było.

Ojciec poległ na wojnie. Starszy brat, Gustaw, zaginął gdzieś w Rosji, a Gottlieb dostał się do niewoli i wrócił dopiero po latach. Marta została tylko z dziadkiem Antonem, żyła wbrew wszystkim i wszystkiemu, tak jak chciała mama. Poniżana, upokarzana, gnębiona, lecz wciąż żyła. Czasem, gdy upadała twarzą w błoto, myślała, że lepiej by było, gdyby wtedy umarła z mamą i siostrami. Los jednak chciał inaczej. Chciał, by razem ze skórą na kolanach stwardniał też jej charakter.

Staruszka leżała z zamkniętymi oczami na łóżku, pogrążona we wspomnieniach. Niby spała, ale dziwny to był sen. Ni jawa, ni majaki. Wyraźnie dobiegł do niej z kuchni głos Wiktora, który rozmawiał o czymś z pułkownikiem i kłócił się z Marylą. Słyszała też, jak Teresa coś mówi. Wtem wśród tych głosów usłyszała wyraźnie dziadka Antona.

Dziadek?

– Marta... – Klepał ją po twarzy. – Marta, a ocknijże się, dziewcaku.

Zamrugała kilka razy, patrząc wokół półprzytomnie. Już nie jechała na saneczkach. I gwiazd nad głową nie miała, tylko drewniane belki.

Leżała pod pierzyną w jakiejś chacie, która wyglądała podobnie jak jej dom, ale Marta nie była tego pewna. Ręce i nogi bardzo ją bolały, tylko już nie było tak zimno. Nawet zrobiło się gorąco, a ona była mokra od potu. W środku znajdował się ktoś jeszcze. Wyraźnie słyszała czyjś cichy płacz w rogu izby.

– Chwalić Boga, zywa ty. – Usłyszała ulgę w głosie dziadka i zobaczyła jego samego, jak siedział przy niej z garnuszkiem w rękach. – Pij.

Podniósł jej głowę i przysunął garnuszek do ust dziewczynki. Poczuła smak ciepłego mleka. Wypiła je chciwie. Potem dziadek przyłożył jej do biodra jakąś szmatę i opowiedział, jak się tu ona, Marta, znalazła.

Mówił, że ma w biodrze ranę od kuli, że leżała na śniegu trzy dni, nim ją odnalazł. Czekał w boru aż do ciemnego, żeby Ruskie sobie poszli, dopiero wtedy wyszedł z kryjówki. Mówił, że najpierw zabrał Wilhelmę. Leżała najbliżej lasu. Nie zabili jej, tylko mocno ranili. Wila złapała go za nogę, gdy usłyszała, jak szedł, i błagała o pomoc.

On, stary i niedołężny, nie mógł jej donieść do najbliższej chaty, a sama Wila iść nie dała rady. Poszedł tedy na wioskę poszukać jakichś saneczek, bo Ruskie konie wszystkie zabrali i nie mógł wozem jechać. Wrócił po Wilhelmę, a potem ciągnął ją na saneczkach pół nocy, nim przywiózł tutaj.

Z sił mocno opadł, dlatego dopiero na wieczór ruszył znowu w las, by żywych między trupami szukać, i wtedy usłyszał, jak ktoś woła „mama". Więcej nikt nie przeżył.

Marta z gorączki na przemian budziła się i zasypiała. Ból rozrywał jej dziecięce ciało, ręce i nogi wciąż piekły niemiłosiernie. Wiła się na łóżku, jęcząc w męce. Nikt nie mógł już znieść jej cierpienia. Któregoś razu, gdy ocknęła się po kolejnym ataku, w chacie toczyła się taka rozmowa:

– Anton – usłyszała głos jakiejś kobiety. – Czwartą niedzielę tak się męczy. Doktora jej trzeba. Sam nic nie zradzisz.

Choć obraz był zamazany, Marta poznała starą kobietę z sąsiedniej wsi, którą czasem widywała w kościele.

– A gdzie ja doktora jej najdę? – spytał, zmieniając Marcie okład na czole. – Darmo doktor tyz nie przyjadzie, kiej pieniądza u nas ni ma. Śniegiem nacierał te jej kulasy, ale nie dało to nic. Lekarstwów tyz ni ma, co by bolec choć nie bolało. Sam widze, jak cierpi dzieciak, ale co mnie robić? Przyjdzie i jej do matki iść, bo i gnić zacyna. Zobacy jak. – To mówiąc, podniósł pierzynę.

A kiedy odwinął opatrunki z rąk i nóg Marty, chatę wypełnił smród.

– Anton – poznała jękliwy głos Wilhelmy – zakryjże ją. Wytrzymać nie idzie.

– Źle to wygląda, Anton, bardzo źle. Od tego w gorączce takiej biedaczka leży. Jeszcze gangrena się wda. Ruskie stoją w Jedwabnie. U nich jest doktor – podsunęła staruszka. – Idź do komendanta. Może ulituje się nad dzieciakiem i przyśle swojego doktora?

– Widzioł ja ich litościwość, co zrobili w boru. – Dziadek westchnął ciężko. – My dla nich faszysty, nie człozieki, to i litości nijakiej od nich nie dostaniem.

Jednak ledwo dzień następny nastał, Anton poszedł do Ruskich. Marta została sama z Wilhelmą. Dziewczynka rzucała się w gorączce na przemoczonym śmierdzącym sienniku. Bardzo chciało jej się pić. Z głębi izby dolatywały jakieś przeciągłe jęki. Stawały się coraz głośniejsze, aż przeszły w rozdzierający krzyk. Marta odwróciła się na bok, by sprawdzić, co się dzieje.

Zobaczyła, jak Wila, na skołtunionej pościeli, z pozlepianymi włosami na czole, półleżąc na łóżku, wyjmuje coś zakrwawionego spomiędzy ugiętych nóg.

Dziecko?

Marta po raz pierwszy zobaczyła dopiero urodzone dziecko. Nawet w gorączce docierało do niej, że stało się coś złego. Przerażona Wila trząchała małym ciałkiem, klepała je, tuliła do siebie, zwieszała główką w dół, lecz dziecko ani się nie ruszało, ani nie płakało.

Było martwe.

Wieczorem gdzieś je zabrali zawinięte w płótno.

Nazajutrz, gdy Marta się przebudziła, zobaczyła nad sobą ruskiego żołnierza. Stał z pistoletem przy jej łóżku, futrzaną czapkę miał zsuniętą na tył głowy. Nic nie mówił, tylko stał i patrzył. W końcu odezwał się w obcym języku. Nie rozumiała wszystkiego, co mówił, ale zapamiętała słowa.

– *U mienia prikaz, sztob tiebia ubić, diewoczka. Szto by ty uże nie muczilas'.* – Podniósł pistolet i wymierzył. Patrzyła prosto w lufę. Nie bała się, czekała, co będzie. Jednak żołnierz nie strzelał, tylko wciąż patrzył. Po chwili schował broń za pas. – *Kak tebie nada umieret', tak i umriosz sama. Ja dietiej ubiwać nie budu.*

Kiedy wyszedł, sąsiadka, która znała się trochę na chorobach, poradziła, żeby spróbować leczyć rany moczem. Innego sposobu nie było, skoro Sowieci nawet do dziecka doktora nie przysłali, tylko kazali dobić z litości.

Od tamtego dnia dziadek Anton zlewał do cebrzyka mocz Marty, nasączał nim prześcieradła i owijał tym jej ręce i nogi. Potem sprowadził też skądś i jakiegoś polskiego doktora, lecz ten nie mógł już jej pomóc. Powiedział, że po takich odmrożeniach wdała się martwica i że dziewczynka będzie kaleką.

Marta chorowała długo.

Zdążyła minąć wiosna, przyszło lato. Nie czuła już bólu. Któregoś ranka na prześcieradle obok nogi leżała jej prawa stopa. Odpadła sama. To samo stało się z drugą, a potem odpadły też dłonie. Tylko kawałeczki kciuków los jej zostawił.

A jeszcze potem, jak zabliźniły się rany, Marta zaczęła chodzić. Na kolanach.

Miała piętnaście lat, kiedy umarł dziadek. Wtedy ulitował się nad nią jeden z lekarzy i zawiózł ją do szpitala we Wrocławiu. Tam wreszcie dali jej sztuczne nogi. Najpierw jedną, potem drugą.

Jej prawdziwe musieli uciąć do kolan. Marta nie rozpaczała za bardzo z tego powodu. Przecież i tak od dawna nie miała stóp. A że jej prawdziwe nogi będą trochę krótsze, nie miało to dla niej znaczenia. Najważniejsze, że wreszcie przestała patrzeć na świat z pozycji psa.

Ktoś pukał do drzwi. Marta ocknęła się z półsnu.

– Proszę – powiedziała, unosząc się na łokciu. Do pokoju weszła kobieta po czterdziestce. Niska, przy tuszy, z małą walizeczką w ręku.

– Pani doktor do mnie? – zdziwiła się staruszka.

– A tak, pani Marto – odparła miłym głosem tamta. – Dawno się nie widziałyśmy.

– I chwalić Boga... ojej, najmocniej przepraszam – zreflektowała się chora. – Nie to miałam na myśli, widać człowiek głupieje na starość.

– Proszę przy mnie nie obrażać mojej ulubionej pacjentki. – Lekarka wyjęła z walizeczki słuchawki. – Wiem, co chciała pani powiedzieć. Też się cieszę, że rzadko panią widuję w ośrodku. Ale teraz nie wygląda pani za dobrze.

– Który z tych moich ancymonów panią doktor fatygował? – spytała podejrzliwie Marta.

– A nie powiem – zażartowała. – Proszę się na nich nie gniewać. Po prostu się martwią. Osłucham panią.

Marta uniosła koszulę nocną i oddychała według instrukcji.

– Bardzo dobrze zrobili, że mnie wezwali. Ma pani zapalenie oskrzeli – stwierdziła po skończonym badaniu lekarka. – Bez antybiotyku się nie obejdzie. Gorączkuje pani?

– Już się wygorączkowałam w życiu. Teraz bliżej mi do stygnięcia niż gorączki.

– Widzę, że humor jak zwykle dopisuje. To bardzo dobrze. Musimy panią szybko postawić na nogi... Ojej, teraz ja przepraszam. – Lekarka się zawstydziła.

– A za co mnie przepraszać? Sztuczne, bo sztuczne, ale nogi. Po co tyle kłopotu o takie stare próchno jak ja? Już tam Święty Piotr dawno mnie wygląda, tylko ja zwłóczę.

– O, tak prędko mu pani nie oddamy. Jest pani naszym lokalnym dobrem i powinno się panią klonować.

– Kto by tam chciał wybrakowany towar powielać! – Marta machnęła ręką.

– Nie w ciele rzecz, tylko w sercu, a pani ma je ze złota. Ciuszki dla dzieci, podarki na święta, jedzenie dla rodzin. Mało komu się teraz przelewa. Jeżdżę po domach, to widzę, że w niektórych bieda z każdego kąta wygląda.

– Dlatego i wspomagać trzeba. Chwalić Boga, dwie renty mam, polską i niemiecką, to grzech byłby nie odpłacić za tyle dobrego, co od ludzi w życiu dostałam. A przecież nie sama jestem. U innych też czułe serca na ludzką niedolę, to i dzielą się, czym mogą, z drugimi. Cóż inaczej życie byłoby warte, żeby patrzeć tylko po sobie?

– Dużo tak patrzy. – Lekarka westchnęła. – Dlatego tym bardziej podziwiam państwa za ten pomysł z fundacją. Widziałam w Internecie waszą stronę. Bardzo ładna.

– To Wiktor się postarał – odrzekła z dumą Marta. – Bo on przecież... ten... infermatyk, nie mogę spamiętać nazwy.

– Informatyk – poprawiła ją pani Matylda. – Nie wiedziałam, że pan Wiktor jest informatykiem. Teraz mnie nie dziwi, że ta strona tak ładnie wygląda. I, jak widzę, pierwsi podopieczni już się pojawili. My z mężem również będziemy wspierać tę fundację. Wójt też mówił na radzie gminy, że coś dorzuci. A teraz proszę wypoczywać i szybko zdrowieć. Wypiszę pani receptę. – Lekarka wyjęła bloczek i pieczątkę.

– Dziękuję, pani... do... ktor... – Marta się rozkasłała. Kobieta zatrzymała długopis nad receptą i z nieznacznie zmarszczonymi brwiami popatrzyła na chorą.

– Rzeczywiście brzydki ten kaszel – przyznała. – Gdyby się pogorszyło albo antybiotyk nie zadziałał, proszę dzwonić. Za kilka dni powinna pani poczuć się dużo lepiej. Potem płuca trzeba będzie prześwietlić. Na wszelki wypadek.

Doktor Matylda Niteczka włożyła do walizeczki słuchawki, bloczek z receptami i wyszła, zamykając za sobą drzwi.

– To zapalenie oskrzeli, konieczny będzie antybiotyk. Tu jest recepta. – Położyła ją na kuchennym stole i przysiadła na ławie obok Marylki. Po drugiej stronie stołu siedziała Teresa z pułkownikiem, popijając herbatę.

– Ale to nic poważnego? – zaniepokoiła się dziewczyna. – Po antybiotyku babci będzie lepiej, tak?

– Oczywiście. – Matylda z czułością pogładziła dziewczynę po głowie.– Dobrze, że po mnie zadzwoniłaś.

– Kaszle i kaszle – dodała Teresa. – Zwłaszcza w nocy się męczy.

– Ależ, Tereniu – zaoponował pułkownik. – Marta to dobry przedwojenny materiał. Byle oskrzela jej nie złamią. Nie po tym, co przeszła.

– To prawda. – Matylda westchnęła. – Nie wiem, czy ktoś teraz mógłby znieść tyle, co ona. Jest silna, ale płuca trzeba będzie prześwietlić. Trochę tu gorąco. – Poluzowała palcem golf przy szyi.

– Marta nie lubi zimna, dlatego już palimy w piecach – wyjaśnił pułkownik. – Może napije się pani z nami herbaty? Zaraz będzie kolacja.

– Innym razem, panie pułkowniku – odpowiedziała lekarka. – Będę się zbierać. – Wstała.

– Odwiozę panią doktor – zaofiarował się pułkownik. – I tak muszę jechać do apteki i do Zielskich zakupy zawieźć.

– Dziękuję za propozycję, ale przyjechałam przecież rowerem.

– Zaraz będzie ciemno i przez las niebezpiecznie po zmroku jechać – wtrąciła Teresa. – Ja bym się bała.

– To znajomy las. Poza tym muszę się więcej ruszać. Choć nazywam się Niteczka, to wyglądam jak balonik. – Matylda uśmiechnęła się subtelnie i włożyła jaskrawą kurtkę.

W wygodnych spodniach, z torbą lekarską w rowerowym koszu, popedałowała przez las. Wiatr rozwiewał jej kasztanowe loki. Koła rozjeżdżały się trochę na piachu. Po płaskim jechało się lepiej, jednak nawet niewielkie wzniesienia pokonywała z niemałym trudem. Nadwaga dawała o sobie znać.

Matylda była w połowie drogi do domu. Równa w tym miejscu ścieżka pozwoliła jej przyspieszyć. Przejechała z kwadrans, mocniej pedałując, gdy wtem usłyszała miarowe stukanie. Ktoś uderzał młotkiem w drewno. Zwolniła; ogarnął ją lęk. Była sama w lesie, zrobiła się już szarówka. Jedyne światło, jakie miała, to lampka przy rowerze.

Dojechała do miejsca, które dobrze znała z opowieści Marty. To tu wszystko się wydarzyło. Wzdrygnęła się nieznacznie, przejeżdżając obok pierwszego grobu z zardzewiałym pochyłym krzyżem. Wiedziała, że w pierwszej mogile leży kilka ciał. Podobnie jak w następnych. Tylko jeden grób, trochę oddalony od pozostałych, był pojedynczy. I to stamtąd dochodziło stukanie.

Lekarka odetchnęła, gdy zobaczyła przy mogile olbrzyma, który majstrował coś przy niewielkim płotku.

– Dzień dobry, a właściwie dobry wieczór, panie Wiktorze – przywitała się, zeskakując z roweru.

– Dobry wieczór – odrzekł. Obrzucił Matyldę szybkim spojrzeniem, ale nie przerwał pracy.

– Naprawia pan ogrodzenie? – zagadnęła go.

– Jak widać.

– Fakt, niemądre pytanie – odrzekła, lekko zmieszana.

Coś ją skłaniało do kontynuowania rozmowy, choć Wiktor nie wykazywał najmniejszej ochoty po temu. Wręcz ją ignorował. Wyjął trzymany w ustach gwóźdź i zaczął go przybijać do deseczki między palikami. Matylda powinna się pożegnać i odjechać, ale intrygował ją ten nieznajomy ponury mężczyzna, więc mówiła dalej:

– Dobrze, że ktoś dba i pamięta o tych grobach. Może należałoby je ekshumować i przenieść na normalny cmentarz? Jak pan myśli? Zawsze więcej ludzi znicze zapali, wspomni, a i zwierzęta nie będą chodzić po mogiłach, jak tu w lesie.

Zatoczyła ręką półkole, wskazując zrytą przez dziki ściółkę, przysypaną spadającymi liśćmi.

Wiktor wyprostował się, opuścił młotek i wyjął z kieszeni kamizelki paczkę papierosów. Przypalił jednego i zaciągnął się głęboko.

– Myślę – wypuścił w bok obłoczek dymu – że lepiej zająć się żywymi. Co z Martą?

– Zapalanie oskrzeli. – Matylda wsiadła na rower. – Proszę o nią dbać, żeby nam szybko wyzdrowiała. Do widzenia.

W odpowiedzi tylko kiwnął głową.

Dokończył pracę i oświetlając ścieżkę mocnym światłem latarki, ruszył do domu.

Domu?

Jakiego domu? Łapał się na bzdurnych myślach. To nie jest przecież jego prawdziwy dom. Tylko zakotwiczył tu na trochę. Zrobił sobie dłuższy przystanek w drodze donikąd. Zasrane życie; kopnął jakiś kamień.

– O co w tobie, Wiktor, tyle złości? – spytała Marta, gdy późnym wieczorem posępny, z zaciśniętymi ustami, dorzucał drew do pieca w jej pokoju. – Taki młody jesteś. Tyle życia przed tobą.

– O nic – odpowiedział, dmuchając w żar. – Naprawiłem to ogrodzenie. Lekarka mówiła, żeby przenieść groby.

– Nie trzeba. Tu mam do nich bliżej.

To dziadek Anton pochował wszystkich. Jednak dopiero wiosną, kiedy rozmarzła ziemia. Zostawiał Martę w chacie, brał szpadel i szedł kopać mogiły. Grzebał ciała tam, gdzie leżały od zimy. W pierwszym grobie, tym najbliższym domu, były mama, Emma i Augusta. W dalszych inni sąsiedzi. W pojedynczym leżała Erna. Na rozstaju leśnych dróg, tam, gdzie ją zabili. Marta poczuła dławienie w piersiach. I jakiś chłód wokoło, mimo że w pokoju dobrze grzał już piec, a okna były szczelnie zamknięte. Z kuchni słyszała płynącą cichutko ulubioną piosenkę. Tylko nie mogła skojarzyć, czy to Tereska z Marylką śpiewają, czy może któraś z sióstr.

ROZDZIAŁ VIII

Joanna nie spostrzegła, kiedy nadeszła jesień. Świat mienił się wszystkimi odcieniami złota. Jeszcze niedawno, w innym życiu, lubiła ten czas. Lubiła zbierać z Tosią liście na bukiety, kasztany i żołędzie na ludziki. Lubiła patrzeć z okna sypialni na poranne jesienne mgły. Czuć powitalne pocałunki Tomasza, gdy dopiero przebudzony stawał przy niej, obejmował, nie szczędził czułości. A potem przybiegała Tosia i kłębili się we trójkę w łóżku. Joanna uwielbiała te poranki. Jaki świat był wtedy piękny.

Teraz zobojętniała na wszystko.

Bolały ją własne słowa, które pisała w listach do Tosi. Wszystkie, a napisała ich kilka, zaczynały się tak samo: „Kochana córeczko", i kończyły podobnie: „kocham Cię, tata".

Pomiędzy aż kapało od kłamstw, ale starała się, by ów korespondencyjny ojciec jawił się dziecku jako ten naprawdę kochający. Ten, który nigdy nie porzuciłby rodziny, by uciec od kłopotów.

Kiedy licytacja była tylko zbliżającym się widmem, Joanna nie zdawała sobie sprawy, jak straszne będzie to doświadczenie. Pierwsza, gdy pod młotek poszło wyposażenie, odbyła się w domu. W uszach Joanny dotąd huczały upiorne słowa: „...po raz drugi... po raz trzeci... przybicie...", którym towarzyszył tryumf na twarzy komornika. Paląc się ze wstydu, stała oparta o ścianę i patrzyła, jak obcy ludzie panoszyli się w jej domu, a ona mogła tylko obserwować ten koszmarny spektakl.

Zlecieli się na licytację niczym sępy. Jedni, by coś kupić po okazyjnej cenie, drudzy, by gapić się na nieszczęście Joanny, czasem dodać jej otuchy. Jednak za wyświechtanymi słowami pocieszeń sąsiadów czy znajomych kryło się pełne satysfakcji „dobrze ci tak".

Nie bolało jej aż tak, gdy obcy ludzie zabierali samochody, wynosili z domu meble, telewizor, komputery, ale nie mogła znieść tego momentu, gdy w kilka dni po licytacji z firmą transportową przyjechała Dominika, żeby zabrać pianino Tosi.

– No, niestety, takie jest życie. – Pakulska, dopracowana w każdym calu, piękna i elegancka, przechadzała się po prawie pustym salonie, a Joannie jej głos kojarzył się z syczeniem żmii. – Raz na wozie, raz pod wozem. Nie żal by ci było, żeby takie dobre pianino, do którego masz sentyment, poszło w obce ręce? Dlatego je wylicytowałam. Przecież się przyjaźnimy. Twoja sytuacja niczego między nami nie zmienia. Emilka będzie uczyć się grać, a Tosia może do nas przychodzić, kiedy chce, i też sobie pogra. Poszukam jej jakichś ubranek po Emilce i ci podrzucę. Będziesz teraz potrzebowała pomocy, ale przecież od tego są przyjaciele, prawda? – spytała słodziutko.

Joanna jednak poczuła się tak upokorzona tymi słowami, że szepnęła zduszonym głosem, z oczami wbitymi w podłogę:

– Wynoś się stąd.

– Słucham? – Dominika sprawiała wrażenie, że nie zrozumiała. Przerwała swój spacer i stanęła naprzeciw niej. – Co powiedziałaś?

– Wypierdalaj – wypaliła Joanna zupełnie znienacka, z uniesioną już głową. To słowo wyleciało tak gwałtownie, że ją samą to zaskoczyło, chyba nawet bardziej niż tamtą.

Dominika zamrugała doczepionymi rzęsami, zacisnęła napompowane wypełniaczem wargi i pospiesznie wymaszerowała, wpadając w progu na tragarzy z pianinem.

Joanna nie mogła uwierzyć, że to powiedziała.

Ona, taka wrażliwa i delikatna, wychowana w nobliwym domu, z wpojonymi przez ciotkę wytwornymi manierami, z zaszczepioną dbałością o czystość języka i kulturę słowa; ona, która tylko sporadycznie pozwalała sobie zakląć „cholera”, teraz użyła tak wstrętnego wulgaryzmu. W sumie nawet nie było do tego specjalnego powodu. Przecież każdy mógł kupić to przeklęte pianino, tłumaczyła potem sama sobie. Przecież powinna się przyzwyczajać, że teraz jest skazana na ludzką łaskę, a jednak tak boleśnie ją to zakłuło. Niemniej dzięki temu małemu słówku o wielkiej sile rażenia poczuła minimalną ulgę.

Od tamtego dnia coraz częściej zdarzało jej się szukać ulgi w takich słowach. Ale też od tamtego dnia jeszcze bardziej odsunęła się od ludzi. Telefonów prawie nie odbierała. I tak nie dzwonił ten, na którego wciąż beznadziejnie czekała. Sama próbowała szukać, jeśli nie męża, to choć wiadomości o nim. Zgłosiła też jego zaginięcie na policji. Przyjęli zgłoszenie, ale bez specjalnej nadziei, że go odnajdą. Tomasz przepadł bez wieści. Nikt nic o nim nie wiedział, nawet jego matka.

– To wszystko twoja wina – stwierdziła bez ogródek teściowa, kiedy Joanna wreszcie do niej zadzwoniła, by o wszystkim powiedzieć. Wołałaby sama pojechać do Mławy, gdzie mieszkała matka Tomka, ale szkoda jej było pieniędzy na bilet. – Nie wiadomo, co się dzieje z moim synem, a ty tylko o długach, komorniku, licytacji. Mąż nic dla ciebie nie znaczył?

– Oszukał mnie. Niedługo komornik sprzedaje nasz dom przez długi, których narobił Tomek, nie ja. Okradł mnie i Tosię. Zostałyśmy z niczym.

– Jak możesz tak go szkalować? – Teściowa się oburzyła. – A jak na ciebie pracował przez lata, utrzymywał cię, to był dobrym mężem, prawda? Jaśnie pani hrabini pracą się nie parała, tylko kwiatki, rabatki, ciuszki, ploteczki. Żyłaś jak pączek w maśle, cudzym kosztem.

– Zajmowałam się domem i dzieckiem – broniła się Joanna.

Przeczuwała, że tak będzie, dlatego odwlekała tę przykrą rozmowę. Nigdy nie darzyły się sympatią.

– Pewnie – prychnęła lekceważąco Krystyna Pyrka. Oczami wyobraźni Joanna zobaczyła jej drobną, szczupłą twarz o wąskich ustach i szpiczastym nosie. – Każdy by tak chciał. Mój syn dawał się wykorzystywać. Nic dziwnego, że tego nie wytrzymał. Teraz sama zobaczysz, na czym polega prawdziwe życie. Pójdziesz do pracy, wynajmiesz skromne mieszkanko...

– Mamo... – Joanna urwała, z trudem wydusiwszy z siebie to słowo. – Naprawdę nie wie mama, gdzie może być Tomasz? Nie kontaktował się z mamą? To wprost niemożliwe. Muszę z nim porozmawiać. Nie może mnie tak ze wszystkim zostawić.

– Nie wiem, gdzie on jest. A nawet gdybym wiedziała, to i tak bym ci nie powiedziała. A wiesz dlaczego? Bo nie wierzę w ani jedno twoje słowo! Mój syn jest uczciwy. Tak go wychowałam i wiem, co jest wart. Nigdy by nie zrobił tego, o co go oskarżasz.

Jestem pewna, że to ty jesteś wszystkiemu winna. Nawarzyłaś sobie piwa, więc teraz je pij, a mojego syna zostaw w spokoju. Już dość się dla ciebie poświęcał – zakończyła, nawet nie spytawszy o wnuczkę.

Od tamtej rozmowy sprzed miesiąca Joanna więcej do teściowej nie dzwoniła. Zaszyła się w domu z Tosią i prawie nikomu nie otwierała. Po zakupy wychodziła ukradkiem, szybko przemykając do najbliższego sklepu. Nie mogła znieść piętnujących ją zewsząd spojrzeń. Nigdy nie czuła się tak zaszczuta jak teraz. Wolałaby, aby nikt jej nie znał, jednak nie było to możliwe w ich małej społeczności.

Reagowała panicznym lękiem na każdy gong do furtki, na przyjście listonosza, a nawet na przejeżdżający koło posesji samochód, myśląc, że to znów kolejny windykator. Zaczęli ją nachodzić od niedawna. Tomasz pozaciągał jakieś pożyczki, o których nie miała pojęcia. Strach o to, co jeszcze się wydarzy, doprowadzał ją niemal do obłędu.

Dzień licytacji domu ledwo przeżyła.

Serce znów zaczęło w niej się przewracać, jak wtedy w szpitalu. Nie mogła swobodnie zaczerpnąć powietrza, jakby piersi przygniatał jej wielki kamień. I jeszcze ten cyniczny ton zadowolonego Artura, gdy wychodzili z sądu po wygranej przez męża Dominiki licytacji.

– Biznes to biznes, dlatego bez urazy, Joanna. Dom jest już nasz – stwierdził z satysfakcją.

Joanna milczała, a on mówił dalej;

– Wolelibyśmy uniknąć eksmisji. To będzie przykre dla nas i dla ciebie. Dlatego lepiej, żebyś wyprowadziła się sama. Po starej znajomości możemy trochę poczekać. Do końca listopada na przykład, gdy Nika wróci z Indii. Zamierza otworzyć szkołę jogi, tak się zaraziła hinduizmem. A wasz, teraz już nasz, dom będzie do tego idealny. Cisza, spokój, dużo zieleni, las, ludzie to lubią. Sprawdziłem, że nie zastrzegłaś tej nazwy „Wyspy szczęśliwe". Chcemy ją wykorzystać jako nazwę szkoły, bo naprawdę świetnie brzmi, tak optymistycznie. A jak się ją dobrze wypromuje, to będzie strzał w dziesiątkę. Piękny dzień, prawda? – Pakulski spojrzał w bezchmurne niebo końcówki lata i błysnął hollywoodzkim uzębieniem. – Jakaś kawa? Powspominamy stare dobre czasy. I nie łam się tak, dziewczyno, to tylko pieniądze. One podobno szczęścia nie dają. – Poklepał ją protekcjonalnie po ramieniu.

Joanna się nie odezwała. Popatrzyła przez chwilę prosto w oczy Artura, poprawiła zsuwającą się z ramienia torebkę i ruszyła przed siebie. Lecz zamiast do wujostwa na Nowy Świat, żeby odebrać Tosię, nogi same ją poniosły na Mokotów.

Przez całą drogę czuła na ramieniu rękę Artura. Jeśli chciał ją upokorzyć, to udało mu się znakomicie. Jakby się zmówili z Dominiką. Dobrali się jak w korcu maku, myślała, podchodząc do kamienicy na Wiśniowej.

Z każdym krokiem zbliżającym ją ku znajomym murom i bliskim sercu miejscom czuła, jak wzbiera w niej żal za tym, co straciła. Oddałaby wszystko, żeby cofnąć czas. Żeby móc znów wbiec po tych schodach na pierwsze piętro. Rzucić tornister, pocałować w pośpiechu mamę, zażartować z tatą, szturchnąć Adama, złapać jabłko i wyskoczyć na podwórko do koleżanek, słysząc za plecami mamine: „Za pół godziny obiad". Jakie to były szczęśliwe, beztroskie chwile, westchnęła ciężko.

Odeszła stamtąd czym prędzej, bo jeszcze moment, a rzuciłaby się z żalu na chodnik przed dawnym domem. To były moje wyspy szczęśliwe, reszta okazała się ułudą, myślała, idąc po córeczkę.

– Ciotka zabrała ją na spacer – powiedział wuj Ludwik. – Ugotowałem rosół, powinnaś zjeść, Tosi bardzo smakował. Już po wszystkim w sądzie? – zagadnął z lekką obawą.

Joanna kiwnęła głową.

– Dom sprzedany. I co teraz będzie? – spytała, błądząc półprzytomnym wzrokiem po twarzy starszego pana. Ten nic nie powiedział, tylko przygarnął ją do siebie i delikatnie pogładził po plecach.

Może to i lepiej? Nie potrzebowała pustych słów pociechy, tylko zapewnienia, że sobie ze wszystkim poradzi. Że kiedyś przyjdą lepsze dni, stanie się jakiś cud, który wszystko odmieni.

Tymczasem mijał tydzień za tygodniem, a cud nie następował. Joanna już nie przypominała tej pogodnej, tryskającej szczęściem trzydziestolatki.

W połowie jesieni stała się udręczoną życiem kobietą. Gdyby nie Tosia, rozsypałaby się zupełnie. Tylko dziecko trzymało ją jako tako w pionie. Dlatego resztką sił udawała przed córeczką, że tak właśnie wygląda nowa zabawa. Dziewczynka niby wierzyła, lecz gdy czasem odpowiadało jej echo w domu ogołoconym z mebli, i ona stawała się markotniejsza.

– Mówiłam ci, że to głupi pomysł – podsumowała Ewa.

Pakowały do worka garnitury i koszule Tomasza, które Joanna postanowiła sprzedać, by zyskać za nie trochę pieniędzy. Siedziały we dwie w sypialni między stertą ubrań na podłodze i pustym pudełkiem po pizzy, którą po pracy przywiozła przyjaciółka.

– A co miałam jej powiedzieć? – spytała Joanna, wrzucając do worka kolejną parę butów męża.

Były to markowe nieznoszone pantofle, za które może jej się uda dostać z pięćdziesiąt złotych. Do rzeczy Tomasza dołożyła też swoje lepsze ubrania i ciuszki Tosi, z których dziewczynka wyrosła. Pod ścianą stały już dwa załadowane po brzegi czarne wory.

– Prawdę. Dziecku też należy się prawda – odparła Ewa, oglądając ciemną męską marynarkę z Vistuli. – O, za tę może i dwie stówy weźmiesz. Tylko rozmiar mały. Kurdupel był z Tomusia.

– Jaką prawdę? – Joanna przerwała pakowanie. – Jak miałam wytłumaczyć Tosi, że jej ojciec wpierdolił nas w gówno... Przepraszam. Coraz częściej przeklinam. Boże, co się ze mną stało? – jęknęła.

– Nie przejmuj się. – Ewa wzruszyła ramionami. – Używaj sobie ile wlezie. Poza tym lepiej głośno przeklinać, niż być cichymi skurwysynami jak Pakulscy. Wciąż nie mogę uwierzyć, że to oni kupili twój dom. Co za łajzy. – Skrzywiła się z odrazą. – Byłaś w urzędzie gminy?

– Byłam. – Joanna pociągnęła nosem.

– I?

– Żadne „i". Nie mają mieszkań socjalnych w Izabelinie. Mogą nas umieścić w domu samotnej matki, jeśli sąd w ogóle przyzna mi jakiś lokal socjalny.

– Musi dać – odparła zdecydowanym tonem Ewa. – Matki z dzieckiem nie mogą wyrzucić na bruk. A do tej pory mieszkaj tutaj i olej ten listopad. O ile znam sądowe realia, to nim ten wyrok o eksmisję będzie, ruski rok minie. A poza tym wiesz, ilu ludzi w Warszawie ma niewykonane wyroki eksmisyjne właśnie dlatego, że miastu brakuje lokali socjalnych? Kolega robił niedawno o tym materiał. Kilka tysięcy. Pamiętaj też, że od listopada do marca masz okres ochronny, zatem cię nie wywalą, jeśli nie mają dokąd. Więc na co najmniej pół roku masz spokój. Chyba że coś wynajmiesz i honorowo wypniesz się na Pakulskich. Ja też wynajmuję...

– Wynajmę? Za co? – przerwała jej Joanna. – Ciebie na to stać, pracujesz, zarabiasz, a ja? Nie mam pieniędzy. Domu też sama nie utrzymam. Woda, prąd, ogrzewanie, a przecież zima idzie. Skąd wezmę na opłaty? Prócz tych szmat – wyszarpnęła z wora jakąś koszulę – zegarka, obrączki i pierścionka zaręczynowego nie mam nic więcej do sprzedania. Chyba że siebie sprzedam. Pieniądze stopiły mi się prawie do dna. Zresztą sama wiesz, bo siedzę u ciebie w kieszeni, tak samo jak i u ciotki. Złożyłam wniosek o zasiłek, ale więcej niż pięć, sześć stów nie dostanę. Zapłacę z tego czynsz? Szukam pracy. Obojętnie jakiej. Mogę nawet zamiatać ulice. Porozklejałam ogłoszenia w okolicy, pytałam w sklepie, w urzędzie, ale tu, w Izabelinie, o robocie nie ma co marzyć. Jeśli już, to w mieście. A wiesz, ile kosztuje wynajęcie mieszkania w Warszawie? Chyba że jakaś nora na Pradze. Zresztą nawet na takie mnie nie stać. A co będzie z Tosią, kiedy pójdę do pracy? Kto się nią zajmie? Ciotka? Ma już ponad osiemdziesiątkę i nie daje rady. I tak jestem jej wdzięczna, że czasem popilnuje małej. Tośka do przedszkola przecież nie chodziła. A nawet gdybym chciała ją teraz zapisać, to jako niepracująca matka mam słabe szanse na miejsce. Poza tym z czego je opłacę? Ile zarobię w sklepie? Tysiąc czterysta na rękę? O lepszej pracy mogę zapomnieć. Ewa, przecież ja nie mam żadnego doświadczenia. Co mogę napisać w CV, a wszyscy nagle tego chcą? Po studiach siedziałam w domu. A teraz nie mam nic! Zupełnie nic! Nawet chęci do życia. I wciąż boję się tego, co będzie! Co jeszcze może się stać?! – Z ust Joanny padały pełne goryczy słowa.

– Ciszej, Tośka usłyszy. – Ewa wyjrzała do ogrodu, gdzie dziewczynka bawiła się skakanką.

Ciągnęła ją zygzakiem w wysokiej trawie porośniętej chwastami i zaścielonej dywanem liści. Niegdysiejsze wypielęgnowane królestwo Joanny teraz wyglądało żałośnie.

– Myślisz tylko na czarno. Znajdziesz robotę, dogadasz się, żeby kasę brać do ręki, zejdziesz do szarej strefy i będziesz jakoś żyć. Ludzie tak żyją. Poza tym wydaje mi się, że najgorsze już się stało. – Kucnęła obok i objęła przyjaciółkę.

– Wcale nie. – Joanna oparła głowę na ramieniu Ewy. – Wiesz przecież, że dom poszedł za śmieszne pieniądze. Samochody i reszta podobnie, a do spłacenia zostało jeszcze prawie trzysta tysięcy u komornika. Na razie. Nachodzą mnie jakieś typy od windykacji. Już sama nie wiem, ile naprawdę jest tych długów. Nawet jeśli znajdę gdzieś pracę, to do końca życia się nie wygrzebię z tego bagna. Jaką przyszłość zapewnię Tosi? Już teraz wszystkiego jej odmawiam. Patrzę, żeby tylko wystarczyło na jedzenie, choć i tak kupuję najtańsze. O innych rzeczach mogę zapomnieć. A ona ciągle mnie o wszystko pyta. Dlaczego nie ma tego czy tamtego, dlaczego nie chodzi do Emilki, do małpiego gaju, teatrzyku. Zaczyna mi brakować pomysłów, co jej odpowiadać. Powiedz, co tak podłego zrobiłam, że to wszystko mnie spotkało? – pytała rozgoryczona.

– Nic nie zrobiłaś. Po prostu trafiłaś na niewłaściwego faceta. Musisz się jakoś pozbierać i żyć dalej – tłumaczyła Ewa, gładząc ją po ramieniu.

– A ty? Pozbierałabyś się, gdyby ktoś wyrwał ci serce? Zniszczył, podeptał wszystko, w co wierzyłaś? Mogłabyś się tak łatwo... pozbierać? Mogłabyś żyć bez serca? Powiedz, mogła... byś? – ciągnęła Joanna rwącym się z żalu głosem.

– Ty go wciąż kochasz – bardziej stwierdziła, niż zapytała, przyjaciółka.

– Nie... chyba już... nie, zresztą nie wiem, tylko to tak jeszcze... boli. – Joanna zacisnęła powieki i odwróciła głowę w bok.

Przez chwilę milczały, potem Ewa odezwała się stanowczym tonem:

– Dokończę to pakowanie, a ty idź do Tośki albo zawołaj ją do mnie, a sama się trochę ogarnij. Weź prysznic, umyj włosy, zrzuć te wymiętoszone dresy, a poczujesz się lepiej, zobaczysz.

– Masz rację. – Joanna otarła oczy. – Pójdę po Tosię. Snuje się po ogrodzie w tej cienkiej kurteczce, a już się robi chłodno. Ewa, przepraszam, że znowu pytam, ale...

– W porządku. – Tamta kiwnęła głową. – Jutro jest u nas Matki Boskiej Pieniężnej. Mogę ci pożyczyć ze trzy stówy.

– To razem będzie już osiem...

Nagle w głębi domu rozległy się jakieś głosy. Jeden dziecięcy, a drugi... męski? Joanna co tchu pognała do korytarza. Te dziesięć metrów przebiegła z duszą na ramieniu.

– Tosiu, z kim ty roz... mawiasz? – Przedzieliła pytanie na pół, gdy zobaczyła, że córeczka trzyma za rękę Daniela.

– Mamusiu, przyprowadziłam wujka – pochwaliła się zadowolona dziewczynka.

Joanna zdenerwowała się tą nagłą wizytą.

– Cześć, Joasiu, dawno się nie widzieliśmy. – Daniel, opalony i zrelaksowany, w świetnie skrojonym ciemnym garniturze, wysunął przed siebie bukiet kwiatów, ale Joanna ich nie przyjęła.

– Co ty tu robisz? – spytała gniewnie, nie cofając się ani o krok, by przepuścić gościa dalej. Ostatni raz widziała go w lipcu, gdy się żegnali na lotnisku. Potem dzwonił raz czy dwa, ale nie odebrała, a teraz nagle przyjechał jak gdyby nigdy nic. Ciekawe po co?

– Tosia mnie wpuściła. To bardzo rezolutna dziewczynka. – Z rozbawieniem spojrzał na dziecko.

Joannę aż przeszedł dreszcz, gdy to usłyszała. Pochyliła się nad małą i powiedziała surowo:

– Tośka! Tyle razy ci tłumaczyłam, że nie wolno rozmawiać z obcymi. Kazałam ci się bawić tylko przy tarasie. Dlaczego poszłaś do furtki i jeszcze ją otworzyłaś, co?

– Bo wujek prosił, a ja go znam. – Dziewczynka zrobiła czupurną minkę.

Joanna opanowała złość. Ostatecznie powinna dopilnować dziecko, żeby nie bawiło się samopas. Teraz może mieć pretensje tylko do siebie.

– Dobrze – rzekła już spokojniej, zdejmując jej kurteczkę. – Porozmawiamy o tym później, rezolutna dziewczynko.

– Ooo, pan prezes Chmura. – Do korytarza weszła Ewa. – Dzień dobry.

– Pani redaktor Rostocka, piękna jak zwykle. – Pochylił się do jej ręki. – Darujmy sobie tego prezesa. Wystarczy „Daniel".

– W takim razie, panie Danielu, dobrze się składa, że pana widzę, ponieważ chciałam pana poprosić o krótką wypowiedź do kamery. Robimy temat o frankowiczach i chcemy mieć opinię eksperta. Tak w przyszłym tygodniu. Odpowiada to panu?

– Oczywiście, ale szczegóły proszę ustalić z moją sekretarką. Nie mam przy sobie terminarza – odparł uprzejmie.

– No to jesteśmy umówieni. – Ewa spojrzała na zegarek. – Czwarta, będę już jechać do domu. Muszę się zregenerować. Jutro środa, a w środy mamy sądny dzień.

– Tyle pracy? – spytał zaciekawiony.

– Tyle wokand w sądzie do obsłużenia, a ja mam dyżur reporterski. Asia, pomożesz mi załadować te wory do samochodu? Są ciężkie jak diabli. Po pracy zawiozę je do komisu.

– Ależ ja chętnie pomogę z załadunkiem – zaoferował, nim Joanna zdążyła odpowiedzieć. – Mój kierowca zaraz wszystko wyniesie.

Wyjął z kieszeni komórkę i wydał krótkie polecenie. Po chwili do domu wszedł młody mężczyzna w ciemnym garniturze i prawie bezszmerowo wyniósł worki. Tuż za nim wyszła Ewa.

– Od powrotu z Sycylii unikasz mnie, Joanno. Uraziłem cię czymś? – dopytywał się Daniel, gdy zostali we trójkę.

Wciąż stali w korytarzu. Tosia, która nie puszczała ręki gościa, raz po raz zezowała do ozdobnej torby, którą przyniósł ze sobą.

– Po co tu przyjechałeś? – Joanna odpowiedziała mu pytaniem, które pokryło się z tym zadanym przez Tosię:

– Co tam masz?

– A, to... – Postawił różową torbę na podłodze i kucnął przy dziewczynce. – Mała pamiątka z Afryki. I nie tylko z Afryki.

– Murzynek Bambo jest z Afryki! – zawołała. – Czytałam w melementarzu.

– W elementarzu – poprawiła ją matka. Najchętniej wypchnęłaby Daniela za drzwi, ale Tosi tak zabłysły oczka, że Joanna nie miała sumienia wypraszać gościa.

– Ja też byłem w Afryce. – Daniel ewidentnie wciągał małą w rozmowę.

– A Afryka jest daleko? – drążyła, żując swój loczek. Minę miała skupioną.

– Bardzo daleko – odpowiedział.

– A widziałeś w Afryce mojego tatusia? – spytała Tosia z taką nadzieją w głosie, że Joannie ścisnęło się serce. – On też pojechał bardzo daleko, wiesz? Mamusia tak powiedziała. I wymyślił dla nas nową zabawę w szczęście. Tylko dorośli się w nią bawią. I ja, bo jestem już duża. Ty też się w nią bawisz, wujku?

– W szczęście? – zdziwił się. – Na czym polega ta zabawa?

– Potem ci wyjaśnię – wtrąciła Joanna.

– To jak się już nauczysz, możesz się bawić z nami, ale nie wiem, czy mi się ona podoba. A wiesz, tatuś napisał mi list. Chcesz, to mogę ci pokazać – zaproponowała bez namysłu i z wyraźną dumą. Joanna zaciskała zęby ze złości i na Tomasza, i na wstrętną mistyfikację, w którą sama świadomie brnęła.

– Może później, Tosiu. – Daniel rzucił spojrzenie na skonsternowaną Joannę. – Nie widziałem twojego tatusia, ale widziałem lwy, antylopy, zebry i pustynię. Przywiozłem ci też prezent. Taki afrykański. – Wręczył małej wielką torbę.

Dziewczynka wysypała z niej pudło klocków Lego ze zwierzątkami, jakiś egzotyczny naszyjnik i całą górę słodyczy.

– Czekoladki! – Aż zapiszczała z uciechy.

– Co trzeba zrobić, Tosiu? – spytała Joanna nieco zmienionym głosem. Nagle coś zaczęło ją dławić w gardle, gdy patrzyła, jak córeczka pospiesznie wyszarpuje czekoladkę z opakowania.

– Dziękuję. – Objęła Daniela za szyję i ucałowała go prosto w usta. Zaskoczony podniósł ją w górę i mocno uścisnął.

– Nie ma za co, księżniczko – odrzekł ze śmiechem. – Nie zjedz wszystkiego od razu, bo rozboli cię brzuszek.

– Tylko tę czekoladkę zjedz teraz, reszta na jutro. – Joanna pozbierała z podłogi słodycze. – A teraz idź do swojego pokoju i obejrzyj klocki. Poradzisz sobie?

– Tak. Jestem już duża. Mamusiu… – zawahała się chwilkę. – Te klocki też oddamy innym ludziom? – Utkwiła w matce pytające spojrzenie.

– Nie, tych nie oddamy, skarbie – wydusiła Joanna.

– Ale fajnie – ucieszyła się Tosia i podreptała w głąb domu z pudełkiem klocków pod pachą oraz cukierkiem przemyconym w zaciśniętej rączce.

– Co to za zabawa, o której mówiła? – zainteresował się Daniel.

– Nieistotne. Po co przyjechałeś? – ponowiła pytanie, ignorując okazały bukiet, który przed nią trzymał. – Po co do mnie wydzwaniasz? Mało wam tego, co już widzieliście? Czego jeszcze ode mnie chcecie? Jeszcze wam nie dość?

– Wam?

– Pakulskim, tobie i innym, wam podobnym – odparła bez ogródek. – Przychodziliście do mnie na przyjęcia, piliśmy razem wino, jeździliśmy na wakacje, udawaliście przyjaciół, by potem rozedrzeć między siebie szaty. Nie chcę mieć z wami nic wspólnego. Dziękuję za upominki dla Tosi, a teraz bądź uprzejmy, zabierz te kwiaty, siebie i wyjdź. – Wskazała głową drzwi.

– Joasiu... – Daniel położył rękę na jej ramieniu. – Nie jestem twoim wrogiem. Wiem, jak się zachowali Pakulscy. To zwykli dorobkiewicze, ludzie bez klasy. Takich rzeczy się nie robi. Bądź pewna, że spotka ich za to ostracyzm w środowisku. Do Konstancina nie mają wstępu, przynajmniej do tego kręgu, w którym ja się obracam, a zwłaszcza do mojego domu. Dzwoniłem do ciebie kilka razy, ale nie odbierałaś.

– Wybacz, nie jestem w nastroju na pogaduszki.

– Nie przyjechałem na pogaduszki, choć istotnie miałem zamiar wpaść do ciebie wcześniej, ale uznałem, że lepiej będzie, jak zrobię to, kiedy już zdobędę informacje, o które mi chodziło.

– Mów jaśniej. – Zdjęła jego rękę ze swojego ramienia.

– Dowiedziałem się kilku rzeczy o Tomaszu, dlatego tu jestem.

– O Tomaszu? – spytała, szczerze zaskoczona. – Niby skąd?

– Mam swoich informatorów, a konkretnie dział wywiadu gospodarczego u siebie w firmie. Obracam milionami euro, muszę wiedzieć, z kim współpracuję, dlatego zawsze sprawdzam przyszłych kontrahentów. No i te moje orły czegoś się dowiedziały o Tomaszu. Nie jest tego wiele, ale na początek dobre i to.

– Wiesz, gdzie on jest?

– Niestety, nie. Pozwolisz mi wejść?

– Proszę.

Daniel przechadzał się po obszernym salonie, ogołoconym z większości mebli. Nawet kryształowy żyrandol znalazł nabywcę. Z sufitu smętnie zwisała samotna żarówka. Stukot męskich butów potęgowało echo, odbijające się od pustych ścian. Chmura przystanął pośrodku pokoju, wsunął końcówki palców w kieszenie spodni i cmoknął współczująco.

– Nie wygląda to ciekawie – stwierdził zgodnie z prawdą. – Ty też wyglądasz na zmordowaną tym wszystkim.

– Wiem, jak wyglądam. – Joanna odruchowo przesunęła ręką po włosach. Były nieświeże. Nie miała też ani grama makijażu na twarzy. Przy wypoczętym, starannie i drogo ubranym Danielu, który pachniał markowymi perfumami, ona – w znoszonych szarych dresach, blada i przygarbiona – prezentowała się fatalnie. – Czego się dowiedziałeś o Tomaszu?

– Naprawdę napisał do Tosi?

– Nie, ale ona wierzy, że tak. To... skomplikowane.

– A ta zabawa w szczęście? Wyjaśnisz mi, co to za tajemnicza gra?

– Nie ma w tym żadnej tajemnicy. – Wzruszyła ramionami. – Jak wróciłyśmy z Sycylii, Tośka zobaczyła naklejki komornika. Zupełnie bezwiednie sama podsunęła mi ten pomysł z zabawą. Oddaj innym swoje rzeczy, żeby byli szczęśliwi. Wiem, że to głupio tak podtrzymywać w niej złudzenia, ale nic innego nie wymyśliłam, by ją przez to wszystko w miarę łagodnie przeprowadzić. Potem będę wyjaśniać.

– Rozumiem. Joasiu, może napijemy się kawy?

– Nie mam kawy. – Chrząknęła zmieszana. Kawa była rarytasem, na który nie mogła sobie pozwolić. – Skończyła się. Może być herbata?

– Oczywiście, jeśli to dla ciebie nie kłopot.

Przeszli do kuchni.

Joanna wstawiła wodę, a Daniel patrzył na odciśnięty we wnęce między szafkami ślad po lodówce, ale niczego nie skomentował. Opowiedział krótko o safari i polowaniu, na którym był w Namibii, skąd wrócił przedwczoraj.

Joanna słuchała odwrócona plecami. Zasłaniała sobą szafkę, by nie widział, jak wyjmuje z kartonika najtańszą herbatę z dyskontu. Nalała wrzątku do kubków i postawiła je na stole, którego komornik nie zabrał, uznawszy, że to bezwartościowy grat. Dla Joanny był bezcenny. Zabrała go z rodzinnego domu.

– Czego się o nim dowiedziałeś? Nie byliście w zbyt zażyłych relacjach, więc dlaczego raptem zainteresował cię Tomek? – pytała podejrzliwie.

– Ze zwykłej życzliwości dla ciebie – odrzekł przyjaznym tonem. – W końcu trochę się znamy. A od Sycylii bardziej niż trochę, zwłaszcza że naprawdę dobrze się bawiłem w towarzystwie twoim i Tosi, a jestem w tym względzie wymagający i niełatwo mnie zadowolić. Więc gdy się o wszystkim dowiedziałem, naprawdę mnie to poruszyło.

– Czyżby? – rzuciła sceptycznie, gdyż ta nagła życzliwość była zastanawiająca. Drażniła ją też wyższość, którą nieświadomie okazywał Daniel.

– Widzę, że mi nie wierzysz. – Uśmiechnął się połową ust. – A ja chciałem ci tylko pomóc.

– Nie prosiłam o to.

– Tym bardziej chcę to zrobić – nie ustępował. – Lubię pomagać ludziom. A ci, którzy sami nie proszą o pomoc, zazwyczaj najbardziej jej potrzebują. Możemy wrócić do tematu Tomasza, czy nadal będziemy się przekomarzać? – Zabębnił palcami w blat.

– Mów, czego się o nim dowiedziałeś. – Joanna objęła dłońmi kubek i patrzyła na herbatę w środku.

– O Tomaszu od jakiegoś czasu krążyły różne plotki, ale nie lubię dawać wiary niesprawdzonym wiadomościom. Dlatego kiedy sprawy przybrały tak fatalny obrót, postanowiłem zweryfikować niektóre informacje o nim. Otóż dowiedziałem się, że

Tomasz... – urwał w połowie zdania, gdyż rozległ się dzwonek przy furtce. Był długi, natarczywy, jakby ktoś nie zdejmował palca z przycisku. Joanna momentalnie pobladła i serce w niej podskoczyło. Znała ten typ dzwonienia, tak dzwonili windykatorzy. Cofnęła się za ścianę i dyskretnie zerknęła zza kuchennej firanki. Przed wysokim ogrodzeniem stali ci sami mężczyźni, którym nie otworzyła kilka dni temu. Dostrzegła zaskoczenie na twarzy Daniela.

– Nie otworzysz? – spytał.

Pokręciła głową.

– Wiem, po co przyszli. Udajemy, że nas nie ma.

– Mamusiu! – Do kuchni przybiegła Tosia i wskoczyła Joannie na kolana. – Bawimy się w „nie ma nas w domu"?

– Tak, córeczko. – Udało jej się uśmiechnąć do dziecka, choć był to uśmiech podszyty strachem. – Nie ma nas w domu.

– Joasiu, pozwól, że się tym zajmę. – Daniel wstał.

– Lepiej nie.

– Zaufaj mi – rzekł, zmierzając do wyjścia.

– Nie chcesz się bawić w to z nami, wujku? – spytała jeszcze Tosia. – Pokażę ci naszą kryjówkę.

– Pobawimy się w coś innego – rzucił przez ramię. – Za chwilę wracam.

Joanna patrzyła, jak pewnym krokiem ruszył w kierunku furtki. O czym rozmawiał z tamtymi dwoma, nie słyszała. Dość, że po kilku minutach mężczyźni odjechali. Daniel jeszcze gdzieś zadzwonił, porozmawiał chwilę ze swoim kierowcą, który czekał w limuzynie, i skończywszy sprawę, wrócił. Pewny siebie, wyluzowany, z miną pana tego świata.

– To jak, Tośka, pobudujemy coś z tych klocków? – zapytał jakby nigdy nic. – Znam też ciekawą bajkę o słoniu i lwie. Mogę ci ją opowiedzieć.

– Hurraaaa! – Mała w mig stanęła przy Danielu.

Nie odstępowała go na krok. Garnęła się do niego przez cały czas i bez przerwy zagadywała. Siedzieli na podłodze w pokoiku dziewczynki nad górą klocków, pogrążeni w afrykańskich opowieściach. Joanna nie chciała przerywać beztroskiej zabawy córeczki, choć paliła ją ciekawość, czego Daniel dowiedział się o Tomaszu i co powiedział tamtym dwóm, że tak szybko odjechali. Nie chciała jednak poruszać drażliwych tematów przy dziecku. Zadzwoniła komórka Daniela. Rozmawiał z kimś przez chwilę, a potem rzekł:

– Joasiu, wybacz, wzywają mnie pilne sprawy. Niestety muszę już jechać.

– Rozumiem – odrzekła nieco zawiedziona. – Nie skończyliśmy rozmowy.

– Wiem, dlatego mam propozycję – powiedział, podniósłszy się z podłogi.

– Nie idź jeszcze, wujku. – Dziewczynka objęła go za nogę. – Chcę wiedzieć, co się stało potem z tym lewkiem.

– Muszę wracać do pracy. – Przykucnął na chwilę przy małej. – Ale możemy spotkać się jutro. Joasiu – spojrzał w górę – tak koło południa przyślę po was Norberta. Przywiezie was do mnie do firmy. Tam spokojnie skończymy naszą rozmowę, a dla Tosi przygotujemy niespodziankę.

– Nie wiem, czy to dobry pomysł, żebyśmy przyjechały... – zaczęła sceptycznie, lecz jej wahanie stłumił wybuch radości córeczki.

– Tak, tak, tak! – Tosia zaczęła podskakiwać z uciechy. – Pojedziemy do wujka! Chcę niespodziankę. Ożenię się z tobą, chcesz?

Daniel się roześmiał.

– To byłby dla mnie zaszczyt. – Delikatnie potargał włosy dziewczynki. – Obawiam się jednak, że chyba jestem dla ciebie trochę za stary. Bądźcie gotowe o dwunastej.

– Dobrze, skoro tak.

Po tej wizycie Joanna poczuła się trochę raźniej. Może dlatego, że Tosia już nie snuła się tak markotnie po pustym domu. Bawiła się z zapałem nowymi klockami. Budowała domki dla zwierzątek i nie zdejmowała z szyi afrykańskiego naszyjnika. Joanna, smażąc w kuchni kromki chleba nasączone jajkiem i mlekiem, słyszała, jak córeczka z zapałem powtarza historyjkę wymyśloną przez Daniela. Dobrze, że choć ty umiesz być szczęśliwa, córeczko, myślała, zanurzając w misce kolejną kromkę. Chleb był już trochę czerstwy, ale usmażony na złoty kolor bardzo Tosi smakował.

– Wiesz, mamusiu… – Dziewczynka przybiegła do kuchni i usiadła przy stole. Obok talerza postawiła plastikowe zwierzątka z zestawu Lego. – Wujek Daniel jest fajny.

– Fajny – powtórzyła Joanna, kładąc na talerzyk upieczoną grzankę. – Ile zjesz?

– I chyba mnie lubi. – Tosia zignorowała pytanie.

– A kto by cię nie lubił! – Joanna musnęła palcem jej policzek.

– Tatuś też mnie lubi, prawda? – W oczkach córeczki zagościła wyraźna niepewność.

– Co ci przyszło do tej ślicznej główki? – zaniepokoiła się Joanna. – Tatuś bardzo cię kocha.

– Ja jego też. Szkoda, że jest daleko. – Mała sięgnęła do kieszeni spodenek i wyjęła złożoną w kostkę kartkę. – Przeczytasz mi jeszcze raz ten list, mamusiu?

– Skoro chcesz. – Joanna rozłożyła pomięty papier pokryty jej własnym równym pismem i zaczęła czytać nieswoim głosem: – „Kochana córeczko…”.

ROZDZIAŁ IX

Potwornie lało od rana. Silny wiatr szarpał konary drzew, a świat tonął w szarości. Joanna najchętniej odwołałaby wizytę u Daniela, ale Tosia była tak podekscytowana, że nie mogła jej tego zrobić. Dlatego gdy punktualnie o dwunastej pod dom podjechała limuzyna, osłaniane parasolem przez kierowcę przemknęły do samochodu.

– Uważaj, żebyś bucikami nie pobrudziła wujkowi tapicerki – ostrzegła małą, siadając na kremowym skórzanym obiciu. Kierowca przypiął dziewczynkę do fotelika. Joanna zdziwiła się, że w limuzynie Daniela, który przecież nie miał dzieci, znalazł się taki gadżet.

– Pan prezes myśli o wszystkim. – Norbert odgadł jej pytające spojrzenie. – Dziś kupiłem i, jak widać, pasuje. Cześć, jestem Norbert. – Wyciągnął rękę do dziewczynki. Tosia podała mu swoją.

– Antonina Krzemieniecka-Pyrka – przedstawiła się jak dama.

Ciotka nalegała, by dziecko zachowało rodowe nazwisko, na co Joanna przystała.

– Miło mi panią poznać. – Norbert szarmancko pocałował dziewczynkę w rączkę. – A tapicerką proszę się nie przejmować. Wyczyszczę, jeśli się pobrudzi.

Zaproponował sok i ciasteczka, z czego Tosia chętnie skorzystała.

– Długo pan pracuje u Daniela? – zagadnęła go Joanna.

– Od roku, proszę pani – odpowiedział grzecznie, ale nie ciągnął rozmowy, więc nie nalegała. Włączył w odtwarzaczu utwory Beethovena, uprzednio zapytawszy grzecznie Joannę o zgodę. Przy dźwiękach *Sonaty Księżycowej* oraz trajkotania Tosi dojechali na miejsce.

Szybka winda wwiozła je na dwudzieste piętro wysokościowca na Woli, gdzie znajdowała się siedziba firmy Daniela, międzynarodowego holdingu, którego był prezesem. Joanna przyjechała tu po raz pierwszy. Dotąd spotykali się na gruncie prywatnym, i to niezbyt często. Nie miała potrzeby, by odwiedzać go w pracy.

Nowoczesny wygląd biura, pracownicy przy komputerach, których widziała za przeszklonymi ścianami, atmosfera unoszącej się w powietrzu adrenaliny i rozlegające się niemal bez przerwy sygnały komórek – wszystko to razem przygnębiło Joannę. Może gdybym zamiast polonistyki skończyła ekonomię czy marketing, i ja mogłabym siedzieć za takim biurkiem, westchnęła w duchu.

Odnalazła gabinet Daniela, przygładziła niesforne włosy, poprawiała żakiet i weszła do środka.

– Dzień dobry, jestem umówiona z panem Danielem Chmurą. Nazywam się Joanna Krzemieniecka-Pyrka – przedstawiła się sekretarce, chudej młodej kobiecie w okularach, ubranej w dopasowaną granatową garsonkę.

– A ja jestem Antonina Krzemieniecka-Pyrka. – Tośka podłapała ton matki.

– Dzień dobry – przywitała je oficjalnie sekretarka. – Niestety, pan prezes musiał pilnie wyjechać do ministerstwa. Prosił, by panie zaczekały w pokoju dla gości. Zapraszam.

Otworzyła szerokie drzwi po prawej stronie.

Pokój okazał się całkiem sporym pomieszczeniem z wygodnymi kanapami, stolikiem i płaskim telewizorem. Jedna ze ścian była w całości przeszklona. Tosia od razu do niej pobiegła.

– Mamusiu, patrz! – zawołała pełna zachwytu. – Jak tu wysoko! A nie spadniemy?

– Nie spadniemy, nie bój się. – Joanna stanęła obok niej.

Widok na Warszawę był imponujący. Tylko deszcz uniemożliwił podziwianie go w pełni, choć niebo zaczynało się już przejaśniać.

– Pan prezes prosił, by poczęstować panie lunchem. – Sekretarka zdjęła z tacy srebrną kopulastą pokrywę. – Pozwoliłam sobie zamówić zimne przekąski. Proszę się posilić i czuć swobodnie. Czy życzy sobie pani kawę?

– Nie, bardzo dziękuję. – Joanna usiadła na brzeżku miękkiej kanapy.

Młoda kobieta nalała im soku pomarańczowego do szklanek, położyła na stoliku pilot od telewizora i wyszła.

Tosia z mniejszym zainteresowaniem patrzyła na kolorowe kanapki z fantazyjnymi dekoracjami i apetycznie wyglądające sałatki niż na telewizor. Joanna, choć doceniła troskę Daniela, poczuła zakłopotanie.

– Zjedz, Tosiu. – Podsunęła córeczce talerzyk i włączyła bajkę. By zachęcić małą do jedzenia, sama też sięgnęła po krążek wycięty z chleba, obłożony łososiem z koprem i przybrany białym dressingiem. Choć kanapka była na jeden kęs, Joanna żuła ją długo. Jedzenie wręcz rosło jej w ustach, a uczucie goryczy się potęgowało. Nawet nie czuła smaku, choć jeszcze niedawno, w innym życiu, uwielbiała łososia.

Daniel przyjechał dopiero po półgodzinie.

– Bardzo was przepraszam, ale przetrzymali mnie w ministerstwie gospodarki – tłumaczył się od wejścia. – Myślałem, że szybciej to załatwię. Nie nudziłyście się? – spytał, witając się cmoknięciem w policzek z Joanną i uściskiem z Tosią.

– Oglądałam bajkę – pochwaliła się mała. – Wujku, a komu oddasz telewizor, jak będziesz się bawił w szczęście?

– Trudne pytanie, ale pomyślę o tym, jeśli kiedyś będę się bawił w tę grę. – Zdjął płaszcz i oddał go sekretarce, mówiąc: – Iza, zrób dwie kawy i gorącą czekoladę, a wy, dziewczyny, chodźcie do mnie.

– Oczywiście. Za chwilę przyniosę – powiedziała usłużnie.

Gabinet Daniela sprawiał wrażenie żywcem przeniesionego z amerykańskich filmów, tak był okazały i ekskluzywny. Też miał przeszklone ściany, z tym że na dwie strony. Gdyby nie deszcz i ta gęsta szarość, widok stąd byłby jeszcze wspanialszy. Przy jednej ze ścian stał komplet wypoczynkowy, elegancki stolik, dwa rozłożyste fotele z kremowej skóry i podwójna sofa. Tam też usiedli. Po chwili weszła sekretarka z zamówionymi napojami.

– Iza parzy najlepszą kawę, jaką dotąd piłem. Musisz koniecznie spróbować, Joasiu. Czekoladę też dobrą robi. – Mrugnął do Tosi.

Mała uśmiechnęła się szeroko. Choć jej drobne ciałko ginęło w dużym fotelu, usiadła w nim elegancko, założyła nóżkę na nóżkę i sięgnęła po filiżankę ze spodeczkiem.

– Babcia Eleonora mówi, że to nieładnie brać filiżankę bez spodeczka – pouczyła z poważną minką Daniela.

– Ktoś tu rośnie na prawdziwą damę. Już się poprawiam. – On również podłożył spodek pod filiżankę z kawą.

– Jaka to niespodzianka, wujku? – Tosi zaświeciły się oczy.

– Zaraz zobaczysz – odpowiedział i wskazał na sekretarkę. – Pani Iza cię do niej zaprowadzi, a także pokaże inne ciekawe rzeczy.

Dziewczynka zapomniała o czekoladzie i momentalnie znalazła się przy pani Izie.

– Nie zamęcz pani pytaniami, Tosiu – przestrzegła Joanna.

– Proszę się o nic nie martwić – odpowiedziała grzecznie sekretarka.

Ledwo zamknęły się drzwi za tamtymi dwiema, Joanna od razu zadała pytanie, które nurtowało ją od wczoraj:

– Czego się dowiedziałeś o Tomaszu?

– On jest hazardzistą – oświadczył bez zbędnych wstępów Daniel. Zabrzmiało to tak nieprawdopodobnie, że Joanna aż wychyliła się z fotela.

– Słucham?

– Tomasz jest uzależniony od hazardu – powtórzył i upił łyk kawy.

– Daniel, zastanów się, co ty mówisz! – Niemal się roześmiała z tej niedorzeczności. – Tomek i hazard? Nie wierzę. Wszystko można mu zarzucić, lecz nie hazard. Nigdy nie widziałam go z kartami.

Nawet w totolotka nie grał, a ty mówisz o hazardzie.

– A jednak. Sam z początku nie wierzyłem, choć słyszało się o tym tu i tam.

– Dziwne, że ja nic nie słyszałam. – W głosie Joanny wciąż brzmiało powątpiewanie. Zaraz jednak ofuknęła się w duchu. O długach też przecież nic nie słyszała, taka z niej była głucho-ślepa żona.

– Żony dowiadują się czasem ostatnie. – Daniel nieświadomie podsumował jej myśli.

– Niestety, masz rację – mruknęła.

– Tomek ostro grał. Poker, ruletka i takie tam. Niejedną noc spędził w nielegalnych kasynach. Dobrze go znają i w tych w Warszawie, i na Wybrzeżu. Czasem wygrywał naprawdę duże sumy, ale ostatnio szło mu gorzej i częściej przegrywał. Właściwie stale przegrywał.

Joanna powoli przyswajała sobie słowa Daniela.

– Nie mogę w to uwierzyć – odezwała się w końcu. – Przecież powinnam była coś zauważyć. Nawet tego nie dostrzegłam?! Nie dość, że w ogóle się nie zorientowałam, że w firmie coś nie gra, to jeszcze ten... hazard przeoczyłam.

– Prawdopodobnie zauważałaś pewne fakty, tylko ich nie połączyłaś. Joasiu, zastanów się, jakim cudem z dochodów małej firmy budowlanej, która nie miała spektakularnych, dużych inwestycji, Tomek mógł tak szybko spłacić kredyt na dom?

W dodatku żyjąc na znośnej stopie? Robił to po części, jak mniemam, z tych wygranych pieniędzy. Długo miał dobrą passę, więc mu się udawało, ale w końcu minęła. Zaczął się zapożyczać, nie regulował podatków, nie płacił ludziom, ponieważ pieniądze szły do kasyna. Przypuszczalnie chciał się odegrać i porządnie odkuć. Tylko że dobra passa nie wracała, a Tomek pogrążał się coraz bardziej i potrzebował coraz więcej pieniędzy, więc zadłużał się w różnych parabankach.

– Czasem podpisywałam jakieś dokumenty pożyczkowe, ale zapewniał mnie, że to pieniądze, które inwestuje w firmie.

– Raczej wyprowadzał je z firmy, żeby móc dalej grać. Wiedziałaś, że Tomasz miał wcześniej spółkę? Dziesięć lat temu.

– Nie wiedziałam – odparła zrezygnowanym tonem. – Jak się okazuje, w ogóle nie wiedziałam, z kim żyłam przez te lata. Kiedy wracał nad ranem albo w nocy, myślałam, że tak długo pracował. Mówiłam, żeby się oszczędzał, a on tymczasem siedział w kasynach. Boże, przecież to była jakaś fikcja. A ja naiwnie myślałam, że... – urwała.

– Że żyjesz na wyspach szczęśliwych – dopowiedział Daniel. – Nie oskarżaj się, Joasiu, o naiwność. Po prostu dałaś się zwieść. Choć Tomka tak do końca też nie można winić, mimo że zgotował ci taki bigos. Uzależnienie to choroba.

– Dlaczego nic mi nie powiedział? Nie przyznał się? Przecież są jakieś terapie, sama nie wiem, ale chyba to się leczy? – drążyła, patrząc rozbieganym wzrokiem na Daniela. Siedział naprzeciwko niej, podpierając palcem policzek.

– Po pierwsze, trzeba chcieć się leczyć. Widać Tomasz tego nie chciał. A po drugie, który ćpun, pijak czy hazardzista tak łatwo przyzna się do nałogu?

– Mniej chodzi mi o to, że Tomek się nie przyznał, że mnie okłamywał, tylko o to, że sama niczego nie zauważyłam. Ciekawe, czego jeszcze się dowiem o moim mężu. Mów, co z tą spółką, póki mam siłę słuchać.

– Założył spółkę z jeszcze jednym gościem – zaczął opowiadać. – Tamten dał pieniądze, a Tomasz pomysł. Twój mąż wykazał się nie lada sprytem, ponieważ umowa między wspólnikami była tak skonstruowana, że w razie czego to tamten ponosił większą odpowiedzialność. Spółka zajmowała się handlem paliwami. Jak się domyślasz, był to lewy interes. Wyłudzanie VAT-u i tego typu historie. Spółka padła, sprawa skończyła się w sądzie. Wspólnik Tomka poszedł siedzieć, a Tomek wywinął się od kary. Miał dobrego prawnika, który obalił zarzuty prokuratora jeden po drugim, i twój mąż wyszedł z tego czyściutki. – Daniel na koniec pstryknął palcami. – To jednak sprytny gracz.

– Teraz też wyszedł czyściutki – skwitowała sarkastycznie. – Dałam się oszukać sprytnemu graczowi.

– No niestety. Rzeczywiście dałaś się fatalnie oszukać. Nie wiem, czy cię to pocieszy, ale w twoim przypadku to czyste długi bez, powiem kolokwialnie, przekrętów skarbowych.

– A cóż to dla mnie za pociecha? – spytała obojętnie. – Może lepiej, żeby to były przekręty, wówczas policja szukałaby go gorliwiej. Nie domyślasz się, gdzie on może się podziewać?

– Wszędzie. Równie dobrze mógł wyjechać za granicę, jak i zaszyć się gdzieś w pobliżu. Jeśli chciał zniknąć, to zniknął.

– Raczej uciekł.

– Na to wygląda – przyznał Daniel. – Zwłaszcza że ten jego wspólnik jakiś czas temu wyszedł na wolność. Może Tomek się wystraszył?

– Nie chcę teraz się nad tym zastanawiać. – Joanna pokręciła głową. – Nie podziękowałam ci jeszcze, że wczoraj przepłoszyłeś tych windykatorów.

– Więcej już nie powinni cię nachodzić, przynajmniej ci.

– Jak to?

– Sprawa załatwiona.

– Chyba nie chcesz powiedzieć, że... – Oczy jej się rozszerzyły na samo przypuszczenie, co mógł zrobić Daniel.

– Dokładnie to chcę powiedzieć. – Wszedł jej w słowo. – Szkoda twoich nerwów na podobne bzdury. I nie patrz tak na mnie, Joasiu, nic wielkiego się nie stało. To tylko zwykła przyjacielska przysługa, a kwota do uregulowania była po prostu śmieszna, by aż tak cię za nią nękali.

– To było ponad tysiąc złotych – powiedziała zażenowana.

– Więcej wydaję na wodę po goleniu – zażartował, zaraz jednak się zmitygował. – Wybacz, to było niestosowne. Joasiu, potraktuj to jako formę odwdzięczenia się za to, że dzielnie dotrzymywałaś mi towarzystwa na Sycylii. Dawno żaden wyjazd nie sprawił mi takiej frajdy. Być może i ja niedługo będę potrzebował jakiejś przysługi od ciebie. A poza tym powinnaś zatrudnić dobrego prawnika, który spróbuje cię jakoś z tego wyciągnąć.

– Daniel, zlituj się! – jęknęła. – Nie mam pieniędzy na życie, to skąd je wezmę na prawnika? Dziękuję, że uregulowałeś ten dług, choć przy tych wszystkich, które mam, to kropla w morzu, ale przynajmniej od jednych windykatorów będę miała spokój. Obiecuję, że oddam ci te pieniądze, tylko nie wiem kiedy.

– I to jest ta druga sprawa, dla której chciałem się z tobą spotkać. – Wstał z fotela, wziął z biurka kopertę i położył ją przed Joanną.

– Co to jest? – spytała zaskoczona.

– Pięć tysięcy – odpowiedział jak gdyby nigdy nic.

– Nie przyjmę od ciebie więcej żadnych pieniędzy – odparła zdecydowanie, czując, jak pieką ją policzki. – Nie będę miała z czego oddać.

– Ale to nie jest pożyczka. To część zadatku, akonto twojej przyszłej wypłaty. Joasiu, chciałbym, żebyś u mnie pracowała. Dziś mamy czternasty października. Powiedzmy, od trzeciego listopada mogłabyś zacząć. Do tego czasu wypocznij, zrelaksuj się i nastaw pozytywnie. – Usiadł obok niej i objął ją ramieniem.

– Daniel... – wykrztusiła w końcu, gdy jako tako ochłonęła. – Bardzo ci dziękuję, ale ja nie mam pojęcia o ekonomii, finansach, giełdach. To dla mnie świat abstrakcyjny.

– Nie potrzebuję ekonomisty, gdyż tych mam u siebie dosyć. Potrzebuję osobistej asystentki, która spełni moje oczekiwania. A ty nadajesz się do tego idealnie.

– Ja???

– A któżby inny? – spytał i dla podkreślenia swoich słów przesunął ręką w górę i w dół po ramieniu Joanny. – Masz doskonałe maniery, tego nie da się łatwo wyuczyć, z tym trzeba się urodzić. Jesteś naturalnie elegancka, masz klasę, wdzięk, mnóstwo uroku. Nawet w tym zwyczajnym ubiorze – wskazał wzrokiem na dekolt szarej dopasowanej sukienki – prezentujesz się idealnie. Umiar i minimalizm, a efekt jest piorunujący. Dokładnie tak powinna wyglądać profesjonalna asystentka, zwłaszcza moja. A cenię wyłącznie najwyższą jakość. We wszystkim. Jestem, powiem nieskromnie, koneserem piękna, wysmakowania, staranności. Bylejakość mnie nie interesuje. Z tego, co wiem, skończyłaś polonistykę na Uniwersytecie Warszawskim?

– Tak, sześć lat temu.

– Więc zapewne potrafisz stylistycznie i gramatycznie pisać, czego, niestety, nie robi dobrze moja sekretarka. Wysyłam wiele pism do ważnych instytucji, dlatego powinny być bez zarzutu. A jestem bardzo wymagający. – Spojrzał na zegarek. – Wybacz, ale za kwadrans mam posiedzenie rady nadzorczej, a chciałbym jeszcze przejrzeć dokumenty. Proponuję, żebyśmy resztę szczegółów twojej pracy omówili w bardziej kameralnych warunkach. Na przykład jutro przy kolacji.

Patrzył jej prosto w oczy. Wzrok miał uważny, wnikliwy, jakby nicował ją na wylot lub dopowiadał spojrzeniem to, czego nie powiedziały jeszcze usta. Joanna zaczynała pojmować tę zawoalowaną rozmowę bez słów.

– Daniel... – Podniosła się. – Chyba nie jestem w odpowiednim nastroju do takich spotkań.

– Takie spotkania będą również należały do twoich przyszłych obowiązków, jeśli przyjmiesz moją ofertę. Nic nie stoi na przeszkodzie, abyśmy zainicjowali to jutro. Poza tym powinnaś choć trochę się rozerwać. Nie możesz wciąż ukrywać się w domu. Zasługujesz na dużo więcej niż tylko podłą herbatę – zakończył, tym razem z ręką na talii Joanny.

– Zauważyłeś. – Drgnęła pod wypływem jego dotyku.

– Jestem spostrzegawczy. Zadzwonię po południu i powiem ci, gdzie się spotkamy. Proponuję kuchnię molekularną, smaki z dzieciństwa w nowoczesnym wydaniu. To teraz największy hit. Postaram się zarezerwować stolik w Agrykoli. I nie zapomnij tego. – Wsunął jej do torebki kopertę.

Dziwnie ciążyła jej ta torebka, gdy niedługo potem Joanna szła z Tosią na Nowy Świat, by odwiedzić wujostwo. Przestało padać i mogły zrobić sobie spacer. Dziewczynka podskakiwała, niosąc pod pachą niespodziankę, lalkę od Daniela.

Niespodzianka, którą sprawił Joannie, mniej ją cieszyła, a bardziej zastanawiała. Nie była aż tak naiwna, by się nie domyślać, czego naprawdę dotyczy tak lukratywna propozycja.

Niby nie wydarzyło się nic szczególnego, nie padły żadne konkretne słowa, a jednak wyostrzona ostatnimi wydarzeniami intuicja lub raczej rozbudzona nieufność mówiła jej, że Danielowi chodzi o coś więcej niż wyłącznie przyjacielską przysługę.

Słyszała, że już dwa razy się rozwodził i ma opinię kobieciarza, ale wówczas było jej to zupełnie obojętne. A teraz ta nagła troska i życzliwość. I te jego spojrzenia, gdy ją obejmował. A potem jego ręka niby przypadkiem musnęła ją poniżej pleców. Był to zaledwie moment, ale był. Swoisty język ciała, spojrzeń, który wyrażał więcej niż niewypowiedziane słowa. Daniel wysłał jej jasny komunikat.

A nawet gdyby, to co? Joanna przystanęła na chodniku, zaskoczona własnym pytaniem. Nawet gdyby chodziło mu w tej grze o łóżko, to co? Ewa zawsze miała do takich spraw nieskomplikowane podejście i lepiej na tym wyszła niż ja na romantycznej miłości. Mam przecież dziecko do utrzymania. Spojrzała z czułością na kolorowe motylki wydziergane na czapeczce Tosi. Luźny pomponik podskakiwał razem z dziewczynką.

On jest rozwiedziony, ja... porzucona, więc co? Czemu nie, jeśli taki miałby być finał? Dlaczego innym kobietom udaje się robić kariery w ten sposób i nikt ich za to nie potępia, a ja miałabym się wahać? Przecież tu chodzi o Tosię, nie o mnie. Która matka nie poświęci się dla dziecka? Ja też się poświęcę. Muszę, skoro o to chodzi.

Aż do drzwi mieszkania wujostwa, a nawet przy schabowych, które pani Eleonora podała na obiad, Joanną targały sprzeczne uczucia.

– Moja droga – odezwała się do niej ciotka. – Wydajesz mi się nieobecna. Pytałam, czy może coś już wiadomo z twoją pracą. Znalazłaś jakąś?

– Nie... a właściwie tak... – Joanna odchrząknęła.

– Bogu dzięki! – zawołał wuj Ludwik. – To bardzo dobra wiadomość. A co będziesz robić, kochaniutka?

– Mam być asystentką Daniela Chmury – powiedziała oględnie o otrzymanej propozycji, z trudem przełykając kawałek kartofla. Umykała przy tym wzrokiem w bok, aby ciotka nie dostrzegła, co się z nią dzieje. Miała wrażenie, że wszystkie wątpliwości widnieją na jej twarzy w postaci wciąż płonących policzków.

– Daniela Chmury? Czekaj, czekaj, coś mi to mówi – zastanawiała się ciotka, patrząc gdzieś przed siebie. – Już chyba wiem. Czy to ten biznesmen, który czasem występuje w telewizji? Taki szpakowaty, przystojny, podobny do Olechowskiego, tylko młodszy.

– Ten sam – potwierdziła.

– Czy przypadkiem nie bywał w waszym domu? Zdaje mi się, że kiedyś wspominałaś to nazwisko.

– Wujek Daniel był u nas wczoraj i przyniósł mi czekoladki i klocki. A dziś dał mi lalkę z ubrankami – pochwaliła się Tosia.

– Antonino – zwróciła się do niej napominającym tonem pani Eleonora. – To miłe z jego strony, ale nie należy przerywać, gdy dorośli rozmawiają, tylko czekać, aż ktoś udzieli ci głosu. Joanno?

– Tak, istotnie, czasem u nas bywał – odpowiedziała niczym wyrwana do tablicy. – Zapewne z tego też względu, że się znamy, zaproponował mi pracę. Jutro mamy omówić szczegóły mojego angażu. Ciociu, czy Tosia mogłaby spać u was? To może trochę potrwać, a Ewa ma dyżur wydawcy, więc…

– Ależ oczywiście! – ucieszył się wuj Ludwik. – Ta mała perełka wnosi tyle życia do naszego domu.

– Ja też chcę iść do wujka Daniela – oświadczyła tonem pełnym urazy Tosia.

– Zostaniesz tutaj, Antonino, i bez sprzeciwu, drogie dziecko. Dorośli mają ważne sprawy do omówienia – rzekła stanowczo pani Eleonora. – Joanno, a czy to na pewno będzie uczciwa praca? Ten mężczyzna, nie wiem, jak to ująć, wydaje się… – zniżyła głos do szeptu – cóż, może go krzywdzę, ale… interesowny. Pamiętaj, żeś Krzemieniecka. Honor rodu zobowiązuje. Nie rozmień go na drobne.

Honor rodu nie wykarmi mi dziecka, odparła w duchu. Głośno zaś powiedziała:

– Pamiętam, ciociu.

ROZDZIAŁ X

Ubierała się starannie. Tak by rozbudzić zmysły, ale nie wyglądać wyzywająco. Idealna asystentka dla konesera. Jak się sprzedawać, to z klasą, szydziła sama z siebie, gdy czesała włosy przed lustrem. Miała być jak wytrawne wino, z pozoru cierpkie, w rzeczywistości zachwycające szlachetnym smakiem. Dlatego wtarła w ciało zmiękczający balsam, który przywiozła jej Ewa, i włożyła czarną koronkową bieliznę jeszcze z dobrych czasów. Zamiast rajstop wybrała pończochy, choć ich nie znosiła. Jednak staranne przygotowanie towaru do sprzedaży wymagało dopracowania każdego szczegółu, skoro kupujący był aż tak wymagający.

Jak świat światem, dla pończoch i podwiązek niejeden przecież stracił głowę. A że ja stracę coś więcej, to nic. To zupełnie nic, przekonywała sama siebie. Jeszcze tylko dopasowana mała czarna, szpilki i była gotowa.

Z lustra patrzyła na nią kobieta o rudych gęstych włosach, układających się falami do ramion. Kobieta o niebieskich oczach podkreślonych starannym makijażem, pełnych ustach muśniętych delikatną czerwienią szminki, kobieta o regularnych i wyraźnych rysach twarzy. Ładna kobieta i nawet znajoma, ale to nie była ona, Joanna. To była maska.

Po raz pierwszy włożyła maskę. Widzisz, ja też potrafię, nie tylko ty, zwróciła się w myślach do męża. W masce mi do twarzy, dumała, oglądając przed lustrem w sypialni zgrabną figurę tamtej kobiety z odbicia.

– No, no – cmoknęła Ewa, która od jakiegoś czasu obserwowała ją, stojąc w progu pokoju. – Nie myślałam, że się zdecydujesz.

– A dlaczego nie? – spytała nieco zadziornie Joanna, choć w rzeczywistości zabrzmiało to ni cynicznie, ni rozpaczliwie. – Sama mówiłaś, żeby brać życie takim, jakie jest, więc biorę. Idę zapewnić przyszłość swojemu dziecku i sobie. Czyli innymi słowy, idę dać… sama wiesz co, za intratną posadę. Dlaczego tak na mnie patrzysz? – zdziwiła się. – Skoro ty możesz swobodnie zaliczać facetów, ja też mogę. Tym bardziej że nie robię tego dla sportu, tylko dla celów wyższych. A Daniel jest…

– A Daniel jest – Ewa wpadła jej w słowo – znany, bogaty, wpływowy, dużo może i potrafi być przekonujący. O ile znam ten typ facetów, to jest równie niebezpieczny jak sympatyczny. Taki czarująco-zimny drań, który zjawił się niczym rycerz na białym koniu w najlepszym momencie, żeby ratować biednego Kopciuszka, tylko że ty dotąd taka nie byłaś. Ale widać poszłaś po rozum do głowy. Zaskoczyłaś mnie.

– Jaka nie byłam? – Joanna odwróciła się w jej stronę.

– Choćby taka jak ja. – Przyjaciółka podeszła bliżej i zaczęła poprawiać coś przy sukience Joanny. – Nieskomplikowana emocjonalnie. Wierzyłaś w romantyczną miłość, ideały, wierność i podobne bzdury. Mówiłam ci, że to głupie, ale nie chciałaś mnie słuchać. Na szczęście zmądrzałaś. Dzięki temu dostaniesz kasę, o jakiej ja mogę pomarzyć, i jeszcze opiekuńcze ramię milionera. A jak się dobrze sprawisz, to wszystkie długi ci spłaci. Dla niego te kilkaset tysięcy to jak splunąć. Z tego, co wiem, mieszka sam w wypasionej rezydencji w Konstancinie. Dochodzących pań nie liczmy. Za jednym zamachem możesz nowego tatusia Tośce zafundować, a sobie lepszą willę niż ta. O, tak jest dobrze. – Obciągnęła Joannie sukienkę w dół, by powiększyć dekolt. – Prezes Daniel Chmura nie przełknie tych kulinarnych molekuł, gdy się nachylisz nad talerzem. Skonsumuje cię na miejscu. O której przyjeżdża po ciebie ten kierowca?

– Za pięć minut. – Joanna spojrzała na zegarek. – O wpół do szóstej. Chodźmy po płaszcze, lada moment będzie.

– Aha, zapomniałabym! – Ewa sięgnęła do torebki i wyjęła z niej złożony karteluszek. – To jest kwit z komisu za te ciuchy. Pamiętaj, żebyś się dowiedziała za kilka dni. Ta babka mówiła, że szybko powinno wszystko zejść, bo na firmówki ludzie polują. I wiesz… – urwała na chwilę.

– Tak? – spytała Joanna, wkładając płaszcz w korytarzu.

– Z głupia frant zapytałam, czy nie potrzebują kogoś do pracy. Wiesz, od przyszłego tygodnia zwalnia się miejsce, jedna dziewczyna odchodzi. Od razu pomyślałam o tobie. Nawet zapytałam, ile by dała. Powiedziała, że więcej jak tysiąc czterysta nie da rady, ale do ręki może płacić. Szału nie ma, jednak na początek dobre i to, och, gadam bez sensu. – Ewa cmoknęła Joannę w policzek. – Przecież ciebie to i tak już nie dotyczy.

– Masz rację, nie dotyczy – odrzekła, motając wokół szyi dużą barwną chustę. – Ale dziękuję, że o mnie pomyślałaś.

– Zawsze o tobie myślę. – Ewa zdjęła jakiś paproch z ciemnego płaszcza Joanny. – Teraz też będę myśleć, jak wypadniesz w nowej roli. Trzymaj się swojego sponsora, skoro się na to zdecydowałaś. Z nim nie zginiesz, a reszta… No cóż, bez miłości też można to robić i też bywa przyjemnie – szepnęła jej na ucho, w chwili gdy pod bramkę podjechała czarna limuzyna.

Daniel już na nią czekał w klimatycznym lokalu, gdzie przy stolikach, otulonych miękkim światłem nastrojowych lampek, w większości siedzieli celebryci, jakieś wschodzące gwiazdeczki z seriali i dawno zgasłe gwiazdy estrady. Tacy, co to lubili się pojawiać w modnych i drogich miejscach. Jedni, by o sobie przypomnieć, drudzy, by ich nie zapomniano. Niektórzy strzelali oczami na boki – a nuż zjawi się jakiś okropny prześladowca z aparatem fotograficznym i uda im się wreszcie trafić na ostatnią stronę kolorówki. Tak czy inaczej, każdy chciał zaistnieć. Może tylko Daniel nie musiał się silić na podobne sztuczki. I bez nich był znany w kręgach finansjery, dlatego, jak domniemywała Joanna, bez trudu załatwił od ręki stolik, który, jak słyszała, rezerwuje się tu z miesięcznym wyprzedzeniem.

– Pięknie wyglądasz, Joasiu. – Daniel, w eleganckim garniturze, śnieżnobiałej koszuli i pastelowym krawacie, podniósł się od stolika, by ją powitać. Najpierw pocałunkiem w dłoń, potem w policzek.

– Dziękuję, ty również wyglądasz świetnie. – Joanna usiadła naprzeciwko niego.

– To miłe, że tak uważasz. – Uśmiechnął się, błyskając idealnie zadbanymi zębami. – Mężczyźni, choć nie wszyscy się do tego przyznają, też lubią komplementy. Trzeba wyglądać jak milion dolarów, żeby zarobić dwa. Dużo w tym prawdy, ponieważ najtrudniej zatrzeć pierwsze wrażenie, zwłaszcza złe. Dlatego nie ufam ludziom w niedoczyszczonych butach. Skrupulatność i dbałość o detale to jeden z kluczy do sukcesu. No, ale o tym potem. Na co masz ochotę?

– Nie wiem – odrzekła, czując dziwny ucisk w żołądku.

Ogarnęło ją nieprzyjemne podminowanie. W przeciwieństwie do niej Daniel był zupełnie swobodny.

Ostatecznie nikt mnie do niczego nie zmusza. Przyszłam tu z własnej woli. Skoro tak ceni najlepszą jakość, sprzedam się z klasą, postanowiła i ochłonęła trochę.

– Jesteś koneserem, więc zdam się na twój gust.

– Pochlebiasz mi. – Podniósł do ust jej dłoń i przez chwilę trzymał w ręce. – Istotnie, cenię wykwintne smaki.

– Gotowanie to sztuka, a kreatywność w kuchni pobudza zmysły. Zwłaszcza jeśli eksperymentuje się z pozornie niepasującymi do siebie komponentami. Jedzenie staje się wówczas przyjemnością, którą należy się delektować, a nie tylko sycić, więc poproszę dzieło sztuki na talerzu – odparła i zanurzyła usta w czerwonym winie.

– Trafnie to ujęłaś, poetycko. – Usłyszała w głosie Daniela uznanie. – Po raz kolejny się upewniam, że będziesz idealną asystentką. Jednak skoro zdajesz się na mnie, polecam ci mięso jelenia z dynią, żurawiną i syropem sosnowym. Wyborne.

– Chętnie skosztuję.

Tocząc pozornie obojętną rozmowę o tym i owym, nad dobrym posiłkiem, upływającym w miłej atmosferze, Daniel przeszedł wreszcie do złożonej wczoraj oferty, zadając kolejne pytania.

– Angielski znasz, słyszałem, jak mówisz. Jeszcze jakiś język?

– Trochę francuski, ale nie uzyskałam żadnych certyfikatów. Ciotka mnie uczyła sama w domu. Angielski miałam tylko na studiach i też nie jest zbyt biegły.

– Podszlifujesz. Kwota, którą ci wczoraj dałem, była tylko zadatkiem. Jeśli dojdziemy do porozumienia, twoja pensja będzie wyższa. Jednak to stanowisko wymaga pełnej dyspozycyjności, więc Tosia powinna mieć stałą opiekunkę. Wiem, że zablokowano ci konto, dlatego będziesz dostawać do ręki wypłatę i komornik jej nie ugryzie, a ty zaczniesz żyć normalnie. Potem pomyślimy, jak wyprostować twoje sprawy, żeby nie czekały tak w próżni. Jak się na to zapatrujesz?

Odłożył sztućce po skończonym posiłku i eleganckim ruchem otarł usta serwetką.

– O ile wyższą? – spytała wprost.

Daniel usiadł wygodniej na krześle, przechylił głowę w bok, podparł policzek palcem w ulubionej pozie i z zaciekawieniem przyglądał się Joannie. Nic nie mówił, tylko sondował ją z nieco uniesionymi brwiami oraz lekkim uśmieszkiem na gładko wygolonej twarzy.

– Za ile miesięcznie mnie kupujesz? – ponowiła pytanie. – I nie sil się na zaprzeczenia, że w tej lukratywnej propozycji nie chodzi też, a może przede wszystkim, o seks. Wolę grać w otwarte karty, zamiast bawić się w te gry wstępne.

– Nie mam zamiaru na nic się silić ani też zaprzeczać. Trafiłaś w dziesiątkę, jesteś inteligentna, Joanno. – Drugi raz tego wieczoru usłyszała uznanie w jego głosie. – Powinnaś także wiedzieć, że nie przepadam za grą wstępną. To tylko strata czasu, choć czasem jest koniecznością.

– Prezenty dla Tosi, hojność dla mnie, informacje o Tomaszu były formą tej konieczności?

– Poniekąd – przyznał otwarcie.

– Żeby mnie urobić?

– Żeby ci pokazać, co możesz zyskać, jeśli przyjmiesz moją ofertę. Jednak aby nie było niedopowiedzeń, chodzi mi wyłącznie o niezobowiązujący seks. Nie zakochałem się w tobie ani nie zamierzam zakochać. To mnie nie interesuje.

– W takim razie co cię interesuje?

– Wyłącznie posiadanie. Jak chcę i kiedy chcę. A mam duże wymagania, zwłaszcza na polu kontaktów intymnych.

– Niezbyt finezyjne – stwierdziła i przez chwilę wpatrywała się w czerwony płyn w kieliszku.

Daniel nie zmieniał pozycji. Wciąż siedział z przechyloną na bok głową i palcem na policzku. Czekał.

– Upajasz się swoim poczuciem władzy – spointowała celnie. Zrobił triumfującą minę.

– Bo mogę – odpowiedział nie bez dumy. – Po to jest władza, żeby się nią upajać. To mój afrodyzjak. Dobry jak każdy inny. Moją władzą są pieniądze i świadomość, że dzięki nim mogę mieć wszystko, ciebie też. Każdego można kupić, to tylko kwestia ceny, a wszystkie ideały biorą w łeb, jeśli w grę wchodzą pieniądze, szczególnie takie, jakie mam ja. Jak widzisz, jestem z tobą szczery.

– Dziękuję za tę szczerość. Ale jestem ciekawa, dlaczego dopiero teraz uchylasz przyłbicę. Znamy się trzy lata. Czemu wcześniej nie wystąpiłeś z tą propozycją?

– Kokietujesz mnie, ale odpowiem. – Daniel usiadł prosto. – Owszem, miałem taki pomysł, jednak realizacja wymagałaby wtedy więcej energii, niż chciało mi się w to wówczas wkładać. Miałaś męża i byłaś w nim zakochana. Jestem zbyt zajęty, by bawić się w takie podchody. To dobre dla nastolatków. Mój czas to pieniądz. Teraz jednak sytuacja się zmieniła. Ja ci pomagam w kłopotach, a ty mi się odwdzięczasz tym, co lubię najbardziej. Czysta transakcja wiązana, Joanno. Przyjmujesz?

– Transakcję wiązaną?

– Wyłącznie.

– Wolę twoje jawne skurwysyństwo niż zakamuflowaną podłość mojego męża – odrzekła pewnym głosem, choć w środku wszystko w niej krzyczało. – Więc za ile miesięcznie mnie kupujesz?

– Zaproponuj jakąś kwotę – rzucił, najwyraźniej rozbawiony tymi negocjacjami.

– To twoja niemoralna propozycja, więc zacznij pierwszy.

– Osiem tysięcy netto miesięcznie do ręki plus premia w zależności od stopnia mojego zadowolenia.

– Dwanaście tysięcy netto miesięcznie do ręki plus premia.

– Dziesięć i to jest moje ostatnie słowo – powiedział i kiwnął na kelnera. – Jeśli teraz skonsumujemy w innym miejscu drugą część tego intrygującego wieczoru.

– U mnie czy u ciebie? – Joanna jednym haustem dopiła resztę wina.

– U mnie, ale nie w Konstancinie. Mam dyskretny apartamencik w Babka Tower, z którego czasem korzystam.

– Jedźmy.

Apartamencik okazał się całkiem sporym mieszkaniem na dwunastym piętrze. Dwa duże pokoje, nowoczesna kuchnia, ekskluzywna łazienka, przestrzeń. Wszędzie biel, prostota, wręcz oszczędność kolorów i sprzętów, a wszystko najwyższej jakości.

Joanna nie lubiła takich wnętrz, gdyż chłód bił w nich z każdego kąta. Czarne błyszczące marmurowe posadzki podkreślały surowy klimat wnętrza. Tylko elektryczny kominek na ścianie, w którym buzował ogień, ocieplał nieco to minimalistyczne pomieszczenie.

Daniel włączył płytę Berlioza. Pokój wypełniły ciężkie przejmujące dźwięki muzyki.

– Lubię klasykę, Berlioz jest doskonałym tłem tego, co zaraz zrobimy. – Stanął za plecami Joanny. – Nic nie może mnie ograniczać, lubię ostre gry – cedził głuchym szeptem, jakby żuł słowa w ustach.

Wsunął język w jej ucho, jednocześnie ściskając piersi przez materiał sukienki.

Zadrżała, gdy włożył rękę pod stanik, a drugą podciągnął sukienkę. Dotknął koronki samonośnej pończochy, potem przesunął rękę wyżej, wsunął ją pod figi. Joanna zesztywniała jeszcze bardziej i zatrzęsła się, jakby przeszedł ją prąd, gdy poczuła mocne klepnięcie w pośladek.

– Mówiłaś, że znasz francuski. – Daniel odwrócił ją i przycisnął jej ramiona, by uklękła. – Pokaż, jak jesteś zdolna.

Powoli, drżącymi palcami odpinała obcy pasek w obcych spodniach, starając się nie widzieć powiększającego się wybrzuszenia pod rozporkiem. Uporała się z klamrą, został jeszcze guzik, potem suwak, spod którego wyłoniły się jedwabne bokserki. Poczuła rękę

Daniela na czubku swojej głowy. Pewnym ruchem przysunął ją do tego, co było pod bokserkami i... nagle uleciała z niej cała odwaga.

Słowa ciotki mieszały się z jej własną determinacją, ze słowami Ewy, wspomnieniem Tomasza, z jej sumieniem – a wszystko to razem niespodziewanie podeszło jej do gardła.

– Przepraszam. – Zerwała się gwałtownie.

Z ręką przyciśniętą do ust pobiegła do łazienki i zwymiotowała molekularnego jelenia w sfermentowanym już winie. Serce łomotało w niej jak szalone, czoło pokrył zimny pot. Przepłukała usta, zmyła wodą z mydłem cały makijaż i spojrzała w lustro nad umywalką.

Spod maski, której się pozbyła, wyjrzała prawdziwa Joanna. Mimo wszystko taką wolała. Ochłonęła chwilę i pewnym krokiem wróciła do pokoju. Daniel, wyciągnięty na kanapie przed kominkiem, popijał wino.

– Zaszkodziła ci kolacja? – zapytał.

Starał się, by zabrzmiało to naturalnie, ale Joanna dostrzegła jego napięcie. Pulsowało w tętnicy na szyi, było widoczne, gdy poruszał stopą opartą o kolano i przebierał palcami po oparciu skórzanej sofy.

– Zaszkodził mi pomysł, by udawać kogoś innego, niż jestem – powiedziała otwarcie.

Stanęła przodem do okna, a plecami do Daniela. Nie dlatego, by go nie widzieć, tylko żeby on nie patrzył na jej upokorzenie. Przed sobą miała oświetlony

Żoliborz i sznur samochodów jadących od Marymonckiej. Jednak zamiast panoramy miasta, na którą spłynęła ciemność, Joanna widziała scenę, jaka przed chwilą rozegrała się w tym pokoju, i znów poczuła mdłości. Wzdrygnęła się cała.

– Do niczego nie zamierzam cię zmuszać – odezwał się Daniel. – To nie w moim stylu. Zgoda powinna być obopólna. Jestem aż tak obrzydliwy, że wciąż zbiera ci się na wymioty?

– Nie chodzi o ciebie, tylko o mnie. Nie mogę przyjąć twojej propozycji.

– Skąd te nagłe skrupuły? Miałem wrażenie, że jesteś wręcz zdeterminowana, i całkiem nieźle negocjowałaś. – Podszedł do niej, ale jej nie dotknął.

– Mnie też się wydawało, że jestem zdeterminowana, jednak nie na tyle, żeby zaakceptować twoją ofertę.

– Dobrze się zastanów, nim ją odrzucisz. – Teraz on negocjował. – Nikt prócz mnie nie jest w stanie zaoferować ci takiego wynagrodzenia i bonusów wynikających z naszych, nazwijmy to, wzajemnych relacji. Możesz mieć wszystko albo nic. Beze mnie czeka was obie nędza, wegetacja przez długie lata. Nie szkoda ci dziecka, siebie? Pomyśl o małej. Moglibyście nawet tu zamieszkać, i tak rzadko korzystam z tego mieszkania. Wystarczy twoja zgoda. To tylko seks, Joanno. Czysta fizjologia, od której jestem uzależniony, ale to przyjemne uzależnienie.

– Problem w tym, że dla mnie to nie jest tylko seks. – Joanna odwróciła się ku niemu. Przez chwilę patrzyli na siebie w milczeniu. – Być może będę tego żałować, ale nie mogę.

Bez słowa uniósł ręce na znak kapitulacji. Wyminęła go i ruszyła do korytarza. Włożyła płaszcz, wyjęła z torebki kopertę.

– Oddaję całą kwotę. – Położyła pieniądze na stoliku. – Tamten tysiąc też ci zwrócę, tylko nie w tej chwili.

– Jeszcze sama do mnie przyjdziesz, i to niedługo, a tamten tysiąc zachowaj sobie – usłyszała jego słowa za plecami, gdy zamykała za sobą drzwi.

Nie wrócę. Wiem, że postąpiłam dobrze, przekonywała sama siebie. I po raz pierwszy od dawna, a może po raz pierwszy w ogóle, Joanna poczuła się dumna z siebie. Jednak nie chodziło tu o odrzucenie propozycji Daniela, tylko o coś zdecydowanie więcej. Jakby odezwały się w niej naraz wszystkie głosy dumnych przodków, a najgłośniej brzmiał ten należący do Eleonory Krzemienieckiej – że nie rozmieniła honoru na drobne.

ROZDZIAŁ XI

No i pomyliłam się, pani Marto. – Matylda Niteczka schowała stetoskop do walizeczki. – Jest pani zdrowa jak rydz.

– Mówiłam pani doktor, że zwłóczę i do Świętego Piotra mi nie spieszno, pókim paru spraw tu nie załatwiła. – Staruszka sprawnie zapinała guziki swetra.

Siedziała na łóżku w swoim pokoju i nasłuchiwała dochodzącego z kuchni znajomego odgłosu szatkowania kapusty.

– A my bardzo się cieszymy, że pani zwłóczy. Trochę się bałam, czy te oskrzela zapaleniem płuc się nie skończą, słyszałam jakieś dziwne szmery, ale teraz jest czyściutko. Proszę jednak dbać o siebie i koniecznie wzmocnić się witaminami.

– Lepszych witamin niż kiszona kapusta mi nie trzeba.

– No właśnie widziałam, że u państwa szatkowanie idzie pełną parą. – Lekarka wskazała w stronę drzwi do kuchni.

– A bo to koniec października już mamy i pierwsze przymrozki. W taki czas najlepiej kapustę kisić. Najsmaczniejsza wtedy. Dobrze też w drewnianej beczce nastawiać, jabłuszek trochę włożyć, ale tylko winnych, kminku i marchewki. Moja mama to jeszcze jałowca dodawała i my też tak stawiamy.

– Wiem, wiem. – Lekarka pokiwała głową. – Zajadaliśmy się tą kapustą z mężem przez całą zimę. W tym roku też chętnie kupimy.

– A jakie tam kupimy! – Marta machnęła ręką. – Za tyle dobra, co pani doktor nam wyświadcza i pieniędzy nie bierze, to wstyd byłby, żebym ja kapustą odwdzięczyć się nie mogła. Sto kilo robimy, to i państwa uczęstujemy. Poda mi pani, z łaski swojej, nogi. – Marta wskazała na protezy oparte o biały piec. – Chyba specjalnie tak daleko je postawili, żebym szybko z łóżka nie wstała.

Lekarka wzięła protezy i kucnęła przy staruszce.

– To tylko z troski, żeby się pani wyleżała. Mogę obejrzeć? – spytała. Odrzuciła kołdrę i przyglądała się kikutom nóg pacjentki. Poniżej kolan skóra była zaczerwieniona, a na samych kolanach gruba, twarda i chropowata. – Jest niewielki stan zapalny. Zapiszę pani na to maść i krem natłuszczający na te zgrubienia.

– To już nic nie da, kochaniutka. – Marta pokręciła głową. Jednak nie było w tym geście rezygnacji, tylko pogodzenie się z losem. – A na to zapalenie najlepiej mi pomoże, jak przyłożę tłuczone liście kapusty.

– Też racja – powiedziała Matylda. Jej słowa zagłuszył chóralny wybuch śmiechu za ścianą. – Ależ tam wesoło.

– Bo to zawsze był wesoły czas przy nastawianiu kapusty. Pamiętam, jak u nas w domu bracia i ojciec wsadzali siostry do beczki, żeby deptały tę kapustę ile sił. Wcześniej z godzinę nogi szorowały. A śmiechu było przy tym, a śpiewu, że ho, ho. Zaraz też i pośpiewamy, jak dawniej. Idziemy, pani doktor, zobaczymy, ile już pułkownik naszatkował. Wieczór zapada, to pewnie do północka z tym zejdzie – zakończyła wesoło, a Matylda po raz kolejny odczuła szczery podziw dla tryskającej pogodą ducha kobiecinki.

Marta przypięła protezy i pokuśtykała do kuchni. Ustawiono tam już dużą drewnianą beczkę, do której Teresa wrzucała jabłka. Pochylony nad wielką miską pułkownik, w chustce zawiązanej na głowie i w samym podkoszulku, energicznie tarł na szatkownicy kapustę. Chusta na jego czole zrobiła się mokra od potu.

Wiktor stał przy stole zawalonym górą kapuścianych główek i nożem o długim szerokim ostrzu wykrawał z nich głąby. Tylko Marylka siedziała na podłodze, oparta plecami o piec, i pisała esemesy. Obok niej drzemał czarny kot.

– Z czego tak się śmialiście, moi mili? – Marta przysiadła obok Teresy, wzięła drugi nóż, jabłko i zaczęła je przekrawać. – Pani doktor zostanie z nami?

– A bardzo chętnie. – Lekarka zajęła miejsce po drugiej stronie stołu, tak by mieć przed oczami Marylkę. – Nie mam już dziś pacjentów, więc z przyjemnością pomogę.

Sięgnęła po nożyk i jabłko.

– Marylka dowcip opowiedziała – rzucił zdyszany pułkownik. – Wiktor, zamieńmy się, już nie mam siły trzeć. Teraz twoja kolej.

– Pani Matyldo, herbatki się pani napije? – spytała śpiewaczka. – Komuś jeszcze nalać?

– Z przyjemnością, jeśli to nie kłopot. – Doktor Niteczka podniosła rękę.

– I mnie, Tereniu, zrób – poprosił pułkownik. Wyciągnął w górę ramiona, odchylił się do tyłu i stękając, masował krzyż. – Już nie te lata, gnaty bolą.

– Nie bluźnij, chłopcze – upomniała go Marta. – Lata to mam ja, a wy tu wszyscy jeszcze dzieci. To i ja się herbatki napiję.

Wiktor milczał. Otrzepał ręce z resztek kapusty i podszedł do miski. Po drodze szturchnął butem ugiętą nogę Maryli.

– Odłóż tę komórkę i weź się do roboty – polecił, stając nad dziewczyną.

– Bo co? – spytała hardo, zadzierając ku niemu głowę.

– Bo ojcu powiem, że się obijasz, i będziesz miała przechlapane.

– Ale się boję! – Zatrzepotała rzęsami. – Tatuś zrobi dla mnie wszystko.

– Biedaczek – zakpił Wiktor. – No już, chowaj albo ja ci go schowam na miesiąc. – Wskazał na telefon dziewczyny.

– Babciu. – Dziewczyna przysiadła się do Marty, ale schowała aparat. – Ciągle się mnie czepia. Zrobiłam wszystko, co kazał. Umyłam naczynia, posprzątałam, nawet pranie poskładałam. O co mu jeszcze chodzi?

– Kto się czubi, ten się lubi, Marylko. – Marta pogładziła ją po policzku.

– Ja go nie znoszę, tylko się rządzi. – Nadąsała się. – Wkurza mnie.

– Wisi mi to. – Wiktor wzruszył ramionami. – Dałem słowo twoim rodzicom, że się tobą zajmę, więc dopóki tu jesteś, będę to robił, tak jak sobie tego życzyli, czy ci się to podoba, czy nie. I żeby było jasne, ja też cię nie znoszę. – Odwrócił się do niej plecami i zaczął szatkować kapustę o wiele sprawniej, niż robił to pułkownik.

– Babcia się mną zajmuje, nie ty. – Marylka wygięła usta.

– Dzieci, dzieci! – W głosie Marty zabrzmiała ciepła nuta. – Kochać się trzeba, a nie handryczyć.

Kochać siebie, ludzi, życie. Dlatego tak naszą fundację nazwaliśmy. I, Bogu dziękować, dzieciaczkom, co są w potrzebie, pomagać choć troszkę możemy.

– Doprawdy podziwiam państwa za tę inicjatywę – odezwała się lekarka. – Czytałam na stronie, że ta dziewczynka z oparzeniami po Nowym Roku będzie miała operację plastyczną. To niesamowite, że udało się zebrać tyle pieniędzy w tak krótkim czasie.

– Naszych była zaledwie cząstka, inni też pomagają – powiedziała Teresa, ostrożnie niosąc gorącą herbatę na stół. – Maryla, zrób trochę miejsca.

Dziewczyna prędko uprzątnęła porozrzucane obierzyny.

– A właśnie – przypomniał sobie pułkownik. – Mam w domu potwierdzenia przelewów, za pamięci przyniosę, żeby się nie zapodziały – powiedział i już wycierał ręce w ściereczkę, ale Marta go powstrzymała.

– I tak rodzice Marylki przyjeżdżają dopiero na Wszystkich Świętych, więc pośpiechu nie ma. Ale przynieś, złociutki, akordeon. Stawianie kapusty najlepiej z muzyką idzie.

– Kto będzie kroił, jak on będzie grał? – spytał mrukliwie Wiktor. – Sam nie mam zamiaru się w tym babrać. Poza tym nie rozumiem, Marto, dlaczego nie chcesz, żebym robił przelewy przez Internet, tylko do banku musimy jeździć. Nie ufasz mi?

– Tobie ufam, ale tej maszynie… – Staruszka zacisnęła powieki i wtuliła głowę w ramiona.

Wyglądało to tak zabawnie, że wzbudziło ogólną wesołość. Tylko Wiktor pozostał poważny, za to Marylka przestała się dąsać.

– Babciu, a ty... – Ugryzła jabłko, ale zaraz się skrzywiła. – Fuuuj, jakie kwaśne.

– Takie do kapusty najlepsze. Co, kochanieńka?

– No bo chciałam o coś zapytać, ale trochę mi głupio – stropiła się.

– Lepiej nie gadaj, tylko zmiataj do lekcji – rzucił przez ramię Wiktor, nie odrywając się od pracy.

– Jest piątek, jakbyś chciał wiedzieć, i nie rozmawiam z tobą, tylko z babcią. – Dziewczyna pokazała mu język.

– Proszę się nimi nie przejmować, pani doktor. – Teresa pochyliła się do Matyldy. – Oni tak zawsze. Wiecznie się kłócą.

– Samo życie, ale i tak jest bardzo przyjemnie – stwierdziła lekarka zgodnie z prawdą.

Uwielbiała klimat tego miejsca. Czuła się tu jak przeniesiona w przeszłość, gdzie wszystko miało swój czas, miejsce i harmonię. I paradoksalnie to właśnie ta kaleka staruszka była dobrym duchem tego domu, z którego i ona, Matylda, czerpała siłę dla siebie. Dlatego tak lubiła tu przyjeżdżać.

– Pytaj, Marylko. Co cię trapi? – zachęciła ją Marta.

– No bo mówiłaś o tym kochaniu i tak pomyślałam...

– Niemożliwe – zakpił Wiktor.

– No widzicie, jaki on wredny! – zezłościła się. – A mnie ciekawi jedna rzecz. O pułkowniku wszyscy mówią, że kocha się w cioci Teresie.

– Maryla! – krzyknęła zaczerwieniona nagle śpiewaczka, a pułkownikowi ostrze noża zsunęło się z kapusty i stuknęło w stół.

Dziewczyna nie przejęła się wywołaną konsternacją i mówiła dalej:

– Pani doktor ma męża, więc sprawa jasna, od Wiktora wszyscy uciekają, bo jest drętwy jak kołek, a ty, babciu? Kochałaś się w kimś kiedyś?

Marta, choć się uśmiechnęła, jak to miała w zwyczaju, wyglądała na zakłopotaną. Powiodła wzrokiem po obecnych w kuchni i odpowiedziała dyplomatycznie:

– W was wszystkich się kocham, moi mili, w życiu się kocham, tyle rzeczy do kochania jest wokoło. A najbardziej to kocham *Pofajdoka* śpiewać.

– A kim jest ten pofajdok? – ciągnęła dziewczyna. – Zawsze miałam o to zapytać, ale wylatywało mi z głowy.

– To taki młodzieniec, co własnymi ścieżkami chodzi, ale do pomocy skory i ludziom życzliwy. Prawie tak jak nasz Wiktor. – Staruszka spojrzała ciepło na młodego mężczyznę, który nieprzerwanie szatkował kapustę.

– No, to ja więcej tego śpiewać nie będę – prychnęła Marylka. – Albo nie. Właśnie że zaśpiewam i będę sobie wyobrażała, jak Wiktor ujeżdża prosiaka.

Mężczyzna posłał jej miażdżące spojrzenie. Nawet blizna na jego policzku zadrżała, gdy mocno zacisnął zęby.

Przed północą, kiedy kończyli pracę i śpiewy, Marta wróciła w myślach do pytania Marylki.

Leżała w łóżku w ciemnym pokoiku i patrzyła w okno. Odbijały się w nim, rozjaśnionym blaskiem księżyca, tańczące cienie szarpanych przez wiatr gałęzi. Tej nocy, mimo szarugi za dnia, świecił jasno. I niebo było usiane gwiazdami.

Marta nie lubiła patrzeć na gwiazdy. Zawsze stawało jej wtedy przed oczami tamto niebo sprzed lat. Musiało ich trochę upłynąć, nim zrozumiała, że to, co ruscy żołnierze zrobili z jej siostrami, było bestialskim gwałtem. Potem też dużo słyszała o tych gwałtach.

Sowieci stali w okolicy aż do wiosny. Niewolili wszystkie kobiety, jakie wpadły im w ręce. Do ich chaty także załomotali którejś nocy. To było tuż po tym, jak Ruski z pistoletem nie chciał jej zastrzelić. Marta leżała wtedy w gorączce, ale jak przez mgłę pamiętała tamto straszne łomotanie.

– *Adkrywat' dwier' germanskije sobaki!!!*

A chwilę potem rozległ się trzask wyłamywanych zawiasów, krzyk jakiejś kobiety, wrzaski żołnierzy, tupot ciężkich butów, gwałtowne szurania po podłodze, przewracane naczynia i ławy. Wszystko to słyszała, tylko bała się otworzyć oczy. I nagle zapanowała cisza.

Ile mogła trwać, tego Marta nie wiedziała. W chacie musiało być już widno, bo pod powiekami widziała jasne światło. Słyszała też obok siebie dziadka. Siedział przy niej i zmieniał okład na rozpalonym czole. Odezwał się pełnym żalu głosem:

– Dobze, ze ty, dziewcaku, taka pół zywa i kulasy ci gniją. Moze i Bóg cie ustseze od tych diabłów. Hedwige... com ją tu ukrywał, wywleki do szopy i po kilku brali. Teram ją na sznurze znalazł. Powiesiła się, a dwudziestu wiosen nie miała. Wila tes nocką zbiegła. Godała, ze lepij jej bandzie w wodę skocyć, niźli dać się bandytom zywcem pojmać. Dobze, ze ty, Marta, nie widzis tego, co ja, stary. I na moje ocy za duzo tego złego. Baby kryją się od nich, wiesają, w wodę skacą, po drogach we krwi lezą, stare i młode, a na tych sowieckich psubratów kary nijakiej ni ma. Łupią, grabią i mordują. Dobze, ze tego nie widzis – szeptał niby do siebie, pewien, że ona w gorączce tego nie słyszy. Ale słyszała. Wszystko. Każde słowo.

To był jedyny powód, dla którego potem, kiedy trochę podrosła, błogosławiła swoje kalectwo, które ją ustrzegło przed losem tamtych kobiet.

Za oknem coś stuknęło. Kot? Marta uniosła się na łokciu i nasłuchiwała nocnych szmerów w ogrodzie.

Wiktor, odetchnęła, gdy błysk ognia z zapalniczki na ułamek sekundy rozświetlił mu twarz. Ciebie też dręczą po nocy własne zmory, pomyślała i odwróciła się do ściany.

Wpatrzona we wzór dużego kilimu nad łóżkiem, przysypiała. Jednak myśli o kochaniu znów do niej powróciły, a może i nigdy nie odeszły? Miała kalekie ciało, ale nie duszę. Pewnie, że kochałam, wspomniała chłopca z wisiorkiem na łańcuszku. Nosił go na szyi i chował pod koszulą jak najcenniejszy skarb. Nigdy go nie zdejmował. Inni tak chowali medaliki, a on ten dziwny wisior, który wyglądał jak kawałek pogiętej blachy.

– Dlaczego to chowasz? – To była pierwsza rzecz, o którą go zapytała.

– Żeby nikt mi nie zabrał. To mój amulet. – Tak jej wówczas odpowiedział.

Ile wtedy mieliśmy lat? – zastanawiała się, rachując w pamięci. Ja szesnaście, a on był dwa lata starszy. Chyba tak to było, jakoś z rok przed śmiercią Stalina, w pięćdziesiątym drugim, kiedy jasnowłosy chudy chłopak o dorosłych oczach i łagodnej twarzy trafił do ośrodka dla kalek i sierot we Wrocławiu. Ja mieszkałam tam już rok, odkąd wyszłam ze szpitala, a on dopiero przyjechał, wspominała znów, pół śpiąc, pół czuwając.

Kochałam się w nim ukradkiem – Marta poczuła ciepło na sercu. Tak, kochała go żarliwie. Jak tylko może kochać pierwszy raz serce dziewczyny. On jej nie kochał, to Marta wiedziała na pewno, ale lubił z nią rozmawiać albo milczeć we dwoje. Czasem czekał na nią, gdy wracała ze szkoły.

– Martuś, pójdziemy nad rzekę? – pytał wtedy. – Kierowniczka pozwoliła. Chyba że nie dojdziesz tak daleko.

– Przecież już chodzę – odpowiadała zazwyczaj. Była gotowa maszerować pieszo nawet do Małszewa, byle on był obok. – Dojdę. Tylko powoli pójdziemy.

Mogła i szybciej. Przykładała się do ćwiczeń i chodziła coraz lepiej, ale chciała przedłużyć te chwile sam na sam.

No więc szli w ulubione miejsce nad Odrę i tam, siedząc na kamieniu, najczęściej milczeli. Czasem jedno pytało drugie o przeszłość. Marta opowiadała więcej, on mniej, prawie nic.

Wszyscy w ośrodku wiedzieli, że jest przesiedleńcem ze Wschodu.

Marta bała się tych ze Wschodu. Wciąż przeżywała, jak tamci nowi z jej wsi dręczyli ją i wyzywali od faszystek, ale on tego nie robił.

Był inny. Delikatny, wrażliwy i dobry. Mówił ładnie, choć jakoś tak dziwnie, jakby śpiewał. Odzywał się jednak z rzadka, dlatego nazwali go Cichy, i tak już zostało. Mało kto zwracał się do niego po imieniu, a jemu chyba to odpowiadało. Nawet wychowawcy nie nazywali go inaczej jak Cichy. Nieraz zdarzało się, że ocierał łzy z jej policzków, gdy mówiła o sobie. Czuła się wtedy trochę lepiej, dzieląc się z nim swoją niedolą. Sam jednak swoje cierpienia wciąż chował dla siebie. To, że cierpiał, Marta wiedziała i bez słów.

– Wojna to zły czas, Martuś – tłumaczył dojrzale. – Najlepiej o wszystkim zapomnieć. I żyć tym, co przyniesie jutro. Trzeba nauczyć się żyć – po. Zapomnieć wszystko, co było przed.

– A ty zapomniałeś? Tak łatwo zapomniałeś czy udajesz? Skąd dokładnie jesteś z tego Wschodu? – dopytywała się, chowając kalekie dłonie pod sukienkę.

Bardzo się ich jeszcze wstydziła. Dla niego chciała być piękna. Dla niego rozplatała długie jasne włosy, by swobodnie unosiły się na wietrze. By widział jej urodę, nie kalectwo. On jednak nie patrzył ani na jedno, ani na drugie.

– Z Równego. I zapomniałem.

– O rodzicach też? Też ci ich zabili? Dlaczego jesteś sam na świecie? – pytała, a on tak mocno zaciskał dłoń na tym swoim amulecie, że bielały mu palce. I twarz mu wypełniał ból. I łzy błyszczały w oczach. I milczał, nic, tylko milczał.

– Nie mów, jeśli nie chcesz. – Głaskała go po ramieniu albo plecach, gdy leżał twarzą do ziemi zatopiony w bólu, który dręczył go od środka. Co widziały jego oczy, że aż tak pragnął zapomnieć? Czy może być coś gorszego nad to, co i mnie dane było widzieć? – zastanawiała się często Marta.

– Nie potrafię jeszcze o tym mówić – powtarzał i zasłaniał głowę rękami jak dziecko chowające się przed niebezpieczeństwem. – Jeszcze wolę udawać, że nie pamiętam. Wypieram z siebie tamte obrazy, jakby ich nigdy nie było. Może kiedyś ci opowiem, ale nie teraz, nie gniewaj się, Martuś.

Nie opowiedział jej nigdy. Więcej nie nalegała. Ale nadal się spotykali i wyczekiwała tych chwil, kiedy znów pójdą gdzieś razem, ramię przy ramieniu, niby obcy, a tak sobie bliscy.

Siadywali nad wodą czy w parku na ławce i mówili niewiele. Nigdy jej nie pocałował, nie trzymał za rękę, nie patrzył w oczy, a jednak Marcie było przy nim tak dobrze. Już nie czuła się taka samotna. Wystarczała milcząca obecność, aby jedno dodawało otuchy drugiemu. Czasem prosił, by mu zaśpiewała, więc nuciła swoją ulubioną piosenkę i inne, które pamiętała.

Z całej siły pragnęła, żeby to się nigdy nie skończyło. Żeby zawsze mogli być razem. Jednak zapomniał o niej od razu, gdy tylko wyjechał z ośrodka. Na pożegnanie, a było to tuż przed wakacjami, dał jej prezent owinięty w gazetę.

– Mówiłaś, że miałaś kiedyś wielkie marzenie, więc kupiłem ci to – powiedział, gdy zdejmowała powoli sznurek z kartonu. – Chciałem, żebyś je miała.

Marta zajrzała do środka i z wrażenia zakryła usta resztką dłoni.

– Cichy, ale ja nigdy… nigdy ich… nie włożę. – Oczy jej zwilgotniały ze wzruszenia.

– Nie pomyślałem o tym… – Wyraźnie się zawstydził. – Chyba zrobiłem ci przykrość. Daj, odniosę do sklepu, żebyś nie musiała jeszcze więcej cierpieć i dręczyć się bardziej tym, co los ci odebrał.

– Nie odnoś. – Marta przycisnęła do siebie pudełko. – Chcę je mieć. Nie mogę oddać spełnionego marzenia.

– Przecież tak naprawdę pozostanie ono dla ciebie nieosiągalne, choć będziesz je miała pod ręką w pudełku. Chcesz tego? – spytał, dotykając jej włosów.

– Chcę. Wolę choć kapkę spełnionego marzenia, nawet jeśli cierpieć przez to będę.

– Widzisz, Martuś – chłopak smutno popatrzył jej w oczy – i tym się właśnie różnimy. Ja tak nie potrafię. Dlatego wyjeżdżam.

– Proszę, nie… – Próbowała jeszcze go powstrzymać, a łzy dławiły ją w gardle. Serce jej pękało z żalu, że to już koniec. – Nie chcę tu zostać bez ciebie. Jesteś mi jak brat, przyjaciel, jak ktoś najbliższy na świecie.

– Muszę.

– Nie zostawiaj mnie… nie jedź…

– Nie odwodź mnie od tego, już się nie ugnę. Muszę zamknąć za sobą przeszłość, inaczej umrę za życia. A jeszcze chcę, czuję, że dam radę znaleźć w nim jakiś sens, by urodzić się na nowo. Tobie też się uda. Jesteś silna, Martuś. Da Bóg, że jeszcze kiedyś się spotkamy. Dasz mi coś na pamiątkę? – spytał ją wtedy.

Wyjęła z torebki chusteczkę, którą sama wyhaftowała i ozdobiła koronką. Schował prezent do kieszonki na koszuli, przytulił Martę mocno, długo, a potem ją zostawił i pobiegł przed siebie.

– Ciiichyyy... nie ooodchooodź!!! – wołała za nim głośno, bardzo głośno, pogrążona w rozpaczy, ale już się nie odwrócił.

Wtedy widziała go po raz ostatni. Usiadła na kamieniu nad rzeką i przyciskała do siebie prezent od Cichego – czarne pantofelki na obcasiku.

Nigdy do niej nie napisał, a przecież była w ośrodku kilka lat. Wypatrywała listonosza i czekała na list od tego chłopaka, tak jak kiedyś jej mama wyglądała listów z frontu.

Marta długo jeszcze chodziła sama wszędzie tam, gdzie siadywali razem, i rozpamiętywała to, co im się nie zdarzyło.

Czy to była miłość? Czy kiedykolwiek mogła się spełnić? Dlaczego o mnie zapomniał? – pytała sama siebie niejeden raz, zawsze z jednakowym żalem. Potem już nikt więcej nie skradł jej serca ani nie prosił o nie. Musiała je wypełnić czymś innym, by zagłuszyć pustkę.

Znów coś trzasnęło za oknem. Marta ocknęła się i rozejrzała po ciemnym pokoju. Włączyła lampkę przy łóżku. Zegar wskazywał parę minut po piątej rano.

Staruszka, jeszcze rozpamiętując swój sen nie sen, ostrożnie zsunęła się na podłogę. Trwało to chwilę, nim na kolanach, niezdarnie, ale z dziecięcą ekscytacją, schyliła się pod łóżko, gdy ktoś cichutko zapukał do drzwi. Z pewnym wysiłkiem wsunęła się z powrotem na pościel i lekko zdyszana spytała:

– Kto tam?

– Wiktor. Wszystko w porządku? – zawołał cicho przez drzwi. – Słyszałem jakieś szurania.

– To ja się tłukę skoro świt – odrzekła. Włożyła sweter na nocną koszulę i podciągnęła wyżej poduszki, by usiąść wygodniej. – Nie stój pod drzwiami. Wejdź.

– Nie chcę ci przeszkadzać – powiedział, uchylając je lekko.

– I tak oboje nie śpimy – stwierdziła. – Albo wiesz, zrób kawy, a ja się ogarnę i zaraz przyjdę.

Gdy po chwili weszła do kuchni, Wiktor siedział przy stole, na którym stały dwa kubki zbożowej kawy. Taką Marta lubiła najbardziej. Pachniało od niego papierosowym dymem i jesiennym powietrzem. Pikowany czarny bezrękawnik nasiąkł wilgocią. Osiadła też na skórzanych butach mężczyzny i sięgała aż do nogawek dżinsów. Wyglądał, jakby dopiero wrócił z dworu.

– Ja to stara jestem, a tobie, młodemu, co spać po nocy nie daje? – zagadnęła go, siadając przy nim w półciemnej kuchni, rozjaśnionej tylko słabą świetlówką pod okapem kuchenki.

– Własne demony – odpowiedział, błądząc wzrokiem nie wiadomo gdzie.

– Zaraz dzień wstanie, to i przegoni nocne mary – rzekła pocieszająco Marta.

– Muszę wyjechać – zakomunikował nagle Wiktor. Ściskał w dłoniach kubek i patrzył do środka.

– Wyjechać?

– Tak.

– Ale chyba nie na długo? – zapytała niespokojnie.

– Na zawsze.

Upił łyk kawy, zdjął kamizelkę i przerzucił ją przez oparcie siedziska.

Takiej odpowiedzi Marta się nie spodziewała. Czasem znikał na kilka dni, by odwiedzić ojca i siostrę, ale wracał. Teraz jednak tak stanowczo powiedział, że nie wróci, aż Marcie zrobiło się przykro. Nie wyobrażała już sobie tego domu i tej rodziny bez niego.

Patrzyła, jak siedział smutny, zagubiony duchem, i miała nadzieję, że to tylko puste gadanie, by zdusić w sobie cierpienie. Wiedziała, co go tak męczy, dlatego jeszcze raz poruszyła drzemiące w nim demony.

– Chłopcze drogi. – Pogładziła go czule po schylonej głowie. – Ja wiem, że ciężko tak człowiekowi od razu przepędzić złe duchy, które w nim siedzą, ale tyś młody, silny, dasz sobie z nimi radę. Tylko czasu jeszcze trochę ci trzeba, ale coraz lepiej ci idzie.

– Ten twój optymizm! – Zaplótł ręce za głową i patrzył w sufit.

– A jak bez tego żyć? – zdziwiła się. – Przecież my tu wszyscy w naszym domu każdy swoją dolą naznaczony. Każdemu to życie na gorsze się obróciło i każdy musiał je polubić na nowo. Szczęście w nim na powrót odnaleźć. Każdemu jakoś się udało, choć wcześniej swoje przeszedł, tak jak i ty, Wiktor. Patrz, taka Teresa albo pułkownik...

– Nie przeszedł weryfikacji. – Wiktor lekceważąco wzruszył ramionami. – Teresa straciła głos, wielkie mi rzeczy. Maryla to typowa panienka z bogatego domu, której się w dupie poprzewracało i z nudów zaczęła brać jakieś gówna. Nie ona pierwsza, nie ostatnia. To nie są wielkie dramaty.

– Źle na to patrzysz, Wiktor. – Marta pokręciła głową. – Dla każdego jego dramat największy. Czy myślisz, żę dla śpiewaczki operowej, która straciła głos, jest to mniejsza strata niż dla mnie brak nóg i rąk? Przecież dla niej tylko występy się liczyły. Temu się poświęciła. Nawet rodziny nie założyła, bo serce śpiewaniu oddała. I co, nie dramat? I tak ją podziwiam, że taka zawzięta, jeszcze chóry w kościele i w szkole prowadzi. A pułkownik? Wierzył w dawne racje. Ja nie mówię, czy to było dobre, czy złe. To inna rzecz, ale on ideowiec był, a potem nowe czasy nastały. I palcami go wytykali, że esbek, morderca. Co tam zrobił, jakie grzechy popełnił, toć człowiek przecież. Swoje odpokutował i przyszło mu na nowo życie układać. Można takiemu powiedzieć, że na nic już nie zasługuje? A Marylka? To dobre dziecko, tylko bardzo się pogubiła, ale, Bogu dziękować, już chyba teraz sobie poradzi, tylko wytrwać musi. Ale ma dobrych rodziców i nas tu wszystkich, to i nauczy się żyć bez tego tam... brania. Tak jak każdy z nas musiał się nauczyć żyć po tym, kiedy wszystko na gorsze się odmieniło. Ty też się tego nauczysz. Widać jeszcze nie czas.

– A ty jak sobie poradziłaś?

Zamyśliła się. Nagle powróciły tamte rozmowy z Cichym. On pierwszy zrozumiał, że ważniejsze jest to, co będzie, od tego, co było. Jej zajęło dużo więcej czasu, nim na nowo polubiła swoje życie.

– A co miałam robić? – Teraz Marta wzruszyła ramionami. – Położyć się i nad swoją dolą do śmierci łzy ronić? Toż lepiej w ogóle nie żyć, niż tylko do tyłu patrzeć.

Wiktor wstał, wsunął ręce w kieszenie i podszedł do okna. Odwrócił się twarzą do szyby, a plecami do Marty. Rozpostarł ramiona, oparł je o futrynę i stał jak ukrzyżowany.

Marta podeszła do niego powoli.

– Minęły trzy lata, a we mnie jeszcze wszystko siedzi – odezwał się głuchym głosem. – Może nie aż tak jak na początku, ale jeszcze siedzi. Gdybym wtedy poszedł inną drogą… – urwał.

– Tego już nie zmienisz, synku. – Pogładziła go po plecach. – A kiedy nie można zmienić tego, co zesłał los, najlepiej się z tym pogodzić.

– Myślisz, że to łatwe?

– Ano niełatwe – przyznała z westchnieniem. – Pojednać się z drugim człowiekiem niełatwo, a co dopiero z własnym losem, jeśli zły to los. Ale nie da się żyć, pielęgnując w sobie gorycz. Jak chcesz wyjechać, to trudno, choć nie wiem, co wtedy będzie z naszą fundacją. A i mecenasowi obiecałeś Marylki doglądać.

– Fundacją nadal mogę się zajmować, Internet jest wszędzie. A Maryla i beze mnie sobie poradzi. Zresztą od nowego półrocza wraca już do Warszawy. Muszę wyjechać, inaczej zwariuję. Ciągle stoję w miejscu, czas spróbować czegoś nowego.

– Skoro tak postanowiłeś… – odrzekła zrezygnowana. – Ale po starej przyjaźni, przemyśl to jeszcze. Nie spiesz się tak bardzo. Może odłóż do nowego roku, jak już Marylka do domu pojedzie. Przecież zaraz święta będą, może to już moje ostatnie, chciałabym mieć was wszystkich przy sobie. Jak chcesz swoich odwiedzić, to jedź, tylko wróć do nas szybko. Bez ciebie ten dom nie będzie już taki sam. Jesteś nam tu potrzebny.

– Nie mam siły. – Wiktor oparł głowę o framugę okna. – Nie wiem, skąd ty ją bierzesz, żeby ciągnąć to wszystko i jeszcze się z tego cieszyć. Jesteś chyba ze spiżu.

– Nie w mięśniach prawdziwa siła człowieka leży, ale w jego głowie, a ja nie jestem z żadnego spiżu, jak ty tam mówisz, tylko z kruchych kości. A wiesz, dam ci dobrą radę – dodała, tknięta pewną myślą.

– Jaką? – spytał bez większej ciekawości.

– Zakochaj się.

– Co?

Spojrzał na staruszkę, jakby zobaczył ją po raz pierwszy.

– Zakochaj się – powtórzyła Marta. – Tak bez pamięci. Coś mi się widzi, że wtedy zapomnisz o swoich demonach.

Zmieszany odchrząknął kilka razy, a potem powiedział:

– Zdrzemnę się przed pracą.

Zabrał ze stołu kubek z niedopitą kawą i wyszedł do sieni. Ruszył prędko po schodach na górę, jakby czymś spłoszony.

Mam cię, robaczku! Marta zachichotała. Znajdziemy tu kogoś, kto ci serce skradnie. Dopiła kawę i w dużo lepszym nastroju niż przed chwilą zabrała się do smażenia naleśników na śniadanie, za którymi wszyscy przepadali.

ROZDZIAŁ XII

Ile mogłabym za to dostać?

Joanna położyła na blacie swój złoty zegarek i obrączkę. Trzymała te skarby na czarną godzinę, która właśnie nadeszła, dlatego drugi raz przyszła do lombardu. Za pierwszym zastawiła pierścionek zaręczynowy. Z pośpiechu i zdenerwowania spociła się jak mysz. Chlupało jej w przemoczonych od śniegu butach, włosy kleiły się do wilgotnego czoła. Obok niej stała Tośka, kichając.

– Ja chcę już iść – marudziła i ciągnęła Joannę za rękaw.

– Zaraz pójdziemy. – Machinalnie pogładziła małą po główce. Na czapeczce dziecka skrzyły się śnieżynki. Dziewczynka zdjęła ją i zaczęła zlizywać płatki.

– To ile, proszę pana? Spieszę się do pracy – poganiała grubego faceta zza lady, który flegmatycznie oglądał obie rzeczy przez lupę.

– Chwileeeczkę – przeciągnął słowo. – Pośpiech jest złym doradcą.

– Jest po dziewiątej. – Zdenerwowana Joanna wskazała czerwone cyferki wyświetlacza na ścianie zapełnionej półkami z elektroniką, telefonami i biżuterią. – Za dwie godziny muszę być w pracy, a jeszcze mam zaprowadzić córeczkę do babci.

– Ja nie chcę znowu do babci! – Mała rzuciła czapeczkę na podłogę umazaną błotem i stanowczo tupnęła nóżką. – Nie pójdę do niej!

– Uspokój się! – syknęła zirytowana Joanna. Pochyliła się nad córeczką, otrzepała czapkę, schowała ją do kieszeni płaszcza i czekała, co powie właściciel lombardu.

Mężczyzna odłożył wreszcie lupę, zważył obrączkę, potem zegarek, zerknął jeszcze w jakieś tabele i oświadczył:

– Mogę dać pani za to razem trzysta złotych. – Spojrzał na nią znad okularów zsuniętych na czubek grubego nosa.

– Tylko? Przecież to… złoty zegarek. – Joanna aż się zająknęła.

Liczyła co najmniej na pięćset, może sześćset. Musiała zapłacić za światło, kupić jedzenie i kozaczki dla Tosi, a właścicielka komisu znów zalegała z wypłatą. Głodowy zasiłek z pomocy społecznej rozszedł się nie wiadomo kiedy, choć liczyła każdy grosz. Za sprzątanie dostanie pieniądze dopiero za tydzień.

– My też jesteśmy na Złotej, myśli pani, że w związku z tym powinienem się uważać za bogacza? Obrączka jest cienka, a zegarek mało waży, ponieważ bransoletka w środku jest pusta, to dmuchane złoto. Dlatego więcej nie dam. Decyduje się pani? – spytał w momencie, gdy w lombardzie rozległo się wycie Tośki.

– Nieee póóójdeee do baaabciii! Nie póóójdee do baaabciii!!! – histeryzowała czerwona jak buraczek, podskakując i machając rękami.

– Dobrze, niech będzie – rzuciła pospiesznie Joanna do mężczyzny i kucnęła przy małej. – Pójdziesz do babci i uspokój się natychmiast, ostatnio jesteś nieznośna.

Wytarła dziecku zasmarkany nosek, włożyła jej na głowę czapeczkę i kapturek kurtki, schowała głęboko pieniądze i szybko wyszła na ulicę, ciągnąc za rączkę opierającą się dziewczynkę.

W małą wstąpiło istne licho. Coraz częściej pokazywała złe humory, ale teraz dała prawdziwy popis. Darła się na całą ulicę, wyrywała, próbowała się kłaść na mokrym chodniku.

To była chwila, nieodparty impuls, gdy Joanna, zirytowana tą szarpaniną, ludzkimi spojrzeniami, paskudną pogodą, upokorzeniem w lombardzie i całą tą przeklętą sytuacją, przyłożyła małej dwa klapsy.

Nie mocne, ale klapsy. Tosia stanęła jak wryta z szeroko otwartą buzią i jeszcze szerzej otwartymi oczami, w których migotały łzy. Obie, matka i córka, wyglądały na jednakowo zaskoczone.

– Jak pani nie wstyd? – zrugała Joannę jakaś paniusia, machając mokrym parasolem.

Wstyd, cholernie wstyd, Joanna kajała się w duchu, ale nic nie odpowiedziała.

– Byłaś bardzo niegrzeczna, dlatego tak się stało – wyjaśniła córeczce, jakby to miało cokolwiek tłumaczyć.

Dziewczynka pochyliła główkę i szła spokojnie, cichutko pochlipując. Za to w Joannie moralniak rozrastał się niczym ropień.

Po raz pierwszy w życiu podniosła rękę na własne dziecko. W najprymitywniejszy sposób wyładowała na Tosi swoją frustrację. Nienawidziła siebie za to, tak samo jak nienawidziła życia. Czuła się jak na równi pochyłej, gdzie wszystko leci na łeb na szyję.

Z początkiem listopada sprawy nabrały jeszcze większego przyspieszenia. Czy Pakulscy mieli dojścia w sądzie, czy też inaczej użyli swoich wpływów, czy ktoś im pomagał, ale Artur szybko uzyskał wyrok eksmisyjny. Joanna, teoretycznie otrzymawszy lokal socjalny, na który w praktyce musiała czekać, zapakowała resztki życia w kartony i pożegnała swoje wyspy szczęśliwe.

Ani razu się nie odwróciła, nawet nie spojrzała na tabliczkę. Zacisnęła zęby, uniosła dumnie głowę, powiedziała sobie, że nie wolno jej płakać, i zatrzasnęła furtkę w Izabelinie, by po godzinie otworzyć drzwi mieszkanka na Pradze.

Wynajęła je od właścicielki komisu, w którym załapała się do pracy. Miało niby dwa pokoje, łazienkę i kuchnię, jednak ten większy był zamknięty na klucz.

– To taka moja graciarnia, ale przecież pomieścicie się obie w tym mniejszym. To bardzo przytulny kącik, za naprawdę niską cenę, i uliczka zaciszna – przekonywała ją pracodawczyni.

Spały we dwie z Tosią na wersalce, pośród spiętrzonych kartonów z resztką dobytku. Joanna starała się, jak mogła, aby jako tako urządzić to miejsce, ale efekt był gorzej niż mizerny. Tylko rzeczywiście niska cena była jedynym walorem mieszkania.

Dlaczego wtedy, tamtego dnia, potrafiłam być silna dla Tosi, obracać wszystko w pieprzoną zabawę, łgać w żywe oczy, jak nam będzie fajnie w nowym domku, a teraz tak ją potraktowałam? Dręczyły ją wyrzuty sumienia, gdy patrzyła na drepczącą obok osowiałą córeczkę, która odwracała główkę od zacinającego śniegu z deszczem.

To wszystko przez te nerwy; Joanna rozejrzała się wokoło.

Było to absurdalne, ale od jakiegoś czasu stale czuła za sobą czyjąś obecność. Jakby ktoś za nią chodził i obserwował ją z ukrycia. Rozejrzała się bacznie dookoła. Kilkoro studentów, jakieś kobiety z dziećmi, faceci z telefonami przy uszach, rozgadane dziewczyny biegnące do skrzyżowania – zwykły codzienny pośpiech rozpoczynającego się dnia, nikogo podejrzanego. A jednak nie opuszczało ją dziwne uczucie, że ktoś wciąż jest przy niej.

Na litość boską, co się ze mną dzieje? Wyżywam się na Tosi, mam przywidzenia, chyba zaczynam wariować.

Odetchnęła głębiej kilka razy zimnym powietrzem połowy grudnia, by się trochę uspokoić. Gdy ochłonęła, zatrzymała się w przejściu podziemnym przy Marszałkowskiej i mimo tłumu spieszących w różne strony ludzi kucnęła przy córeczce, potrącana przez przechodniów.

– Tosiu, przepraszam, że cię uderzyłam. – Otarła chusteczką mokrą buzię dziecka. – To było bardzo złe i jest mi przykro z tego powodu. Nie gniewaj się, wiesz, że kocham cię najbardziej na świecie.

Mocno przytuliła markotną córeczkę.

– Powiesz coś, Tosiu?

– Bolą mnie nóżki. – Mała pociągnęła noskiem.

Wzięła dziewczynkę na ręce i poszła w stronę Nowego Światu.

– Dlaczego nie chcesz chodzić do babci? – spytała, raz po raz cmokając zimny policzek małej.

– Bo jej nie lubię. Krzyczy, że mam być cicho, bo ją boli głowa. I już nie chcę się bawić w tamtą zabawę dla dorosłych, to wcale nie jest fajne. Chcę do naszego domku, do mojego pokoiku. Nowy domek jest głupi i brzydki. I chcę do wujka Daniela, i żeby przyjechał tatuś, i chcę do Emilki, i... – rozpoczęła długą litanię żalów.

Wszystkie były jak ciernie, wbijane w serce Joanny, tym boleśniejsze, że nic nie mogła zaradzić, choć się starała ze wszystkich sił. Przeklinając w duchu Tomasza, zacisnęła zęby, przytuliła mocniej córeczkę i dźwigała ją aż do kamienicy ciotki.

Ledwo weszła na klatkę schodową, gdy usłyszała na piętrze podniesiony głos wuja.

– Precz z mojego domu, kanalio!!! – krzyczał Ludwik Gintowtt, zbulwersowany czymś w najwyższym stopniu.

Joanna struchlała.

Nigdy w życiu nie słyszała, by wuj choćby głośniej się odezwał. Zawsze opanowany, spokojny, raczej usuwał się w cień, a teraz tak dał się ponieść emocjom. Wtem doleciało z góry:

– Odpowie pan za atak na urzędnika państwowego!

Joanna od razu rozpoznała głos komornika. Zamarła w bezruchu z Tosią na rękach. Serce znów wpadło w szaleńczy rytm, nie mogła złapać tchu. Nie wiedziała, czy iść na górę, czy lepiej stąd uciekać. Tosia wygięła usta w podkówkę. Joanna zakryła je ręką.

– Cichutko – szepnęła do ucha córeczki. – Bawimy się w „kto dłużej nic nie powie".

– Bandytę, nie urzędnika! Żeby tak nachodzić starszych ludzi! Wynosić się z mojego domu, ale już! – wykrzykiwał wuj równolegle z szeptem Joanny.

– Panie, panie, przestań pan tą laską wymachiwać, bo jak będę chciał, to z policją wejdę! Dłużniczka jest tu zameldowana, a ja mam tytuł wykonawczy!

– A niech pan sobie ten tytuł zabiera w cholerę! Ona tu nie mieszka! I to ja pana zaskarżę, jeśli jeszcze raz tu pana zobaczę, a teraz precz!

Na górze z impetem trzasnęły drzwi, a na schodach dały się słyszeć kroki.

– No proszę! – Komornik zatrzymał się na półpiętrze, patrząc na oszołomioną Joannę z góry. – O wilku mowa, a wilk tu. Mówiłem, że wszędzie panią znajdę.

Z wyrazem tryumfu na nalanej twarzy szedł po schodach.

Joanna modliła się w duchu, żeby tylko Tosia się nie odezwała, żeby nic nie zrozumiała, żeby nie zaczęła się bać, żeby ten człowiek jak najprędzej sobie poszedł.

– Przyszłam tylko w odwiedziny – wyjąkała przez ściśnięte gardło.

– To tak jak ja. – Uśmiechnął się od ucha do ucha. – Mamy przecież niezamknięte sprawy do omówienia. Gdzie w takim razie mogę wpaść do pani z wizytą?

Milczała.

– No cóż. – Komornik ściągnął mięsiste usta i poprawił przymały kapelusz. – Ukrywa się pani, ale to daremne. I tak prędzej czy później panią znajdę. Raczej prędzej niż później. Już mówiłem, że jestem bardzo skuteczny. A przy okazji, może opieka społeczna powinna się panią bardziej zainteresować, z czego na przykład pani żyje i utrzymuje dziecko. Sam zasiłek to chyba trochę mało, więc w grę wchodzi albo szara strefa, albo zaniedbywanie obowiązków opiekuńczych. Mizerniutka coś ta mała, a taka śliczna dziewczynka, szkoda by jej było, nie sądzi pani? Ale skoro matka sobie nie radzi, musi wkroczyć państwo. – Musnął grubym paluchem policzek Tosi, a pod Joanną ugięły się nogi.

W lot pojęła, do czego tamten zmierza.

Boże Wszechmogący, przecież nie odbiorą mi dziecka! Tylko mnie straszy! On tylko mnie straszy! Musiała oprzeć się o ścianę, tak jej się zrobiło słabo na samą myśl, że ktoś mógłby jej odebrać Tosię. Wpatrywała się w grubego faceta, który z miną zwycięzcy zapinał długi czarny płaszcz.

– Spieszę się na licytację. Do zobaczenia wkrótce – powiedział i lekkim krokiem, niepasującym do jego tuszy, wyszedł z kamienicy. Na klatce ucichło.

– Wygrałam, mamusiu – odezwała się cichuteńko Tosia. – Co to był za pan?

– Wygrałaś, córeczko. – Joanna ucałowała dziewczynkę. – Bardzo cię kocham, mój aniołku. A ten pan to... obcy człowiek. Z takimi lepiej nie rozmawiać. Chodźmy do babci i dziadka. Wszystko będzie dobrze, zobaczysz – pocieszała córkę, choć sama w to już nie wierzyła.

W mieszkaniu wujostwa atmosfera była tak gęsta, że można ją było kroić nożem. Roztrzęsiona ciotka z okładem na głowie leżała na szezlongu. Jedną ręką przytrzymywała mokry ręcznik na czole, drugą przesuwała po rozpiętej bluzce. Blada, zdenerwowana, oddychała prędko i wydawała z siebie ciche jęki.

– Joanno, co myśmy tu przed chwilą przeżyli – odezwała się dramatycznym tonem, ledwo zobaczyła bratanicę na progu pokoju. – Drab taki nas naszedł, że wuj o mało zawału nie dostał, a ja ledwo żyję. Wiedziałam, że ten pomysł z zameldowaniem ciebie tutaj tak się skończy. Żeby na stare lata takie rzeczy człowieka spotkały! Boże, a co sąsiedzi powiedzą, przecież na pewno wszystko słyszeli. Taki wstyd... taki wstyd... – zakończyła płaczliwie.

– Eleonoro, uspokój się, proszę – przerwał jej stanowczo spolegliwy dotąd wuj Ludwik. Był również mocno wzburzony, o czym świadczyły czerwone plamy na jego twarzy. Stał na środku pokoju oparty na lasce. – Nie czas na takie lamenty. Joasia spieszy się do pracy, a my musimy się zająć Tosią. Prawda, Tosieńko? – Drżącą ręką pogładził dziewczynkę po główce. Joannie ręce trzęsły się jeszcze bardziej, gdy rozbierała córeczkę. Mała już nie protestowała, tylko tuliła się do matki.

– No chyba nie chcesz powiedzieć, że będąc w takim stanie, damy radę jeszcze zająć się dzieckiem? – Ciotka aż usiadła. – Co z twoim ciśnieniem? Zapewne bardzo wysokie.

– Nie chcę powiedzieć – pokręcił głową – tylko właśnie to powiedziałem. I nie ma żadnego nadzwyczajnego stanu. Każdy mężczyzna powinien bronić swojego domu. To, że jestem stary, nie znaczy, że przestałem być mężczyzną. Już kiedyś podobne draby napadły na mój dom. Poprzysiągłem sobie wówczas, że nigdy więcej na to nie pozwolę. A moje ciśnienie ma się całkiem dobrze, więc bądź tak miła, Eleonoro, zaprowadź Tosię do kuchni i zrób jej dobre śniadanko.

O dziwo, ciotka posłuchała. Zdjęła okład, poprawiła bluzkę, wzięła przyklejoną do Joanny dziewczynkę za rączkę i mówiąc: „Pomożesz babci usmażyć jajecznicę", poszła z Tosią do kuchni.

– Joasiu, a ty zdążysz jeszcze zjeść przed pracą? – spytał wuj, kładąc dłoń na ramieniu Joanny.

– Dziękuję, wujku – powiedziała z trudem. – Nic bym teraz nie przełknęła. Jeszcze wszystko się we mnie trzęsie. Bardzo was przepraszam za te przykrości.

– Nie przepraszaj. – Starszy pan usiadł przy stole. – To przecież nie twoja wina. Tak się teraz ułożyło, ale kiedyś będzie lepiej.

– Już przestałam w to wierzyć. – Joanna przysiadła na chwilkę obok pana Ludwika i rzekła z rezygnacją: – Nigdy się nie wyplączę z tej matni.

– Wyplączesz, dziecinko. – Pogładził ją po głowie. – Może nie jutro, pojutrze, ale wyplączesz i jeszcze będziesz się z tego śmiać. A teraz biegnij do pracy i niczym się nie martw. Tosią się zajmiemy, a i drabów pogonimy. Jeszcze krew we mnie krąży, choć zdrowie mam już liche. – Ucałował Joannę w czubek pochylonej głowy.

Choć wuj starał się tchnąć w nią ducha optymizmu, nie potrafiła się uwolnić od czarnych myśli, tym bardziej po tym, co usłyszała od komornika. To wszystko przez ciebie, tylko przez ciebie, zamieniłeś nasze życie w piekło, znów obwiniała w duchu męża. I znów miała wrażenie, że ktoś ją obserwuje. Najpierw na przystanku, a potem w autobusie. Kilka razy obejrzała się za siebie, gdy wysiadła na Madalińskiego. Jednak i tym razem nie widziała nikogo podejrzanego. Naprawdę popadam w obłęd, stwierdziła i szybkim krokiem ruszyła do komisu.

– Co pani taka wystraszona? Stało się coś? – spytała zaniepokojona pracodawczyni, gdy minutę przed jedenastą Joanna wpadła do sklepiku przystrojonego świątecznymi girlandami światełek.

– Biegłam, żeby się nie spóźnić – wyjaśniła zdawkowo.

Zdjęła zaśnieżony płaszcz, pospiesznie przeczesała potargane włosy, wygładziła czarny golf na sobie i zaczęła poprawiać rzędy zawieszonych ubraniami stojaków. Dość spory sklep był podzielony na dwie części, w jednej znajdował się ciucholand, a w drugiej komis. W komisie ubrania były lepszego gatunku i w wyższej cenie.

– Pani zawsze taka obowiązkowa – pochwaliła ją Jagoda Kotkowska, dość przysadzista brunetka w średnim wieku. – Aż miło popatrzeć. Pani poprzedniczka nie miała takiego zmysłu, żeby tak te ubrania wieszać.

– Przy takiej ekspozycji, jak wiszą kolorami, łatwiej coś wybrać – odrzekła Joanna. Poczuła niemiłe ukłucie, gdy poprawiając męskie marynarki, zobaczyła te należące do Tomasza.

– Mam już dla pani pieniążki. – Kotkowska wyjęła z torebki zwitek banknotów. – Proszę się nie gniewać za ten poślizg, ale poprzedni miesiąc był słaby. Teraz, przed świętami, powinno się coś ruszyć, jednak po Nowym Roku to chyba będę zamykać interes.

– Zamykać? – powtórzyła strwożona Joanna.

– Kiedyś – ciągnęła tamta, nie zważając na widoczny lęk pracownicy – to był dobry biznes, ale teraz, jak tyle ciucholandów dokoła, jeszcze do tego dopłacam. Gdyby nie stoisko w galerii, cienko bym przędła, oj, cienko. Proszę, niech pani zobaczy, czy wszystko się zgadza. – Podała jej pieniądze.

Joanna przeliczyła banknoty. Było ich mniej, niż powinna dostać.

– Ale tu jest sześćset złotych – powiedziała ledwo słyszalnie. – Pracowałam przez cały listopad. Umawiałyśmy się na tysiąc czterysta.

– I wszystko się zgadza, pani Joasiu. Przecież osiemset odliczyłam za czynsz.

– Prawda, czynsz. – Westchnęła ciężko. – Pani Jagodo, a czy za grudzień mogłabym dostać choć część wypłaty wcześniej? Idą święta, a ja miałam ostatnio duże wydatki. Córeczka chorowała, a wie pani, jakie drogie są leki. I za naprawę bojlera zapłaciłam sto złotych, mówiła pani, że mi to wyrówna. Bardzo przepraszam, że się upominam, ale...

– Każdemu teraz ciężko – ucięła właścicielka. – Nie tylko u pani bieda. Ja też mam opłaty do zrobienia. Wykańczają człowieka te podatki, ZUS, czynsze. Zobaczymy, jak będzie z utargiem, ale nie obiecuję, czy przed świętami dam radę coś pani zapłacić. Prędzej na początku stycznia, a wyrównać, wyrównam, tylko nie w tej chwili. I tak pani idę na rękę, że pod stołem płacę. Jakby mnie urząd nakrył, to bym nieprzyjemności miała, ale jak tu człowiekowi nie pomóc w potrzebie? – Uśmiechnęła się mocno wymalowanymi ustami. Kawałki czerwonej szminki osiadły na jej przednich zębach.

– Tak, jestem pani bardzo wdzięczna. – Joanna wsunęła pieniądze do tylnej kieszeni dżinsów.

– To świetnie, że się rozumiemy. Pani Joanno – Kotkowska włożyła krótkie futerko ze srebrnych lisów – muszę załatwić parę spraw. Będę za dwie, trzy godziny. Zostawiam interes na pani głowie. Oho, pierwsza klientka. – Wskazała w stronę miejsca, skąd po chwili rozległ się dźwięk dzwoneczka zawieszonego nad drzwiami.

Jagoda Kotkowska wyszła, mijając się w przejściu z młodą niewysoką kobietą w puchowej błękitnej kurtce i futrzanej czapce uszance. Kobieta, a raczej dziewczyna, zdjęła ją po wejściu do środka. Spod czapki rozsypały się długie jasne włosy. Dziewczyna wytupała na wycieraczce resztki śniegu z markowych butów. Cała była drogo ubrana i pachniała dobrymi perfumami.

– W czym mogę pani pomóc? – spytała uprzejmie Joanna.

– Rozejrzę się trochę.

– Bardzo proszę. Tam mamy second hand, a tu komis.

– Wiem, znam ten sklep. To mój ulubiony ciucholand – stwierdziła tamta i poszła za przepierzenie, gdzie wisiały na wieszakach młodzieżowe ubrania.

Tuż za dziewczyną do sklepu wszedł ubrany na czarno wysoki mężczyzna w naciągniętym prawie na oczy kapturze kurtki. Zsunął go z głowy i rozejrzał się, jakby kogoś szukał. Oczy miał zmrużone, a brwi ściągnięte. Ten dziwny człowiek o śniadej twarzy, wyjątkowo kształtnej głowie i krótko ostrzyżonych ciemnych włosach wzbudził w Joannie ledwo uśpioną obawę.

Zdecydowanie nie wyglądał na kogoś zainteresowanego ciuchowymi zakupami, zresztą nawet nie patrzył na wieszaki z ubraniami.

A może to on mnie obserwuje? – pomyślała w pierwszym impulsie, gdy dostrzegła wielką bliznę na policzku mężczyzny. Nie, co mi przyszło do głowy, przecież to klient, zwykły klient, a tobie galopuje chora wyobraźnia, stawiała sama siebie do pionu, choć odczuwała lęk.

– Przed chwilą weszła tu dziewczyna – odezwał się niskim głosem nieznajomy.

– Tu jestem! – dobiegło zza ściany.

Poszedł do dziewczyny, zostawiając na posadzce mokre ślady wielkich butów.

Joanna odetchnęła. Policzyła w myślach do dziesięciu, by opanować wewnętrzne drżenie, i obserwowała, jak tamci dwoje wybierali ubrania. Właściwie to wybierała dziewczyna, mężczyzna stał wyraźnie znudzony, tylko od czasu do czasu zdejmował rzeczy zawieszone wyżej.

Dziwna z nich para. Brat z siostrą czy ojciec z córką, a może to jej ochroniarz albo chłopak? Wygląda, jakby pilnował tej małej. Na ojca chyba za młody, więc może chłopak. Ale jak na chłopaka to za ponury. Tak się nie zachowują zakochani. My z Tomaszem inaczej... Nie ma nas, mnie i Tomasza. Jestem tylko ja. Odegnała z głowy przywołany nieopatrznie obraz męża i wciąż wpatrywała się w intrygującą parę.

Coś było w tamtej dwójce, jakaś suma przeciwieństw, że Joanna nie mogła przestać na nich patrzeć. On chmurny, oszpecony szramą, nieprzystępny i milczący, a ona śliczna, pełna dziewczęcego uroku. Joanna podeszła bliżej.

– Państwo się zdecydowali na te rzeczy? – Wskazała na pokaźny stos ubrań, które trzymał mężczyzna.

– Tak – potwierdziła dziewczyna. – I jeszcze coś weźmiemy. Ile możemy wydać? – spytała swego towarzysza.

– Tysiaka – odpowiedział krótko.

– I nic więcej nie dorzucisz? – nalegała przymilnie.

– Nie – uciął.

– Pozwoli pan, że wezmę te rzeczy i położę przy kasie, będzie państwu wygodniej. – Joanna wyciągnęła ręce, by zabrać ubrania, ale mężczyzna odsunął jej rękę. Dłoń miał zimną.

– Sam odniosę.

Podszedł do lady i położył na niej spory stosik, ale już nie wrócił do dziewczyny, tylko wyszedł na zewnątrz i zapalił papierosa. Jednak wciąż zaglądał przez okno, obserwując, co się dzieje w środku.

– Mają państwo liczną rodzinę? – zagadnęła klientkę Joanna, nim ugryzła się w język, zawstydziło ją własne wścibstwo.

– Bardzo liczną. Mniej więcej połowę podstawówki i trochę w przedszkolu. – Tamta się roześmiała. Od jej śmiechu w sklepie aż pojaśniało. – Nasza babcia kazała nam wyposażyć dzieciaki na zimę.

– Dobra ta babcia – odrzekła ciepło Joanna, której w zdumiewający sposób i zupełnie niespodziewanie udzieliła się wyjątkowa aura bijąca od tej dziewczyny.

– Najlepsza na świecie i wszyscy bardzo ją kochamy – odparła młoda klientka, nieświadoma uczuć, jakie wzbudziła w Joannie. – Ma pani jakieś fajne firmowe bluzy dla chłopców? Wie pani, takie nieobciachowe. I spodnie dla dziewczyn, ale postrzępione i najlepiej rurki. A jak jeszcze będą miały dziury, to naprawdę super.

– Chyba wiem, o co chodzi. Zaraz coś znajdziemy, na zapleczu mam niewywieszony jeszcze towar.

Po niespełna półgodzinie zakupy zostały zrobione. Ponury mężczyzna załadował ubrania do worka, odliczył tysiąc złotych i oboje wyszli ze sklepu.

Joanna jeszcze przez jakiś czas myślała o klientach, dzięki którym miała dobry utarg. Potem, pochłonięta pracą, zapomniała o intrygującej ją parze.

Tego dnia w sklepie był spory ruch. Po pierwszej fali klientów, między którymi uwijała się jak w ukropie, nastąpił chwilowy zastój. Mogła zjeść kanapkę. Zdążyła zrobić herbatę i ugryźć pierwszy kęs chleba z serem, gdy niespodziewanie pojawił się tamten mroczny mężczyzna, ale bez dziewczyny.

– Chyba zostawiłem tu rękawiczki. – Rozejrzał się pobieżnie dookoła.

– Nie widziałam. – Joanna wepchnęła przeżuwany kęs pod policzek. – Ale proszę, niech pan sprawdzi.

Poszedł do salki obok, potem obejrzał część komisową, schylił się pod kosze z galanterią.

– Nie ma. Musiałem gdzieś je zgubić. – Stanął naprzeciwko lady, za którą siedziała Joanna.

– Wydaje mi się, że nie miał pan rękawiczek – powiedziała niepewnie.

– Taka pani spostrzegawcza?

– Miał pan zimną rękę.

Patrzył na nią z góry spod zmarszczonych brwi. Oczy miał czekoladowe, a spojrzenie jakby z ukosa. Na jego krzywawych ustach pojawił się kpiący grymas.

– Dlaczego pan tak na mnie patrzy? – spytała z niepokojem.

Nieznajomy dotknął palcem swojego policzka, mówiąc lakonicznie:

– Masło.

Skonsternowana prędko wytarła twarz.

– Teraz dobrze. Wesołych świąt – życzył jej na koniec i już go nie było.

Wesołych świąt, powtórzyła w myślach. Tymi z pozoru błahymi kurtuazyjnymi słowami, jakie mówią sobie nawet obcy ludzie w przedświątecznym czasie, zupełnie bezwiednie poruszył w niej najczulsze struny. Zagrały ciężkimi nutami w jej duszy. Jakie będą te i następne święta?

Znów wróciły do niej wszystkie troski, które na te kilka godzin spędzanych w pracy dawały się jeszcze odsunąć. Jednak gdy Joanna wracała przystrojonymi ulicami Śródmieścia po Tosię, gdy patrzyła na sklepowe wystawy w bożonarodzeniowej oprawie, na ludzi z torbami upominków, rodziny z dziećmi, palące się lampiony przed zapełnionymi kawiarniami, skąd płynęła świąteczna muzyka, a gdzieniegdzie unosił się zapach cynamonu i goździków, chciało jej się wyć.

Wpatrywała się w jeden z takich migoczących płomyków przed pubem. Gdyby tak ten ogień mógł choć rozjaśnić jej czarne myśli, oświetlić wyjście z tego labiryntu przeciwności. Może wtedy i ona, tak jak tamta dziewczyna, znów umiałaby cieszyć się życiem.

Boże, daj mi siłę, żeby to wszystko znieść. Jeżeli mnie słyszysz, jeżeli mogę cię o coś prosić, to daj mi tylko siłę, nic więcej.

– Podobno każdy z nas ma swojego anioła stróża, ale ja w to nie wierzę – powiedziała Ewa, gdy późnym wieczorem, po pracy, przyjechała na Chrzanowskiego. Siedziały w półciemnej kuchni, pomiędzy spiętrzonymi przy lodówce kartonami. Joanna zapaliła świeczkę trzymaną przez porcelanowego aniołka, którego dziś dostała od pracodawczyni, żeby ją i Tosię strzegł od złego.

– Jak byłam mała – mówiła zapatrzona w płomyk – mama uczyła mnie „Aniele Boży, stróżu mój". Wtedy w to wierzyłam. Wyobrażałam sobie, że jak śpię, to taki anioł z rozpostartymi skrzydłami, jak ten tutaj, stoi przy moim łóżeczku. Czasem budziłam się w nocy, ale nigdy go nie widziałam. Dlatego chyba przestałam wierzyć w anioły.

– Nic ci nie poradzę w tej kwestii, kochana. – Ewa założyła pasma włosów za ucho. – Mój laicki światopogląd wyklucza anioły i inne bóstwa, do których ludzkość zanosi modły, ale jeśli to komuś pomaga, to nie widzę przeszkód, jak powiedział koń, gdy go spytano, czy pobiegnie w Wielkiej Pardubickiej. Takie modlitewne placebo może się okazać całkiem niezłą terapią dla duszy.

– Nawet gdybym teraz zaczęła się modlić do wszystkich aniołów w niebie, to i tak nic mi nie pomoże. Gdziekolwiek się obrócę, tam ciągle ciemno. A niedługo pewnie jeszcze stracę pracę. Dziś Kotkowska coś wspomniała. Nie wiem, co wtedy będzie. Z samego zasiłku i dorywczego sprzątania długo z Tosią nie wyżyję.

– Poszukasz innej pracy.

– A myślisz, że teraz nie szukam? Potrzebowali kasjerki do sklepu, tu, po sąsiedzku, mówiłam ci?

– Nie.

– Widocznie zapomniałam, ale i tak nic z tego nie wyszło. Pieniądze całkiem niezłe, prawie dwójka na rękę, ale nie mogą wypłacać w gotówce, tylko na konto, więc sprawa upadła.

– Tu upadła, ale gdzie indziej wstanie. Nie martw się na zapas, na pewno coś sobie znajdziesz. Nie wiem, korepetycje, opiekunka do dziecka, a może spróbujesz do szkoły się gdzieś zaczepić jako nauczycielka. Naprawdę masz trochę możliwości, tylko musisz wreszcie wygrzebać się z tego doła, w który wpadłaś. W przyszłym roku Tosia pójdzie do zerówki, więc będziesz miała trochę lżej, przynajmniej jeśli chodzi o opiekę dla małej. Poradzisz sobie. Zresztą i tak sobie radzisz – przekonywała Joannę, gładząc jej rękę.

– Wcale sobie nie radzę. Zobacz na tę norę. Nawet przy świecy widać, jak tu obskurnie. Nic dziwnego, że Tosia nie lubi tego mieszkania. – Wskazała na brudne ściany z łuszczącą się gdzieniegdzie farbą.

– Może by to odmalować albo czymś okleić? – Ewa powiodła wzrokiem po ciemnej olejnej lamperii i odrapanych szafkach kuchennych z nadgniłymi ze starości progami.

– Ewa, ledwo na jedzenie i opłaty mi wystarcza, jak mam wydawać na farby? Muszę kupić Tosi kozaczki, co i tak jest dla mnie dużym wydatkiem – odparła Joanna, ledwo panując nad dławiącym ją szlochem. – Nigdy nie wygrzebię się z tego bagna, w które wepchnął mnie Tomek. Nie spłacę tych przeklętych długów. Do końca życia jestem skazana na szarą strefę. Nawet jeśli zaczepię się gdzieś na etat, choćby w szkole, to ile komornik mi zostawi na życie? Tysiąc dwieście, trzysta? Utrzymam nas za to? To już wolę śmieciówki. A jeszcze dziś mnie tak wystraszył, że nie mogę przestać o tym myśleć.

– Kto, komornik?

– Wpadłam na niego, jak szłam z Tosią do wujostwa. – Joanna pociągnęła nosem. Siedziała na kuchennym taborecie oparta o ścianę, z nogami podciągniętymi pod brodę, obejmując się ramionami.

– Wuj go pogonił, ale i tak mnie dopadł. Mówił, że opiekę społeczną na mnie naśle, żeby mi zabrali Tosię... Nie wiem, co wtedy... zrobię... – Już nie dała rady powstrzymać łez.

– Spokojnie – pocieszyła ją Ewa. – Tylko cię straszył. Nie bój się tego dziada. A jak jeszcze raz coś takiego zrobi, to wybiorę się do niego z kamerą. Zobaczysz, jaki będzie malutki, gdy newsa na całą Polskę puścimy, że ludzi zastrasza. Nikt ci Tosi nie zabierze. Dbasz o nią, kochasz, a przecież nie ty jedna masz kłopoty.

– Dbam, akurat – chlipnęła Joanna. – Krzyczę na nią, szturcham, dziś dałam jej klapsy. Wiesz, jak mi teraz głupio? Wyżywam się na małym dziecku i sama siebie za to nienawidzę. Nienawidzę siebie, życia, Tomka, tego całego zasranego świata, w którym walczę o przetrwanie. Ta sytuacja mnie przerasta, zaczynam popadać w obłęd. W nocy budzę się ze strachu, mam jakieś zwidy, że ktoś mnie śledzi, obserwuje. Może ten komornik za mną łazi albo ktoś od niego, czy jakiś windykator, żeby mnie namierzyć, sama już nie wiem – mówiła, ocierając rękawem mokre policzki.

– Myślę, że nikt za tobą nie łazi, tylko nerwy masz w strzępach. Ale jeśli czujesz się zagrożona, to zgłoś to na policję. W końcu od tego te miśki są.

– I co im powiem, że jestem szalona? Wtedy na pewno zabiorą mi Tosię. Niezrównoważona matka i zaginiony ojciec.

– A co z nim? Policja coś wie?

– Wie nie wie, co mnie to obchodzi – odrzekła Joanna ze wzrokiem utkwionym w dogasającej świeczce. – Nawet do nich nie dzwonię. Szkoda pieniędzy na połączenie. Ewa... – Podniosła błyszczące od łez oczy na przyjaciółkę.

– Tak?

– Gdyby... gdyby coś mi się stało... zajmiesz się Tosią? Obiecaj mi.

– Ty jesteś naprawdę nienormalna! – Ewa się zdenerwowała. – Co ty za bzdury wygadujesz?! Powinnaś iść do psychiatry, żeby dał ci jakieś piguły na optymizm, nie mogę już dłużej tego słuchać!

– Ciszej, obudzisz dziecko – zmitygowała ją Joanna. – Niedawno zasnęła i trochę marudziła. Chyba znów będzie chora. Dałam jej paracetamol, ale nie wygląda to dobrze.

– Przecież dopiero co chorowała.

– Znów musiała coś złapać. Z tych okien ciągnie przez szpary. Uszczelniłam watą, ale to i tak do dupy. Wszystko jest do dupy! – Ukryła twarz w dłoniach.

– Wykończysz się, jak tak dalej pójdzie. Słuchaj, jutro mam wolny dzień. Posiedzę z Tośką albo zabiorę ją do siebie. A ty po pracy pójdziesz gdzieś, żeby złapać oddech. Choćby na spacer czy do kina. Potem coś wymyślimy.

– Jutro środa. Wieczorem sprzątam w biurze. Naprawdę możesz się zająć Tosią?

– No pewnie. A jak będzie dobrze się czuła, to pojedziemy kupić jej te kozaczki. Nie patrz tak na mnie. W końcu jestem jej matką chrzestną. Może Mikołaja jakiegoś spotkamy.

– Ja nawet nie myślę ani o świętach, ani o prezentach. Nie stać mnie na taki luksus.

– No wiesz... – Ewa spojrzała na swoje paznokcie. – Byłoby cię stać na dużo więcej, gdybyś przyjęła pewną propozycję. Nie żałujesz?

– Nie – odpowiedziała stanowczo Joanna, ale gdzieś głęboko w mózgu przed tym zdecydowanym „nie" zaszemrało nieśmiałe „chyba", które jednak usłyszała.

– Słuchaj, a może to ktoś od Daniela za tobą łazi? – podsunęła jej nagle Ewa. – Mówiłaś, że ma jakichś szpiegów w firmie. Może wysłał kogoś za tobą, żeby wiedzieć na bieżąco, jak sprawy stoją, i teraz czeka, aż do niego zadzwonisz. Sam nie dzwonił?

– Nie – odparła obojętnie. – A niech mnie obserwuje kto chce, Daniel, komornik, zboczeniec, mam już wszystkiego dosyć.

– Przede wszystkim to ty chyba masz depresję. – Ewa wstała. Obciągnęła dopasowaną ciemną garsonkę, poprawiła włosy, po czym klepnęła się ręką w czoło. – Zupełnie zapomniałam, co Tosia chce dostać od Świętego Mikołaja?

– Lalkę.

– Biorę to na siebie. Pa!

Kiedy Ewa już wyszła, Joanna, siedząc w pokoiku przy śpiącej niespokojnie Tosi, jeszcze raz przeczytała list, który podyktowała jej córeczka. Jednak co innego było w nim dla Joanny ważniejsze niż prośba dziecka o lalkę. Z każdego słowa Tosi biła tęsknota.

Kochany Święty Mikołaju,

to mamusia pisze za mnie, bo ja jeszcze nie umiem. Tylko podpisać się umiem, i „mama", „babcia", „dom" i „kot" umiem już napisać. Do tatusia też mama za mnie pisze, wiesz? Napisałam mu, żeby już do mnie przyjechał. Jak go spotkasz, to mu powiedz, żeby przyjechał i się ze mną bawił. W Afryce go nie ma, wujek Daniel tak powiedział, bo był w Afryce, i jak przyjechał, to się ze mną bawił. Chcę, żeby tatuś wrócił już z tego daleko, tylko nie wiem, gdzie to jest. Powiedz mu, że czekam w nowym domku i że jestem grzeczna. I przynieś mi lalę, i czekoladki, i kredki też. Kocham Cię, Święty Mikołaju,

Tosia

Joanna odłożyła list, wyszła do łazienki i przycisnęła do twarzy ręcznik, by stłumić wylewające się z niej emocje. Gdy trochę ochłonęła, ponownie usiadła przy maleńkiej lampce w pokoju. Pomyślała: Nie zasługujesz na taką córkę, draniu, ja zresztą też nie – i zaczęła pisać:

Kochana córeczko!

Wiem, że za mną bardzo tęsknisz. Ja za Tobą też. Jesteś moją najukochańszą księżniczką. Pytasz, Tosiu, gdzie jest to daleko. Otóż…

Urwała, słysząc najpierw jęk, a potem charakterystyczny strzał. Odwróciła się. Rozpalona Tosia usiadła na łóżku i powiedziała cichutko:

– Zrobiłam kupę. Boli mnie brzuszek.

ROZDZIAŁ XIII

Kilka dni przed Wigilią w domu Marty trwały gorączkowe przygotowania do świąt. Od rana do wieczora gotowało się, piekło, ucierało i każdy miał pełne ręce roboty. W kuchni, która była sercem tego domu, panował taki ruch, gwar i ścisk, że ledwo dało się znaleźć choć skrawek przestrzeni wolnej od porozstawianych garnków, misek, brytfanek i stolnic, ale Marta lubowała się w takich widokach.

Za każdym razem wracała wspomnieniami do tamtych dni, kiedy w tym samym domu rozbrzmiewał taki sam gwar, choć zupełnie innych głosów. Jednak zapach wciąż był podobny. Woń gotowanej kapusty, grzybów, pieczonych miodowych pierników i wędzonych szynek, które teraz wisiały pod kuchennym okapem. I tak jak kiedyś pod sufitem królował wieniec upleciony ze świerkowych gałęzi, przystrojony czerwoną wstążką i świeczkami.

W każdą niedzielę adwentu Marta wkładała w wieniec po jednej świecy, tak jak dawniej robiła to jej mama w tym czasie oczekiwania. Kiedy się kładła, żeby podrzemać, albo i bez drzemania, czuła, że jej bliscy, choć tak dawno odeszli, znów są razem z nią, tu, w tym domu.

– Kto to wszystko zje? – spytała Teresa zajęta mieleniem mięsa na pasztet. – Mamy tego tyle, że sklep można by otworzyć. Do lutego będziemy resztki dojadać.

– Do Trzech Króli to na pewno, Tereniu. – Marta się zaśmiała. – A te szyneczki, co pułkownik z mecenasem wczoraj uwędzili, to długo mogą poleżeć.

– Obawiam się, że dopóki jest tu mój mąż, to nie poleżą – odezwała się schylona nad piekarnikiem trochę starsza kopia Marylki, Irena Dębska. Zawsze elegancka i wystrojona pani notariusz, teraz przepasana zielonym fartuchem i w wielkich ochronnych rękawicach, właśnie wyjmowała z piecyka blachę pierników. – Marylka, lukier gotowy?

– Prawie. – Dziewczyna wyciskała do rondelka sok z cytryny. – Mamcia, ale ty się bawisz z tymi dekoracjami, ja idę pakować prezenty.

– No nie wiem, czy byłaś na tyle grzeczna, żeby dostać prezent – zażartowała matka. – Marto, Tereniu, jak się sprawowała? Zasłużyła na Mikołaja? – spytała, posyłając córce pełne miłości spojrzenie.

– I jeszcze jak! – zawołała Marta.

– Zdecydowanie zasłużyła. O proszę, następna dostawa. – Teresa zatrzymała w górze korbkę maszynki do mięsa i wskazała ręką w stronę okna.

Pomiędzy przystrojonymi w lampki iglakami, które rosły przed domem, brodząc w puszystym śniegu skrzącym się od południowego słońca, szli dwaj panowie, pułkownik i ojciec Marylki, mecenas Dębski. Obaj w grubych ciemnych polarach, zaczerwienieni od mrozu, głośno o czymś rozprawiali i wyglądali na zadowolonych z siebie.

Nieśli długi kij przykryty papierem, spod którego wystawały powieszone na drągu kiełbasy. Pogadali krótko z Wiktorem, który ostrzył toporek przed domem, po czym weszli do środka. Po chwili kuchnia wypełniła się intensywnym zapachem wędzonki.

– Zadanie wykonane – zameldował pułkownik. – Drogie panie, zapraszam do degustacji. Domowej roboty kiełbaski z dzika zajechały.

Pieczołowicie ulokowali drąg z kiełbasami na oparciach krzeseł.

– Ale bosko pachnie, że też ty, przyjacielu, umiesz robić takie kiełbasy. Od samego patrzenia ślinka mi leci – odezwał się mecenas, szpakowaty mężczyzna z niewielkim brzuszkiem i pogodną twarzą.

– Zapewne od razu wszystkie byś zjadł, już ja cię znam. Maryluś, pilnuj ojca, żeby nie marudził potem, że go zgaga męczy – przykazała pani Irena.

– Ojcze, czuj się pilnowany. – Dziewczyna ułożyła palce w znak zwycięstwa i najpierw przyłożyła je do swoich oczu, a potem skierowała w stronę ojca.

– Nie zgadzam się na żadną inwigilację – zażartował. – Po to są święta, żeby niczego sobie nie odmawiać. Ani jedzenia, ani zwłaszcza takiego zamieszania jak w tym domu. Marto nasza kochana – przysiadł na ławie i objął staruszkę – dziękujemy, że zaprosiłaś nas na Wigilię.

– No a jak święta bez najbliższych spędzać? – zdziwiła się. – Przecież jesteśmy rodziną, czyż nie mam racji, moi mili?

– Jesteśmy czymś więcej niż rodziną i nie tylko za święta tobie, Marto, ale i wam wszystkim dziękujemy. Niczym się nie odwdzięczymy za to, co dla nas zrobiliście – powiedziała Irena Dębska.

– Dlatego po Trzech Królach zapraszamy was wszystkich do nas, do Warszawy. Omówimy sprawy fundacji, ponieważ drobnych korekt w dokumentach trzeba dokonać. Będziemy też mieli dla was niespodziankę, żeby rzeczywiście choć w ten sposób się zrewanżować, a i dobry uczynek przy okazji spełnić, ale na razie o tym sza – dodał jej mąż.

– Przyjedziemy wszyscy, minęło już z pół roku, jak się stąd nie ruszyłam – odrzekła Teresa. – I tak sobie myślę, że mam ochotę na teatr.

– Doskonały pomysł – pochwaliła Dębska. – My też tylko pracą zawaleni, nigdzie nie chodzimy. Zobaczę, co gdzie grają, i kupię bilety.

– No, to ucztę dla duszy mamy umówioną, teraz kolej na ciało. – Teresa ukroiła pierwszy kawałek kiełbasy i podała go Marcie. – Spróbuj, nie za dużo czosnku?

– W sam raz – uznała staruszka, skosztowawszy przysmaku. – Bardzo dobra.

– A tego co znowu ugryzło? – Pułkownik wskazał głową w stronę okna. Na zaśnieżonym pieńku siedział Wiktor i palił drugiego papierosa. – Odkąd wrócił z Warszawy, jak po te ciuchy pojechali, jeszcze gorzej się zawiesza niż wcześniej. Maryla, pokłóciliście się znowu czy jak?

– My? – Dziewczyna dotknęła się palcem w pierś. – W życiu. Tylko sierota zgubił rękawiczki i uparł się, że w moim ulubionym ciucholandzie je zostawił. I tak się zastanawiam, czy o rękawiczki mu chodziło, czy o tę rudą laskę, która tam pracuje, bo rękawiczki nagle w samochodzie się znalazły. Żebyście widzieli, jak wyrywał do tego sklepu drugi raz, jak po dopalaczach, bo za pierwszym ledwo go tam zaciągnęłam. – Zachichotała.

Marta też zauważyła, że Wiktor po powrocie z Warszawy był jakiś nieswój. Niby nic konkretnego się nie wydarzyło, ale sposępniał jeszcze bardziej. Zastanawiało ją to, próbowała go wypytywać, ale milczał, jak to on.

O wyjeździe z Małszewa na zawsze drugi raz nie wspomniał. Co prawda, pojechał odwiedzić ojca i siostrę, ale na drugi dzień wrócił. O tej sprzedawczyni z komisu, która pomagała ubrania dla dzieci wybierać, Marta słyszała od Marylki, że miła, pomocna, ale smutna jakaś. Dopiero te rękawiczki dały jej do myślenia.

Dlatego kiedy po południu została w domu sama z Wiktorem, gdyż pozostali poszli do kościoła posłuchać próby chóru, mocząc w czarnej kawie kawałek piernika, powiedziała:

– Wiktor, tak sobie myślę, że niełądnie postąpiliśmy.

Siedział oparty o piec i jadł kiełbasę. Błądził oczami gdzieś po suficie, głowę miał odchyloną do tyłu, skrzyżowane nogi wyciągnął przed siebie. Sprawiał wrażenie nieobecnego.

– Czemu? – mruknął obojętnie.

– Bo nie podziękowaliśmy tej sprzedawczyni, która wam pomogła te ubrania wybierać. Marylka mówiła, że gdyby nie ona, to nawet połowy takich dobrych rzeczy by nie znalazła. Przecież wczoraj Kalisiakowa tu była i dziękowała. Jej dziewuszki aż piszczały, jak je mierzyły, że takie podchodzące pod dzisiejszy fason. Domowego twarogu nam przyniosła za to w podarku.

– A wyszła stąd z szynkami – wtrącił kpiąco. Odłamał kawałeczek kiełbasy i rzucił kotu, który łasił się do jego nóg.

– Nie przelewa się u nich, a nam, chwalić Boga, niczego nie brakuje. Trzeba się z ludźmi dzielić i nie wymawiać tego. Odwdzięczać się za otrzymane dobro też trzeba. Dlatego prośbę mam do ciebie, synku, wielką. Pojedź jutro do Warszawy i zawieź tej sprzedawczyni gościniec od nas.

– Co? – Oderwał oczy od sufitu i popatrzył zdziwiony na Martę, która z całym spokojem popiła kawą rozmiękczony piernik. Potem poprawiła wełnianą chustę na plecach i zaczęła polerować sztućce.

– Szyneczki, kiełbasek, naszej kapustki, makowca, żeby jej się w nowym roku darzyło. Ja wiem, że w mieście wszystko jest, ale co swojskie, to swojskie. A i jej miło będzie. Przecież starała się, pomogła, dlatego wypada podziękować.

– Ty chyba... – Nie dokończył, chciał powiedzieć: „zwariowałaś", ale weszła mu w słowo.

– Trzeba ludziom za dobro odpłacać. Za tyle dobra, którego ja doświadczyłam przez te lata od obcych ludzi, to musiałabym kilka razy żyć, aby się wszystkim wywdzięczyć. Prawda, zła też dużo doznałam, ale o tym pamiętać nie chcę. Dobrego było więcej. A już szczególnie tamten lekarz z Wrocławia, który mi nogi odejmował, pamiętasz, opowiadałam ci o nim, to za każdym razem, jak do Warszawy czy gdzie tam jechał, to zawsze pytał: „A co ci, Marciu, dziecinko, dobrego przywieźć?". Jak ojciec był dla mnie i o wszystko dbał. Nie tylko chodzić nauczył, ale i do technikum finansowego mnie wysłał i na wszystkie święta do domu zabierał, a przecież obcy był. Przez całe życie dobrych ludzi na drodze spotykałam, dlatego teraz komu mogę, chcę oddać to, co od innych dostałam. Mnie starej ciężko, ale tyś młody, synku, dlatego proszę, wsiądź jutro w samochód, raz-dwa do Warszawy i z powrotem obrócisz. Nie odmawiaj, Wiktor. – Posłała mu ciepłe spojrzenie.

Komu innemu by odmówił, ale Marcie nie mógł, po prostu nie mógł.

Dlatego rankiem, po śniadaniu, na dwa dni przed Wigilią, odskrobał zamarzniętego przez noc dżipa i z wiklinowym koszem wyładowanym po brzegi świątecznymi wiktuałami ruszył do Warszawy.

Marta włożyła jeszcze do środka napisane przez siebie życzenia, a Maryla ozdobiła kosz świerkowymi gałązkami i czerwoną wstążką. Kiedy cała rodzina żegnała Wiktora gromadnie z ganku machaniem rękami i odśpiewaną chóralnie kolędą *Przybieżeli do Betlejem*, dziewczyna, drażniąc się z nim, cisnęła śnieżką w tylną szybę auta i narysowała w powietrzu serce. Puknął się w czoło przed wstecznym lusterkiem, aby pokazać, co myśli o jej głupich sugestiach, i odjechał.

Przez noc sypnęło mocno śniegiem i wąskie kręte szczytnowskie dróżki spowalniały jazdę. Miejscami samochód ślizgał się na lodzie, a koła buksowały w śniegu. Co mi odbiło, żeby głupka z siebie robić, jeszcze w taką pogodę, urągał sam sobie.

Znużony świątecznymi kawałkami, jakie leciały na wszystkich stacjach radiowych, podkręcił głośniej płytę Led Zeppelin. Dziś wolał mocne brzmienie hard rocka, który jako tako zagłuszał myśli cisnące się do głowy. Mimo to jedna z nich wysuwała się na plan pierwszy.

Zakochaj się, powtórzył w myślach niedawne słowa Marty. Co jej się stało, że taką radę mi dała? – zastanawiał się aż do Przasnysza. Mógł jechać siódemką, ale wolał krótszą, choć gorszą trasę, żeby jak najszybciej mieć za sobą tę bzdurną misję.

„Zakochaj się", usłyszał w głowie.

To ostatnia rzecz, jakiej potrzebował i o jakiej w ogóle myślał. Nie mógł się uporać sam ze sobą, a co dopiero wikłać się w znajomość z jakąś kobietą. Nawet nie był w stanie podjąć decyzji, żeby, tak jak mówił Marcie, wyjechać z jej domu na zawsze.

Bo niby dokąd?

Chory na alzheimera ojciec ledwo go poznawał, starsza siostra, zajęta dzieciakami i mężem nierobem, nie miała czasu na jego rozterki. Warszawskie mieszkanie wynajął studentom, a sam wylądował w obcej rodzinie nie rodzinie.

I choć głośno się do tego nie przyznawał, to jednak ci ludzie stali mu się bliscy. Dlatego, choć chciał uciekać przed widmami przeszłości, nadal tkwił w miejscu, które było jak opatrunek na jego ranę.

Dlatego też zgadzam się na głupie misje, stwierdził, kończąc te rozważania. Wyłączył płytę, włączył radio i przy wtórze *Jingle Bells* po trzech godzinach wjechał do Warszawy od strony Marek.

I co jej powiem, że Świętym Mikołajem jestem, wiejskim posłańcem? Zżymał się trochę, zmierzając w korkach w stronę centrum. Jeszcze cały sklep zasmrodzę wędzonką i klientów wypłoszę; wciągnął nosem intensywny zapach wędlin. Zaczekam w samochodzie, aż będzie pusto, dopiero wtedy wejdę. Z tą myślą Wiktor znalazł jakiś wolny skrawek miejsca przy komisie i wcisnął tam dżipa.

Nie wysiadł jednak, tylko obserwował to, co się działo w sklepie. W środku było kilka osób. Dopiero kiedy wyszły, zdecydował się wejść. Kosz jednak zostawił w samochodzie.

Za ladą siedziała inna kobieta, nie tamta ruda. Ta była czarna, tęga, znacznie starsza i mocno wymalowana. Trochę zawiedziony Wiktor rozejrzał się bezradnie po wnętrzu, w którym pachniało bigosem, ale nigdzie nie zauważył znajomej sprzedawczyni.

– W czymś panu pomóc? – Brunetka podniosła się zza lady. – Jakąś marynarkę na święta czy koszulę? Ale obawiam się, że nie mamy tak dużych rozmiarów jak dla pana.

– Gdzie jest ta druga pani, która tu pracuje? – spytał, odchrząknąwszy.

– Tu nikt nie pracuje oprócz mnie – odpowiedziała zdecydowanie kobieta.

Wiktor przyjrzał jej się uważniej. Wyglądała na zdenerwowaną.

– Przed tygodniem obsługiwała mnie taka młoda, ruda, z długimi włosami – wyjaśnił, gdy podeszła bliżej.

– Aaaa tak, to moja... kuzynka. Zastępowała mnie przez dwie godzinki. Dlaczego pan o nią pyta? Jest pan z urzędu skarbowego?

– Z urzędu? – powtórzył zdziwiony. – Nie jestem z żadnego urzędu. Proszono mnie, żebym dostarczył jej przesyłkę. Mam ją w samochodzie. Da mi pani telefon do kuzynki?

– Chyba pan żartuje. Pierwszy raz pana na oczy widzę i mam telefon podawać? A może pan kto niebezpieczny, jakoś panu nie ufam. – Zmarszczyła brwi i ujęła się pod boki.

– Nie proszę o zaufanie, tylko o telefon.

– Wykluczone, i żegnam pana, jeśli nic pan nie kupuje.

– Proszę pani, nie po to tłukłem się ponad dwieście kilometrów w taką ślizgawicę, żeby wszystko zabierać z powrotem – nalegał, co było do niego niepodobne. – Może tutaj zostawię, co mam, a pani sama do niej zadzwoni.

– A skąd ja wiem, co to za przesyłka? Może co złego? Jeszcze dziewczynie i sobie kłopotów narobię.

– Ale pani uparta. – Wiktor wypuścił powietrze z ust, zły, że przyszło mu uczestniczyć w tej żałosnej szopce. – To tylko jedzenie na święta od naszej... rodziny – zaciął się na moment, nim znalazł właściwe słowo.

– Trzeba było od razu tak mówić. – Brunetka odetchnęła z ulgą. – Proszę, niech pan zostawi, ona ma być o szesnastej. Chyba że pan wtedy przyjedzie.

– Wolę zostawić.

Coś go kusiło, żeby przyjechać później i osobiście przekazać podarunek od Marty, ale ostatecznie zostawił kosz w sklepie, a sam udał się po drobne upominki gwiazdkowe. Załatwił wszystko w jednym miejscu bez zbędnych ceregieli, kupił świeczki zapachowe, notesy i jakieś drobiazgi. Potem zajechał jeszcze na Ochotę, by obejrzeć swoje mieszkanie.

Otworzył mu mocno wczorajszy młodzieniec w samych bokserkach, a do łazienki przemknęła jakaś dziewczyna owinięta prześcieradłem.

Figlarze, stwierdził w duchu Wiktor. Rzucił pobieżnie okiem na pobojowisko, pozostałości studenckiej imprezy w postaci walających się puszek po piwie oraz kartonów po pizzy. Stwierdziwszy, że szyby w oknach są całe, a ściany nieuszkodzone, przypomniał lokatorowi o terminie zapłacenia czynszu, przeprosił za najście i wyszedł.

Kiedy ja ostatnio tak się zabawiałem? Nie mógł sobie przypomnieć. I nagle, zupełnie bez powodu, pomyślał o tej rudej sprzedawczyni z komisu.

Ładna, sympatyczna, tylko taka… zgaszona. Jeśli w ogóle kiedykolwiek myślałby poważnie o jakiejś kobiecie, to raczej szukałby takiego postrzelonego narwańca jak Maryla, choć to dzieciak jeszcze. Nieskomplikowanej partnerki, która wyzwoliłaby go z demonów, z którą śmiałby się i kłócił, a nie tylko mnożył smutki.

Ciekawe, jak ma na imię, zastanawiał się, przywołując w pamięci znane z telewizji rudzielce. Może Magda, jak ta aktorka Walach? Nawet do niej podobna. Albo ta druga, z *Klanu*, wspomniał ulubiony serial siostry. A może Julia? A może jestem idiotą, stwierdził na koniec, po czym wbrew wszelkiej logice zawrócił na skrzyżowaniu przed Ikeą i cofnął się na Madalińskiego. Dochodziła osiemnasta.

Chciał tylko zobaczyć, czy prezent, który przywiózł, ucieszył tamtą kobietę, czy raczej obśmiała ich prowincjonalne obyczaje. Musiał przecież coś powiedzieć Marcie, gdy go o to zapyta, a że zapyta, tego był pewien.

Jednak gdy dojechał na miejsce, komis był już zamknięty na głucho. Przeklinając własną opieszałość i niezdecydowanie, Wiktor zawrócił do domu.

Gdyby był bardziej spostrzegawczy, gdyby podjechał kawałek dalej, a może gdyby nie było tak ciemno, zobaczyłby w wiacie na przystanku kobietę, która ukryła się pod daszkiem przed zacinającym deszczem ze śniegiem. Trzymała w ręku duży kosz, prawie uginając się pod jego ciężarem.

A gdyby umiał czytać w myślach albo mógł wyjść z ciała i będąc niewidzialnym, zobaczyć to, czego nie mogły teraz dostrzec jego oczy, uważnie obserwujące śliską trasę do Szczytna, ujrzałby wzruszenie Joanny, gdy w domu wyciągała zapasy z koszyka.

Gdyby miał te wszystkie nadprzyrodzone zdolności, poczułby natychmiast, jak wielka radość wypełniła jej strapione serce.

– Mamusiu, skąd to masz? – spytała Tosia, gdy Joanna wykładała na kuchenny stół wędliny, pasztet, ciasto, pierogi w pojemniku, twaróg, słoik miodu, makowiec, domowy chleb i lukrowane pierniczki.

– Od Świętego Mikołaja, córeczko – odpowiedziała wzruszona. – Dobrze się czujesz, skarbie? Brzuszek cię już nie boli?

– Nie. Mogę ciasteczko? – spytała dziewczynka, sięgając po ozdobionego białym lukrem pajacyka.

– Możesz.

Na końcu Joanna wyjęła z kosza złożoną kartkę wyrwaną z zeszytu. Rozłożyła ją i zaczęła czytać list napisany kanciastymi literami o nierównych liniach.

Drogie Dziecko,

daruj starej kobiecie, żem taka bezpośrednia, ale nie wiem, jak Ci na imię. Przyjmij, kochaniutka, od nas te skromne podziękowania za to, żeś z sercem pomagała te ciuszki dla naszych dzieci wybrać. Wszystkie dzieciaki takie szczęśliwe, aż miło patrzeć. A już te podarte portki dla dziewczynek to najlepsze, choć za moich czasów kto podarte nosił, to palcami go wytykali. Widać insza dziś moda. Tulę Cię do serca, Drogie Dziecko. Niech Cię strzegą wszystkie anioły w niebie i Pan Jezus, co nam się znów narodzi. Wesołych Świąt oraz szczęśliwego 2015 roku Tobie i Twoim bliskim życzy

babcia Marta z rodziną

Joanna przeczytała list kilka razy. Wprost nie mogła oderwać od niego oczu. Jak urzeczona patrzyła na krzywe literki, z których przekazu aż buchał żar dobrych myśli. Przytuliła kartkę do piersi, a potem pocałowała zapisany papier. A wieczorem, gdy szykowała córeczkę do snu, zrobiła coś jeszcze.

– Tosiu – powiedziała, rozczesując mokre włoski małej. – Chciałabym nauczyć cię paciorka, którego kiedyś uczyła mnie moja mamusia.

– A gdzie jest teraz twoja mamusia? – Dziewczynka spojrzała na nią wielkimi oczami.

– W niebie, z aniołami. – Joanna przytuliła przebraną w piżamkę córeczkę. – A anioły opiekują się ludźmi, którzy żyją na ziemi. My też mamy swojego anioła, wiesz?

– Tak?

– Tak. I nasz anioł poprosił Mikołaja, żeby przyniósł nam ten koszyk. Wiedział, że sprawi nam tym wielką radość.

– To ja też podziękuję aniołkowi za pierniczki. – Tosia kiwnęła główką.

– Od dziś będziemy dziękować obie, i nie tylko za pierniczki. Będziemy prosić naszego anioła, żeby zawsze się nami opiekował. – Joanna złożyła rączki dziewczynki. – Powtarzaj za mną, córeczko: „Aniele Boży, stróżu mój…”.

ROZDZIAŁ XIV

Czy to te modlitwy, które przypominały beztroskie dzieciństwo, czy też pełna lodówka, albo fakt, że Tosia wróciła do zdrowia po paskudnej infekcji, a może wigilijny nastrój, wszystko to razem sprawiło, że Joannie zrobiło się trochę lżej na duszy. Ciągle myślała o tym liście i otrzymanych wiktuałach, dzięki którym będą miały z Tosią na miesiąc jedzenia. Żałowała bardzo, że do listu nie był dołączony adres czy choćby numer telefonu, żeby mogła zadzwonić albo napisać podziękowanie. Po cichu liczyła, że może zjawi się w komisie tamten mężczyzna z blizną, który przywiózł jej prezent, ale się nie pojawił i Joannie było przykro. Bez specjalnego powodu, jednak czasem o nim myślała.

W Wigilię skończyła wcześniej pracę i otrzymawszy od pani Jagody trzysta złotych zaliczki na poczet grudniowej wypłaty, lekkim nad podziw krokiem poszła z Tosią do wujostwa na tradycyjną wieczerzę.

Po kolacji przy elegancko nakrytym stole, z obowiązkowo wolnym talerzem dla niespodziewanego gościa, ciotka Eleonora włączyła kolędy Mazowsza. Jej bogata kolekcja płyt zawierała wyłącznie klasykę muzyki poważnej i operowej. Mazowsze było jedynym wyjątkiem od tej reguły.

– Ludwiku, jak możesz! Jest przecież Wigilia – odezwała się karcącym tonem do męża, gdy ten skubnął kawałek wędzonej szynki, którą Joanna przyniosła do spróbowania. – Zostaw tę szynkę i posłuchaj. Czytałam w gazecie, że w styczniu wystawiają gościnnie u nas *Traviatę*. Może byśmy poszli?

– Raczej nie dostaniemy już biletów, a i tak zapewne byłyby dla nas niedostępne z powodu ceny – odpowiedział małżonce, po czym zwrócił się do Joanny: – Doskonała szyneczka. Przypomina mi smaki z dzieciństwa. W naszym domu też się podobne wędziło. Niesłychane, że ktoś ci ją ofiarował.

– To od aniołka, dziadku – powiedziała Tosia spod niewielkiej choinki, gdzie siedziała, ciesząc się nową lalką.

– Rzeczywiście, prawdziwy anioł zesłał nam taki prezent – potwierdziła Joanna.

– Nie mam przekonania do tych wiejskich wyrobów – oświadczyła sceptycznie ciotka. Siedziała w fotelu na biegunach przy starym adapterze. – Czy to aby mięso przebadane przez weterynarza? Jak kupuję w sklepie, to mam gwarancję, że z wiarygodnego źródła.

– Za to z antybiotykami, hormonami i napompowane wodą. Czytałem gdzieś, że teraz z kilograma surowego mięsa potrafią zrobić cztery kilogramy szynki. Strach pomyśleć, czym nas karmi masowy wytwórca – wtrącił wuj. Zamiast ulubionego szlafroka włożył dziś nieco sfatygowany ciemny garnitur z białą koszulą i obowiązkową bordową muszką. – A poza tym, moja droga, zamiast szukać dziury w całym, należy docenić miły gest obcych ludzi.

– No oczywiście, że doceniam, tylko wyrażam obawę. To co będzie z tą *Traviatą*? Pamiętam, że przed laty najpiękniej rolę Violetty śpiewała Andrzejewska. Wyjątkowy sopran koloraturowo-liryczny. Przepiękny, naprawdę przepiękny głos. Mam gdzieś jej płytę. – Ciotka podniosła się z fotela, wygładziła elegancką kremową suknię ozdobioną pudrową różą na dekolcie, którą od lat wkładała na Wigilię, i podeszła do etażerki z płytami. – Może posłuchamy?

– Chciałbym teraz porozmawiać z Joasią. – Jej mąż otarł usta serwetką. – Przejdziemy do mojego pokoju, a ty, moja droga, delektuj się operą i poczytaj Tosi książeczkę od Mikołaja. Napijemy się herbatki z cynamonem i imbirem.

– To jak będziesz robić herbatę wujowi, i to mnie zrób, proszę, Joanno – zadysponowała ciotka. – Antonino, pozwól, opowiem ci coś ciekawego.

Tosia wcisnęła książeczkę pod pachę, wzięła lalkę i podeszła do starszej damy. Joanna przygotowała herbatę i w ślad za wujem udała się do jego pokoju. Pan Ludwik robił małe kroczki i szurał nogami. Nawet po mieszkaniu poruszał się z trudem i z rzadka z niego wychodził. Pokonanie schodów na piętro stanowiło dla staruszka spory wysiłek.

Pokój wuja był niewielki. Najwięcej miejsca zajmowało specjalne łóżko z regulowanym materacem, wciśnięte pod ścianę. Nad łóżkiem wisiał utkany przez matkę Joanny duży kilim, a na nim dwie skrzyżowane szable. Przy oknie stał stylowy stolik, dalej stary regał wypełniony książkami, przy nim fotel pokryty wytartym zielonym pluszem – więcej mebli by się tutaj nie zmieściło.

Wuj wziął z półki jakieś pudełeczko i usiadł w fotelu. Joanna przycupnęła na brzeżku łóżka. Pan Ludwik otworzył wieczko i wyjął swój sygnet. Przez chwilę oglądał go zamyślony. Pierścień nie miał oczka ze szlachetnego kamienia, tylko wytłoczony herb. Staruszek pogładził klejnot palcem.

– Pamiętam dzień, kiedy go dostałem – odezwał się głosem pełnym wzruszenia. – „Jest w rodzinie od ponad stu lat. I od ponad stu lat ojciec przekazuje go synowi. Teraz należy do ciebie, bo ty tu jedynym mężczyzną zostajesz. Miej baczenie na matkę i siostry" – tak mi powiedział ojciec. Zdjął sygnet z palca i włożył na mój, a taki pędrak wtedy byłem, że i na kciuk ten pierścień był za duży. Wiesz, Joasiu, to dziwne, przecież nie zawsze pamiętam, co wczoraj jadłem na obiad, a tamten dzień stoi mi w oczach jak żywy, i zapach też pamiętam.

– Zapach?

– Ojcowskich oficerek. Ledwo sięgałem głową do strzemion, gdy ojciec w pełnym rynsztunku siedział na koniu i żegnał się z nami. Dotykałem tych oficerek, takich wyglancowanych, z prawdziwej skóry, i tamten ich zapach na zawsze w głowie mi utkwił. Ojciec oddał nam jeszcze honory szablą i wyruszył na wojnę. To był ostatni raz, kiedy go widziałem. Poległ miesiąc później – dodał tym samym tonem. Zaraz jednak się otrząsnął. – Joasiu, chciałbym ci podarować ten sygnet.

Położył klejnot na dłoni Joanny i zacisnął na nim jej palce. Otworzyła szeroko oczy ze zdumienia.

– Ale ja... nie mogę – zająknęła się z przejęcia.

– Prezentów się nie odmawia. – Wuj uśmiechnął się dobrotliwie. – Nie mam syna, a ty jesteś dla mnie jak córka. Do grobu i tak go nie zabiorę, po co kościom i prochowi taka ozdoba. A tobie może się na coś przydać. Już dawno zamierzałem to zrobić, przekazać go tobie czy Adamowi. Uznałem jednak, że tobie bardziej się przyda. Nie wiem, ile jest wart. Może niewiele, ale popytaj. Sprzedasz go, to choć na adwokata będziesz miała albo na co innego.

– Naprawdę nie mogę go przyjąć. To rodzinna pamiątka – próbowała się opierać, ale gest wuja bardzo ją poruszył.

– Wystarczą mi te pamiątki, które chowam w sobie. A poza tym czy myślisz, że ty jesteś mi mniej droga niż ten kawałek złota? – odrzekł i ucałował Joannę w czoło. – Żal, że tylko tak cię możemy wspomóc. Po naszej śmierci to mieszkanie tobie i Adamowi przypadnie, a wy podzielicie się sprawiedliwie.

– Nie mów o śmierci. – Joannę przeszły ciarki.

– Przecież to ludzka rzecz. – Lekko wzruszył ramionami. – Starzy jesteśmy i czas się zbierać na tamten świat. Czekają tam na nas od dawna i przyjdzie niebawem rozliczyć się z życia. Tak, Joasiu, parę spraw w nim pokpiłem, trochę zaniechałem, kilku żałuję, a zwłaszcza jednej.

– Jakiej? – spytała, patrząc w zamglone oczy pana Ludwika.

– Ważnej – odparł z powagą, ale nic więcej nie powiedział.

Wuj nie był skory do zwierzeń. Inaczej niż ciotka on wszystko nosił w sobie.

Ona, Joanna, też kilku spraw żałuje, a zwłaszcza tego, że dała się omamić Tomaszowi i posłuchała głosu zakochanego serca zamiast rozsądnych argumentów. Teraz już nikomu nie mogłaby zaufać.

– Myślisz o nim jeszcze, prawda? – odezwał się wuj, jakby czytał w jej duszy.

– Tak, ale to złe myśli. Nigdy mu nie wybaczę tego, że mnie oszukał. Wszędzie tylko kłopoty, problemy, już nie mam na to siły. – Joanna przygryzła wargę i odwróciła głowę do okna.

W ciemnych szybach odbijały się świąteczne światełka zdobiące Nowy Świat, między którymi miękko opadały płatki śniegu. Wyglądało to baśniowo, wręcz magicznie, ale nawet ten widok nie do końca rozjaśnił myśli Joanny.

– Teraz ci ciężko, ale kiedyś się podniesiesz, zobaczysz. Może musiało tak się stać? Mówią, że człowiek sam kieruje swoim losem, ale to nie do końca prawda. Czasem ten los prowadzi nas bezdrożami bez naszej woli, przeczołga przez życie, rzuca kłody pod nogi, doświadcza okrutnie, jakby wystawiał człowieka na próbę i sprawdzał, ile jeszcze może znieść. Coś o tym wiem. – Pokiwał głową.

– Ciężko mi znaleźć sens w tym, co na mnie zesłał. – Joanna bawiła się guzikiem przy czarnej bluzce. – Najpierw straciłam ukochany dom, gdy zginęli rodzice, teraz… drugi. Czasem mam wrażenie, że toczę się w dół jak wielka śnieżna kula, której nie da się zatrzymać, nim się rozpryśnie w drobny pył. Znalazłam się w ciasnym tunelu, w którym nie mogę złapać tchu. To nie jest życie, to wegetacja.

– Póki życia, póty nadziei. Jeszcze przyjdzie czas, że odetchniesz pełną piersią i znów zaczniesz się śmiać. To nie sukcesy nas hartują, Joasiu, tylko przeciwności. A na razie weź ten sygnet i zrób z niego dobry użytek.

– Dziękuję, skoro tak. – Joanna włożyła pierścionek na kciuk i ucałowała pana Ludwika w oba policzki.

Z sąsiedniego pokoju Violetta wyśpiewywała właśnie lirycznym sopranem arię o kłopotach finansowych. Wuj skrzywił się zabawnie, słysząc tę dość głośną muzykę, którą fascynowała się jego małżonka.

– Zrobimy konkurencję Verdiemu. – Mrugnął do Joanny. – No, to na trzy cztery, Joasiu. „Gdy się Chrystus rodzi…".

Dośpiewali cichym chórkiem kolędę do drugiej zwrotki, gdy ktoś zadzwonił do drzwi. Joanna drgnęła, jakby przeszedł ją prąd. Dzwonek zabrzmiał znajomo natarczywie. Ciotka wyłączyła muzykę i w mieszkaniu nagle ucichło. Znów rozległ się terkot dzwonka.

– W imię Ojca i Syna… – Pani Eleonora pobladła i przeżegnała się pospiesznie. – To pewnie znów tamten drab. Nawet w święta nie dają ludziom spokoju. – Weszła na palcach do pokoju męża. Tosia wskoczyła Joannie na kolana.

– Już ja się z nim rozprawię, jeśli to on – rzekł gniewnie pan Ludwik. Chwycił laskę, ale Joanna go powstrzymała.

– Nie, to ostatecznie moja sprawa. Sama to załatwię. Tosiu, zostań z dziadkami – poleciła spięta, idąc do korytarza.

Ze stresu jej serce znów wpadło w szybszy rytm. Odetchnęła głębiej i przyłożyła oko do wizjera. Ktoś przykrył go palcem z drugiej strony. Przeżegnała się w duchu, przekręciła zamek i… zastygła ze zdumienia.

– Co… co ty tu... robisz? – wyjąkała oszołomiona tą niespodziewaną wizytą.

– W końcu są święta, przyjechałem, by spędzić je z rodziną.

*

Joanna potrzebowała kilku dni, by dojrzeć do tego spotkania. W Wigilię, gdy tylko go zobaczyła, zabrała Tosię i wyszła. Nie była jeszcze gotowa, żeby patrzeć mu w oczy. Słuchać tego, co miał jej do powiedzenia. To on nalegał, by umówili się gdzieś na neutralnym gruncie, bez Tosi, aby spokojnie porozmawiać o przeszłości. Zgodziła się niechętnie.

– Pani Jagodo – zwróciła się do właścicielki komisu w przeddzień sylwestra. – W południe będę musiała wyskoczyć na godzinę, może dwie. Nie sprawi to pani kłopotu? Mam ważną sprawę do załatwienia.

– Ważną sprawę to ja mam do załatwienia – odparła tamta.

Wyjęła z szafki zwinięty rulon, a gdy go rozwinęła, Joanna zobaczyła napis dużymi literami

WYPRZEDAŻ, a pod spodem mniejszymi: „z powodu likwidacji".

– Czas zwijać interes. Cyfry nie kłamią. Jeszcze się łudziłam, ale jak księgowa pokazała mi rozliczenia, to po prostu jest fatalnie. Koszty zjadają zyski.

– I co teraz? – spytała Joanna, czując, jak uginają się pod nią nogi. – To znaczy, że nie mam pracy, tak?

– Do końca stycznia jeszcze pani pracuje. Przecież nie wyprzedamy tego od ręki, a jakieś pieniądze trzeba odzyskać. Ludzie też muszą mieć czas, żeby poodbierać z komisu rzeczy, które nie zeszły. Rozliczę się z panią uczciwie, chyba zostanie pani ze mną do końca?

– Tak, oczywiście – potwierdziła cicho.

– Niech się pani tak nie przejmuje – pocieszała Kotkowska poruszona widocznym przygnębieniem Joanny. – Znajdzie pani coś innego. Moja znajoma prowadzi sklep spożywczy na Pradze, podpytam ją, może będzie coś miała dla pani, dobrze panią zarekomenduję. A koleżanka mojej synowej niani szuka. Też o to zapytam.

– Bardzo dziękuję, a co z mieszkaniem? Nie wiem, czy w tej sytuacji będzie mnie stać, żeby opłacić czynsz.

– Może pani tam mieszkać. A czynsz? – Wciągnęła ze świstem powietrze. – No cóż, pierwszy miesiąc, no, może drugi też, nim czegoś pani nie znajdzie, mogę rozłożyć na raty, powiedzmy, czterysta złotych, ale potem będzie musiała mi pani wyrównać. Zgoda?

– Nie mam innego wyjścia. – Joanna westchnęła.

– Niech pani teraz idzie, dokąd ma iść. – Kotkowska skinęła ręką. – I proszę wrócić jak najprędzej.

– Dziękuję.

Joanna włożyła swój jesienny płaszcz, czapkę i owinięta długim szalem poszła na spotkanie. Było zimno, mróz szczypał w policzki, ale nie czuła chłodu. Było jej wręcz gorąco z emocji. Zarówno od tych, których doznała na wieść o bliskiej utracie pracy, jak i tych, które dopiero przed nią. Poluzowała szal i odwróciła się za siebie.

Znów miała to nieznośne uczucie, że jest obserwowana. Nerwy, to tylko nerwy, tłumaczyła sama sobie i wcisnęła się w tłumek ludzi wsiadających do autobusu. W tłumie mogła się choć zgubić, jeśli to jednak nie nerwy.

Umówili się w meksykańskim barze przy Polu Mokotowskim. Joanna przyszła spóźniona. Nie dlatego, że źle obliczyła czas, tylko dwa razy chciała zrezygnować ze spotkania.

– Jeżeli zamierzasz mi powiedzieć „a nie mówiłem", to daruj sobie – oznajmiła na wstępie, gdy w zatłoczonym lokalu odnalazła stolik, przy którym siedział samotny mężczyzna.

– Nie usiądziesz? – spytał. – Chyba że wolisz stać. Zawsze byłaś przekorna.

– Wystarczy, że ty byłeś doskonały – odrzekła zjadliwie.

Zdjęła jednak płaszcz, czapkę i usiadła po drugiej stronie stolika. Odwróciła głowę w bok i patrzyła na zaśnieżoną alejkę, po której jakiś facet ciągnął na sankach dwoje dzieci.

– Pamiętasz? – zagadnął ją Adam, patrząc na to samo, co ona.

– Co?

– Jak ojciec zabierał nas tu na sanki. A tam lepiliśmy bałwana. – Wskazał na błonia, gdzie ganiały się psy. – Musiałem cię podsadzać, żebyś oczy zrobiła.

– Nie pamiętam. Po co przyjechałeś?

– Marnie wyglądasz – stwierdził w odpowiedzi.

Za to on wyglądał świetnie.

Zmienił się przez te lata. Zmężniał, dojrzał, wyprzystojniał. Był opalony, dobrze ubrany, modnie ostrzyżony i chyba miał wybielone zęby.

– Ile lat się nie widzieliśmy, siostra? Chyba z sześć. Nie, pięć. Tośka się akurat urodziła. Fajna ta moja siostrzenica. Zdrowa?

– Zdrowa. I tylko dlatego przyjechałeś, żeby o to zapytać?

– Nie tylko.

– Więc?

– Nie zapytasz, co u mnie?

– Co u ciebie? Ożeniłeś się? Masz dzieci? – rzuciła obojętnie.

– Ożeniłem, rozwiodłem, a dzieci na razie nie mam, chyba że takie, o których jeszcze nie wiem

– odparł ze śmiechem. Śmiał się tak jak ojciec i wyglądał prawie jak on. – A poza tym, jak wiesz, czy może nie wiesz, jestem architektem, czyli w staruszka ślady poszedłem. Parę nagród międzynarodowych dostałem, kupiłem za nie dom niedaleko Melbourne. Moja eks jest Australijką, więc mam podwójne obywatelstwo. Ogólnie nie narzekam. Słońce, ocean blisko, więc czasem biorę deskę i daję się ponieść fali. Radzę sobie – stwierdził zadowolony.

To zupełnie inaczej niż ja, pomyślała Joanna.

Był jak ktoś z innej planety. Tak daleki, obcy, aż nierealny. Patrzyła, jak poruszał ustami, wciąż opowiadając o sobie, a jednak nie słyszała jego słów, tylko własne myśli. Jak to możliwe, że jesteśmy rodzeństwem? Dlaczego mnie los nie szczędzi trosk, a jemu daje szczęście w dwójnasób? Czy przez ten jeden jedyny błąd, że zaufałam miłości, naprawdę będę, jak mówiła ciotka, płacić wiadrami goryczy? Ledwo utrzymywać się na powierzchni, wegetując w wynajętym mieszkaniu, na które i tak mnie nie stać?

Z każdym słowem brata czuła się mniejsza, gorsza, jak człowiek drugiej kategorii. Nawet wyglądem: jesiennym płaszczykiem, zwykłym szarym sweterkiem, bladą zmęczoną twarzą, troską odciśniętą w spojrzeniu, mimiką, odstawała od zadowolonego z życia Adama. W jakimś momencie nawet przypominał jej Daniela. Cechowała ich ta sama pewność siebie ludzi, którzy odnieśli sukces.

– Jemy coś? – spytał, zakończywszy monolog o sobie.

– Nie jestem głodna – odparła sztywno.

Chciała stąd jak najszybciej wyjść, by dłużej nie widzieć swojej nicości na tle dokonań starszego brata. Tak, jestem zazdrosna, o wszystko jestem cholernie zazdrosna, powtarzała sobie ze złością.

– Ja stawiam – zadeklarował z pewną miną, wertując kartę dań.

– Dlatego nie jestem głodna.

– Jak chcesz – odrzekł. – Na wszelki wypadek zamówię coś i tobie. Najwyżej nie zjesz. Pamiętam, że lubiłaś kurczaka.

Po chwili kelnerka przyniosła zamówione dania, a Adam pomiędzy kolejnymi kęsami burritos i popijaniem coli znów opowiadał o sobie. Joanna słuchała, grzebiąc widelcem w talerzu. Precyzyjnie oddzielała czerwoną fasolę od kukurydzy, robiąc z nich szlaczki.

– Szkoda, że dopiero dziś się spotykamy. W nocy jadę do Berlina, a stamtąd wylatuję do Buenos Aires, żeby dopilnować projektu. Cały kompleks wypoczynkowy stawiamy, to znaczy stawia firma, w której pracuję. Oddelegowali mnie na drugi koniec świata, bo to między innymi mój projekt. Wiesz, hotel, baseny, sauny, korty tenisowe. Pobędę tam ze dwa miesiące i wracam do siebie.

– I po drodze wpadłeś do Warszawy, ponieważ się za mną stęskniłeś – zakpiła.

– Fakt, mogłem lecieć bezpośrednio z Sydney, ale wybrałem opcję zahaczenia o Warszawę. Chciałem wam zrobić niespodziankę.

– Zawsze byłeś efekciarzem.

– W tym wypadku niekoniecznie. Bardziej chciałem zobaczyć, jak sobie radzi moja siostrunia i szwagierek.

– Pewnie już wiesz o wszystkim – mruknęła ledwo słyszalnie Joanna.

– Ciotka mi powiedziała.

– Cieszysz się, co?

– Sama tego chciałaś, więc teraz masz. Ostrzegałem cię przed nim, nie pamiętasz? – spytał, odsuwając pusty talerz. Danie Joanny pozostało nienaruszone. – Powiedziałem, że jak się zwiążesz z tym kutasem, który podpierdolił mi projekty, przez co miałem rok architektury w plecy, to nie chcę cię znać. Ale ty okazałaś się zwykłą idiotką. Nie dość, że idiotką, to jeszcze złodziejką – zakończył zduszonym głosem, przechylony nad stolikiem.

– Jaką... złodziejką? – wykrztusiła z siebie, kompletnie ogłupiała.

– Zwyczajnie, oskubaliście mnie z kasy za mieszkanie po rodzicach. Dlatego po drodze wpadłem do Warszawy, żeby zapytać o moje pieniądze.

Joanna poczuła, jak cała krew odpływa jej z głowy.

– Przecież cię spłaciliśmy – wyszeptała odrętwiałymi wargami. Adam szyderczo zmrużył oczy.

– Dostałem sto osiemdziesiąt tysięcy, a gdzie jeszcze sto? Mieszkanie poszło za pięćset sześćdziesiąt, więc należy mi się połowa. Zgodziłem się na tę durną sprzedaż i wysłałem wam notarialne upoważnienie, dlatego że potrzebowałem wtedy kasy.

Joanna złapała niedopitą colę Adama i jednym haustem przełknęła zawartość butelki.

– Tomek zapewniał… że wszystko ci… zapłacił… – plątała się zdenerwowana.

– Co ty gadasz? – Adam klepnął ręką w stół. – Przecież sama pisałaś mi mejle, żeby odroczyć spłatę, bo Tośka ma białaczkę.

– Słucham? – spytała nieprzytomnie. – Adam, przysięgam ci, nie pisałam żadnych mejli. Tosia nigdy nie miała żadnej białaczki – zapewniała żarliwie.

– Przecież relacjonowałaś mi cały przebieg choroby, podawałaś nazwy leków, pisałaś, że są drogie, dlatego prosiłaś o przedłużenie terminu spłaty, a ja się zgadzałem, ostatecznie jesteś moją siostrą, dlatego machnąłem ręką na wzajemne pretensje, skoro twój dzieciak był chory. Nie jestem takim złamasem.

– Nie mogę w to wszystko… uwierzyć. To jakiś… absurd. – Oczy Joanny stały się ogromne, gdy tego słuchała.

– Nawet pisałaś jeszcze, że ukrywasz chorobę Tośki przed ciotką, żeby jej nie denerwować, bo ma słabe serce. Przez tę białaczkę mieliście podobno kłopoty z kasą, tak mi tłumaczyłaś. Mam te wszystkie mejle, mogę ci pokazać.

– Nie chcę. Adam, to naprawdę nie ja. Tomek musiał... – nie dokończyła, gdyż Adam wszedł jej w słowo.

– No chyba mi nie powiesz, że to ten gnój tak nakręcił, a ty o niczym nie wiedziałaś? – spytał zdumiony.

– Właśnie usiłuję ci to powiedzieć. Naprawdę dowiaduję się o tym od ciebie. O niczym nie miałam pojęcia – zapewniała go z ręką na sercu. – Nigdy w życiu nie wykorzystałabym Tosi w taki sposób.

– Więc Tomaszek podszył się pod ciebie! – ni to stwierdził, ni to spytał i Joanna dostrzegła złość na jego twarzy. Zmarszczył brwi, wykrzywił usta, bębnił palcami w blat, ale po chwili ochłonął na tyle, że odezwał się w miarę spokojnie: – Zresztą, po tym bydlaku wszystkiego można się spodziewać. Jak mogłaś być taka ślepa?

– Możesz już mnie nie dołować? – jęknęła.

– Mogę, tylko nie rozumiem, dlaczego ja mam na tym cierpieć?

– Nie wyglądasz na cierpiącego.

– To była przenośnia. – Cmoknął zniecierpliwiony. – Owszem, odniosłem jakiś tam sukces, mam pozycję i ciekawe życie, ale wszystko osiągnąłem dzięki własnej pracy. Nikt mi tam niczego nie dał. Przyjechałem, żeby popatrzeć na wasze gęby, jak się z tym czujecie, że mnie tak wycyckaliście, a tu niespodzianka! Chociaż w sumie należało się tego spodziewać. Teraz już nie mam co liczyć, że odzyskam kasę. – Machnął ręką.

– Muszę wyjść. – Joannie od tego wszystkiego zakręciło się w głowie.

– Wyjdziemy oboje. Też muszę się przewietrzyć. Mam dość rozmowy o tym gnoju. – Adam sięgnął po portfel i skinął na kelnerkę. – Jadę odwiedzić rodziców, a potem do hotelu i w drogę. Jak chcesz, możesz zabrać się ze mną na cmentarz.

Joannę ubodła ta propozycja rzucona tak lekkim tonem, jakby Adam proponował jej podwiezienie w pierwsze lepsze miejsce.

Na cmentarz? Do rodziców?

Wróciły do niej wszystkie wspomnienia. Zadźwięczały jej w uszach tamte słowa mamy, które ona, Joanna, słyszała, półdrzemiąc na tylnej kanapie samochodu.

„Adaś, zwolnij, proszę cię, zwolnij, co ty robisz? Jest ślisko. Eryk...".

Joanna obudziła się w chwili, gdy mama wypowiedziała imię ojca, a potem rozległ się potężny huk i trzask blachy, gdy auto uderzyło w drzewo. Prowadził Adam. Dopiero odebrał prawo jazdy, popisywał się, jakim jest dobrym kierowcą. A teraz stoi tu przed nią, wyjmuje stówę, wkłada kurtkę i zadowolony z życia, jak gdyby nigdy nic chce iść na grób rodziców.

– To twoja wina – wyszeptała wpatrzona niewidzącym wzrokiem w stolik, wciąż pochłonięta obrazami przeszłości.

– Co?

– Jechałeś za szybko, dlatego zginęli – wypomniała mu. – Pamiętam, co mówiła wtedy mama, prosiła cię, żebyś zwolnił, ale nie słuchałeś, popisywałeś się. To twoja wina, przez ciebie straciłam rodziców.

Adam poczerwieniał gwałtownie. Wyglądał, jakby zaraz miał wybuchnąć, oddychał ciężko.

– To byli też moi rodzice! – krzyknął, aż obejrzeli się na nich goście przy sąsiednich stolikach.

Wstał, rzucił na stolik banknot, szarpnął plecak, odwrócił się na pięcie i ruszył do wyjścia.

Z impetem pchnął drzwi, aż odbiły się od ogranicznika. Joanna widziała, jak szedł prędko przed siebie alejką, gdzie wcześniej tamten mężczyzna ciągnął dzieci na sankach. Ludzie przy sąsiednich stolikach jeszcze przez chwilę kontemplowali tę scenę, nim zajęli się swoimi daniami.

Joanna wmusiła w siebie zimnego kurczaka, bardziej dla zajęcia rąk oraz myśli niż z potrzeby ściśniętego stresem żołądka, i wróciła do pracy.

Dotrwała do osiemnastej, odebrała dziecko od ciotki, słuchając jej nieustannych peanów na cześć zaradności Adama, po czym, tłumiąc w sobie żal, poszła na przystanek.

Nawet z Tosią rozmawiała zdawkowo, tak czuła się tym wszystkim upokorzona. W najczarniejszych wizjach nie przyszłoby jej do głowy, że Tomasz posunął się aż do takiej podłości. Kim naprawdę byłeś, człowieku, którego kochałam? – zadała sobie to samo pytanie kolejny raz. Zadzwonił telefon.

– Gdzie jesteś? – spytała Ewa.

– Czekamy z Tosią na autobus. Za dwie minuty powinien przyjechać.

– Ale gdzie jesteście?

– Na rondzie Waszyngtona.

– To stójcie tam i czekajcie na mnie. Jestem niedaleko, wyjechałam z sejmu. Zabieram was do mnie. Zjemy dobrą kolację i pożegnamy stary rok.

– Ale to dopiero jutro.

– Jutro to ja mam wieczorny dyżur. Tośce pościelimy na fotelach, a my obalimy szampanka. Choć na jeden wieczór utopisz smutki w bąbelkach. I przy okazji opijemy mój wielki sukces!

– Jaki?

– Wysyłają mnie na rok do Stanów jako korespondentkę! Normalnie kosmos! Dziś się dowiedziałam! – Głos Ewy kapał od euforii.

– Bardzo się cieszę i gratuluję – powinszowała jej Joanna. – W takim razie przyjedź do nas. Poczęstuję cię czymś wyjątkowym.

– Dobra, ale i tak czekajcie na mnie.

Wieczorem w kuchni nędznego mieszkanka, gdzie na parapecie stała maleńka choineczka z kolorowymi lampkami i płonęła świeczka w aniołku, zrobiło się nawet przyjemnie. Joanna starała się odpychać od siebie wszystkie zmartwienia, by przynajmniej na ten jeden wieczór dać odpocząć rozedrganym nerwom.

Krojąc na cieniuteńkie plasterki domowej roboty kiełbasę, słuchała opowieści Ewy o otrzymanym awansie, ale też myślała o nieznajomej Marcie.

– Dobra, nawet świetna! – Ewa wkładała do ust kolejny plaster wędliny. – Skąd to masz?

– Od anioła – odpowiedziała Joanna.

– Aha.

– Naprawdę od anioła. Trzeba mieć anielskie serce, żeby zdobyć się na taki gest wobec obcego przecież człowieka. Nawet nie wiesz, ile dla mnie znaczy ten podarunek. Nie chodzi mi tylko o jedzenie, choć o to też, ale o jakąś pozytywną energię, którą razem z nim zyskałam. Była mi w tamtym momencie bardzo potrzebna. – Joanna pomyślała ciepło o nieznajomej ofiarodawczyni.

– Fajny temat na reportaż. – Ewa była zaciekawiona. – Mów dalej.

– Przed świętami przyszło dwoje klientów, młoda dziewczyna i taki dziwny facet. Robili duże zakupy, chyba mają liczną rodzinę, więc trochę pomagałam im wybierać ubrania, ale nie było w tym nic nadzwyczajnego z mojej strony. Coś tam znalazłam w magazynie, co jeszcze nie trafiło na wieszaki, więc byli zadowoleni. I wyobraź sobie, że ich babcia przysłała mi za to cały kosz smakołyków.

– Pocztą przysłała? – Przyjaciółka wychyliła trzecią lampkę szampana. Joanna ledwo moczyła usta w swoim kieliszku.

– Nie. Przez tego mężczyznę, który był z dziewczyną. Taki wielki facet po trzydziestce. Trochę wystraszył Kotkowską.

– Przystojny? – spytała Ewa, unosząc znacząco brwi.

– Czy ja wiem? Może trochę, zresztą nie zwracałam uwagi. – Joanna wzruszyła ramionami.

– Tak? To dlaczego się rumienisz?

Joanna upiła łyk szampana, by pokryć zmieszanie.

Rumienię się? Niemożliwe. Pewnie ten szampan tak na mnie działa, próbowała się tłumaczyć sama przed sobą, ale nie było to do końca szczere.

Intrygował ją ten facet z blizną. Dziwny człowiek. Na pierwszy rzut oka wzbudzał niechęć, ale było w nim coś, czego Joanna nie umiała dobrze określić. Jakby pod tą szorstką powłoką kryła się wrażliwa dusza. A może on też nosi maskę albo to ja nie znam się na ludziach. Tomka przecież źle oceniłam, zastanawiała się w duchu.

– Ładny ten sygnet, możesz sporo za niego wziąć – rzuciła Ewa, patrząc na pierścień wuja Ludwika.

Joanna nosiła klejnot na szyi, zawieszony na rzemyku, aby nie zgubić cennej pamiątki.

– Nie zamierzam go sprzedawać – odparła zdecydowanie. – To tak, jakbym sprzedała rodzinną tradycję. Jakoś sobie poradzę. Ewa, wiszę ci jeszcze trzy stówy...

– Daj spokój. – Przyjaciółka machnęła ręką. – To mówisz, że Adaś przyjechał?

– Przyjechał, ale wolę o nim nie rozmawiać. Ani o nim, ani o Tomaszu. Wywinął taki numer, że wciąż mnie trzęsie. Ciekawe, czego jeszcze się dowiem o moim mężu.

– Może tego, że ma gdzieś jakieś równoległe życie, inne dzieci, inną żonę, inne nazwisko? Patrz, to już ponad pół roku, jak wyparował.

– Nie rozmawiajmy o nim, póki jako tako się trzymam.

– Załatwione. – Ewa dolała im szampana. – Nasze zdrowie, siostro. Niech nam się darzy w dwa tysiące piętnastym.

– Gdybym mogła mieć choć cień nadziei, że w nowym roku cokolwiek zmieni się na lepsze w moim życiu. – Joanna podciągnęła nogi pod brodę i kręciła kółka kieliszkiem. – Za to u ciebie wszystko idzie jak z płatka. Kariera, wielki świat, nowe perspektywy, brak trosk, naprawdę ci zazdroszczę. No i będzie mi ciebie brak przez ten rok.

– Może nawet dłużej, jak się sprawdzę. Mnie też będzie was brak.

– Kiedy wyjedziesz?

– Na początku lutego. Muszę załatwić dokumenty, mieszkanie zwolnić, klamoty do kumpla zawieźć, żeby je przechował, jest masa spraw do załatwienia, ale cholernie się cieszę. Liczę, że uda mi się na jakąś chatę tu zarobić, żeby wreszcie skończyć z tym wynajmowaniem. O, właśnie, wtedy mogłybyśmy zamieszkać we trzy!

– Kochana jesteś, że tak mówisz. – Joanna położyła rękę na dłoni Ewy. – Nie wiem, jak bym to wszystko przeżyła, gdyby nie ty.

– Daj spokój. – Tamta wzruszyła ramionami. – Od tego są przyjaciele, a prawdziwych poznaje się w biedzie.

– Chciałabym być na twoim miejscu. – Joanna westchnęła. – Tak pragnę choćby odrobiny spokoju, żebym mogła wreszcie odetchnąć.

– U ciebie też może się wiele zmienić. – Ewa wypiła trochę szampana. – Wystarczy wejść do odpowiedniego łóżka.

– Ty weszłaś i lecisz do Stanów?

– Powiedzmy, że pomogłam losowi, by pozwolił mi właściwie wykorzystać posiadane zdolności. Jedną z nich, prócz niewątpliwego talentu do tego, co robię, jest wiedza, do którego łóżka opłaca się wejść. A które, prócz przyjemności, będzie tylko stratą czasu. – Ewa oparła zgrabne nogi na taborecie.

– Gdybym cię nie znała, powiedziałabym, że jesteś jak modliszka.

– Ależ mów! – Przyjaciółka wyraźnie się ucieszyła. – To mi nawet pochlebia, choć starzy nie chcą mnie znać, ponieważ ich zdaniem prowadzę się nie po bożemu. Ale mam gdzieś ich opinię. Skończyłam trzydzieści jeden lat, jestem samodzielną kobietą, singielką z wyboru, żyję, jak chcę, własną satysfakcję stawiam na pierwszym planie, a faceci są mi potrzebni wyłącznie do przyjemności lub osiągania korzyści. Tobie też doradzam taki higieniczny układ. To dużo zdrowsze niż romantyczna miłość, o którą rozbiłaś sobie z hukiem głowę. A jeśli kiedyś poczuję się samotna, to kupię sobie kota, o! – powiedziała stanowczo.

Założyła włosy za ucho i z rozmarzoną miną bawiła się srebrnymi łańcuszkami na czerwonej sukience.

Przez chwilę obie milczały, potem znów odezwała się Ewa:

– Tak, Aśka, rozważ to sobie spokojnie. Jedna decyzja i znajdziesz się w innym miejscu życia. Wczoraj nagrywałam wywiad z Danielem Chmurą – Ewa zerknęła na zegarek – za kwadrans możemy go zobaczyć w serwisie biznesowym. Włącz wiadomości, to...

– Przecież nie mam telewizora – przerwała jej Joanna.

– Prawda, zapomniałam. – Przyjaciółka klepnęła się w czoło. – Widać za dużo bąbelków szumi mi w głowie. Nie dzwonił do ciebie od tamtego wieczoru?

– Nie. Może czeka, aż to ja zadzwonię, albo złożył propozycję komu innemu. – Teraz Joanna wzruszyła ramionami.

– Niepotrzebnie komplikujesz proste sprawy. Wystarczy jedno „tak" i twoje życie odwróci się o sto osiemdziesiąt stopni. Ze sponsoringiem tak dzianego faceta będziesz mogła sobie gwizdać na babę z komisu, komornika, Adama, ciotkę. Niejedna z tych konstancińskich damulek właśnie w taki sposób zrobiła życiową karierę. Teraz to prawie norma.

– A gdzie w tym uczucia, jakaś uczciwość, moralność? Nie potrafię traktować tego tak lekko, tak trywialnie. Przecież to nie... mycie zębów.

– Doskonale to określiłaś. – Ewa się roześmiała. – Będę musiała zapamiętać. Dla mnie to jest właśnie jak mycie zębów. A moralność kończy się tam, gdzie się zaczyna walka o byt.

– Jak to możliwe, że jesteśmy tak różne, a przyjaźnimy się od dziecka? – Joanna oparła czoło o ramię przyjaciółki. Ta pogładziła ją po włosach.

– Mnie też to czasem zaskakuje, ale nie przestanę cię namawiać, żebyś zaczęła wreszcie kalkulować, a dobrze na tym wyjdziesz. Jesteś w kwiecie wieku, inteligentna, atrakcyjna, choć ostatnio zapuszczona, zrób właściwy użytek ze swoich atutów.

Joanna kalkulowała do późnej nocy. Ewa pojechała już taksówką do domu, a ona, licząc ostatnie pieniądze, wciąż zastanawiała się nad tym, co usłyszała.

Wtedy, gdy wyszła od Daniela, była z siebie dumna, że nie uległa, ale teraz… zakiełkowało w niej zwątpienie.

ROZDZIAŁ XV

Pod koniec stycznia, w trzecią sobotę po Trzech Królach, Irena Dębska urządziła pożegnalny obiad dla gości.

– Jaka szkoda, że już wyjeżdżacie. – Westchnęła, stawiając na stole pieczoną kaczkę z jabłkami.

– Przecież już trzeci dzień siedzimy wam na głowie – odrzekła Marta. – Czas nam do domu. Niespokojna jestem o Wiktora. Dobrze, że Matylda z nim została.

– Chcielibyśmy gościć was jak najdłużej, ale rozumiemy, że musicie jechać. Kto by pomyślał, że taki silny mężczyzna jak nasz Wiktor tak ciężko będzie przechodzić zwykły wyrostek – odezwał się Karol Dębski. Sięgnął po półmisek i obchodził okrągły stół przykryty śnieżnobiałym obrusem, częstując gości kaczką.

W rozległym stylowym mieszkaniu państwa Dębskich przy Jana Pawła prócz Marty siedzieli: Teresa, pułkownik i rodzice Marylki.

– Ależ i chwyciło go strasznie. – Pułkownik nałożył sobie porcję kaczki. – W sylwestra już był nieswój, ale wiecie, jak to on. Cicho siedzi i się nie skarży. Tydzień z tym się męczył, aż tak go w końcu złamało, że trzydzieści dziewięć stopni gorączki dostał. W nocy pogotowie wzywaliśmy. W ostatniej chwili wzięli go na stół. Inaczej rozlałoby się paskudztwo do środka. Tereniu, buraczków? – Podsunął jej salaterkę.

– Poproszę. A Wiktor był już nieswój, odkąd z Warszawy wrócił – powiedziała śpiewaczka, po czym zwróciła się do Ireny: – Taki zamglony dziwnie chodził, jakby go coś w głowę uderzyło, to chyba nie było tylko od wyrostka. Dziękuję, moja droga, za te bilety do teatru. Cudowny spektakl, naprawdę uczta dla duszy!

– Sama z przyjemnością się ukulturalniłam. A ty dobrze się u nas bawiłaś? – Irena położyła wypielęgnowaną dłoń na ramieniu Marty.

– I jeszcze jak! – potwierdziła ochoczo staruszka. – Tyle się napatrzyłam, że ho, ho.

– Wiosną, jak się ociepli, przyjadę po ciebie do Małszewa i porwę na przejażdżkę bryczką po Warszawie – obiecał mecenas.

– Karolu – Marta się roześmiała – Bóg raczy wiedzieć, czy ja tej wiosny dożyję, i po co taka fatyga? Lepiej pieniądze na co pożytecznego wydać niż na takie fanaberie. Zresztą na wiosnę to wy przyjedziecie do nas. Wyjdziemy w pole, powąchamy, jak pachnie ziemia, popatrzymy, jak świat się zieleni, wszystko rozkwita. Toż to cuda nad cudy i taką siłę człowiekowi dają, aż strach.

– Już się rozmarzyłam. – Pani Irena zrobiła rzewną minę i zanuciła Grechutę: – „Wiosna, wiosna, wiosna, ach, to ty...”.

I gdy tak sobie rozmawiali w miłej, przyjacielskiej atmosferze, przy smacznym obiedzie, nawet nie zauważyli, jak zbliżyła się piętnasta. Goście zaczęli się zbierać, gospodarze przeszli do bardziej formalnych spraw.

– Marto, wpadniemy do was za dziesięć dni. Przywiozę dokumenty fundacyjne, które musi też podpisać Wiktor – powiedział mecenas, pijąc poobiednią kawę.

– Tylko Marylkę ze sobą zabierzcie, a teraz przepraszam, pójdę do łazienki. – Marta wstała od stołu i ruszyła do korytarza. Za nią podniosła się reszta, by uprzątnąć naczynia. Pułkownik wycofał się z kuchennej krzątaniny, stanął przy oknie i zapatrzył się na ruch uliczny.

– Kiedyś lubiłem to miasto – powiedział melancholijnym tonem, gdy podszedł do niego mecenas Dębski. – A teraz wydaje mi się takie obce, jakby nie moje.

– Wspomnienia?

– Wspomnienia – potwierdził w zamyśleniu.

– Żałujesz czasem tego, co było?

– Powinieneś zapytać, czy żałuję tego, kim byłem – sprostował. – Robiłem to, co wtedy uważałem za słuszne. Wielu tak uważało. A potem wielu mnie opluło, tylko nieliczni podali rękę. Dajmy już spokój tym rozważaniom, i tak niczego nie zmienią. – Przesunął ręką po włosach. – Tę resztkę lat, która mi została, chcę wykorzystać na coś pożytecznego. Inaczej nie warto żyć, jak mówi Marta, i ma rację.

– Tak, ona jest wyjątkowa – przyznał Dębski.

– To co, zbieramy się, żeby po nocy nie jechać. – Do pokoju weszła Teresa.

– Jeszcze chwileczkę. – Dębski odwrócił się od okna. – Zapomnieliście o obiecanej niespodziance. Zaczekajcie chwileczkę.

Wyszedł do drugiego pokoju i po chwili wrócił, niosąc dużą wypchaną kopertę ozdobioną czerwoną wstążką.

– Marto droga – powiedział uroczyście – w twoje ręce datek na waszą, a właściwie naszą fundację.

– W imię Ojca i Syna! – Teresa przeżegnała się pospiesznie. – Ile tego jest? Przecież ta koperta zaraz pęknie!

– Jezusie... – Marta zrobiła wielkie oczy. – Karolku... czyś ty bank obrabował?

Mecenas się roześmiał.

– Gdybym obrabował bank, poszedłbym siedzieć, a fundacji bardziej się przyda adwokat na wolności.

Rozpuściliśmy z Irenką wici wśród znajomych, aby nasz doroczny bal prawników uczynić balem charytatywnym w szczytnym celu.

– Efekt przeszedł nasze oczekiwania – włączyła się jego żona. – W kopercie jest tyle, ile udało się zebrać, czyli sto pięćdziesiąt cztery tysiące złotych. Przynajmniej w ten sposób, wspierając fundację, możemy wam podziękować za ten rok, który Marylka u was spędziła. Nie wiem, co by z nią było, gdyby nie ta radykalna zmiana środowiska. Przyznam, że na początku się bałam, ale teraz widzę, że to było najlepsze wyjście. Stała się zupełnie inną dziewczyną.

– Miała u nas kolonię karną – zażartował pułkownik.

– Kochani moi – Marta była wzruszona – niech was choć uściskam. Tak wielką radość nam sprawiliście.

Serdecznie ucałowała oboje Dębskich.

– Ale jak my będziemy z takimi pieniędzmi jechać? – zaniepokoiła się Teresa. – Może lepiej do banku wpłacić? Jeszcze któryś powinien być czynny.

– Też tak chciałam zrobić, ale mój mąż lubi czasem wielkie efekty – zażartowała Irena. – To taka jego słabość.

– Może rzeczywiście zdążymy do banku... – Dębski spojrzał na zegarek.

– Już po trzeciej – zaoponował pułkownik.– Nim to załatwimy, a potem wyjedziemy z Warszawy, to nocą w domu będziemy. Ostatecznie w samochodzie nikt nam pieniędzy nie ukradnie. A w poniedziałek pojadę do Szczytna i wpłacę.

– Dobrze mówisz. – Marta podała mu kopertę. – Schowaj ją u siebie i będziemy jechać. Chciałabym jeszcze do jednego sklepu zajrzeć. Marylka podała mi adres, nim do kina poszła.

– Zajedziemy. – Pułkownik sięgnął po torby. – W drogę, miłe panie.

Marta ostrożnie schodziła ze schodów drugiego piętra. Po płaskim szło jej się lepiej, jednak wspinaczka na górę czy też zejście po schodach stanowiły dla niej wysiłek. Nowe protezy, które dostała wiosną, nie były tak wygodne, jak stare. Dlatego bardziej niż zwykle przechylała się na boki.

Przepuściła przed sobą pułkownika, który z niewielką teczką pod pachą i dużą torbą w ręku szedł szybciej. Tuż za nim zbiegł mecenas, niosąc do samochodu dwie inne torby. Staruszka, trzymając pod ramię Teresę, szczęśliwie dobrnęła do wyjścia.

– Wiesz, Tereniu – powiedziała, gdy śpiewaczka otwierała drzwi. – Chciałabym, jeśli wszyscy się zgodzą, dać te pieniądze Ignasiowi, żeby na tę operację nóżek pojechał.

– Zrobimy, jak zechcesz – odparła śpiewaczka, walcząc z nagłym podmuchem wiatru. – Ale ziąb.

W kozaczkach na cienkich szpilkach szła po chodniku jak po lodzie. Byli już przy samochodzie, gdy poślizgnęła się i upadła na wznak, a za nią poleciała Marta.

Pułkownik podbiegł do leżących na chodniku kobiet, a za nim mecenas w podrywanej wiatrem kurtce.

– Co się stało? Wszystko w porządku? – pytali jeden przez drugiego.

– Ajjjj! – Marta syknęła z bólu, gdy pomagali jej się podnieść. – Ręka...

– O mój Boże! – zawołała Teresa. – To moja wina. Możesz nią poruszać?

– Upadłaś na rękę? – dopytywał się zaniepokojony mecenas, gdy Marta próbowała rozmasować łokieć, krzywiąc się z bólu.

– Nie przejmujcie się – uspokajała wystraszoną trójkę.

– Może być złamana. Trzeba to koniecznie sprawdzić – denerwował się pułkownik. – Teresa, co z tobą?

– Nic mi nie jest – rzuciła zniecierpliwiona. Poprawiła Marcie czapkę na głowie i otrzepała płaszcz ze śniegu. – Widzę, że mocno cię to boli.

– Jedziemy do Dzieciątka. A jeśli to złamanie, to wystąpimy do administratora o odszkodowanie, że chodniki niewysypane. – Mecenas objął Martę wpół i wsadził ją do samochodu.

– Kochani, to przejdzie. Nie taki ból przechodził – próbowała protestować. – Po co taki ambaras robić?

– Musimy sprawdzić, może będzie potrzebny gips? – Dębski nie ustępował.

Po chwili, gdy na dworze zapadała już szarówka, ruszyli do szpitala. Minęło sporo czasu, nim po długim oczekiwaniu w kolejce Marta została zabrana na prześwietlenie. Trwało to trochę, wreszcie wyszła z gabinetu lekarskiego z ręką zawieszoną na temblaku.

– Mówiłam, że nic mi nie jest, to tylko stłuczenie. Poboli, poboli i przestanie – oznajmiła pogodnie.

– Ufff… – odetchnęła głośno Teresa. – Bogu dzięki.

Marta spojrzała na ścienny zegar.

– Już po szóstej, tyle czasu nam zeszło, że nie zdążymy do tego sklepu. A cóżeś ty taki blady, kochanieńki? – spytała z troską.

Wszyscy spojrzeli na pułkownika, który rzeczywiście pobladł, jakby miał zemdleć. Błądził wzrokiem po podłodze i wyglądał na oszołomionego.

– Muszę coś sprawdzić, zaraz wracam – wymamrotał niewyraźnie, po czym prędko ruszył do wyjścia.

– Co mu się stało? – zaniepokoiła się Teresa.

– Może nie znosi szpitali? – podsunął mecenas. – Mnie od samego zapachu mdli.

– Lepiej idźmy do samochodu. Tam na niego zaczekamy, tu jest duszno. – Teresa poluzowała szal pod szyją.

Mecenas pomógł Marcie włożyć płaszcz, wziął ją pod ramię i powolutku ruszyli do wyjścia. Przed szpitalem ujrzeli pułkownika. W świetle jasnych latarni wyglądał jak upiór. Czarna parka kontrastowała z bladością jego policzków. Półprzytomny, z rozwianym włosem i przerażeniem na twarzy niemal przyrósł do chodnika, wsparty o słup. Ściskał w rękach swój kaszkiet.

– Nie... ma – zająknął się, gdy grupka podeszła bliżej.

– Czego nie ma? – Teresa nie zrozumiała. – Mówże jaśniej.

– Mojej... teczki. Wszystko sprawdziłem w samochodzie iiii... nie ma.

– Tej małej, co żeś pod pachą miał? – spytała Marta.

– Tej. – Przełknął ślinę. – Włożyłem tam... pieniądze i nie wiem, co się z nią stało. Nigdzie nie mogę jej znaleźć.

Nastąpiła długa cisza. Dębski głośno nabrał powietrza w usta, Teresa pocierała palcami brwi, a Marta szepnęła bezgłośnie *Anieli Pańscy*.

– Dach! – zawołała śpiewaczka. – Położyłeś ją na dachu samochodu!

– Jezus Maria! – Pułkownik złapał się za głowę. – Rzeczywiście. Położyłem i w tym zamieszaniu o niej... zapomniałem.

– Wracamy. – Mecenas odzyskał zimną krew. – Może jeszcze gdzieś leży. Nie mogła upaść daleko.

– Przecież po ciemku jej nie znajdziemy! – jęknęła załamana Teresa – Cholera jasna, to wszystko przez moje obcasy! Żebym się nie poślizgnęła, nic by się nie stało.

– To wyłącznie moja wina. – Pułkownik uderzył się w pierś. – Powinienem myśleć, gdy powierzono mi takie pieniądze.

– A ja powinienem posłuchać Ireny i od razu wpłacić je do banku. – Karol Dębski zamaszystymi ruchami zmiatał śnieg z szyby. – Zachciało mi się wielkiego efektu!

Tylko Marta zachowała względny spokój. Żal jej było zguby, ale zazwyczaj, gdy przytrafiało się coś złego, szukała pociechy we właściwy sobie sposób.

Dlatego gdy późnym wieczorem, po bezowocnych poszukiwaniach, zdruzgotana rodzina, zmarznięta i w posępnych nastrojach, siedziała w mieszkaniu Dębskich, Marta tylko słuchała zbiorowego lamentu, gdy każdy siebie obarczał winą.

– Damy ogłoszenie do gazety, kilka ogłoszeń, może zgłosi się uczciwy znalazca – powiedział mecenas.

Siedział w fotelu, nerwowo przebierając palcami po kolanie. Pułkownik, ściskając rękoma głowę, kiwał się na krześle. Teresa przycupnęła na sofie obok Ireny i masowała sobie skronie.

– Kto zwróci takie pieniądze? Zastanów się, Karolu. – Małżonka mecenasa przyłożyła rękę do czoła. Minę miała zbolałą.

– Boże, zaraz mi rozsadzi głowę z nerwów – stękała Teresa.

– Marto, dlaczego nic nie mówisz? – Pułkownik otrząsnął się. – Mów śmiało, poniosę wszystkie konsekwencje. Jak będzie trzeba, sprzedam swój dom w Małszewie i pokryję stratę.

Wszyscy spojrzeli na staruszkę. Siedziała w fotelu, z talerzykiem na kolanach, i jak gdyby nigdy nic jadła ciasto.

– A cóż ja mam powiedzieć, moi mili? – odezwała się łagodnie. – Może, da Bóg, ktoś odniesie te pieniądze, jak ogłoszenie damy.

– Nie wierzę! – Teresa machnęła ręką.

– Dużo dobrych, uczciwych ludzi po świecie chodzi – ciągnęła Marta. – Trzeba w to wierzyć, zamiast ręce załamywać nad tym, czego i tak odwrócić już nie możemy. A z domem, pułkowniku, nie spiesz tak. Zaczekamy, co jutro przyniesie.

– Nie pojmuję, jak możesz być taka opanowana w tej sytuacji. – Pani Irena kręciła z niedowierzaniem głową.

– Życie mnie tego nauczyło, a zwłaszcza tamten doktor, co mi nogi we Wrocławiu odejmował. Bywało, że siadał przy moim łóżku i tak mi tłumaczył, choć wtedy dzieckiem jeszcze byłam i tego, co mówił, nie rozumiałam: „Marciu, jeśli nie możesz zmienić swojego życia, zmień swoją filozofię. Ręce i nogi już ci nie odrosną, dlatego nie płacz nad tym, co straciłaś, tylko patrz, co jeszcze możesz w życiu zyskać, wtedy będziesz szczęśliwa". Wzięłam sobie do serca jego słowa. I teraz tak sobie myślę, że może te pieniądze, które straciliśmy, komu innemu szczęście przyniosą, komuś, kto bardziej ich potrzebuje. Może los chciał, żeby tak się stało?

– Cała Marta! – Mecenas klepnął dłonią w oparcie fotela. – Zawsze w złym dopatrzy się dobrego.

*

Czy to namowy Ewy, czy ostatnia stówa, którą Joanna miała w kieszeni, czy kolejna angina Tosi i majątek wydany w aptece, a może to wszystko razem sprawiło, że zdeterminowana sięgnęła w końcu po telefon.

– Wiedziałem, że do mnie zadzwonisz. – Usłyszała nutę pewności w głosie Daniela.

– Więc oszczędźmy sobie zbędnych wstępów. – Jej głos zabrzmiał obco. – Jestem gotowa przyjąć twoją propozycję.

– Skąd wiesz, że jest aktualna? – odparł. – Nie lubię dwa razy składać tych samych ofert, ale dla ciebie mogę zrobić wyjątek od reguły.

– Jestem aż tak wyjątkowa?

– Nie w tym rzecz, choć myślałem, że odezwiesz się wcześniej, i tu mnie zaskoczyłaś. A odpowiadając na twoje pytanie, powiem tak: jesteś na tyle wyjątkowa, że nie mogłem posiąść cię od razu. Cel, który nie przychodzi z łatwością, jest bardziej podniecający. Czekam o siedemnastej w apartamencie.

– Dziś?

– Pojutrze. Wyglądaj zmysłowo.

– Nie posądzam cię o romantyzm.

– Słusznie, określam tylko jasno swoje wymagania, na romantyzm nie licz, Joanno. Wysłać po ciebie kierowcę?

– Przyjadę sama.

– Tylko się nie rozmyśl po drodze.

Nie rozmyślę się, nie rozmyślę, powtarzała przez dwa kolejne dni.

Ubrana starannie, jak tego wymagał jej przyszły sponsor, w umówiony dzień czekała z Tosią na klatce schodowej przy Chrzanowskiego. Drażnił ją i uwierał suwak dopasowanej czarnej sukienki, gryzły koronki bielizny, puder ściągał twarz niczym maska. Nawet rzęsy wydawały się ciężkie od tuszu. Wszystko jej przeszkadzało, choć wcześniej sukienka była wygodna, a koronki delikatne.

– Dziś będziesz spała u cioci, córeczko. – Tuliła do siebie dziewczynkę, czekając na przyjazd Ewy.

– Ty też?

– Nie, mamusia dziś w nocy będzie pracować. Patrz, ciocia już jedzie. – Wskazała na wyłaniający się zza zakrętu samochód Ewy.

W nagrzanym nissanie przyjaciółki Joannie było za gorąco. Czuła, jak kropelka potu spływa jej wzdłuż kręgosłupa. Ręce i pachy miała wilgotne, skołtunione myśli nie dawały się wyprostować. Nie słuchała paplania Tosi, która opowiadała coś Ewie. Ewy też nie słuchała, skupiona na swoim zamiarze.

Dojeżdżały do placu Mirowskiego, gdy Joanna powiedziała:

– Zatrzymaj się tu, dalej pójdę pieszo.

– Tu? – zdziwiła się przyjaciółka. – To spory kawałek od Babki.

– Mam jeszcze ponad godzinę. Przejdę się, przewietrzę. – Pomachała ręką przed sobą. – Trochę mi duszno.

– Tylko się nie rozmyśl jak ostatnio. – Ewa zjechała na prawą stronę. – Wyglądasz, jakbyś kij połknęła.

– Mamusia połknęła kij, mamusia połknęła kij! – Tosia zaczęła klaskać. – Ja też chcę połknąć kij.

– Bądź grzeczna, kochanie. – Joanna ucałowała córeczkę. – Zobaczymy się jutro.

– Damy sobie radę, co nie, Tośka? – Ewa spojrzała przez ramię na dziewczynkę i ciszej zwróciła się do Joanny: – Idziesz szczęściu naprzeciw. Zobaczysz, nie będziesz żałować, więc przestań się zachowywać jak skazaniec. Cześć, tu nie wolno się zatrzymywać.

Minęła piętnasta i powoli zapadała szarówka. Zacinał śnieg z deszczem, dmuchał północny wiatr. Osłonięta parasolką Joanna, wmieszana między przechodniów, szła niespiesznie w stronę Babki.

Co ty robisz, co ty najlepszego robisz? – znów słyszała szept sumienia. Dobrze robisz, podpowiadał rozum. Idziesz naprzeciw swojemu szczęściu, a pieniądze je dają, więc idź naprzód, nie wahaj się, chyba nie chcesz dłużej szarpać się z życiem i wszystkiego sobie odmawiać. W duszy Joanny rozszalała się burza z piorunami. I choć było to najmniej oczekiwane miejsce i czas, sama nie wiedząc dlaczego, zaczęła w myślach odmawiać swoją mantrę „Aniele Boży...”.

Odeszła spory kawałek od Elektoralnej, gdy sumienie drugi raz wygrało z rozumem. Trudno, co ma być, to będzie, postanowiła i wyjęła z torebki telefon. Napisała krótką wiadomość.

Przepraszam, to jednak nie moja bajka.

Odpowiedź przyszła po dłuższej chwili.

Nie lubię być wodzony za nos. Nie dajesz mi wyboru. Niedługo i tak do mnie przyjdziesz. Do zobaczenia.

– Żebyś się nie zdziwił – mruknęła. Nawet nie starała się odgadnąć, co Daniel miał na myśli. Schowała telefon i lżejszym krokiem, z uniesioną wyżej głową, zawróciła ku najbliższemu przystankowi.

Dochodziła do wiaty, gdy z pobliskiej kamienicy wyszły cztery osoby, dwie kobiety i dwóch mężczyzn. Mężczyźni wkładali jakieś torby do stojącego wzdłuż ulicy samochodu.

Uwagę Joanny przykuła niedołężna staruszka, która chwiała się na boki i powolutku przesuwała w stronę auta. Trzymała ją pod rękę wysoka elegancka kobieta. Były już obok auta, gdy ta wyższa poślizgnęła się, machnęła w powietrzu ręką i upadła na chodnik, a za nią poleciała babinka.

Joanna wciągnęła przez zęby powietrze, upadek wyglądał groźnie. Była na tyle blisko, żeby dostrzec, jak jeden z mężczyzn rzucił się na pomoc leżącym, odruchowo położywszy na dachu samochodu płaską teczkę. Jacyś przechodnie się obejrzeli, zaciekawieni zamieszaniem, ale poszli dalej. Po chwili, pośród okrzyków o szpitalu i ręce, staruszka, podniesiona ostrożnie przez obu mężczyzn, wsiadła do auta. Za nią wpasowali się pozostali. Joanna utkwiła wzrok w zostawionej na dachu aktówce.

– Halo! – zawołała, unosząc rękę. – Teczka!

Pobiegła nawet kilka kroków za nimi, sama ślizgając się na oblodzonym chodniku, ale jej nie usłyszeli. Odjechali prawie z piskiem opon, a teczka zsunęła się z dachu i upadła przy krawężniku, bez mała przy nogach Joanny.

Podniosła ją i otrzepała ze śniegowej mazi. Poczekała chwilę, rozglądając się wokoło, czy może ktoś wróci po zgubę. Ale choć stała kwadrans w jednym miejscu, moknąc i marznąc w cienkich wysokich botkach, nikt nie przyjechał. Brązowa skórzana teczka nosiła ślady zużycia i była nieco wypchana.

Z myślą, że znajdzie w środku jakieś dokumenty, a może numer telefonu właściciela, Joanna weszła do najbliższego McDonalda.

Buchnęło na nią ciepłe powietrze i zapach smażonych frytek. Wszystkie stoliki były zajęte, panował gwar, przy kasach tłoczyła się młodzież. Joanna przepchnęła się w stronę toalet, zaczekała w kolejce, po czym zamknęła się w kabinie. Usiadła na klapie sedesu i otworzyła teczkę. W środku była duża opasła koperta. Joanna otworzyła ją i… zamarła.

Z wybałuszonymi oczami i gapowato otwartymi ustami wpatrywała się w grube pliki stuzłotowych banknotów.

– Boże Wszechmogący… – szepnęła oszołomiona. – Ile tego tu jest?

Serce waliło w niej jak oszalałe, mało nie wyskoczyło z piersi. Pierwotny zamysł, by poszukać właściciela teczki, rozpłynął się bez śladu. W zamian rozpierała ją euforia.

Wreszcie skończą się kłopoty… Przecież nie ukradłam tych pieniędzy, same spadły mi pod nogi… Ja tylko wyszłam szczęściu naprzeciw…

Naglona pukaniem do drzwi, czym prędzej wepchnęła pieniądze do teczki, ukryła ją pod szerokim płaszczem, wytarła palcami rozmazany tusz z powiek i przez moment przyglądała się swemu odbiciu w lustrze.

W jednej chwili, jak za dotknięciem czarodziejskiej różdżki, ubyło jej lat, tak pojaśniała na twarzy. Błogosławiła Opatrzność, która zesłała jej mannę z nieba. Udręczoną duszę Joanny ogarnęła nieopisana ulga, serce przepełniła radość, że zły los wreszcie się odwrócił.

Zamówiła taksówkę i przyciskając do siebie znaleziony skarb, pojechała na Pragę. Dzięki, dzięki ci, mój Aniele Stróżu, myślała.

ROZDZIAŁ XVI

Joanna nikomu nie powiedziała o znalezisku, które zawinęła w poszewkę i ukryła w wersalce. Bała się, że jak tylko piśnie choćby słówko, to znów sumienie zagłuszy to, co podpowiadał jej rozum. A rozum mówił głośno i wyraźnie, że ona i Tosia potrzebują tych pieniędzy.

Kilka dni po tym, gdy znalazła teczkę, natknęła się w gazecie na ogłoszenie. Sprzątała wtedy ostatni raz w biurze i porządkowała gazety na półce. Przerzuciła najnowszą, gdzie na drugiej stronie widniał duży komunikat, że fundacja „Kocham Cię, Życie", która wspomaga leczenie dzieci, prosi uczciwego znalazcę o zwrot. Oferowano również nagrodę, zwyczajowe dziesięć procent.

Joanna tylko wzruszyła ramionami i ani myślała tego zrobić, nawet dla dziesięciu procent. Skoro ktoś był tak lekkomyślny, żeby zgubić taką sumę, nie jest wart tego, żeby ją mieć, koniec kropka. Odłożyła gazetę i wróciła do sprzątania.

Nic jej nie obchodziła żadna fundacja, nawet z najszlachetniejszą misją. Najważniejsze, że wreszcie ona, Joanna, mogła spać prawie spokojnie. Nawet uczucie, że jest obserwowana, minęło jak ręką odjął.

Za te ponad sto pięćdziesiąt tysięcy może, skromnie żyjąc, utrzymać się z Tosią nawet przez kilka lat, może spłacić część długów, może zabezpieczyć przyszłość córeczki, gdzieś z nią wyjechać, żeby się wzmocniła po ostatnich infekcjach, może spokojnie szukać nowej pracy, wynająć prawnika. Miała wiele możliwości, tylko musi rozważyć, którą z nich wybrać. Zasłużyłam na taką nagrodę od losu. Byłabym ostatnią idiotką, gdybym oddała te pieniądze, stwierdziła kategorycznie.

Nie zdradziła się nawet przed Ewą. W pierwszym tygodniu lutego odwiozła ją, objuczoną bagażami, na lotnisko, pożegnała i mając jej samochód oraz kartony wypełnione zapasami spożywczymi przyjaciółki, czuła się błogo.

– Mamusiu, dlaczego się uśmiechasz? – spytała Tosia, gdy Joanna przyprawiała wołowe polędwiczki. Po miesiącach kupowania najtańszego jedzenia postanowiła przygotować na obiad coś ekstra.

– Uśmiecham się, bo mam ciebie, córeczko. – Zdjęła patelnię z gazu i usiadła przy małej, która z zapałem coś rysowała.

– Ale teraz inaczej się uśmiechasz.

– A jak?

– Inaczej… uśmiechnięciej. – Dziewczynka szukała właściwego słowa.

Joanna posadziła ją sobie na kolanach i mocno utuliła. Nawet nie podejrzewała, że dziecko jest aż tak spostrzegawcze, że wychwyci bezbłędnie jej nastroje.

– Tak, kochanie, teraz uśmiecham się uśmiechnięciej. – Pocałowała małą w czubek główki. – Co rysujesz?

– Tamten domek, co daliśmy ludziom, to ja, a to ty, mamusiu. – Pokazywała paluszkiem postaci. Brakowało Tomasza. Joanna zawahała się, czy o niego spytać.

– Bardzo ładny rysunek, ale czy kogoś tam nie brakuje? – zagadnęła ostrożnie małą.

– Tatuś się nie zmieścił, bo jest daleko, a daleko nie zmieściło się na rysunku.

– Może chcesz, żeby napisać do niego list? – spytała poruszona.

– Nie – zaprzeczyła krótko córeczka.

Joanna nie nalegała więcej. Może Tosia już o nim zapomina, zastanawiała się, gdy dziewczynka kolorowała błękitne niebo nad domem. Tęsknoty dziecka, wyrażone na rysunku, zakłuły Joannę w serce.

– Tosiu, mam pomysł – powiedziała, chcąc skierować jej uwagę na inne tory. – Jutro kupimy farby i same pomalujemy nasz nowy domek. Na takie kolory, na jakie będziesz chciała. Co ty na to?

– Same? Ja też? – Dziewczynka się zdziwiła.

– No pewnie. Przecież jesteś duża, poradzisz sobie z takim zadaniem. – Joanna wstała. – A teraz dokończ rysunek i pomyśl, jaki kolor będzie najładniejszy, a mamusia skończy gotować obiad.

– Różowy! – zawołała bez wahania Tosia.

– Może być różowy.

Nazajutrz, tak by dziewczynka nie widziała, Joanna wyjęła z koperty trochę setek na czynsz i farby. Samochodem Ewy pojechały na zakupy do marketu budowlanego. Zajechała jeszcze do komisu, gdzie ubrana w dresy właścicielka robiła porządki.

– O, jak dobrze, że panią widzę – ucieszyła się Kotkowska. Odstawiła miotłę i podeszła do Joanny. – Oszczędziła mi pani wycieczki na Pragę. Chciałam przywieźć te dwie panine kurtki, które nie zeszły, ale jak pani jest, to sama zabierze. Już naszykowałam worek.

– Tak, mogę je zabrać – odrzekła pogodnie Joanna. Wzięła z lady worek i włożyła do niego swoje kurtki.

– Córeczka dzisiaj nie u dziadków? – Pani Jagoda wskazała na Tosię, która kręciła się w kółko z rozłożonymi rączkami po pustym sklepie i coś sobie śpiewała.

– Nie, jestem chwilowo wolna, ponieważ drugiej pracy też już nie mam. Zatrudnili firmę sprzątającą, więc mnie podziękowano – odpowiedziała Joanna zgodnie z prawdą. Jednak jej głos nie wskazywał na przygnębienie, co nie uszło uwagi Kotkowskiej.

– Nie wygląda pani na zmartwioną – bardziej stwierdziła, niż spytała. – I w ogóle ostatnio jakoś pani pogodniejsza, aż miło popatrzeć. Można wiedzieć, co jest powodem tej nagłej zmiany? Może ktoś do serduszka zapukał? – Ostatnie pytanie zadała ciszej, prawie do ucha Joanny.

– A owszem, tam stoi ten ktoś – powiedziała żartobliwie i wskazała na córeczkę. – Po prostu wystarczająco długo trwała ta niepogoda, więc czas na zmiany. A pracę też niebawem sobie znajdę.

– I to mi się podoba – oświadczyła z aprobatą była szefowa. – Pogodnemu to i łatwiej robotę znaleźć. Nie ma co między ludzi swoich trosk obnosić, każdy ma własne. A do uśmiechniętych wszyscy ciągną. Ja też mam dla pani nowinę.

– Tak?

– A tak – potwierdziła. – Córka z zięciem mnie namówili, żeby otworzyć tu bar kanapkowy. Bo lokalizacja dobra, a ludzie teraz czasu nie mają, więc tylko wstąpią i od razu świeże i zdrowe zjedzą. Zięć trochę pieniędzy odłożył, bo w Anglii pracował, a i ja mam co nieco oszczędności, może jeszcze kredyt niewielki wezmę. Jużeśmy biznesplan zrobili, teraz tylko lokal przystosować trzeba i od kwietnia, ale prędzej od maja możemy otwierać.

– To świetny pomysł i serdecznie pani gratuluję.

– Tak sobie pomyślałam, że pani taka miła, uprzejma, do ludzi otwarta, po co nam nowego pracownika szukać? Może chciałaby pani, jak już otworzymy, pracować w naszym barze? Na początek dużo zapłacić nie damy rady, gdzieś z tysiąc sześćset na rękę, ale potem, jak interes się rozkręci, to coś pomyślimy więcej. Jak się pani na to zapatruje?

– Naprawdę mogłabym tu pracować? – Joanna się ucieszyła. Pojaśniała jeszcze bardziej, słysząc tę propozycję. – Jeśli tak, to bardzo chętnie, pani Jadwigo.

– Tylko że nim ruszymy, czegoś będzie pani musiała poszukać na ten czas. Na góra trzy miesiące.

– Poszukam. Widziałam sporo ogłoszeń o nianie i korepetytorki z polskiego, więc jestem dobrej myśli, na pewno coś znajdę. – Joanna sięgnęła do torebki po pieniądze. – Przywiozłam pani czynsz. Drugą ratę za luty i cały za marzec.

– Cały? – zdziwiła się tamta.

– Lepiej zapłacić to, co pilne, od razu, póki są pieniądze. Odebrałam zasiłek, wypłaty, trochę rodzina mnie wspomogła, więc wolę mieć czynsz z głowy – wyjaśniła, starając się, by zabrzmiało to wiarygodnie. Widziała pytające spojrzenie byłej pracodawczyni.

– Bardzo mądrze – pochwaliła ją Kotkowska. – Tak przynajmniej pieniądze nie rozejdą się na głupstwa.

– To prawda. Pani Jagodo, czy nie będzie miała pani nic przeciwko temu, żebym trochę odmalowała pokój?

– A niech pani maluje nawet całe mieszkanie. – Właścicielka się roześmiała. – Dawno myślałam, żeby tam remont robić, ale zawsze inne wydatki były.

– Na różowo – pochwaliła się Tosia, dotąd zajęta kręceniem piruetów.

– To mój ulubiony kolor. – Kotkowska musnęła palcem policzek dziewczynki. – Będziecie miały różowe sny. Ty też będziesz malować, Tosiu?

– Tak! Dziś! Idziemy już, mamusiu? – spytała dziewczynka, zadzierając do góry główkę.

Pani Jagoda patrzyła przez okno, jak po chwili szły chodnikiem, obie wesoło podskakując.

*

Wiktor czuł się już w miarę dobrze po operacji, ale nie mógł dłużej znieść ani grobowej atmosfery w domu, ani ciągłego obarczania się pułkownika i Teresy winą za zgubę. Był zły na siebie za ten przeklęty wyrostek. Gdyby pojechał z nimi do Warszawy, na pewno dopilnowałby pieniędzy i nie musiałby słuchać kajania się tych dwojga.

Dlatego ledwo doszedł do siebie, zaczął się włóczyć po lasach, wbrew protestom lekarki, że jeszcze powinien się oszczędzać. Wolał samotność wśród drzew, wędrówki po zaśnieżonych ścieżkach i powiewy mroźnego wiatru niż domowe lamenty, a nawet świat układów scalonych.

Dawno zapomniał też o swoich pasjach, a przecież kiedyś je miał. Godzinami mógł fotografować, zdobywać górskie szczyty. Przeszedł Tatry, Dolomity, wspiął się na Mont Blanc, marzył o Himalajach, nawet przed trzema laty szykował wyprawę z kolegami, gdy nagle wszystko się rozmyło, życie spochmurniało, a od dawnych kumpli odsunął się sam. Dziczał w mazurskiej głuszy i tylko te spacery chwilami przynosiły mu jako taki spokój.

Tej niedzieli, rankiem, ledwo słońce wyszło zza chmur, Marta wybrała się razem z nim. Jechali samochodem przez las do miejsca, gdzie były groby. W siatce na kolanach staruszki pobrzękiwały znicze.

– Wtedy też była taka pogoda – odezwała się cicho.

– Kiedy?

– Dwudziestego pierwszego stycznia. To się stało w niedzielę, w taki dzień jak dziś. Stamtąd przyszli. – Wskazała ręką przed siebie, w stronę Bałd. – Widzisz, synku, czasem tak sobie myślę, że gdybyśmy wyjechali wcześniej o godzinę czy dwie albo gdybyśmy wybrali inną drogę przez las, to może Ruskie poszliby mimo i nic by się nie stało? A tak przypadek zrządził, że na nich wpadliśmy. Dopiero we wtorek nocą dziadek mnie odnalazł.

– A wcześniej sam uciekł – rzucił Wiktor, zatrzymawszy samochód przy pojedynczej mogile. Pomógł wysiąść Marcie i wyciągnął ku niej zgięte ramię, by mogła się oprzeć.

– Myślał, że wszystkie lecą za nim. Ale gdyby nie uciekł i jego też by zabili, to bym tam zamarzła. A tak żywa zostałam i mogłam do domu wrócić, jak chciała mama, więc widzisz, we wszystkim jakaś siła wyższa być musi i sens nieznany, choć ciężko to rozumem pojąć. – Marta westchnęła.

– Co się stało z tamtą drugą? Z tą, co urodziła martwe dziecko?

– A nie mówiłam ci? – Z ust Marty wyleciał obłoczek pary. Staruszka patrzyła, jak ciepłe powietrze unosi się na mrozie. Wtedy też bawiła się parą, w tamten dzień, jak wracała z szopy, przywołała dawne wspomnienie przerwanej gwałtownie beztroski. – Wila wyjechała do Niemiec, Ernest mówił, że dożyła chyba siedemdziesiątki. Dawno go nie widziałam. Może zjedzie do nas na Wielkanoc? – zastanawiała się głośno.

– Dlaczego chciałaś tu dziś przyjechać? Jest mróz. – Wiktor zapalił znicz i ustawił na zaśnieżonym nagrobku.

– Przecież dziś piętnasty luty, Erna skończyłaby osiemdziesiąt sześć lat. Chodźmy jeszcze do innych.

Lutego, sprostował w myślach, ale nie poprawił Marty.

Powolutku przeszli kilkadziesiąt metrów ścieżką. Marta zapaliła znicze i modliła się w skupieniu przy zbiorowej mogile, gdzie leżała jej matka i starsze siostry. Wiktor usunął się w tył.

– Chciałabym tu leżeć z wami – rzekła ni do siebie, ni do niego. – Wiesz, mój drogi, taka myśl mnie naszła, że po mojej śmierci…

– Co ty tak o tej śmierci? – spytał nieco opryskliwie.

– Stary człowiek ją czuje, ja już nawet i czekam, kiedy się z nimi spotkam. Tylko widzisz, synku, wy będziecie pamiętać, ale inni też powinni się dowiedzieć, jaka krzywda niewinnych ludzi spotkała. Dziewięcioro dziadek tutaj pochował. Same kobiety i czworo dzieci. – Marta otarła kikutem łzawiące oczy. – Tyś kształcony, Wiktor, studia masz, powiedz, co to za wojna, co to za odwaga, żeby zabijać bezbronnych?

– Niemcy też po główkach nie głaskali – mruknął.

– Ano nie głaskali – przyznała na wydechu. – Okrucieństwa były te same, tylko mundury inne. A my, polskie Mazury, dla Niemców byliśmy za polscy, a dla Polaków za niemieccy. Taki nasz los. – Znów westchnęła.

– W tobie długo te blizny siedzą – powiedział zamyślony.

– Siedzą, Wiktor, siedzą – przyznała. – Tylko one mi świata nie zaślepiły, ale dużo wody upłynęło, nim boleć przestały i nienawiść z serca wygnałam.

– Dlaczego potem stąd nie wyjechałaś na stałe do Niemiec, jak inni? – spytał, gdy podchodzili do samochodu.

– A jak mnie było na zawsze z rodzinnej ziemi jechać? – Marta się zdziwiła. – Przecież ja stąd. Tu o każdym kamieniu powiem, że mój, a tam wszystko obce. Gottlieb, po polsku to Bogumił będzie, wiesz, brat mój drugi, ojciec Ernesta, to długo nie mógł w tych Niemczech przywyknąć, taka tęsknota go rwała. Ernest już inaczej, on prawie Niemiec, to i z rzadka tu przyjeżdża, więcej dzwoni do *Tante Marta*, ale chyba nie zapomniał do końca, że polski Mazur, bo pieniądze zbierają na nasze dzieci przecież i pomagają dużo.

– Nie dalej jak przed tygodniem następny przelew od nich przyszedł.

– Sam widzisz, ale nie o tym chciałam. – Marta przełożyła nogę przez próg auta i wsiadła do środka. – Matylda mnie namawia, żeby spisać wspomnienia. O mnie najmniej tu chodzi, tylko o pamięć tej ziemi i ludzi, co tu kiedyś żyli. I tak sobie myślę, że to chyba racja. Mówiła, że do muzeum czy archiwum do Olsztyna je zawiezie, ponoć zbierają od miejscowych, co żyją jeszcze, takie zapisy. Może byś w tej swojej maszynie zrobił taki zapis, przecież tym – wyciągnęła przed siebie kalekie ręce – to przez miesiąc będę jedną stronę pisać, choć dawniej, jak do szkoły we Wrocławiu chodziłam, to wszystkie moje zeszyty na wystawie były, tak mi to pisanie dobrze szło.

– Ja? – spytał zaskoczony.

– Matylda zapracowana, między chorymi cały czas, Marylki nie ma, Teresa z pułkownikiem teraz nie do życia, jak te pieniądze się zgubiły…

– Już się nie odnajdą – wszedł jej w słowo Wiktor.

– A może i odnajdą? – odpowiedziała pytaniem. – A nawet jeśli nie, to może pożytek komu innemu przyniosą. To tylko pieniądze. Bez nich ciężko żyć, prawda, ale co innego w życiu ważniejsze. Dlatego tłumaczę pułkownikowi, żeby domu nie sprzedawał. To jak będzie? Napiszesz? W słowa ładnie ubierzesz, bo ja to po staremu mówię i błędy robię. A ty raz-dwa sobie z tym poradzisz – przekonywała go proszącym tonem.

– Chcesz mi dać zajęcie – stwierdził domyślnie.

– A bo to ja nie widzę, że snujesz się samotnie między drzewami? Uciekasz od tych demonów, a one i tak biegną za tobą. Może jak czymś myśli i serce mocno zajmiesz, to i lżej tobie będzie?

– Zastanowię się – odrzekł skupiony na przebijaniu się przez zaśnieżone ścieżki. Miejscami dżip ślizgał się i podskakiwał na trakcie. – Pojadę na dzień, dwa do Warszawy. Muszę załatwić parę spraw, nowe zlecenia w firmie pobrać i takie tam.

– Jedź, synku, skoro musisz. Zawieziesz mecenasostwu naszego chleba, przepadają za nim. Wczoraj dopiero upieczony, to długo poleżeć może, i smalczyku z jabłkami im weźmiesz. Nasz Karolek to tak go zajada, aż miło patrzeć. Irenka mniej, bo o linię dba, ale Marylka też lubi. A wiesz ty co? – spytała na koniec.

– Tak?

– Zajedź jeszcze do tej dziewuszki ze sklepu. Sama chciałam ją odwiedzić, jak byliśmy w Warszawie, ale ten wypadek się zdarzył, to potem nie było jak, a bardzo chciałam ją poznać. Zaproś ją w moim imieniu do nas. Niech przyjedzie odpocząć bodaj na kilka dni. Wszyscy te Mazury chwalą, że pięknie tu. W naszym Małszewie to więcej ludzi z Warszawy letnie domy postawiło, niż miejscowych żyje. Niech i ona pogości się trochę, coś mi mówi, że to dobra dziewczyna. Nie odmawiaj – poprosiła jeszcze, widząc, jak się skrzywił.

Nie miał zamiaru odmawiać. Skrzywił się, gdyż coś go zapiekło w gojącej się po operacji ranie.

Przecież sam nosił w sobie cichy zamiar odwiedzenia tej rudej, odkąd zawiózł jej wtedy koszyk. Bez wyraźnego powodu, po prostu chciał ją jeszcze raz zobaczyć, tylko wyrostek pokrzyżował mu plany. Teraz miał legalny pretekst, żeby wreszcie to zrobić.

– Zajadę – rzekł krótko.

Żeby nie odkładać powziętego zamiaru, pojechał na drugi dzień, zaopatrzony w tradycyjne wiejskie przysmaki na podarunki.

Co mnie tak do niej ciągnie? – zastanawiał się przez całą drogę. Kobieta jak każda inna, zwyczajna trzydziestolatka. Ale ten jej miękki ruch, gdy zakładała ręką włosy za ucho… Ładnie wykrojone usta, trochę piegów i jej głos taki przyjemny, i ona sama ciepła, chyba wrażliwa, i…

– Cholera jasna! – krzyknął nagle, gdy pochłonięty fantazjami o obcej kobiecie, o mało nie wpadł do rowu, oślepiony przez ostre słońce. W sekundę odzyskał zimną krew, odbił kierownicą, puścił gaz i wyprowadził samochód z poślizgu.

Dalej koncentrował się głównie na jeździe, tylko od czasu do czasu pozwalał, by jego myśli uparcie wracały do rudzielca z komisu.

Zbliżało się południe, gdy dojechał do Warszawy. Tym razem się nie zawahał i zamiast najpierw załatwić swoje sprawy, pojechał na Madalińskiego.

Od razu zauważył ją przy sklepie; rudy płomień w czarnym płaszczu szedł po chodniku, podskakując. Obok w podobny sposób skakał płomyczek w różowej czapce. Były odwrócone tyłem, Wiktor nie widział ich twarzy, ale poznał dziewczynę po włosach, które powiewały na wietrze. Zatrzymały się przed nissanem; nieznajoma zapięła dziecku pas, po czym siadła za kierownicą i uruchomiła silnik. Wiktor był za daleko, aby do nich podbiec, lecz w sam raz, żeby za nimi pojechać.

Jechała ostrożnie, ale nie ślamazarnie, sprawnie włączała się do ruchu. Nawet nieźle sobie radzi, myślał, siedząc jej prawie na ogonie. Skręciła na most Poniatowskiego, więc jedzie na Pragę. Mieszka tam, zastanawiał się, pilnując, by w ulicznym ruchu nie stracić jej z oczu. W końcu zasygnalizowała zjazd i zaparkowała obok żółtej kamienicy przy Chrzanowskiego.

Wiktor wziął plecak, wysiadł z dżipa i podszedł do nissana, w chwili gdy ruda stawiała przy samochodzie wiadro farby i papierową torbę z zakupami.

– Dzień dobry – przywitał się.

Odwróciła się gwałtownie.

– Dzień dobry – odpowiedziała zaskoczona. – Co pan tu robi?

– Jechałem za panią. – Próbował się uśmiechnąć, ale nie był pewien, czy tylko nie wykrzywił twarzy, gdyż dziewczyna wyglądała na spiętą.

– Dlaczego? – spytała krótko.

Nie zdążył odpowiedzieć, gdy padło pytanie:

– Kto to jest, mamusiu? – Dziewczynka w różowej czapce jedną rączką ciągnęła kobietę za rękaw, a w drugiej trzymała wałek malarski.

– To jest... – Nachyliła się do małej, a potem spojrzała na niego zakłopotana. – Tak właściwie to nie wiem, kim pan jest.

Odgarnęła z twarzy nawiane przez wiatr włosy. Miękki ruch jej ręki, słoneczny blask nad głową, pytające zdziwienie w niebieskich oczach, delikatnie przygryziona dolna warga, ledwo widoczna zza wrzosowego szala – wszystko to sprawiło, że Wiktor na chwilę zapomniał języka w gębie. Otrząsnął się w ułamku sekundy.

– Wiktor Lawina – przedstawił się.

– A ja jestem Tosia. – Mała wyciągnęła rączkę.

Kucnął przy pyzatej dziewczynce. Nie umiał rozmawiać z dziećmi, więc uścisnął jej łapkę, mówiąc po prostu:

– Cześć.

– Co tu masz? – Pokazała paluszkiem jego bliznę.

– Kot mnie podrapał – odpowiedział cokolwiek.
– Masz kotka? – zainteresowała się od razu.
– Mam.
– Tosiu, to niegrzecznie mówić do dorosłych na ty – upomniała ją matka. – Bardzo pana przepraszam, czasem się zapomina.
– Nie szkodzi. – Podniósł się i wyprostował. – Przyjechałem do pani z misją od Marty. Byłem na Madalińskiego, ale pani akurat szła do samochodu, dlatego jechałem za... – urwał, gdy malarski wałek stuknął go w kolano, a z dołu doleciało:
– A gdzie ją masz, wujku?
– Co mam? – Nie zrozumiał. Wujku? Szybko awansowałem, stwierdził w duchu. Mała ciekawska była bardziej bezpośrednia niż jej matka.
– No tą misję – wyjaśniła dziewczynka.
Roześmiał się – głośno, szczerze, swobodnie. Kiedy ostatnio tak się śmiał? Nie mógł sobie tego przypomnieć. Kobieta też się uśmiechnęła. Ładny miała ten uśmiech, taki subtelny.
– Misja, córeczko, to nie rzecz, tylko ważne zadanie do wykonania i lepiej, żebyś mówiła do pana Wiktora „pan".
– Mogę być wujkiem, skoro już zostałem nim mianowany – wtrącił niezwłocznie. – To bardziej swojskie, nie przepadam za oficjalnymi formami.
– Tosia do wszystkich mówi „ciociu" i „wujku", trudno ją tego oduczyć – tłumaczyła stropiona matka.

– Ja też mam misję. – Dziewczynka pociągnęła go za nogawkę. Znów przykucnął, mały skrzat sięgał mu ledwo do uda.

– Jaką? – spytał.

– Będę z mamusią malować nasz domek, bo już jestem duża. Chcę siku – zakomunikowała matce i skrzyżowała nóżki w wyszywanych w kwiatki spodenkach.

– Bardzo pana przepraszam, ale musimy już iść... – Kobieta sięgnęła po wiadro i torbę.

– Pomogę pani – zaoferował odruchowo. – Wiadro wygląda na ciężkie, a poza tym nie dokończyłem sprawy, z którą przyjechałem.

Zawahała się; w jej oczach, minie, zakłopotanym uśmiechu wyraźnie można było dostrzec niepewność.

– Proszę się niczego nie obawiać. – Uniósł przed sobą ręce. – Przybywam jako posłaniec od Marty.

– Dobrze, skoro tak – odpowiedziała w końcu.

Ruszył za nią na drugie piętro, czując unoszące się między nimi niewidzialne napięcie. Kobieta obejrzała się raz i drugi za siebie. Chyba się mnie boi, pomyślał Wiktor i czuł pewne skrępowanie. Wiedział, jak wygląda. Z rozoraną połową twarzy przypominał Frankensteina, nawet na imię miał jak tamten stwór. Dlatego raczej stronił od ludzi. Ale do niej coś go przyciągało.

– To tu – powiedziała, otwierając drzwi.

Mieszkanie było ciasne, zastawione kartonami, jakby ktoś się właśnie wprowadzał albo wyprowadzał. Kobieta rozebrała dziewczynkę, która pobiegła od razu do łazienki. Potem sama zdjęła płaszcz.

W ciasnym korytarzyku stali tak blisko siebie, że prawie czuł jej oddech i mógł obejrzeć geometrię piegów na nosie. Nie miała makijażu, nie wyczuł też od niej żadnych perfum, nie dostrzegł ani jednej ozdoby, prócz męskiego sygnetu zawieszonego na rzemyku na lawendowym golfie. Pasuje jej ten kolor, ładnie współgra z rudymi włosami, uznał w duchu Wiktor. Kobieta wyglądała na skrępowaną, jednak nie uciekała od niego wzrokiem. Patrzyła mu w oczy śmielej niż inni i bez oporów oglądała jego bliznę.

– To musiał być duży kot – zażartowała.

– Prawdziwy tygrys – odpowiedział w podobnym tonie.

– Poskramiał go pan czy drażnił?

– On drażnił mnie, więc go poskromiłem. – Był zdumiony, że rozmawia tak swobodnie o czymś, co jeszcze wczoraj, a nawet dziś rano, drażniło go do żywego.

– Zostawił panu niezłą pamiątkę. Napije się pan herbaty lub kawy?

– Kawy.

Powiesił kurtkę obok jej płaszcza, wziął plecak i wszedł do małej brzydkiej kuchni z granatową lamperią. Inaczej sobie wyobrażał mieszkanie tej kobiety, ale zainteresowało go nagle, czy mieszka tu tylko z córką, czy też jeszcze z kimś.

Przysunął sobie stołek i usiadł.

– Proszę podziękować babci za świąteczny upominek – powiedziała. Postawiła kubki z kawą na stole i usiadła naprzeciwko. – Sprawili mi państwo wielką radość, wszystko było bardzo smaczne. To był naprawdę wyjątkowy gest. Przepraszam, może życzy pan sobie mleka do kawy?

Wiktor pokręcił przecząco głową. Podobał mu się jej sposób mówienia, naturalnie uprzejmy bez napuszonej sztuczności. Nie sprostował też, że Marta nie jest jego babcią. Zamiast tego zapytał:

– Jak pani na imię?

– Joanna. Powie mi pan, co to za misja i z jakim poselstwem pan przybywa?

– Babcia poleciła, żebym zaprosił panią do nas na Mazury na kilka dni, bardzo chciałaby panią poznać i prosiła też, żebym przywiózł...

Nie dokończył, że chleb, gdyż do kuchni wpadła Tośka z kartką i pęczkiem kredek.

– Narysujesz mi swojego kotka, wujku? – spytała i bez zastanowienia wgramoliła mu się na kolana. Zaskoczyła go.

Nie pamiętał, by kiedykolwiek trzymał na kolanach jakiegoś dzieciaka. Z siostrzeńcami jedynie zdarzało mu się grać w piłkę, cieplejszymi gestami nie szafował, tymczasem ta mała po prostu kleiła się do niego. Jej niesforne jasne loczki łaskotały go w brodę.

– Mogę spróbować. – Sięgnął po czarną kredkę i zaczął rysować jakąś pokrakę, mówiąc jednocześnie: – Proszę przyjąć nasze zaproszenie. Marta sama chciała panią odwiedzić w sklepie, ale zaszły pewne komplikacje.

– To bardzo miłe zaproszenie, choć dość nieoczekiwane. – Joanna upiła łyk kawy. – Przecież prawie się nie znamy. To niewątpliwy zaszczyt móc poznać tak wyjątkową osobę, ale wydaje mi się, że moja wizyta byłaby sporym nadużyciem uprzejmości.

– Przestanie pani mieć obiekcje, jak tylko pozna Martę. Pod każdym względem jest wyjątkowa. Prosiła, żebym panią przekonał. – Nie tyle mijał się z prawdą, ile troszkę ją podkolorował, by skruszyć opór Joanny, gdyż zaczęło mu zależeć na jej przyjeździe, choć powód był jeszcze dość mglisty.

– Czułam tę wyjątkowość w każdym słowie, które do mnie napisała. Nawet żałowałam, że nie podała w liście żadnego adresu, żebym mogła odpisać i podziękować za prezent.

– To strategiczne posunięcie. – Wiktor pokiwał głową. – Po to, aby pani do nas przyjechała. Babci będzie przykro, jeśli pani odmówi.

– Masz babcię, wujku? – Tośka podniosła ku niemu główkę.

– Mam.

– Ja też mam babcię, ale nie jest fajna. A twoja babcia jest fajna?

– Fajna. – Dmuchnął w wicherek na czole małej. Dziewczynka zachichotała pociesznie.

– Mamusiu, pojedziemy do tej nowej babci? – podchwyciła od razu.

– Zobaczymy, córeczko.

– A żonę też masz? – rezolutnie dociekała dalej, niczym niezrażona.

– Tosiu, nie wypada tak wypytywać – upomniała ją Joanna. – Przepraszam pana, ale to taki wiek. Jest bardzo ciekawska.

– Nie ożenię się z tym wujkiem, bo nie umie rysować kotków. – Dziewczynka naburmuszyła się trochę i zaplotła przed sobą rączki.

Wiktor popatrzył na swój rysunek, na którym pośrodku kartki widniał czarny stwór, który tylko ogonem mógł przypominać kota.

– Niezbyt udany – stwierdził z pozornym smutkiem, ale sytuacja zaczynała go bawić. Czuł się nadspodziewanie dobrze między tymi dwiema. – Pewnie dlatego nie mam żony, że nie potrafię rysować kotów.

– Mój tatuś umiał rysować kotki i pieski, ale zgubił się daleko…

Matka przerwała jej dalszy wywód. Wstała, wzięła dziewczynkę za rączkę, ściągnęła z kolan Wiktora i poleciła jej iść do pokoju.

– Zaraz zaczynamy malowanie, pozbieraj do pudełka wszystkie zabawki z półeczki, żeby się nie zachlapały farbą, a mamusia przygotuje w tym czasie obiadek – mówiła prędko, a jej policzki nagle się zaróżowiły. Wiktor nie znał się na psychologii, lecz i bez tego widział, że starała się coś ukryć.

– Mogę pomóc przy malowaniu – zaproponował bez namysłu. – Ściany wychodzą mi lepiej niż kotki. Poprzesuwam też meble, jeśli się pani zgodzi.

Zawahała się chwilę, jakby nie wiedziała, co powinna zrobić.

– Nie chciałabym pana kłopotać – powiedziała wreszcie.

– To żaden kłopot – rzucił lekko. – Poza tym Marta by mnie prześwięciła, gdyby się dowiedziała, że nie pomogłem. Do wieczora się uwiniemy.

– Skoro tak... – Założyła włosy za ucho. – To może zje pan z nami? Obiecałam Tosi placki ziemniaczane.

– Z przyjemnością, zaczynam być głodny. – Sięgnął do plecaka i wyjął z niego chleb pieczony na zakwasie. – Babcia prosiła, żebym pani przywiózł do spróbowania. Domowej roboty. Do placków nie pasuje, ale jest smaczny.

Podał jej bochenek owinięty w papier.

– Bardzo dziękuję – odpowiedziała ciepło. – Naprawdę są państwo niesamowici i tacy otwarci, to naprawdę rzadko się teraz zdarza.

– Tak? A przez chwilę miałem wrażenie, że pani się mnie boi.

– Ja? – Delikatnie dotknęła palcami piersi. – Odniósł pan błędne wrażenie. Kto ma taką babcię, nie może być złym człowiekiem. Chyba że się mylę.

Patrzyła mu prosto w oczy. Źrenice miała rozszerzone; przegarnęła ręką włosy, piersi pod jej opiętym sweterkiem unosiły się w spokojnym oddechu.

Wiktor znów na moment stracił rezon.

– Nie myli się pani – mruknął i odchrząknął.

Rozmawiali o tym i owym. On namawiał ją do przyjazdu, ona zebrała włosy w kitkę i zaczęła obierać ziemniaki. Nagle zadzwonił jej telefon.

Po krótkim czasie usłyszał z korytarza szmer przyciszonego głosu. Rozmowa trochę potrwała, więc z braku innego zajęcia Wiktor zabrał się do tarcia kartofli.

– Co pan robi? – spytała, gdy chwilę później weszła do kuchni.

– Jestem mistrzem tarcia, szczególnie kapusty – oświadczył, rozprawiwszy się z ostatnim ziemniakiem. Opłukał ręce pod kranem i wytarł je w papierowy ręcznik.

– Czy tę, którą zostałam obdarowana, również pan tarł? – spytała.

Przygryzła policzek od wewnątrz i wsunęła palce do kieszeni dżinsów. W tej pozie, z tą miną wyglądała niesamowicie.

– Ja... – Znów odchrząknął. – Babcia mnie wyszkoliła. Mogę nawet usmażyć placki. Gotowa jesteś zaryzykować, Joanno? Przepraszam, pani Joanno.

– Może być „Joanno" – powiedziała, opierając głowę o futrynę kuchennych drzwi.

– Pod warunkiem że w drugą stronę będzie tak samo.

– Dobrze.

– To jak, zaryzykujesz ze mną i z plackami?

– Zaryzykuję.

ROZDZIAŁ XVII

Zaryzykowała. Nie wiedziała tylko, w którym momencie najbardziej. Czy wtedy, gdy smażył placki, czy jak wpuściła go do domu, a może wcześniej, kiedy czasem o nim myślała po tym pierwszym spotkaniu w komisie, a może wtenczas, gdy zgodziła się na pomoc przy malowaniu i musiała pilnować oczu, żeby nie wpatrywać się w niego tak bezwstydnie?

Skoro między ustami a brzegiem pucharu wiele może się zdarzyć, to co dopiero między południem a wieczorem!

Joanna miała wrażenie, że czas nabrał innego wymiaru czy też zmienił swoją pojemność, gdyż w ciągu zaledwie kilku godzin zmieściło się to, co czasem trwa całe miesiące. Gdy koło południa zaryzykowała i wpuściła Wiktora za próg, ten mężczyzna był dla niej obcy. Nawet z początku trochę się bała i wyrzucała sobie tę lekkomyślność. Wieczorem zaś nie chciała, żeby od niej wyszedł.

Co się ze mną, do licha, dzieje? To do mnie niepodobne. Dlaczego facet, z którym nie łączy mnie nic, o którym nic nie wiem, tak mnie otumanił, że wbrew rozsądkowi jednak do niego jadę? Przecież jadę przede wszystkim do niego. Popadłam w nową obsesję? – myślała.

Zaryzykowała – po kilku dniach wahania, by zachować pozory, i paru zapraszających telefonach od Wiktora. I tym ostatnim, od Marty. Głos obcej kobiety, jej serdeczność, emanująca z każdego słowa, przeważyły szalę.

Dlatego rozemocjonowana wewnętrznie Joanna spakowała rzeczy na kilka dni i kupiła upominki w postaci kawy, czekoladek, likieru oraz storczyka, żeby nie jechać z pustą ręką. Wahała się, co zrobić z pieniędzmi. Nie chciała zostawiać ich w mieszkaniu, do którego klucz miała też pani Jagoda i czasem potrafiła przyjść bez uprzedzenia. Toteż Joanna zdecydowała się zabrać swój skarb. Ukryła go bezpiecznie na spodzie bagażnika.

W trzeci czwartek lutego wyruszyła z Tosią na Mazury. Zaryzykowała długą podróż małym samochodem, chociaż Wiktor proponował, że po nie przyjedzie.

– Joanno, ta micra jest za słaba na nasze śniegi – perswadował jej wczoraj. – Możesz się zakopać gdzieś na trasie. Sam mało do rowu nie wpadłem.

– Poradzę sobie, umiem jeździć.

– Jak chcesz. W razie czego dzwoń.

– Dobrze. Do jutra.

Wolała jechać swoim autem, by móc natychmiast wrócić, gdyby nagle przejrzała na oczy i opadło z niej to opętanie. Jechała ostrożnie, miejscami toczyła się czterdziestką, ale posuwała się naprzód. Chciała poznać tę Martę, jednak ciągnęło ją głównie do tego mężczyzny z blizną.

Na Mazurach była tylko jako dziecko, z rodzicami na żaglach. Potem omijała tamte strony, ponieważ przywoływały bolesne wspomnienia. Jakie będą te obecne? – pomyślała.

Zerknęła we wsteczne lusterko na Tosię przysypiającą na foteliku z tyłu.

Za Jedwabnem zaczęła wypatrywać tabliczki z napisem „Małszewo". Podążała wąską szosą przez las, pokryte czapami śniegu drzewa wyglądały wprost baśniowo. W Warszawie prawie nie było śniegu, a tu jeszcze wszędzie leżał biały puch. Dość mocny wiatr zwiewał z gałęzi chmury płatków, które tańczyły w powietrzu. Droga wiła się w coraz gęstszym lesie. Joanna co kilka kilometrów mijała różne miejscowości, ale żadna nie była tą właściwą.

W Butrynach zatrzymała się przed wiejskim sklepem, gdzie jakiś facet wysypywał piaskiem schodki.

– Przepraszam! – zawołała przez uchylone okno. – Którędy dojadę do Małszewa? Chyba źle zjechałam w Jedwabnie.

– Trochę pani zboczyła. Teraz to najlepiej jechać do Marcinkowa i tam odbić na Tylkowo, a potem prosto, aż do Małszewa.

Mniej więcej kwadrans później wjechała na właściwą drogę. Wąska szosa była bardziej zaśnieżona, ale samochód, wbrew obawom Wiktora, dobrze sobie radził. A może nie chodziło o możliwości auta, tylko o coś innego? Ta myśl wydała jej się przyjemna. Skończyła się jakaś wieś i po obu stronach drogi ciągnął się potężny las. Wokół żywego ducha, tylko pierwotna wręcz natura. Joanna była zachwycona.

Wtem dostrzegła w oddali jakąś postać, która stała przy zsuniętym do rowu samochodzie i machała zamaszyście ręką w górę i w dół. Joanna zatrzymała się przy kobiecie w limonkowej puchówce.

– Co się stało? – spytała przez uchylone okno.

– Jak dobrze, że się pani zatrzymała! – Tamta odetchnęła z ulgą. Policzki miała mocno zaczerwienione od mrozu. – Prawie godzinę tu stoję, a jak na złość nikt nie przejeżdżał. Urwałam koło. – Pokazała na starego opla. – Chciałam zadzwonić po męża, ale w tym lesie nie ma zasięgu. Już byłam gotowa iść pieszo, jednak ciągle się łudziłam, że w końcu ktoś nadjedzie. No i miałam szczęście.

– Proszę, niech pani wsiada. – Joanna zrobiła zapraszający gest.

– Bardzo dziękuję, chętnie skorzystam. – Kobieta wsunęła się do auta. – Na dodatek ten grat nie chciał już zapalić, więc nie mogłam włączyć silnika, dlatego tak zmarzłam. Rzadko tędy jeżdżę, ale wracam od pacjenta, a tą drogą jest najbliżej do mojego domu. Och, przepraszam najmocniej, nie przedstawiłam się. – Zdjęła dzianinową rękawiczkę i podała Joannie chłodną dłoń. – Matylda Niteczka.

– Joanna Krzemieniecka. – Odwzajemniła uścisk.

– A ja jestem Tosia. – Przebudzona dziewczynka wyciągnęła łapkę.

– Miło mi cię poznać. – Pani Niteczka potrząsnęła jej rączką.

– Jedziemy do babci Marty i wujka Wiktora – pochwaliła się od razu Tosia.

– Dobrze znam babcię Martę i wujka Wiktora – powiedziała Matylda, kiwając przy tym głową.

– Jedziemy tam pierwszy raz i trochę pomyliłam drogę – przyznała się Joanna.

– Tak właśnie myślałam, że pani nietutejsza. Po numerach poznałam, że z Warszawy. Musiała pani źle skręcić w Jedwabnie, dlatego jedziecie naokoło, ale to na moje szczęście.

– Może gdzieś panią podwieźć? – spytała życzliwie Joanna.

– Mieszkam w Łajsie, to parę kilometrów stąd, ale nie chciałabym pani fatygować.

– Żaden kłopot. Proszę tylko wskazać mi drogę. Przecież nie będzie pani tu czekała na pomoc w taki mróz.

– Jeśli pani tak miła, to za następną przesieką trzeba skręcić w prawo.

Matylda Niteczka okazała się nie tylko zajmującą gawędziarką, ale przede wszystkim uroczą kobietą. Niemal od razu poczuły do siebie sympatię, a trzy kilometry później zaczęły sobie mówić po imieniu.

– Groby w lesie? – zdziwiła się Joanna, gdy przy ścieżce zobaczyła kilka metalowych krzyży. Na zaśnieżonych kopcach stały wypalone znicze i żółte chryzantemy w doniczkach.

– Zbiorowe mogiły. Matka i siostry Marty też tu leżą. – Matylda ściszyła głos. – I inni tutejsi mieszkańcy, pomordowani przez Sowietów, nawet dzieci.

– Boże… – Joannę przeszły ciarki.

– Marta sama ci opowie tę straszną historię – szepnęła Matylda, by Tosia nie słyszała. – To mówisz, że jedziesz do nich pierwszy raz? Zobaczysz, nie będziesz chciała wyjeżdżać. To nietypowi ludzie. Często ich odwiedzam i ładuję tam akumulatory. Zwłaszcza Marta przyciąga każdego jak magnes.

– Mnie też przyciągnęła – odezwała się Joanna.

– A jak ją poznałaś?

– Na razie znam tylko Wiktora. Na święta przywiózł mi kosz smakołyków od Marty za naprawdę drobną pomoc z mojej strony.

– Taka właśnie jest. Zresztą jak oni wszyscy, życzliwi ludzie, którzy biedniejszym pomagają, a jaka tutaj jest bieda w niektórych domach, to sama na własne oczy widzę, kiedy odwiedzam pacjentów. Każda pomoc potrzebna. To i kupują ubrania, żywność, czasem opał. Wiosną założyli jeszcze tę fundację „Kocham Cię, Życie" i zbierają pieniądze na leczenie dzieci. – W głosie Matyldy słychać było uznanie.

Joannie zrobiło się gorąco.

– Jak nazywa się ich fundacja? – spytała szybko. Mogła przecież źle usłyszeć albo nie zrozumiała, albo tamta coś przekręciła.

– „Kocham Cię, Życie". Też o niej słyszałaś?

A jednak dobrze zrozumiała.

– Nie… czytałam tylko ogłoszenie w gazecie… – wydukała jak nieprzygotowany uczeń wyrwany do tablicy.

– A tak, było ich kilka. Przykra sprawa z tymi pieniędzmi. Tym bardziej że na tak ofiarnych ludzi trafiło. Podobno nikt się nie odezwał. Widzę, że też się tym przejęłaś. – Lekarka popatrzyła na nią uważniej.

Joanna tylko kiwnęła głową i nic nie powiedziała. Dlaczego musiała pomylić tę cholerną drogę i wpaść na tę kobietę? – zżymała się w środku. Żeby już na dzień dobry poczuć się jak złodziej?

– To mój dom. – Matylda wskazała na budynek pomalowany na zielono, gdy dojechały do wioski okolonej lasem. – Zapraszam was na herbatkę z malinami. Na taki ziąb idealna. Ciasto też się znajdzie.

– Bardzo dziękuję, ale innym razem. – Joanna ubrała odmowę w grzeczne słowa, pożegnała się i zawróciła.

Niemal słyszała, jak sumienie toczy w niej zażartą walkę z rozumem. Boże, dlaczego ta przeklęta fundacja należy akurat do nich? Nie mógł ktoś inny zgubić tych pieniędzy? Czyli ta niedołężna staruszka musiała być Martą. Przysłała mi prezent, a ja w rewanżu ją okradłam! Wiktora też okradłam. Dlaczego nic mi nie powiedział, że mają fundację i zgubili te pieniądze? Przecież w życiu bym tu nie przyjechała!

Nie, nie okradłam ich, choć, o ironio, przywiozłam zgubę właścicielom, poprawiła się w myślach. Dostałam prezent od losu, od mojego Anioła Stróża. Przecież nie mogę oddać tych pieniędzy, co będzie wtedy z nami? Spojrzała na przypiętą do fotelika córeczkę i serce ścisnęło jej się z żalu. Zdecydowała, że wraca do Warszawy, jakoś wytłumaczy dziecku zmianę planów.

Dojeżdżała do skrzyżowania leśnych dróg, gdzie powinna skręcić w lewo, by dotrzeć do Jedwabna, gdy z prawej strony wyjechał duży samochód i mignął światłami.

Wiktor.

– Wujek! – zawołała Tosia, gdy wysiadł z samochodu. – Mamusiu, odepnij mnie!

Chcąc nie chcąc, włożyła małej kurteczkę i wyjęła dziewczynkę z fotelika. Tosia z piskiem pobiegła wprost do Wiktora.

– Cześć, mały szkrabie. – Położył rękę na jej główce. – Nie mogliśmy się was doczekać.

Tośka paplała coś, ale Joanna nie słyszała jej słów, tylko jeszcze mocniejszy głos sumienia, który zagłuszał skrzypienie śniegu, gdy Wiktor szedł do niej z zadowoloną dziewczynką obok.

Teraz trudniej będzie zawrócić, a właściwie jest to niemożliwe. Cóż, pojedzie tam, zostanie do jutra i będzie robić dobrą minę do złej gry.

– Cześć. – Joanna owinęła się szczelniej szalem, by choć trochę zasłonić pałającą ze wstydu twarz. – Co tu robisz?

– Sąsiad widział w lesie nissana na warszawskich numerach, który skręcił nie tam, gdzie trzeba, więc wyjechałem naprzeciw, żebyście się nie pogubiły – wyjaśnił jakby nigdy nic.

– Podwoziłam Matyldę. Samochód jej się zepsuł.

– Widzę, że nawiązujesz pierwsze znajomości. – Uśmiechnął się połową ust.

– Przypadek.

Patrzyła na mężczyznę w podhalańskim swetrze. Nie miał kurtki ani czapki, wyglądał, jakby bardzo się spieszył i nie zdążył się ubrać, ale sprawiał wrażenie zadowolonego.

– Fajnie, że jesteście. Do Małszewa już niedaleko, jedźcie za mną – powiedział i ruszył do dżipa.

Dom Marty stał trochę na uboczu, za długą wsią, która ciągnęła się przy samym jeziorze. Kilka domów w niej było nowych i wystawnych, ale miały pozamykane na głucho okiennice. Widać było, że zimą nikt tam nie mieszka. Przy innych, tych starszych, stały jeszcze świąteczne drzewka z migającymi lampkami.

Zatrzymali się na podwórzu przed niewielkim piętrowym domem z czerwonej cegły. Miał niebieskie okiennice z namalowanymi kwiatkami.

– Gość w dom, Bóg w dom. Witajcie w naszych progach! – zawołała siwowłosa kobieta w jasnym sweterku i ciemnych spodniach, ledwo Joanna weszła do kuchni. Zabrzmiało to tak, jakby były najbardziej upragnionymi gośćmi.

W kuchni były jeszcze dwie osoby. Około pięćdziesięcioletnia kobieta, która przekładała kotlety z patelni na półmisek, i starszy mężczyzna, wyjmujący z piekarnika kartofle.

– Dzień dobry – przywitała się od progu Joanna.

– Już idziemy do ceremoniału, tylko skończymy z tym bałaganem – powiedziała tamta przez ramię, nie przerywając swojego zajęcia.

– A cóż to za śliczny aniołek do nas przyjechał? – spytała Marta i ruchem ręki przywołała do siebie dziewczynkę.

– Jestem Tosia, babciu. – Mała, niczym nieskrępowana, podbiegła do niej z łapką gotową do powitania, a po sekundzie wykrzyknęła ze strachem: – Mamusiu, ta babcia nie ma rączek!

Joanna zrobiła się czerwona z zażenowania.

– Najmocniej panią przepraszam – powiedziała. Na ułamek sekundy omiotła wzrokiem to, co zostało z rąk kobiety. – Tosia jest czasem zbyt bezpośrednia.

– A za cóż to przepraszać? – spytała staruszka. Wstała od nakrytego do obiadu stołu i podeszła do Joanny. – Toć nie mam rąk. Nijakiej w tym obrazy nie ma. I nie jestem żadna pani, tu wszyscy mówią na mnie Marta albo babcia. Wielką radość mi sprawiłaś, że przyjechałyście. – Uściskała ją, a potem Tosię.

– To ja bardzo dziękuję za zaproszenie i za tamten koszyk, i list – odrzekła Joanna. – Proszę przyjąć choć ten skromny kwiatek i coś na osłodę. – Podała upominki.

– Jaki śliczny! – ucieszyła się Marta. – W sam raz pięknie będzie w oknie wyglądał. A osłoda też się nam przyda. – Odłożyła prezenty na stół. – Bardzo chciałam cię poznać. Dziękuję, żeś nie wzgardziła gościną u nas.

To powiedziawszy, objęła po matczynemu Joannę zdumioną taką bezpośredniością. Ciotka Eleonora nigdy w życiu nie szafowała tak czułościami.

– Babciu, dlaczego nie masz rączek? – Tośka nie traciła czasu.

– Odmroziłam je na śniegu, bo nie miałam rękawiczek – odpowiedziała Marta.

Reszta domowników stanęła już za jej plecami.

Mała była gotowa do dalszych pytań, ale przystopował ją Wiktor:

– Chodź, panno ciekawska, pokażę ci, gdzie będziesz mieszkać, i poszukamy kota. – Zarzucił na ramię torbę Joanny, wziął pod pachę chichoczącą Tosię i poszedł na górę.

Joanna przyglądała się wysokiej, postawnej blondynce, której twarz wydała jej się znajoma. Kobieta miała na sobie długą, zamaszystą cygańską spódnicę, buty kowbojki i dżinsową koszulę. Włosy spięła w luźny warkocz. Joanna zorientowała się, że to ta kobieta poślizgnęła się wtedy w Warszawie przed samochodem, ale gdzieś jeszcze musiała ją widzieć. Jednak dopiero kiedy się przedstawiła: „Teresa Andrzejewska", wszystko stało się jasne. Na zdjęciu z okładki płyty była znacznie młodsza niż teraz i trochę szczuplejsza.

– Joanna Krzemieniecka. – Uścisnęły sobie dłonie. – Nie spodziewałam się, że panią tu spotkam. To naprawdę niespodzianka. Moja ciotka jest pani wielbicielką. W święta słuchaliśmy *Traviaty*. Pięknie pani śpiewała.

– Stare dzieje. – Machnęła ręką, ale przez twarz przemknął jej grymas żalu. – I też nie mów do mnie pani. Nie lubimy tu sztywnych form. Rozbierz się, Joasiu, i siadamy do obiadu. Zrobiłam mielone z buraczkami na ciepło i pieczone kartofelki. – Teresa ucałowała ją w oba policzki.

– A na mnie wszyscy tu mówią „pułkownik" i niech tak zostanie – odezwał się szczupły mężczyzna w pulowerze w norweskie wzorki i pochylił się do ręki Joanny. – Siadajmy do stołu.

Przy obiedzie Joanna cierpiała katusze, choć upływał w miłej atmosferze. Wszyscy byli dla niej tacy serdeczni, przyjęli jak swoją, a ona dusiła w sobie szkaradną tajemnicę. Policzki ją paliły z emocji. Nie powinna tu przyjeżdżać, wtedy łatwiej byłoby jej znieść swój postępek niż teraz, gdy doświadczyła od poznanych dopiero ludzi tyle życzliwości.

Brakowało jej odwagi, by tu zostać, brakowało też, żeby wyjechać. Oby tylko nie zaczęli rozmawiać o tych pieniądzach, modliła się w duchu.

– Mamusiu, ptaszki! – zawołała podekscytowana Tosia z buzią umorusaną buraczkami, gdy z zegara wychyliła się kukułka i zakukała dwa razy.

– To taki zegar, córeczko – wyjaśniła Joanna.

– Druga. – Pułkownik złożył sztućce na pustym talerzu. – Na trzecią umówiłem się z pośrednikiem nieruchomości w Szczytnie. Podpiszę umowę, niech szuka kupca na mój dom. Skoro nikt do tej pory się nie zgłosił, to nie ma na co czekać. Muszę przecież pokryć stratę. To wszystko moja wina.

– Już raczej moja. Nie wiem, czy wiesz – Teresa przechyliła się ku Joannie – ale niedawno zgubiliśmy bardzo duży datek na naszą fundację, ponad sto pięćdziesiąt tysięcy. Dostaliśmy je od zaprzyjaźnionych prawników, którzy zebrali na balu tak potężną sumę, a my w najgłupszy z możliwych sposobów straciliśmy te pieniądze. Wstyd, po prostu wstyd. Daliśmy kilka ogłoszeń do prasy, ale na razie cisza. Dlatego tak bardzo to przeżywamy – tłumaczyła z przejęciem, a pułkownik tylko kiwał potakująco głową.

Joanna stanęła w płomieniach od dekoltu po włosy.

– Moglibyście już przestać – odezwał się zniecierpliwiony Wiktor. – Od prawie miesiąca ciągle o tym gadacie. Wystarczy. Mamy gości. Joanna nie musi na dzień dobry słuchać o naszych kłopotach. Znajdą się te pieniądze, to dobrze, a jak nie, mówi się trudno. Koniec z tymi lamentami nad rozlanym mlekiem.

– I ja tak myślę, moi mili – poparła go Marta. – Dajmy naszym gościom odpocząć. Widać, że niebożątka zmęczone. Joasia aż kolorków z tego dostała. Taki szmat drogi w tym śniegu przejechały tylko we dwie, to i strudzone. A ty, ancymonie, czemu żeś sam nie pojechał po nie? – zrugała żartobliwie Wiktora.

– Proponowałem, ale Joanna nie chciała.

– No i dobrze – stwierdziła Teresa. – Jeździsz jak wariat. Ale naprawdę wyglądasz na zmordowaną, Joasiu, tak ci te kolory na buzi biją. Po obiedzie koniecznie powinnyście odpocząć. – Położyła rękę na jej plecach.

– Przygotowaliśmy wam pokój po Marylce. Wygód tam wielkich nie ma, ale poradzicie sobie jakoś przez ten czas – dodała Marta.

– A jak będzie wam niewygodnie, to za płotem jest mój dom. Ja się przeniosę do pokoju Maryli – zaproponował pułkownik.

– Na pewno będzie nam bardzo dobrze – odpowiedziała z wysiłkiem Joanna. – Zresztą to tylko jedna noc, więc…

– Jedna noc? – powtórzył Wiktor. W jego głosie zabrzmiało rozczarowanie.

– Przez tydzień was stąd nie wypuścimy – zaprotestowała Marta. – Zobaczysz, jak u nas wesoło. Musimy lepiej się poznać. Mówiłaś przez telefon, że urlop masz – przypomniała.

– Tak, ale nie mogę nadużywać gościnności – odpowiedziała dyplomatycznie Joanna.

– W takim razie postanowione – ogłosiła Teresa i zaczęła zbierać naczynia. – Zostajecie u nas, a ty, pułkowniku, daruj sobie teraz tego pośrednika. Zadzwoń do niego i odwołaj wizytę. Wiktor ma rację, musimy trochę zbastować, inaczej oszalejemy. Na czas wizyty gości zawieszamy ponure tematy. No, panowie, co tak siedzicie jak udzielni książęta? Podkuchennej tu nie ma. Do roboty! – Ponagliła ich wzrokiem.

Obaj wstali posłusznie. Pułkownik podciągnął rękawy swetra, wziął stertę talerzy i podszedł do zlewu. Wiktor złapał półmiski.

– Szkoda, że młoda wyjechała – jęknął zrezygnowany. – Miałem choć kogo za karę do garów pogonić, a tak sam muszę szorować.

– Przez rok mieszkała tu jeszcze z nami Marylka, ale już wróciła do rodziców do Warszawy – wyjaśniła Marta.

– To ta blondyneczka, która robiła zakupy w komisie? – zapytała Joanna.

– Ta, ta. – Staruszka kiwnęła głową. – Bardzośmy ją tu wszyscy lubili.

– I czasem kłócili – wtrącił pułkownik. – Joanno, koniecznie powinnaś się przespacerować po okolicy. Po warszawskim powietrzu tutejsze wydaje się zbyt świeże.

– Chętnie to zrobię. – Joanna też się podniosła. – Może pomogę w sprzątaniu?

– Dziś jesteś na prawach gościa – powiedziała śpiewaczka – ale od jutra zaprzęgniemy cię do roboty, i tę gwiazdeczkę też. – Wskazała na Tosię. Dziewczynka majstrowała coś przy kołowrotku, zaraz jednak zainteresowała się kotem.

– W takim razie przejdziemy się po okolicy, jest ładna pogoda. Tosia powinna się przewietrzyć po podróży. – Joanna wyciągnęła rękę do córeczki. – Chodź, kochanie, pójdziemy na spacerek.

– Chcę zostać z babcią i wujkiem, i z drugim wujkiem, i ciocią, tu jest fajnie. – Mała ganiała zwierzaka wokół kołowrotka. – I chcę tego ptaszka z domku jeszcze zobaczyć.

– Nie możesz tu zostać beze mnie… – próbowała oponować Joanna, ale Marta jej od razu przerwała.

– A czemuż nie może? Toć wśród swoich zostaje. Idź, Joasiu, spokojnie, skoro chcesz. Zajmiemy się tym aniołkiem. A wieczorem sobie pośpiewamy.

– Babciu, a co to? – Tośka na powrót znalazła się przy ciekawiącym ją urządzeniu.

– A to, serdeńko, kołowrotek. Dawniej wełnę się na takim przędło, żeby na sweterki była.

– Pokażesz mi jak? – Tosia już siedziała na ławie przy nowej babci. Naraz zwróciła główkę do Joanny. – Mamusiu, ale tu wesoło. Zostanę z tą babcią, dobrze?

– Dobrze, córeczko, tylko bądź grzeczna.

– Długo cię od siebie nie puszczę, aniołku. – Marta ucałowała dziewczynkę w czoło. – Idź, Joasiu, spokojnie, a my tu o dawnych czasach sobie poopowiadamy.

Słońce powoli opadało ku zachodowi, pomarańczowe błyski ścieliły się na zaśnieżony las, dotykały tafli zamarzniętego jeziora. Mroźne powietrze chłodziło rozpalone emocje Joanny podczas jej samotnego spaceru.

Pierwotnie zakładała, że pójdzie blisko, nad jezioro, ale ciągnęło ją do lasu. Potężne zaśnieżone sosny, wyrastające z puszystego białego dywanu, wyglądały magicznie. Minęła wieś, która gdyby nie dymy z kominów i widocznych zza szyb sylwetek, sprawiałaby wrażenie wyludnionej. Joannę koił tutejszy spokój, czas zdawał się tu płynąć wolniej niż w Warszawie.

Tylko śnieg skrzypiał pod jej grubymi butami, szumiał wiatr i gdzieniegdzie zaszczekał pies, gdy szybkim marszem przeszła ze dwa kilometry i skręciła w najbliższą leśną krzyżówkę, naprzeciw tej, która prowadziła do domu Matyldy.

Poszła kawałek przed siebie spokojniejszym tempem. Chciała pobyć sama, w ciszy lepiej mogła usłyszeć własne myśli. Dlaczego musiałam tu przyjechać? – kolejny raz pytała sama siebie.

– Joanna...

Odwróciła się.

Wiktor zbliżał się do niej szybkim krokiem. Dlatego. Przyjechałam tu dla tego mężczyzny, odpowiedziała sobie w myślach, gdy był już przy niej. Przeszedł ją dreszcz, coś zaiskrzyło gwałtownie, coś w niej zadrżało.

Nie padły żadne słowa, nie było żadnych powłóczystych spojrzeń, wahania, nieśmiałości, tylko zdecydowanie. Tego właśnie chciała, zachłannego pocałunku.

Smakował wiatrem, mrozem, lasem, czymś podniecająco nieznanym, co ją tyle samo fascynowało, co przerażało. Zatraciła się w tym gwałtownym doznaniu, szaleńczej, łapczywej namiętności, jakby świat nagle przestał istnieć. Gdy w końcu oprzytomnieli, nie było między nimi najmniejszego onieśmielenia.

– Idziesz dalej czy wracasz? – spytał Wiktor zwyczajnie, bez emocji. Co za facet, pomyślała. Przed chwilą zabrał mnie na wulkan, a teraz lodowa skała. Podobało jej się to, bardzo podobało.

– Wracam.

Wziął ją za rękę i ruszyli z powrotem. Dłoń miał dużą, uścisk mocny i pewny, to też jej się podobało. Szli dość szybko, w niczym nie przypominało to romantycznego spaceru, na jakie zabierał ją Tomasz. Karmił ją wówczas cukierkami pustych słów, a ona brała je za prawdę.

A teraz facet, o którym prawie nic nie wie, który nic nie mówi, nawet na nią nie patrzy, niczego jej nie deklaruje, prowadzi ją pewnie przez las, a ona daje się ponieść temu szaleństwu.

– Skąd wiedziałeś, że ci na to pozwolę? – zagadnęła go, gdy byli w połowie drogi. Wiktor przystanął, popatrzył na nią chwilę i uniósł do góry kącik ust. Blizna na jego policzku wygięła się w literę „s", zaplótł ramiona na talii Joanny.

– Najwyżej dostałbym w gębę – odparł, mrużąc oczy. – Powiedziałaś, że ze mną zaryzykujesz.

– Może chodziło mi tylko o placki?

Zabrzmiało to prowokacyjnie i było do niej niepodobne, ale ten mężczyzna zaczynał wyzwalać w niej coś, czego w sobie dotąd nie dostrzegała.

– Nie chodziło ci tylko o placki.

– Jesteś pewny siebie – droczyła się z premedytacją i podobał jej się ten słowny ping-pong. Tak samo jak uścisk, w którym zamknął ją Wiktor.

– To wada?

– Czasem zaleta. Od kiedy chciałeś mnie pocałować?

– Od pierwszego dnia, jak wycierałaś masło z twarzy, a potem u ciebie, gdy coś zrobiłaś z policzkami. Było jeszcze parę innych momentów.

– Więc nie jesteś zbyt pewny siebie, skoro się zawahałeś.

– Nie jestem, ale i tak byś jutro nie wyjechała, tego akurat jestem pewien.

– Dlaczego?

– Znalazłbym sposób, żeby cię zatrzymać.

– Przebiłbyś mi opony w samochodzie?

– Są skuteczniejsze sposoby.

Znów dali się ponieść szalonym pocałunkom. Resztką przytomności umysłu Joanna powstrzymała się, by nie zapędzić się jeszcze dalej w tej gwałtownej namiętności, która spadła na nią z siłą żywiołu. Nie chciała się przed nią bronić ani zastanawiać, czy to tylko potrzeba odreagowania, zapomnienia o problemach, tęsknota za czyjąś bliskością, mazurski amok. Nieważne, co to było, grunt, aby trwało.

Na tę jedną chwilę, gdy prawie nieznany mężczyzna poruszył jej wszystkie zmysły, odsunęła w cień swoje zmartwienia. Liczyło się tylko tu i teraz.

ROZDZIAŁ XVIII

W niewielkim pokoiku na poddaszu, gdzie ściany pokrywała jasna tapeta w różyczki, a białe meble i kremowe zasłonki potęgowały wrażenie spokoju i bezpieczeństwa, Joanna czuła się wyjątkowo. Spędzała tu dopiero trzecią noc, a miała wrażenie, że to jest jej miejsce, zwłaszcza że podobnie wyglądał pokoik Tosi w Izabelinie. Dziewczynka jeszcze mocno spała, ale Joanna przebudziła się wczesnym rankiem.

Usiadła przy oknie i zapatrzyła się w niebo rozświetlone jasną tarczą księżyca. Na wspomnienie poprzednich wieczorów, gdy wszyscy razem siedzieli w kuchni do późna i śpiewali przy wtórze akordeonu, serce Joanny wypełniała coraz większa rozterka.

Przyjęli ją z otwartymi ramionami, a ona odpłacała im oszustwem, do którego się nie przyznała, choć ci ludzie stanowili kwintesencję wszystkiego, co i dla niej było do niedawna najważniejsze.

Minęła piąta rano, gdy włożyła bluzę, dresowe spodnie i w grubych wełnianych skarpetach wyszła na palcach na korytarzyk poddasza.

Były tam trzy pokoje. W tym naprzeciwko spał Wiktor, szczytowy należał do Teresy. Joanna przyłożyła ucho do drzwi Wiktora. Nie dobiegały stamtąd żadne dźwięki. Kusiło ją, by tam wejść, ale zaraz opanowała to nieprzyzwoite pragnienie i zrugała się w duchu.

„I ty mówisz o przyzwoitości", usłyszała drwiący chichot sumienia. Stąpając ostrożnie, zeszła po skrzypiących schodach, by nalać sobie wody. Ze szpary przy drzwiach pokoju przylegającego do kuchni sączyło się słabe światło.

– To ty, Joasiu? – spytała Marta. – Skradasz się jak kotek. Poznaję cię po krokach.

– Chciałam się napić wody – odpowiedziała półgłosem.

– To nalej i mnie, jeśliś tak dobra.

Joanna spełniła prośbę i weszła do pokoju staruszki.

Marta siedziała na łóżku wysoko wsparta na poduszkach i wertowała książeczkę do nabożeństwa. Pokoik był mały i skromny. Metalowe łóżko pod ścianą, staromodna szafa, stolik, skrzynia, dwa krzesła i piec, a do tego ściany z bielonego drewna. Na parapetach stały doniczki begonii. Joanna podała staruszce wodę i popatrzyła na dużą tkaninę rozpiętą nad łóżkiem. Gobelin miał barwne łowickie wzory.

– Moja mama tkała podobne – powiedziała ze wzruszeniem Joanna, przycupnąwszy na krześle.

– Prawda, że piękny? – Marta też na niego patrzyła. – Dostałam go w prezencie od rodziców Marylki, jak ją tu przywieźli przed rokiem. A wiesz, moja mama też tkała kilimy na krosnach. Pamiętam, jak będąc dzieckiem, stałam i patrzyłam na te niteczki, z których takie cuda powstawały. Przekaż ukłony swojej mamusi ode mnie.

Joanna poczuła nagły ból w sercu.

– Zginęła w wypadku razem z tatą – szepnęła.

– Wybacz, dziecinko, nie wiedziałam. – Marta się stropiła.

– To było dawno. Pójdę już, nie będę przeszkadzać.

Chciała się podnieść, ale staruszka ją powstrzymała.

– Zostań jeszcze, i tak nie śpimy. We dwie raźniej smutki spędzać. Dobrze ci choć u nas?

– Jak w domu – odparła i dopiero teraz dostrzegła oparte u wezgłowia łóżka dwie protezy.

Przeniosła pytające spojrzenie na Martę. Chodziła dziwnie, prawda, ale Joanna składała to na karb kłopotów ze stawami czy biodrami, jednym słowem, starości. Wuj też chodził malutkimi kroczkami i ledwo się poruszał. Tymczasem te protezy ją zaskoczyły.

– Nóg też nie mam – powiedziała z prostotą staruszka. – Kiedyś miałam, ale los wyprawił mnie w życie z czym innym.

– Z czym? Przepraszam – zreflektowała się. – Nie powinnam. Po prostu nie rozumiem, jak pomimo to możesz być taka pogodna.

– Za dużo przepraszasz. – Marta poklepała ją po kolanie. – Myślisz, że bez rąk i nóg nie można się życiem radować? Mam przecież rodzinę, dobrych ludzi wokół siebie, to i szczęśliwa jestem.

Ja też kiedyś miałam rodzinę i myślałam, że jestem szczęśliwa; Joanna zachowała jednak to wyznanie dla siebie. Spojrzała w stronę okna. Ciemność ranka przeciął krótki błysk ognia.

– To Wiktor papierosa kurzy – wyjaśniła Marta, nim Joanna zdążyła ją spytać. – Jego też czasem nosi po nocy.

Dostrzegła w oczach staruszki czułość, gdy tamta patrzyła na poruszający się za oknem cień mężczyzny.

– Skąd ma tę bliznę? – zapytała. Tym razem jednak Marta zachowała powściągliwość.

– Widzisz, kochana – wciągnęła głębiej powietrze – w naszej rodzinie taki zwyczaj, że dopóki kto sam nie chce o sobie mówić, to go nie pytamy. Niektóre bolączki muszą się w człowieku uleżeć, nim je przed drugimi objawi. Nie gniewaj się na mnie, że tak mówię. Jak zechcą, to kiedyś ci opowiedzą, ale wiedz, że każdy tu jakieś brzemię nosi. Mniejsze czy większe, ale nosi.

– A sprawiacie wrażenie szczęśliwych – powiedziała zaskoczona.

– Po wierzchu co innego widać, dopiero jak głębiej spojrzysz, zobaczysz, że to szczęście gęstą mgłą bywa zasnute.

– I naprawdę jesteście rodziną?

– No a jak? – Marta się zdziwiła. – Najprawdziwszą, choć krwi w nas wspólnej nie ma. Takeśmy się dobrali z własnej woli, żeby lżej było samotność przepędzić. Was też pomieścimy, jeśliście nam rade. Tosia to już całkiem nas zawojowała. Po tobie też widać, że serce masz dobre, choć smutek w oczach nosisz i zgryzotę jakąś.

Te słowa, choć tak ciepłe, tak przyjazne, poruszyły ją aż do głębi. Skuliła się, bo cios był celny.

– Joasiu, co tobie jest? – spytała zaniepokojona Marta. – Daruj, jeślim i twoją bolączkę poruszyła, ale stary człowiek, choć oczy u niego słabe, czasem wypatrzy, co dla innych niewidzialne. Jeśli wolę masz taką i lżej ci będzie, to powiedz jak komu bliskiemu, co cię tak uwiera. Może ulgę wtedy poczujesz?

Z drewnianego sufitu pobielonego muśnięciem pędzla, na pojedynczej nici zsuwał się pająk. Joanna śledziła jego ruchy w świetle lampki przy łóżku. Dopiero plótł jedwabną sieć, potem będzie czekał na ofiarę, by ją zniszczyć paraliżującym pocałunkiem. Ona, Joanna, wpadła już w sieć uplecioną z ciepłych słów, a Marta sparaliżowała ją swoją przychylnością bardziej, niż jakikolwiek pająk był w stanie zrobić to ze swoją ofiarą.

Jeśli kropla może przepełnić dzban, to teraz nastąpił ów moment, gdy Joanna postawiła wszystko na jedną kartę.

– To ja – wyrzuciła w końcu z siebie.

– Co, Joasiu? – Marta uniosła się wyżej na poduszkach, patrząc na nią wyczekująco.

– To ja znalazłam wasze pieniądze i… ukradłam je! – Postawiła kropkę nad i.

– Ukradłaś?

– Tak. Widziałam, jak teczka spadła z samochodu, więc ją zabrałam. Czytałam ogłoszenie w gazecie, ale się nie zgłosiłam – dokończyła, w momencie gdy skrzypnęły drzwi wejściowe, a po chwili ktoś zapukał do pokoju.

– Też nie śpicie? – spytał przez drzwi Wiktor. – Widziałem was przez okno. Zrobić kawy?

– Rozmawiamy sobie, nie przeszkadzaj nam teraz, mój drogi – powiedziała Marta. – Dziś zatrzymam Joasię dla siebie, a wy zabawcie Tosię, jak wstanie.

*

Wiktor szedł przez las i myślał o Joannie. Ona nie patrzyła na niego jak na potwora. Gdyby czuła do niego wstręt, nie byłoby przecież tego, co przedwczoraj i wczoraj… Pal sześć, co było wczoraj, ważne, co będzie dziś, snuł całkiem śmiałe wizje, które, ku jego zdumieniu, wychodziły znacznie poza gorące pocałunki.

– Tak... – mruknął półgłosem, odsuwając od siebie te kuszące obrazy.

Był ciekaw, o czym rozmawiały z Martą tylko we dwie, zamknięte w pokoju, aż do śniadania i po śniadaniu. Nie mógł znieść narastającego napięcia. Kiedy Joanna wreszcie stamtąd wyjdzie, żeby znów mógł ją mieć choć przez chwilę tylko dla siebie? On, zapiekły w samotności, z premedytacją jątrzący własne rany, zupełnie niespodziewanie dla siebie zaczynał pragnąć czegoś innego niż tylko zapomnienia.

Dawno temu, zanim rozstał się z Mileną, był kimś innym, miał swoje wielkie pasje, marzenia, śmiałe plany na przyszłość. To było jego życie przed. I nagle wszystko się zmieniło.

W życiu „po" szukał samotności, nie pragnął nawet przelotnych związków. Wpakował się w pomaganie innym, fundację, żeby nie zwariować, a nie z jakiejś szczególnej potrzeby filantropii. To był jego sposób na życie, gdyż sama praca nie potrafiła go wypełnić. Teraz jednak poczuł, że chyba chce czegoś więcej.

Jeszcze kilka miesięcy temu, gdy Marta coś tam mówiła o zakochaniu, zirytował się na nią. Jednak kiedy pierwszy raz zobaczył tę rudą, coś w nim drgnęło. A odkąd przyjechała, gdy na nią patrzył, słyszał ją za ścianą, całował – zaczął popadać w niezdrową paranoję. Była tu dopiero kilka dni, a on już zidiociał.

Od rana kiepsko szła mu praca, mylił funkcje w komputerze, plątał najprostsze programy, nie umiał zaprojektować banalnej strony jakiejś firmy samochodowej. Musiał się przejść do lasu, aby zresetować zapchany absurdalnymi dylematami mózg.

Zajęta gotowaniem Teresa wcisnęła mu Tośkę na spacer, choć bronił się, jak mógł. Mała była pocieszna, nic do niej nie miał, ale spacer to jednak przesada. Wolał porządkować swoje myśli w samotności. Wtedy lepiej układały mu się w głowie.

Wcisnęła mi Tośkę???

Otrząsnął się błyskawicznie i wrócił do rzeczywistości. Popatrzył w dół, rozejrzał na boki, do tyłu, dzieciaka nie było. Stał pośrodku prostej jak drut ścieżki, po jej obu stronach rozpościerał się wysoki, ale nieprzesadnie gęsty las. Wiktor wypatrywał małej między zaśnieżonymi drzewami, lecz nigdzie jej nie widział.

– Tośka! – zawołał.

Odpowiedziała mu cisza.

– Tośka, gdzie jesteś?! – powtórzył, ale bez skutku.

– Toośkaaa!!! – krzyknął donośniej.

Znowu nic.

Złapał się za głowę. Zgubił dzieciaka na tym mrozie?! Przecież trzymał ją za rękę! Tylko na chwilę puścił! Nie szedł szybko, a droga była prosta! Gdzie ten mały grzdyl?! Zagapiła się na coś, źle skręciła? Zaraz, minęliśmy krzyżówkę, mała mogła mnie zgubić i pójść inną ścieżką, prosto do tamtej wysokiej skarpy, myślał gorączkowo, niemal czując, jak krótko ostrzyżone włosy stają mu dęba.

Struchlały ze strachu, miotał się tam i z powrotem, wypatrując między drzewami granatowego kombinezonu i różowej czapki. A jak spadła z tej pieprzonej skarpy?! Albo polazła do jeziora?! Weszła na lód?! Ogarniętemu paniką Wiktorowi przychodziły do głowy najgorsze przypuszczenia.

– Kurwa mać! – zaklął szpetnie i głośno.

Serce dudniło mu jak wściekłe. Zgubił dzieciaka! Puścił się biegiem tam, skąd przyszli. W myślach układał plan poszukiwań. Zadzwoni na policję, niech sprowadzą psy, poprosi o pomoc miejscowych, nie spojrzy w oczy Joannie i do wieczora osiwieje. Przebiegł może z pięćdziesiąt metrów, gdy wtem usłyszał za sobą głośne:

– A kuku!

Odwrócił się gwałtownie.

Zobaczył, jak zza małego, ale gęstego niskiego świerczka tuż przy ścieżce wyczołgiwała się ze śniegu roześmiana od ucha do ucha Tośka.

Dawno nie miał tak miękkich nóg, nie był tak wściekły, gdy szedł do smarkuli, która podskakiwała, klaskała w rączki i piszczała głośno z uciechy. Aż go skręcało, taką miał ochotę dać jej w tyłek za to, że najadł się tyle strachu przez głupie żarty.

– Fajnie się schowałam, wujku? – zaszczebiotała słodziutko, unosząc ku niemu główkę.

Mała żmija coś zrobiła z oczami i miną, że od razu zmiękł, ale nie przykucnął przy niej jak zwykle, tylko się pochylił i wyciągnął przed siebie palec.

– Pierwszy i ostatni raz gdzieś ze mną poszłaś – oświadczył srogo i nawet zmarszczył brwi, czego zaraz pożałował, gdyż Tośka wygięła usta w podkówkę.

– Tylko mi tu nie becz. – Przykucnął przy niej prędko, byle nie dopuścić do płaczu. Na to był za słaby. Dlatego trochę sztywno przytulił dziewczynkę i powiedział spokojniej: – Wystraszyłaś mnie.

– Przecież bawiliśmy się w chowanego – odparła naburmuszona.

– My?

– Zgodziłeś się, że chowam się pierwsza.

– Ja??? – Zgłupiał do reszty.

– Pytałam, powiedziałeś: tak. – Tupnęła charakternie nóżką.

Dopiero teraz wszystko pojął. Skąd miała wiedzieć, że to „tak" nie było do niej.

– Dobra, niech ci będzie, powiedziałem, masz rację. – Wstał, otrzepał ze śniegu jej rękawiczki i wziął ją za rączkę. – Wracamy do domu.

– Miałeś mi jeszcze pokazać, gdzie jedzą sarenki – upominała się nadąsana.

– Wystarczy atrakcji na dziś. Jutro tam pójdziemy.

– No dobra, ale fajnie się schowałam? – spytała już łagodniej.

– Po nocach będzie mi się to śniło.

– Wujku, a co to znaczy „kurwa mać"? – zainteresowała się nagle.

Jeszcze i to, westchnął. Czy każdy dzieciak tyle pyta? Musiał jednak przygryźć wargi, żeby nie parsknąć śmiechem, tak komicznie zabrzmiało to w dziecięcych ustach. Zaraz jednak spoważniał, gorączkowo szukał rozsądnego wyjaśnienia. Wybrał najprostsze.

– To brzydkie słowo, nie powtarzaj go. – Spojrzał na drepczącego obok skrzata.

– A dlaczego ty tak mówisz? Bo jesteś duży? – Wgapiała się w niego oczami Joanny. Obie miały tak samo długie rzęsy.

– Bo mi się wyrwało, panno mądralińska. Zobacz, jakie fajne. – Wskazał na drzewa, z których wiatr zwiewał śnieg.

Próbował zwrócić uwagę małej na coś innego, by przez chwilę nie męczyła go pytaniami. Musiał uspokoić nerwy. Niestety, widok białego puchu zadziałał na krótko. Nie uszli jeszcze stu metrów, gdy Tosia pociągnęła go za rękę.

– Bolą mnie nóżki – poskarżyła się.

– Już niedaleko. Dojdziesz.

– Ale mnie bolą już. – Stanęła na drodze, zapierając się stopami w śniegu.

Rad nierad, wziął kapryśnicę na barana. Zadowolona Tośka machała nogami, kopiąc go przy okazji.

– Podobno nóżki cię bolały? – Wiktor zezował na wierzgające stópki.

– Już przestały. – Podskoczyła mu na karku. – Wujku, gdzie jest daleko?

– Daleko? – Nie zrozumiał.

– Mój tatuś jest daleko, tylko nie wiem gdzie to. Wujek Daniel powiedział, że Afryka jest daleko, ale tam nie widział mojego tatusia i…

– Kim jest wujek Daniel? – przerwał jej. Naraz zainteresował się tym, co plecie mała gaduła.

– No, wujkiem – odpowiedziała natychmiast. – Jest fajny. Kąpał się ze mną w basenie i dał mi klocki, i opowiedział bajkę o lewku, i jechałyśmy do niego z mamusią wysoooko windą, i lalkę mi też dał, i ma duży samochód z ciasteczkami i telewizorkiem, bo nasz telewizorek oddaliśmy innym ludziom. Nasz domek też oddaliśmy, ten nowy nie jest fajny, stary był duży i ładny. Ta zabawa dla dorosłych też nie jest fajna, ale mamusia powiedziała, że musimy się w nią bawić. A ty się w nią bawisz, wujku? – spytała na koniec rwącego potoku słów, z których Wiktor niczego nie rozumiał, a chciał się dowiedzieć.

Najbardziej tego, czy ów Daniel jest prawdziwym wujkiem, czy takim jak na przykład on. Zdecydowanie wolał prawdziwego. Nie wiedział jednak, jak zapytać o to małą, kompletnie nie umiał rozmawiać z dzieciakami.

– Tosia – intuicyjnie zaczął od końca. – Co to za zabawa dla dorosłych, w którą nie chcesz się bawić?

Gdzieś z tyłu głowy zrodziła mu się upiorna wizja, czy dzieciak przypadkiem nie jest wykorzystywany przez jakiegoś drania, ale zaraz sam zganił siebie za tę niedorzeczność.

– W szczęście. Nie znasz jej? – zdziwiła się.

– Nie.

– Trzeba oddać innym ludziom wszystkie rzeczy, żeby się cieszyli. My też oddaliśmy nasze, te, gdzie były takie karteczki z czerwonymi stempelkami, dużo karteczek. Mamusia powiedziała, że to takie znaki, i nasz domek też oddaliśmy, i mój pokoik, i pianino też. Mamusia powiedziała, że to fajnie się dzielić, ale to niefajnie. A potem do babci Eleonory przyszedł taki zły pan, a babcia kazała mi być cicho, bo ją bardzo bolała głowa od tego kolmornika…

Komornika? – poprawił w myślach, ale nie przerywał dziewczynce. Z jej chaotycznej paplaniny udało mu się wyłowić ważne informacje. Od razu połączył je z ciasnotą zapchanego kartonami mieszkanka na Pradze. Gdzie w takim razie jest ten cały tatuś, w jakim „daleko"? – dociekał w myślach, gdy nagle usłyszał:

– A mamusia kłamie…

Tosia powiedziała to bardzo poważnie. Wiktor zatrzymał się, zdjął dziewczynkę z ramion, a potem kucnął i posadził ją sobie na kolanie.

– Dlaczego tak uważasz? – spytał.

– Powiem ci tajemnicę, chcesz? – Tosia zbliżyła zimną buzię do jego ucha.

– Yhym – potwierdził.

– Mamusia powiedziała, że tatuś nie może przyjechać, ale będzie mi przysyłał listy z tego daleko, bo jestem jego księżniczką, ale kiedyś obudziłam się w nocy, bo mnie bolał brzuszek, i widziałam, jak mamusia je pisała... Poznałam po literkach, robi zakręcone ogonki. A ja już znam literki. – Skinęła główką.

Wiktora zmroziło. Kompletnie nie wiedział, co powiedzieć. Mała przygwoździła go jeszcze jednym stwierdzeniem, które zabrzmiało bardzo smutno:

– Tatuś o mnie chyba zapomniał...

Wiktor nabrał głęboko powietrza i przytrzymał je, zakłopotany. Absolutnie nie miał pojęcia, co powiedzieć. Zaprzeczać, pocieszać dzieciaka, łgać... Wybawiła go sama Tosia.

– Nie powiesz mamusi, że wiem? – Wbiła w niego niebieskie oczka. – Będzie jej smutno.

– Nie powiem. To będzie nasza tajemnica. Przybij piątkę. – Wyciągnął dłoń, którą mała z całej siły klepnęła. Rozpogodziła się w mgnieniu oka i Wiktor poczuł ulgę. Znowu zbliżyła buzię do jego ucha.

– Chcę siku – zakomunikowała konspiracyjnym szeptem.

– To pędem do domu. – Zerwał się od razu.

– Chcę już.

– O nie, mała, nie wrobisz mnie w takie numery – zaoponował zdecydowanie i wsadził ją sobie na ramiona. – Trzymaj, aż dobiegniemy.

Popędził przed siebie co tchu, a mała diablica o buzi aniołka jeszcze go poganiała, stukając piętami w piersi.

– Biegnij, biegnij szybciej! A opowiesz mi potem bajkę?

– Jak mi nie nasikasz na plecy, to opowiem.

– Ty też jesteś fajny, wiesz?

– Nie podlizuj się – wysapał w biegu, trzymając ją mocno za rączki. – Obiecałem, to opowiem. I też jesteś fajna.

Tosia zachichotała.

Odchylił głowę do góry i popatrzył na śmiejącą się dziewczynkę z zielonym gilem w nosie. Fajny brzdąc, pomyślał.

Co za dureń z tego tatusia, gdziekolwiek jest i cokolwiek zrobił, żeby tak olać małą i jej matkę, skrzywił się z pogardą.

W pierwszym impulsie chciał podpytać o to i owo Joannę, ale prędko zrezygnował z tego zamiaru. Będzie gotowa, to sama mu powie, w końcu on też ma swoją tajemnicę. Niech wszystko się toczy swoim rytmem, czas pokaże, jak będzie, postanowił, wchodząc do domu. Kątem oka zerknął jeszcze w okno pokoju Marty.

Przez cienką firankę zobaczył rude włosy, które odcinały się od białych kafli pieca. Obok rudych dostrzegł włosy siwe.

– Ciekawe, o czym te dwie tak długo tam gadają – mruknął niezadowolony, że jego niecierpliwość będzie musiała jeszcze zaczekać.

Przekazał Tośkę Teresie i z braku innych pomysłów zamierzał narąbać drewna, gdy zadzwonił telefon.

– Halo – rzucił w słuchawkę.

– Panie Wiktorze, pomocy, serwer nam padł w aptece – usłyszał zmartwiony głos farmaceutki ze Szczytna, której zakładał i konserwował system komputerowy. – Nie możemy zrobić żadnych ruchów, klienci się denerwują, proszę, niech pan przyjedzie.

– Jest niedziela – burknął zły, że go odciągają od Joanny. Wiedział, że naprawa może pochłonąć kilka godzin. – Nie można zaczekać z tym do jutra?

– A skąd! – usłyszał zdecydowany protest. – Jesteśmy przecież całodobowi. Musi pan przyjechać, nie poradzimy sobie same.

– Skoro muszę... – Westchnął zrezygnowany. – Będę najpóźniej za pół godziny, tylko coś zjem.

– Świetnie. Czekamy z niecierpliwością.

Najmniej chodziło mu o jedzenie; liczył, że lada moment Joanna wyjdzie z pokoju Marty i pobędą choć chwilkę sam na sam, gdzieś w ustronnym miejscu, z dala od ciekawskich oczu reszty. Nie doczekawszy się jednak końca rozmowy, zjadł gulasz i pojechał do Szczytna.

ROZDZIAŁ XIX

Więc teraz wiesz już wszystko – mówiła w tym czasie Joanna. – Dlatego nie odpowiedziałam na wasze ogłoszenie… Bardzo potrzebowałam tych pieniędzy, nadal potrzebuję.

Podczas długiej rozmowy czy też raczej monologu, który miał w sobie zarówno moc oczyszczenia, jak i wyznania winy, Joanna opowiedziała o przeszłości, snutych marzeniach i rozczarowaniach, o niedawnym szczęściu i jego dramatycznym końcu.

Marta słuchała, tylko czasem wtrąciła zdanie czy dwa. Siedziały oparte plecami o ciepły piec, popijając czarną kawę doprawioną cynamonem. Ten pokój, atmosfera domu, empatia staruszki, a nawet smak kawy, sprawiły, że Joanna powiedziała więcej, niż pierwotnie zamierzała. Potrzebowała tej swoistej spowiedzi, po której zrobiło jej się lżej.

– Wyspy szczęśliwe – powtórzyła Marta. – A wiesz, że nie myślałam, że rodzina może być taką wyspą. Ciekawieś to nazwała, przecie każdy chce w tym życiu do takiej wyspy szczęśliwie dopłynąć. Bez rodziny i miłości człowiek czuje się samotny jak palec na świecie.

– Tak mi przyszło kiedyś do głowy, ale to nic nie było warte. – Joanna upiła łyk aromatycznego napoju. – Wystarczył jeden dzień, żebym się obudziła w innym świecie.

– Czasem i godzina wystarczy, żeby świat się zawalił. Biednaś ty, dziecko, że tyle przejść musiałaś. Los czasem ścieżki człowiekowi dziwnie splata, że aż pojąć trudno.

– Nie potępiasz mnie za to, co zrobiłam?

– Cóż to ja Bóg czy ksiądz, żeby potępiać? – zdziwiła się Marta. – Toć przecież nie ukradłaś tych pieniędzy, a znalazłaś, i prawdę uczciwie powiedziałaś.

– Ale nie od razu – odparła z westchnieniem Joanna. – Gdybym była uczciwa, to zadzwoniłabym, jak tylko przeczytałam ogłoszenie.

– Gdybyś była nieuczciwa, to byś nic nie powiedziała. – Marta odwróciła kwestię i przez chwilę nad czymś się zastanawiała, a potem spytała łagodnym tonem: – Dziecko, a ciebie nic do tej Warszawy tak nie goni, prawda?

– Niby nie, ale muszę poszukać jakiejś tymczasowej pracy, więc wyjadę jutro, pojutrze.

– Nie spiesz tak. – Staruszka położyła rękę na kolanie Joanny i przez chwilę myślała o czymś w skupieniu. – Gdym tak ciebie słuchała, to przyszła mi do głowy jedna rzecz. Obojętne, co zdecydujesz w sprawie tych pieniędzy…

– Jak to obojętne? – przerwała jej zdziwiona Joanna.

– Przyznać się to jedna rzecz, a czy je oddasz i innym powiesz, to już sama musisz zdecydować. Ja im nie powiem. Powierzyłaś mi sekret i on tu zostanie. – Marta dotknęła ręką beżowego swetra na piersi. – Sama musisz zdecydować, jak postąpisz, ale obojętne, co postanowisz, chciałabym, żebyś wyświadczyła mi wielką przysługę.

– Jaką?

– Widzisz, namawiają mnie tu, żebym wojenne wspomnienia spisała, bo ja tutejsza, wiele widziałam i przeżyłam.

– Chodzi o te groby w lesie? Matylda mi coś wspominała.

– O groby. – Marta pokiwała głową. – Wielka krzywda niewinnych ludzi tam spotkała. I tak myślę, że trzeba dla innych pamięć o tym zachować. Zresztą lekarka mnie namówiła, żeby to pisanie jakiemuś archiwum przekazać. Prosiłam Wiktora, bo on ten, no… – próbowała sobie przypomnieć właściwe słowo – ciężko spamiętać… infermatyk i w tych… komputerach szkolony na uniwersytecie.

– Nie wiedziałam, że jest informatykiem. – Joanna była zaskoczona.

– I to jak zdolnym! – dodała Marta. – Prawie wszystkie apteki w powiecie prowadzi i inne firmy też. Teresa domem zajęta, chóry szkoli, to i czasu jej brak, a pułkownik, on emeryt i jakoś do tego nie bardzo. A tyś mówiła, że na nauczycielkę się kształciłaś, więc w sam raz by pasowało. Mieszkać macie gdzie, jeść też będzie co, więc o to kłopotać się nie musisz.

– Ale ja nie mogę za darmo wam siedzieć na głowie. Poza tym naprawdę muszę poszukać pracy.

– Toć te pisanie to i ważna praca będzie. Długo ci to przecież nie zajmie. No niechby do marca. Skończysz i jak będziesz chciała, to wrócisz do Warszawy, chyba że tu na dłużej umyślisz zostać. A jeśli idzie o resztę, to głowy sobie tym nie zajmuj. Powiem ci jeszcze, że niedługo ma przyjechać tu do nas mecenas, ojciec Marylki, który fundację prowadzi, może on coś uradzi, jak twoje sprawy naprostować. Mądry i dobry człowiek z niego.

– Nie stać mnie na adwokata – odrzekła zażenowana Joanna. Nie spodziewała się, że po tym, co przed chwilą wyznała, zamiast potępienia otrzyma pomocną dłoń.

– O ile znam Karola, to nawet się obrazi, jak mu ktoś z rodziny o płaceniu wspomni. Bo i ty przecież prawie jak nasza rodzina będziesz.

– Nigdy nie spotkałam takiej rodziny jak wy – powiedziała cicho Joanna.

Marta podniosła kubek ze stołka i wypiła trochę zimnej kawy.

– Widzisz, dziecko – odezwała się po chwili – jesteśmy w tym domu złączeni każdy swoim nieszczęściem. Każdemu z nas życie się jakoś rozeszło, nie tylko tobie, Joasiu, i każdy próbował je sobie na nowo ułożyć. W nieszczęściu bardziej człowiek człowiekowi potrzebny, niż kiedy mu dobrze się wiedzie. I tak zeszliśmy się pod tym dachem i stworzyliśmy rodzinę, skoro innej nam los nie dał. W samotności ciężej zgryzoty przepędzić.

– Masz rację. W samotności ciężej.

– Dlatego Bogu dziękuję, że oni są ze mną i sama na starość nie zostałam, bo tylko popatrz na mnie... – Marta podciągnęła nogawki spodni aż do mocowań protez. – Jak bez rąk i nóg mogłam myśleć, by z kimś prawdziwą rodzinę założyć? Kto by mnie taką wziął? A przecież i ja nie chciałam być sama, tak jak i oni nie chcieli. Dlatego mówię, że jesteśmy rodziną nie gorszą od tych, które sakramentem i krwią połączone.

– Może nawet i lepszą – przyznała Joanna. – Widać, że jesteście ze sobą zżyci.

– Co racja, to racja. – Marta poklepała ją po kolanie. – Przemyśl, Joasiu, o co cię proszę. A i wam przez ten czas dobrze u nas będzie. Może odetchniesz, zmory przegonisz i sama radośniej w przyszłość popatrzysz.

– I naprawdę chciałabyś, żebym mimo wszystko tu została? – Joanna nie mogła w to uwierzyć. – Pomimo tego, co powiedziałam, i chociaż nie wiesz, co zdecyduję w sprawie pieniędzy? Może ich nie oddam? Nie powiem o nich innym? A ty chcesz, żebym została.

– No a cóż w tym dziwnego? Przecież ci mówiłam, że niektóre tajemnice muszą się w człowieku uleżeć, nim innym je wyjawi. Na wszystko przyjdzie czas, a jak nie przyjdzie, to widać tak musiało być. Pomyśl o tym.

Joanna myślała aż do wieczora. Mniej o spisaniu wspomnień, bardziej o pieniądzach ukrytych w bagażniku. Marta zostawiła decyzję jej sumieniu, co było jeszcze gorsze niż natychmiastowe zażądanie zwrotu. Jej dotychczasowe pryncypia, jak choćby uczciwość, zachwiały się w zderzeniu z pieniędzmi. O innych wartościach, które dotąd wydawały jej się nienaruszalne, nawet nie myślała, skoro wszystko stanęło na głowie.

Przecież nie kocha Wiktora, nawet nie myśli o jakimkolwiek związku, wystarczająco sparzyła się na tym z Tomaszem. Więcej się nie zaangażuje w żaden trwały układ, to wiedziała na pewno. Co w takim razie sprawiało, że pragnęła tego mężczyzny z blizną, i czym ją tak zauroczył, czym aż tak opętał jej myśli?

– Mamusiu, dobrze? – spytała Tosia, gdy Joanna układała ją do snu. Małej nie zamykała się buzia, ale pogrążona w rozmyślaniach Joanna nie słyszała, co mówi córeczka.

– O co pytałaś, skarbie?

– Czy zostaniemy już w tym domku? Tu jest fajnie.

– Córeczko. – Joanna pogładziła jej włoski. – To nie jest nasz domek. Jesteśmy tu tylko z wizytą i nie możemy zostać na długo, ale jeszcze trochę pobędziemy.

– Ale ja chcę na długo. Na bardzo długo. Babcia powiedziała, że jestem aniołkiem, a ciocia Teresa piekła ze mną ciasteczka, a ten drugi wujek dał mi grać na… na… – Nie mogła siebie przypomnieć na czym.

– Na akordeonie.

– Tak, a wujek Wiktor obiecał, że opowie mi bajkę, ale jest zły, bo zapomniał.

– Nie jest zły, tylko jeszcze pracuje, a ty, mój aniołku – Joanna ucałowała ją w czoło – też zapomniałaś o paciorku.

Na podwórko wjechał jakiś samochód. Ledwo skończyły krótką modlitwę, Joanna usłyszała prędkie kroki na schodach, a po chwili ktoś zapukał do drzwi.

– To ja – odezwał się Wiktor z drugiej strony, a Tosia momentalnie usiadła. – Już jestem. Śpicie?

– Nie! – zawołała dziewczynka. – Miałeś mi powiedzieć bajkę.

– Dlatego przyszedłem. Mogę wejść?

– Tak, proszę. – Joanna odruchowo poprawiła włosy.

Był jeszcze w kurtce; zdjął ją w progu i rzucił na krzesło. W dobrze nagrzanym pokoju, gdzie unosił się zapach lawendy, powiało mroźnym powietrzem, które weszło razem z nim. Tosia wyskoczyła z łóżka i objęła go za nogę. Wiktor wziął ją na ręce.

Zrobił to dokładnie tak jak kiedyś Tomasz, gdy witał się z Tosią. Tak samo przytulała się do jego nóg, kiedy wracał do domu. Joanna poczuła gorycz. Na co skazałeś własne dziecko? Lgnie teraz do obcego faceta, pomyślała i zacisnęła na chwilę powieki.

– Joasiu, Matylda przyjechała – odezwał się Wiktor, zerkając na nią. – Prosiła, żebyś zeszła, wpadła tylko na chwilę. A my tu sobie jakąś szybką bajkową improwizację z Tośką urządzimy. Stało się coś? – spytał zaniepokojony.

– Nie, nic. Wszystko w porządku. Poradzisz sobie?

– Spróbuję.

– Idź, mamusiu. – Zadowolona Tosia pomachała jej rączką. – Pomogę wujkowi opowiadać.

Joanna zeszła do kuchni, skąd słychać było kilka głosów. Przy stole, na którym leżały domowe pierniczki, pachnący sernik i cząstki obranych pomarańczy, siedzieli wszyscy domownicy i rozmawiali o czymś z lekarką. Matylda była jeszcze w płaszczu.

– Co tak długo? – odezwała się Teresa. – Ciasto stygnie, język nam ucieka, a nie chcieliśmy zaczynać biesiady bez was. A Wiktor gdzie?

– Opowiada bajkę Tosi – odpowiedziała i usiadła przy lekarce.

– Witaj, Joasiu. – Matylda objęła ją serdecznie. – Upiekłam sernik, żeby choć tak ci podziękować, że nie zostawiłaś mnie na mrozie.

– Daj spokój! – Joanna machnęła ręką. – To przecież normalne.

– Sami widzicie – powiedziała Teresa. – Ledwo Joanna z Tosią przyjechały, a już Matylda ciasto im piecze, a Wiktor zachowuje się jak normalny człowiek, nawet bajki dziecku opowiada. Na Marylę tylko warczał i ją musztrował, a teraz łagodny jak baranek, że do rany go przyłóż.

– Bo to wszystko, Tereniu, od okoliczności zależy – wtrąciła Marta. – Marylka dobre dziecko, ale kto wie, jak by z nią było, gdyby takiej szkoły tu nie przeszła.

– Tak jest, dlatego taką u nas dostała – potwierdził pułkownik. – Z bezstresowego wychowania wyrastają przyszli kalecy i łobuzy, ale mieliśmy odrzucić ciężkie tematy. Miłe panie, może po kropelce naleweczki? Wieczór jeszcze młody, księżycowy, warto go przyjemnie rozpocząć. Wiktor to raczej piwko wypije, ja też chyba je wolę.

– Tak, tak, przynieś nam naleweczki – poparła propozycję Marta. – Pani doktor też z nami posiedzi?

– Z chęcią, ale innym razem. – Lekarka wstała. – Mam nocny dyżur pod telefonem. Muszę być w formie, jeśli będę komuś potrzebna. Ale następnym razem nie odmówię. Dobranoc i jeszcze raz ci dziękuję, Joasiu, za pomoc.

– To był naprawdę drobiazg – odpowiedziała. – Odprowadzę cię.

Wyjęła z kurtki kluczyki do samochodu i wyszła z lekarką na podwórze.

Jasny księżyc ścielił się delikatną poświatą na okoliczne pola. Joanna jeszcze zamieniła z Matyldą kilka słów, umawiając się z nią na dłuższe pogaduchy. Gdy się pożegnały, przez chwilę wdychała wilgotne powietrze, wpatrzona w bagażnik nissana. Potem spojrzała w górę. W oknie Tosi właśnie zgasło światło.

Dlaczego musi rozstrzygać jeszcze i ten dylemat, jakby mało miała na głowie? – złościła się w myślach. Przecież to przypadek, że właśnie ona znalazła te przeklęte pieniądze, które tamci zgubili.

A jeśli nic nie dzieje się przypadkiem i wszystko ma swój ukryty sens, tylko ja go jeszcze nie rozumiem?

Niech diabli porwą wszystkich komorników, długi, inaczej nie mogę, po prostu nie mogę, nie wobec tych ludzi, przecież z każdym dniem będzie mi ciężej przyznać się do wszystkiego. Szlag by to, zaklęła jeszcze i z bezsilności kopnęła w oponę.

Policzyła do dziesięciu, otworzyła bagażnik i wyjęła spod przykrycia cenną kopertę. Trudno, raz kozie śmierć... Włożyła pod pachę owinięty w reklamówkę skarb i weszła do domu.

Z kuchni słychać było głosy. Byli tam już wszyscy, gdy Joanna, po chwili wahania, weszła do środka. Pułkownik z Wiktorem popijali piwo, a Marta z Teresą sączyły nalewkę z maleńkich kieliszków.

– Noooo, już chcieliśmy cię szukać – odezwała się Teresa. – Gdzieś ty przepadła?

– Tosia śpi? – spytała na wstępie Joanna.

– Jak suseł – odpowiedział Wiktor. – Odkryłem, że nic tak nie usypia, jak opowieści o procesorach. Bardzo się Tośce oczka dziwiły, aż zasnęły.

– Usiądź, Joasiu – zaprosiła Marta. – Musisz spróbować specjału pułkownika. Rozgrzejesz się, boś bez kurtki na taki mróz wyleciała, jeszcze się przeziębisz.

– Bardzo proszę. – Pułkownik nalał do jej kieliszka bordowego płynu. – Z czarnej porzeczki, mój przebój. Świetnie rozgrzewa.

Joanna podniosła do ust kieliszek, ale nie usiadła. Owocowy alkohol był dość słodki i bardzo mocny, w sam raz na odwagę. Powiodła po wszystkich wzrokiem, wciągnęła głębiej powietrze.

– Miejmy to już z głowy – powiedziała na wydechu. – To ja znalazłam wasze pieniądze, akurat szłam tamtędy. To się stało na moich oczach, nawet za wami pobiegłam. Widziałam potem ogłoszenie w gazecie, ale nie chciałam się zgłosić. Proszę, to prawie cała kwota. – Wyjęła zza pleców kopertę i położyła ją na stole. – Wzięłam trochę ponad tysiąc złotych na czynsz. Przepraszam, że dopiero teraz wam to oddaję, ale potrzebowałam tych pieniędzy, ponieważ mój mąż zostawił mnie z długami. Wiem, to mnie nie usprawiedliwia, najwyżej tłumaczy. Teraz wiecie wszystko – zakończyła prawie bez tchu, z policzkami płonącymi ogniem.

Obojętne, co zaraz nastąpi, poczuła ogromną ulgę. Nie pochyliła głowy, nie uciekała wzrokiem, przeciwnie, patrzyła na nich odważnie i czekała na reakcję.

Nie było żadnej.

Cztery pary oczu wpatrywały się w Joannę.

– Dlaczego nic nie mówicie? – spytała z niepokojem, gdy cisza wciąż trwała. – Rozumiem, jutro stąd wyjadę... – Odwróciła się, żeby wyjść, ale powstrzymał ją głos Wiktora i on sam, gdy znalazł się przy niej.

– Nigdzie nie wyjedziesz. – Objął ją po przyjacielsku. – Po prostu nas zatkało. Szacun, dziewczyno.

Teresa też już ochłonęła.

– Muszę się napić, na trzeźwo tego nie ogarnę. – Nalała sobie pełny kieliszek i wychyliła go jednym haustem. – Boże, co za szczęście, że wreszcie się skończył ten koszmar! – Wzniosła oczy do sufitu.

Pułkownik wstał, przeczesał ręką siwe włosy i zaczął spacerować po kuchni. Podszedł do Joanny.

– Trzeba odwagi, żeby publicznie się przyznać do czegoś takiego – rzekł z niekłamanym uznaniem, po czym pocałował ją w rękę. – Zaimponowałaś mi.

– Jesteś wielka. – Teresa też ją wyściskała. – Marto, dlaczego nic nie mówisz? Nie wyglądasz na zaskoczoną. A może ty wiedziałaś?

– Tereniu, a czy to teraz ważne? – odparła staruszka. Siedziała przy stole, policzki miała zarumienione. – Podejdź, Joasiu, niech cię uściskam, wielki ciężar zdjęłaś nam z serca. – Popatrzyła na nią ciepło.

– Jeśli chcesz, spiszę twoje wspomnienia – oznajmiła Joanna, gdy Marta ją objęła. – To będzie dla mnie zaszczyt.

– No a jak mogłabym nie chcieć? Pewnie, że chcę – mówiła Marta, gładząc jej głowę przytuloną do swojej piersi. – Możemy zacząć, kiedy chcesz.

– Jutro czy pojutrze naprawdę powinnam jechać do Warszawy, skoro zostaniemy tu nieco dłużej. Mam tylko kilka rzeczy dla Tosi. Muszę też wytłumaczyć wujostwu, że trochę mnie nie będzie, żeby się nie martwili – mówiła zgodnie z prawdą. – Obrócimy z Tosią w jeden dzień i możemy zaczynać.

– Szkoda dziecko ciągać taki świat – zaoponowała Marta. – Zostaw ją z nami, sama raz-dwa ze wszystkim się sprawisz.

– Pojadę z tobą – oświadczył natychmiast Wiktor.

– A ty tam po co? – Teresa ujęła się pod boki. – Tosią się zajmiesz, przystojniaku, skoro tak dobrze ci idzie.

– No przecież wy tu jesteście. – Wiktor się obruszył. – Drogi są śliskie, mój samochód jest bezpieczniejszy niż to maleństwo Joanny.

– Taaa… drogi śliskie. – Teresa mrugnęła znacząco do pułkownika i zaintonowała sopranem wprawkę – bra, bre, bri, bro, bru.

To był wyjątkowy wieczór. Siedzieli do późna, rozmawiając swobodnie, czasem coś śpiewali cichutko, żeby nie obudzić Tosi. Czas płynął leniwie, pachniało domowym ciastem, Joanna nie chciała, by prędko się ten wieczór skończył.

Nie czuła się już jak czarna owca pośród tych ludzi, choć po jej spektakularnym wystąpieniu nie nastąpiły żadne terapeutyczne wyznania od reszty domowników. Nie żałowała, że powiedziała im o Tomaszu. Zrzuciła z serca ten ciężar, żeby jej dłużej nie przygniatał. Oni jednak wciąż zachowywali powściągliwość i choć była ciekawa, jakie dramaty ukrywają, o nic nie pytała.

Pułkownik, rozgrzany piwem, zdjął tweedową marynarkę i przerzucił ją przez oparcie ławy.

Z wewnętrznej kieszeni wypadł jakiś złożony na pół kolorowy tygodnik. Joanna schyliła się po gazetę. Na okładce widniało duże zdjęcie Daniela i odnośnik do wywiadu kilka stron dalej. Na chwilę wyłączyła się z rozmowy i z ciekawością przebiegła tekst wzrokiem.

– Znasz tego człowieka? – Pułkownik zerknął jej przez ramię.

– Znam, nawet dobrze.

– Ale z gazet czy osobiście? – drążył.

– Osobiście. A ty go znasz, pułkowniku?

Zmienił się na twarzy. Już nie wyglądał tak beztrosko. Spoważniał, zmarszczył brwi i przez moment przebierał palcami po stole. Szarpnął ręką czarny golf, jakby go uwierał w szyję.

– Pójdę już. Zrobiło się późno. – To mówiąc, wziął marynarkę i żegnany zawiedzionymi okrzykami Teresy, Marty i Wiktora, wyszedł.

– Przepraszam na chwilę. – Joanna też się podniosła.

Złapała kurtkę z wieszaka, narzuciła ją na ramiona i wybiegła za mężczyzną, którego zachowanie ją zaintrygowało.

– Pułkowniku, zaczekaj! – odwołała go sprzed furtki. Przystanął i odwrócił się powoli. – Skąd znasz Daniela?

Zdjął z głowy czapkę i gniótł ją w dłoniach. Widać było, z jakim trudem przychodzi mu odpowiedź na to pytanie.

– Naprawdę mi dziś zaimponowałaś, Joanno – odezwał się wreszcie cicho, w zawstydzeniu. – Ja nie mam tyle odwagi, żeby przyznać się ani do nazwiska, ani do tego, kim kiedyś byłem.

– A kim byłeś?

Milczał przez chwilę, błądząc wzrokiem w ciemności.

– Prokuratorem wojskowym w czasach, o których lepiej nie pamiętać – wyznał z głową odwróconą w bok. – Wstydzę się tego, co robiłem. I nic mnie nie usprawiedliwia, że taki był system i ówczesne prawo. Mogłem się wyłamać, ale wierzyłem w to, co robię. Daniel jest do mnie podobny. Ma obsesję na punkcie władzy i pieniędzy, tak jak kiedyś ja na punkcie systemu.

– Obawiam się, że nadal nie rozumiem. – Joanna pocierała palcami skronie.

– Nazywam się Tadeusz Chmura, Daniel jest moim synem.

– Synem? – powtórzyła zdumiona.

Nic nie mogło jej bardziej zaskoczyć. Przez jakiś czas patrzyła na pułkownika szeroko otwartymi oczami. Co za nieprawdopodobny przypadek, że w jednym miejscu zbiegają się wszystkie ścieżki! Pieniądze, Teresa, teraz ojciec Daniela? Jakie przeznaczenie mnie tu przywiodło i czego jeszcze się dowiem? – zastanawiała się, wciąż oszołomiona tym, co usłyszała.

– Nie utrzymujemy ze sobą kontaktów od lat – wyjaśnił pułkownik, widząc jej zdziwienie. – Odkąd kupiłem tu dom w dwa tysiące piątym, Daniel ani razu nie przyjechał, ale też i go tu nie zapraszałem. On nie może mi wybaczyć tego, kim kiedyś byłem, a ja jemu tego, kim się stał. To człowiek obsesyjnie żądny władzy. Od takich jak on lepiej się trzymać z daleka.

– Zdążyłam się o tym przekonać – szepnęła bardziej do siebie niż do niego.

Pułkownik patrzył na nią zaintrygowany, a może nawet zaniepokojony. Joanna zrozumiała jego spojrzenie.

– Daniel i ja to zamknięty rozdział – odpowiedziała na niezadane pytanie. – A właściwie nigdy nie został otwarty. Mieliśmy rozbieżne... oczekiwania.

Mimo ciemności zauważyła, jak z twarzy jej rozmówcy znika napięcie.

– To dobrze, że wasze drogi się rozeszły – powiedział jakby uspokojony. – Dla ciebie dobrze.

– Nigdy tak naprawdę się nie połączyły, choć znamy się kilka lat, ale... – Joanna zastanowiła się chwilę, a potem dodała: – Może za surowo go oceniasz? Na swój sposób Daniel jest uczciwy – stwierdziła. Ostatecznie od razu wyłożył karty na stół i do niczego jej nie zmuszał.

– Uczciwy, powiadasz? – Pułkownik potarł ucho. – Tak się składa, że sporo wiem o jego uczciwości. Ponadto bycie uczciwym na swój sposób to naginanie prawdy albo rodzaj półprawdy, a połowa prawdy jest całym kłamstwem, tak jak milczenie bywa najokrutniejszą formą nieuczciwości. Nie powinienem się jednak wymądrzać, za dużo sam mam sobie do zarzucenia. Nie próbuję oczerniać mojego jedynego syna, mówię tylko, jaki jest, a jest niebezpieczny, mając tak wielkie pieniądze. Zaprzedał się im już dawno i dzięki nim bezkarnie manipuluje ludźmi. Przerósł w tym nawet mnie. Taka jest prawda o nas obu, dlatego nie możemy na siebie patrzeć, bo każdy widzi w tym drugim siebie – zakończył głosem ciężkim od żalu.

Przybity, smutny ojciec, który wstydzi się własnego syna. Pod przykrywką beztroskiego akordeonisty, częstującego ich nalewką, Joanna ujrzała cierpiącego człowieka.

– Nie wiem, co… powiedzieć – zająknęła się.

– Nic. – Pokręcił głową. – Nie trzeba słów. Pójdę już. Do zobaczenia, dzielna z ciebie kobieta, Joanno.

Włożył czapkę i nacisnął skrzypiącą klamkę w furtce.

– Do zobaczenia – rzuciła już do jego pleców.

Ruszył przygarbiony w ciemną noc, boleśnie samotny, przynajmniej w tej chwili. Jego szczęście gęstą mgłą spowite; dopiero w świetle tego, czego się dowiedziała, Joanna pojęła słowa Marty. Usłyszała za sobą cichy trzask. Odwróciła się szybko.

Na ganku Wiktor, w kraciastej koszuli i wytartych dżinsach, raz po raz pstrykał zapalniczką. Słabe światło żarówki nad wejściowym okapem miękko rozjaśniało jego postać.

A jaką on nosi w sobie tajemnicę? Skąd naprawdę ma tę szpetną bliznę? Czy to jego pamiątka po czymś, co nazwał kotem, a co rozharatało mu twarz?

To był impuls podyktowany zrodzoną nagle potrzebą. Może wyznanie pułkownika, może spojrzenie Wiktora, a może coś zupełnie innego, ale Joanna podeszła do niego, wspięła się na palce i dotknęła ustami ciemnej blizny. Nie było w tym pocałunku namiętności, bardziej przypominał pocałunek matki, mający uśmierzyć ból, który czuje jej dziecko.

Przesuwała usta po twarzy mężczyzny od brwi aż do brody, jakby tym delikatnym ruchem chciała wygładzić straszną szramę i sprawić ulgę jego duszy.

Wiktor poddawał się biernie, oddychał głośno, jakby spinając się do ataku, czuła, jak grają mu mięśnie, a potem zakleszczył ją w uścisku tak, że zabrakło jej tchu, a nogi oderwały się od ziemi.

ROZDZIAŁ XX

Cóż to za nowe dziwactwo, Joanno? – Pani Eleonora załamała ręce, usłyszawszy o planach bratanicy. – Dokąd ty chcesz wyjechać, na jak długo, po co? Powinnaś szukać pracy, zamiast zaszywać się w jakiejś wsi. Z czego tam będziecie żyły i gdzie w ogóle jest teraz Antonina, możesz mi odpowiedzieć? – Niezadowolonym tonem stawiała kolejne pytania, gdy Joanna w kolejny weekend odwiedziła starszych państwa.

Wiktor przywiózł ją na Nowy Świat i pojechał załatwiać swoje sprawy. Joanna nie odważyła się zaprosić go do wujostwa w obawie przed reakcją ciotki.

Siedziała niczym trusia przy stole nad kawą i kruchymi herbatnikami, tłumacząc się przed starszą panią, która, jak zawsze elegancka, w wytwornej kremowej bluzce z żabotem, mierzyła bratanicę surowym wzrokiem.

– Poznałam naprawdę wyjątkowych ludzi, ciociu, to ta staruszka, która przed świętami podarowała nam koszyk ze smakołykami, i jej przyjaciele – powiedziała między jednym a drugim kęsem herbatnika. – Tosia została z nimi. Dziś wracam, nie chciałam męczyć dziecka podróżą tam i z powrotem na Mazury.

– Boże, Ty widzisz i nie grzmisz! – zawołała oburzona Krzemieniecka. – Zostawiłaś dziecko obcym ludziom?! Daruj, moja droga, ale to już kolosalna bezmyślność. Ludwiku, powiedz coś wreszcie – zwróciła się do małżonka, który popijał ziółka, obojętny na narastające wzburzenie małżonki.

– Myślę, Eleonoro, że twoje zdenerwowanie jest niezasadne – odezwał się spokojnie. – Joasia sama najlepiej wie, komu powierza Tosię. Widocznie ufa tym ludziom, skoro się na to zdecydowała, prawda, kochanie? – spytał ciepłym tonem Joannę.

– Oczywiście, wujku. Tosia czuje się tam szczęśliwa, a ci ludzie są godni zaufania. W innym wypadku nie odważyłabym się na ten krok – odparła.

– A u nas nie była szczęśliwa. – W głosie ciotki zabrzmiała zgryźliwa nuta. – Dbaliśmy o nią z wujem jak najlepiej.

– Bardzo to doceniam, ciociu, ale o nic nie musisz się martwić. Najdalej za tydzień czy dwa stamtąd wrócimy. Wtedy zajmę się swoimi sprawami. Tylko najpierw pomogę tej staruszce spisać wojenne wspomnienia.

– Wojenne wspomnienia? – powtórzył Ludwik Gintowtt. – Wojenne wspomnienia powinno się zakopać na wieczny spoczynek w głowie i pamięci, zamiast przelewać je na papier. To jakiś kombatant?

– Raczej kombatantka, lecz nic więcej nie wiem – wyjaśniła Joanna. – Dopiero poznam historię tej niezwykłej kobiety. Nazywa się Marta. Jest kaleką.

– Kaleką? – spytał w zamyśleniu wuj.

– Nie ma dłoni ani nóg, a mimo to bije od niej tyle empatii i serdeczności, że to aż nieprawdopodobne.

– Dobrze już, dobrze. – Pani Krzemieniecka ostudziła entuzjazm bratanicy. – Mniej egzaltacji, moja droga. Jedź, skoro w aż tak niepojęty sposób angażujesz się w sprawy jakiejś obcej kobiety. Zawsze byłaś niepoprawną marzycielką i idealistką, stąd twoje wszystkie problemy. A skąd ty masz w ogóle pieniądze na takie podróże?

– Ewa zostawiła mi zatankowany do pełna samochód, który mało pali, a ja wcześniej niewiele go używałam. – Trochę minęła się z prawdą, jednak nie była to odpowiednia chwila, by wyjaśnić, jak jest w rzeczywistości. Odniosła też wrażenie, że ciotka czuje się trochę zazdrosna. Dlatego by ją ułagodzić, dodała: – A do Warszawy przywiózł mnie Wiktor, wnuk Marty, więc nie płaciłam za podróż, zabrałam się z nim przy okazji. A wiesz, ciociu, kto jeszcze mieszka w tym domu? Nie zgadniesz.

– Nawet nie zamierzam próbować. – Pani Eleonora uniosła przed sobą ręce obronnym gestem. – Kury i gęsi?

– Twoja ulubienica. – Joanna pominęła jej złośliwość. – Teresa Andrzejewska.

Siedząca dotąd sztywno starsza dama aż podskoczyła.

– Co ty powiesz? Taka artystka w takim miejscu? Mój Boże, świat się kończy! Cóż ona tam robi? Występuje z orkiestrą strażacką w remizie? Joanno, powiedz, czy to żart? – pytała gorączkowo ciotka, mrugając z niedowierzaniem.

– Naprawdę tam mieszka i jest przesympatyczna. W remizie nie występuje, ale prowadzi dwa chóry.

– A skąd się tam wzięła? Śpiewa choć? Słyszałaś ją na żywo? – dopytywała się poruszona pani Eleonora.

– Ciociu. – Joanna się uśmiechnęła. – Jestem tam dopiero tydzień, więc niewiele jeszcze wiem, a krępuję się wypytywać o takie sprawy. Zresztą sama mnie uczyłaś, że nie wypada być wścibską.

– Słusznie, Joanno. Dobre wychowanie i wytworne maniery to podstawy, które starałam ci się wpoić – pochwaliła ją starsza dama. – Wybacz moje poruszenie, ale to doprawdy niesamowita wiadomość.

– A Teresa, owszem, śpiewa czasem w domu – przyznała Joanna. – Najczęściej *Pofajdoka*. To ulubiona mazurska przyśpiewka Marty.

– Pofaj... co? – Ciotka znów zamrugała gwałtownie. – Ludwiku, ratuj!

– *Miała baba pofajdoka, raz, dwa, trzy, wsadziła go na prosioka, raz, dwa, trzy* – zaśpiewał w odpowiedzi. – Też to znam. Zostań tam, jak najdłużej możesz, Joasiu, jeśli tak ci się znów będą śmiały oczy jak dziś. – Poklepał ją czule po dłoni.

– A ten komornik – mimowolnie ściszyła głos – więcej was nie nachodził?

– Nie, a nawet gdyby, to laskę mam mocną, choć siła w rękach nie taka, co kiedyś – odrzekł pan Ludwik. – Na razie nie zaprzątaj sobie głowy tym łajdakiem. Poradzę z nim sobie, a ty choć trochę odetchnij od zmartwień na tych Mazurach.

– Nie rozumiem, jak możesz tak mówić, Ludwiku? – Ciotka wyglądała na zbulwersowaną.

– Nawet od strachu trzeba odpocząć, żeby nie przejął kontroli nad naszym życiem, a Joasi należą się takie wakacje. Eleonoro, list – przypomniał żonie.

– Prawda. – Ciotka podniosła się od stołu i podeszła do stylowego sekretarzyka, z którego wyjęła kopertę. – Od Adama. – W jej głosie zabrzmiała czulsza nuta.

– Od Adama? – Joanna się zdziwiła. – Czego on ode mnie chce?

– Dowiesz się, jak przeczytasz, i myślę, że czas najwyższy, by położyć kres tej waszej bezsensownej wojnie – powiedziała stanowczo pani Eleonora. – Przecież prócz nas macie tylko siebie, a jak nas zabraknie, to co? Będziecie sobie obcy? Przecież płynie w was ta sama krew. Tego nie da się wymazać.

– W tym wypadku, moja droga, przyznaję ci rację. Czas położyć kres tej wojnie – odezwał się pan Ludwik.

Joanna, naglona przez ciotkę wzrokiem, podeszła do okna, gdzie było więcej światła, i otworzyła kopertę. Wyjęła ze środka złożoną na pół kartkę, w której było trzysta dolarów i list. Odłożyła pieniądze i zaczęła czytać.

Cześć, Siostra! *Buenos Aires 8.02.2015 r.*

Wolałem napisać, bo pewnie gdybym zadzwonił, to byś się wyłączyła. Zresztą łatwiej pogadać przez papier, a nie wiem, czy masz na czym odbierać mejle. Słuchaj, powiem krótko, gdyż nie wychodzą mi okrągłe zdania (techniczny mózg po ojcu), sorry, że tak się zachowałem wtedy w knajpie. Byłem wściekły i wylałem Ci na głowę swoją frustrację. Zresztą sama wiesz, że za każdym razem, kiedy zachwycałaś się tym pajacem, szlag mnie trafiał i nie przebierałem w słowach.

OK, wiem, nie powinienem Cię teraz pionizować, ale w końcu jestem Twoim starszym bratem, więc niech mnie to usprawiedliwi. Rozumiem, zakochałaś się, nie Twoja wina, że Ci oczy zamydlił. Byłem też zły, że mnie nie powiadomiłaś, kiedy ten gnojek wywinął Ci taki numer. Przecież nie jestem obcym człowiekiem, do cholery, Aśka, jesteśmy rodzeństwem, mogłabyś o tym pamiętać.

Wiem, że czujesz do mnie żal za tamten wypadek. Nie masz jednak pojęcia, jaki ja czuję żal do siebie. Będę z tym żył do śmierci. Czasu nie cofnę, ale życie toczy się dalej i trzeba się jakoś w nim odnaleźć.

A w ogóle wyglądało to trochę inaczej. Spałaś, nie mogłaś wszystkiego widzieć. Powiem Ci więcej, jak się spotkamy.

W Buenos zostanę trochę dłużej, niż planowałem, ale moje sprawy z tym wykonawcą się trochę komplikują. Myślę, że najdalej za miesiąc wycofam się z tego projektu. Do tej forsy za mieszkanie po rodzicach nie roszczę żadnych pretensji. Będę też przysyłał kasę dla małej na cukierki od wujka. I nie możesz mi zabronić, bo to dla Tośki. Teraz, tak po wiejsku, w kopercie, ale od następnego razu będę przelewał na konto Eleonory Konstancji Krzemienieckiej-Gintowtt, herbu Krzemień (rany, jak mnie ciotka ostatnio wku...ła tą swoją wielkopańskością, choć w sumie jest OK).

No i to by było na tyle, ale się rozpisałem. Na dole masz mój adres i telefon. I powiem Ci coś jeszcze, choć może pukniesz się w głowę, ale jak Cię zobaczyłem, to zakumałem, że trochę za Tobą tęsknię, siostra. Widać się starzeję i robię się sentymentalny. Liczę, że odpiszesz.

W czółka Was cmokam
Adam

– Jakie nowiny? – dopytywała się pani Eleonora, gdy Joanna po przeczytaniu listu przez chwilę siedziała nieruchomo w milczeniu, trzymając go w rękach.

– Adam proponuje, żebyśmy się pogodzili – wyznała i zamiast pielęgnowanej od lat urazy do brata tym razem ogarnęła ją wdzięczność. I za pieniądze, i za rękę wyciągniętą do pojednania.

– A ty? – Pani Eleonora bacznie obserwowała bratanicę.

– Może macie rację – odpowiedziała zamyślona Joanna. – To w końcu mój brat, a tego, co się stało, i tak nie odwrócimy.

– No, przynajmniej jeden problem wreszcie się skończy. – Ciotka złożyła ręce przed sobą i spojrzała w górę, a w tym momencie zapikał telefon Joanny.

Odczytała krótki esemes, Wiktor pisał, że jest już na dole. Joanna schowała do torebki list, pożegnała się pospiesznie (ciotka na odchodnym wcisnęła jej do ręki dwieście złotych) i pobiegła do tego, co wisiało między nimi przez całą drogę do Warszawy, a zawisło pierwszego dnia, gdy wpuściła Wiktora do domu.

Za szybko, to wszystko dzieje się za szybko – podpowiadał rozum – nie było nawet przygrywki, nic o nim nie wiesz, a lecisz do niego jak ćma do ognia, zamiast się zająć czymś ważniejszym.

To nic, zrób to, na co masz ochotę, też masz prawo do chwili zapomnienia, jeśli chcesz, zapomnij się z nim – gdzieś w głębi duszy kusił cichutki szemrzący głos. Brzmiał niewyraźnie, ale Joanna go słyszała. Dlatego bez oporów jechała, by zrobić to, czego w skrytości ducha pragnęła.

Nie padły żadne słowa wstępu, nie pojawiły się onieśmielające podchody i właśnie tak było dobrze.

Ledwo znaleźli się w mieszkaniu na Chrzanowskiego, zrzuciła z siebie ubranie. Wiktor zrobił to samo, przykrył rękami nagie piersi Joanny i podsadził ją sobie na biodra. Oplotła go nogami, pocałowała w usta. Podobało jej się, że oboje nie czuli się skrępowani. Wiedzieli, czego chcą, i tak samo do tego dążyli.

Kochali się najpierw gwałtownie, potem nieco spokojniej. Nie peszyła jej jego nagość ani jej własna przy nim, gdy poznawali swoje ciała i obdarzali się pieszczotami.

W niewielkim różowym pokoiku pod wpływem przeżywanych doznań Joanna znów poczuła się atrakcyjną kobietą, skoro potrafiła w tym mężczyźnie wzbudzić takie pożądanie.

– Jesteś piękny – mówiła z głową na jego ramieniu. Wodziła palcem po jego torsie, gdy leżeli spleceni w ciasnym uścisku. – Gdybym była zdolniejsza, mogłabym cię wyrzeźbić.

– To ty jesteś piękna. – Pocałował ją w skroń. – Zdolniejsza?

– Moja mama była artystką, mam po niej trochę.

– Co z nią?

– Od dawna nie żyje, uczyła mnie oznaczać proporcje, a ty jesteś taki harmonijny. – Dotykała obrysu bicepsa, zsunęła palec ku dołowi brzucha. – Wyrostek?

– Świeża sprawa, szkoda gadać. – Znów ją pocałował, gładząc ręką jej plecy. Poczuła dreszcz od tego dotyku. – Więc jesteś artystką.

– Kiedyś trochę rysowałam, ale nie było to moją pasją.

– A co nią było?

– Mój dom. Musimy już wracać.

– Niestety.

– Głodny?

– Trochę.

– Przygotuję coś. – Joanna się podniosła. Sięgnęła po szlafrok, by się nim owinąć, ale Wiktor chwycił za rękaw i pociągnął ku sobie.

– Zostaw, chcę na ciebie patrzeć. – On też wstał. – Chyba że ci zimno.

– Nie zimno.

Stanął za nią, odgarniał jej włosy, całował ją w kark, gdy chwilę później smażyła w kuchni omlet z szynką, jedyne, co była w stanie tak pospiesznie przyrządzić, jeszcze oszołomiona przeżywanymi olśnieniami.

– Ten... Daniel – poczuła ciepły oddech Wiktora przy swoim uchu – to był czy jest dla ciebie ktoś ważny?

– Dlaczego pytasz? – Zdjęła patelnię z kuchenki i odwróciła się do niego.

– Tak sobie. – Błądził ustami po jej szyi, przesunął rękoma po piersiach. Znów przeszedł ją dreszcz.

– A w twoim życiu był czy jest ktoś ważny? – odwróciła pytanie.

– Dlaczego pytasz?

– Tak sobie.

– Był, ale już nie ma. Powiesz mi?

– Co?

– O tych rozbieżnych oczekiwaniach, słyszałem, co mówiłaś pułkownikowi…

Chciał jeszcze coś dodać, ale Joanna położyła mu palec na ustach.

– Nie rozmawiajmy o tym. Skąd naprawdę ją masz? – spytała, dotknąwszy blizny na jego twarzy.

Pospieszyła się; niepotrzebnie się pospieszyła. Widziała, jak Wiktor się wycofał. Pocałował ją krótko w nos i odpowiedział w podobny sposób:

– Nie rozmawiajmy o tym, ale dzięki za niedzielę. – On też dotknął szramy. – To było mocne. Idę pod prysznic.

– Uraziłam cię czymś? – Joanna poczuła niepokój.

– Chyba żartujesz! – Zaśmiał się. Choć starał się, by zabrzmiało to lekko, po jego twarzy przemknął cień. – Po prostu nie mogę spokojnie przy tobie ustać, a skończyły się gumki, chyba że chcesz, żebym zrobił ci dziecko. Możemy zaryzykować.

– Aż taką ryzykantką nie jestem, idź pod prysznic. – Pchnęła go lekko w stronę łazienki. – Nad pralką są świeże ręczniki.

On też, podobnie jak ona, nie był gotów do zwierzeń. Jak to możliwe, że możemy się kochać, obnażać ciała, a nie umiemy otworzyć przed sobą dusz? A może tak jest lepiej? Nie liczy się przeszłość ani przyszłość, jest tylko to, co trwa teraz, obezwładniająca cielesność, której oboje tak samo potrzebujemy. Nawet jeśli naprawdę była opętana nową obsesją, to czuła, jak coś się w niej wyzwala; coś, co jeszcze trudno było zamknąć w słowa.

Po kwadransie odświeżeni i ubrani kończyli prosty posiłek.

– Wziąłem z domu dyktafon, przyda się do nagrywania rozmów z Martą – powiedział Wiktor, pałaszując kolejny kawałek omletu polanego mocno keczupem. – Dam ci też mój stary laptop. Pamięci za dużo nie ma, ale do pisania wystarczy.

– Jak to z domu? – spytała zdziwiona. – Z Małszewa?

– Nie, skąd, mam mieszkanie na Ochocie, które wynajmuję studentom – wyjaśnił, ocierając usta serwetką.

– Oo? – zdumiała się. – Nie wiedziałam, że jesteś stąd.

– Teraz jestem stamtąd, to znaczy z Małszewa. A swoją drogą to niezwykłe, że zaczęliśmy znajomość od końca. – Mrugnął do Joanny. – Teraz powinniśmy powolutku przejść do początku.

– Żałujesz zmiany kolejności? – spytała prowokacyjnym tonem.

– Udam, że nie słyszałem tego pytania – zażartował. – Więc pojechałem do siebie, jak byłaś u ciotki, a przy okazji odwiedziłem rodziców Maryli. Prosili, żeby pozdrowić uczciwego znalazcę. Też im zaimponowałaś. Nosisz na szyi męski sygnet? – rzucił znienacka, wskazując cienki rzemyk z pierścionkiem.

– Na palec za duży, to pamiątka, i nie chcę go zgubić.

– Pamiątka po mężu czy Danielu?

– Mąż zostawił mi pamiątki innego rodzaju. To rodowy sygnet mojego wuja. I proszę, nie pytaj mnie więcej o Daniela.

– Fakt, nie powinienem. To co, gotowa?

– Prawie, tylko pozmywam.

– Zaniosę torby do samochodu.

Wiktor wybrał trasę na Gdańsk, trochę dłuższą, ale, jak tłumaczył, lepszą. Joannie było to obojętne. Pogrążeni w rozmowie, nie poruszając tematów, które musiały się uleżeć, zmierzali powoli w stronę wylotówki, grzęznąc w korkach szczytu komunikacyjnego. Na dworze była już szarówka, padał deszcz ze śniegiem.

– Rocznik osiemdziesiąty, dorastałem na Ochocie, ojciec był mechanikiem, mama urzędniczką. Zmarła dziesięć lat temu, a potem ojciec zachorował na alzheimera, mieszka teraz u mojej starszej siostry w Piasecznie. Mam trzech siostrzeńców, szwagra nieroba, kota Felka już znasz. Kiedyś trochę łaziłem po górach, nawet było to moją pasją. Skończyłem politechnikę, tylko pięć lat wcześniej niż ty uniwerek. – Wiktor odwzajemnił się skondensowanymi wiadomościami o sobie po tym, gdy Joanna dokonała podobnej prezentacji.

Zamierzała właśnie spytać, jak znalazł się u Marty, gdy zadzwoniła Ewa.

Podekscytowana przyjaciółka prawie jednym tchem opowiadała o wrażeniach z pobytu w Stanach.

– Widziałaś już moją relację? – spytała wreszcie, wyrzuciwszy z siebie wartki potok słów. – Prawda, nie masz telewizora. Byłam w Waszyngtonie! Na briefingu u Baracka! Dasz wiarę?! Co za facet! Takiemu wskoczyć do łóżka to by było coś, nawet lepiej niż Chmurze.

– Próbuj, masz go na wyciągnięcie ręki.

– Kogo? Baracka czy Chmurę?

– Baracka, oczywiście.

– Niestety, na niego za krótkie te moje rączki. – Westchnęła. – Ale pomarzyć wolno. Ja już się nagadałam, teraz mów, co u ciebie. Masz nową pracę?

– Jeszcze nie, a u mnie w sumie constans – odparła Joanna oględnie, nie chcąc się zwierzać przyjaciółce w obecności Wiktora. Starała się tak prowadzić rozmowę, by niewiele z niej wyłapał.

– Daniel się więcej nie odezwał? – spytała Ewa.

– Dlaczego miał się odzywać?

– Żeby ponowić propozycję. Ciągle uważam, że głupio zrobiłaś. Miałabyś z nim raj. A może podświadomie czekasz na Tomasza, dlatego łóżko Chmury ci nie pasuje? Przyznaj się.

– Możemy już o tym nie rozmawiać?

– Jak chcesz, ale będę się upierać, żebyś wykorzystała możliwości. To mocny gość, w dodatku przystojny.

– Wiem, jak wygląda, proszę, daj sobie już spokój – syknęła zniecierpliwiona.

– Dobrze, już dobrze. Tośka zdrowa?

– Na szczęście tak.

– Wiesz, zajrzałam z ciekawości na profil Adasia na fejsie, ale niezłe z niego ciacho. Normalnie masakra. Kiedy wraca z tej Argentyny?

– Nie wiem, przysłał mi list, proponuje pojednanie, czym mnie zaskoczył, ale też i ucieszył. Rzeczywiście, za długo trwała ta wojna między nami. Ewa, muszę już kończyć, jestem w ruchu. – Użyła wybiegu, gdyż nie chciała, by Wiktor dłużej słuchał tej rozmowy, choć sprawiał wrażenie skupionego na obserwacji świateł przy alei Solidarności. Korek się trochę rozładował i mogli jechać nieco szybciej.

– W porządku, słuchaj, zapomniałam, że za trzy tygodnie trzeba zrobić przegląd w nissanie. Dasz radę? Jak nie, to kumpel podskoczy po samochód, a potem ci go odstawi.

– Dam, bez problemu.

– Świetnie. Nie musisz zakładać gotówki, niech wystawią fakturę i wyślą mi ją mejlem, to zrobię przelew. Moje dane i komplet dokumentów są w tym niebieskim etui w schowku.

– W porządku.

– No to całuski, siostro, tęsknię.

– Całuski. Odzywaj się czasem, ja też tęsknię. – Joanna schowała telefon do torebki i wyjaśniła grzecznościowo: – To przyjaciółka, jest korespondentką telewizyjną w Stanach.

– Ja ci mogę zrobić ten przegląd – zaproponował Wiktor.

– Podsłuchiwałeś? – Odwróciła się gwałtownie w jego stronę.

– Słyszałem mimo woli – przyznał z niewinną miną. – Ta słuchawka dobrze przewodzi głos.

– Ile słyszałeś? – Joanna chrząknęła.

– Wszystko. Lekki tłumek: Tomasz, przystojny Daniel, Adaś ciacho. – Zagwizdał przez zęby, a blizna na jego policzku poczerwieniała nieznacznie.

Mijali właśnie zjazd do Izabelina. To był moment, zaledwie chwila, gdy Joanna nagle poczuła w sercu gwałtowne ukłucie, które przeszło prądem całe ciało. Zaczęły jej się trząść kolana.

– Zatrzymaj się! – rzuciła zdławionym głosem.

– Co ja takiego powiedziałem? – Wiktor spojrzał na nią zdumiony.

– Proszę cię, zatrzymaj się. – Złapała go za rękaw bluzy.

– Przepraszam, jeśli... – plątał się, niczego nie rozumiejąc.

– Wiktor, stań!

O nic więcej nie pytał. Kawałek dalej zjechał na pobocze i zatrzymał dżipa na awaryjnych światłach.

Joanna wyskoczyła z samochodu i bez kurtki, w zacinającym mocno deszczu, co tchu pognała za siebie. Nie liczyło się nic, tylko obraz, do którego pędziła na oślep, byle prędzej go zobaczyć. Dostrzegła go z samochodu; zaledwie mignął jej przed oczami, ale nie mogła go pomylić z żadnym innym widokiem. Teraz jaśniał wielkim zdjęciem na bilbordzie przy drodze.

Dysząc głośno, stanęła po przeciwnej stronie ruchliwej ulicy i jak zahipnotyzowana patrzyła na zdjęcie swojego domu, oświetlone z góry lampami bilbordu.

Włosy zlepiały jej się w strąki, cienki sweterek przemókł od deszczu, przycisnęła zmarznięte dłonie do piersi, jakby chciała przytrzymać serce wyrywające się z niej do miejsca, które widziała. W tej ciemności jej dom jaśniał bielą ścian, czerwienią dachu, zielenią wokoło.

Słyszała tupot Tosinych nóżek po znajomych kątach, widziała jej trampolinę, huśtawkę, a także tuje i krzewy różane, które ona, Joanna, sadziła. Nawet firanki w oknach pozostały te same.

Teraz już wszystko było nieludzko nie jej, obce, a tak jeszcze bliskie. Ze zdjęcia po drugiej stronie ulicy zielonymi literami krzyczał wielki napis: „Wyspy szczęśliwe – szkoła jogi. U nas poczujesz się jak w domu!".

Jak w domu, powtórzyła bezgłośnie. Deszcz mieszał się z jej łzami, zacinał na bilbord, otwierały się niezabliźnione rany.

I choć każda upływająca minuta powiększała jej ból, nie mogła choćby drgnąć, oderwać nóg od ziemi, by stąd odejść, przestać się wpatrywać w najdroższe sercu miejsce. Na ramieniu poczuła dłoń Wiktora.

– Chodź – powiedział i okrył ją kurtką.

– To był kiedyś mój dom, moja miłość – szepnęła. – Moje wyspy szczęśliwe. Dlaczego to tak jeszcze... boli? – zadała retoryczne pytanie, patrząc na Wiktora, jakby to on mógł jej udzielić właściwej odpowiedzi.

– Nie wiem. Wracajmy, bardzo zmokłaś. – Delikatnym, acz stanowczym ruchem poprowadził ją do samochodu.

Gdy już ruszyli, przebrana w suchą bluzkę Joanna odwróciła się za siebie, by jeszcze spojrzeć na oddalające się światła lamp jaśniejące nad jej domem. Dlaczego Wiktor wybrał tę drogę? Dlaczego musiała to zobaczyć? O ile łatwiej było jej wszystko znosić, gdy tego nie widziała.

– Nie patrz w tamtą stronę – odezwał się. Jechał teraz prędzej, by szybciej oddalić się od bilbordu. – Tamten dom oddaliście ludziom, żeby byli szczęśliwi.

– Tosia ci powiedziała – domyśliła się Joanna.

– To mądra dziewczynka i dużo rozumie. Nie okłamuj jej.

– Chcę ją tylko chronić, żeby przynajmniej ona była szczęśliwa, i nie chodzi mi o dom, o ściany pokryte dachem, ale o coś zdecydowanie więcej. O azyl, bezpieczne miejsce, w którym nikt i nic nie było w stanie nam zagrozić. Wierzyłam, że tak będzie zawsze, że nic tego nie zmieni, ale się pomyliłam – wyjaśniła i dodała: – Tomasz to mój mąż, zniknął na początku lata i do dziś nie dał znaku życia. Nie wiem, gdzie jest. Adam to brat, mieszka w Australii, przez dłuższy czas nie utrzymywaliśmy kontaktu. Daniel – nikt ważny, zupełnie nikt, zamknięty temat, niezależnie od tego, co słyszałeś. Ludzie, których uważałam za przyjaciół, kupili mój dom na licytacji. Nawet nazwę moją zabrali.

– Ładna nazwa. Sama ją wymyśliłaś?

– Nie, z wiersza Gałczyńskiego.

– Obawiam się, że nic mi to nie mówi. To znaczy wiersz, nie Gałczyński.

Joanna odetchnęła głębiej i wyrecytowała:

– *A ty mnie na wyspy szczęśliwe zawieź,*
wiatrem łagodnym włosy jak kwiaty rozwiej,
zacałuj,
ty mnie ukołysz i uśpij, snem muzykalnym zasyp,
otumań,
we śnie na wyspach szczęśliwych nie przebudź
ze snu.

Pokaż mi wody ogromne i wody ciche,
rozmowy gwiazd na gałęziach pozwól mi słyszeć
zielonych,
dużo motyli mi pokaż, serca motyli przybliż
i przytul,
myśli spokojne ponad wodami pochyl miłością.

– Stąd są te moje wyspy. – Odwróciła twarz ku bocznej szybie i przygryzła wargi.

– Ładnie recytujesz. W gruncie rzeczy chyba każdy potrzebuje takiego miejsca – rzekł refleksyjnie.

– Ty też?

– Myślisz, że jestem z innej gliny, podobnie jak reszta z naszego domu? Przykleiliśmy się wszyscy do Marty jak bezdomne koty, które idą tam, gdzie ciepło. Taka Teresa na przykład dorobiła się na zagranicznych kontraktach, jak jeszcze śpiewała, ma jedną chatę w Toskanii, drugą pod Bydgoszczą i jeszcze jakąś kawalerkę w Krakowie, a w pokoiku na poddaszu woli mieszkać, bo tu jej lepiej, a tamto wynajmuje.

– Zdradzasz cudze tajemnice. Marta mówiła, że dopóki ktoś sam nie chce o sobie mówić, to nikt go o nic nie pyta.

– Akurat Teresa nie robi z tego wielkiego sekretu, więc niczego nie zdradzam, poza tym nie pytasz, tylko sam ci mówię.

– Jak tu trafiła?

– Zwyczajnie. – Wzruszył ramionami. – Przez pułkownika. Poznali się w sanatorium w Ciechocinku, gdzie się leczyła po jakichś operacjach strun głosowych. Przyjechała na rekonwalescencję, spiknęła się z Martą i już została, żeby się pozbierać po tym, jak nie mogła już śpiewać, i zbiera się tak już przez cztery lata. Pewnie przez pułkownika trochę dłużej to trwa.

– A ty dlaczego trafiłeś do Marty?

– Tak się ułożyło, ale mniej więcej z tych samych powodów co reszta – odpowiedział wymijająco.

– Samotność?

– Raczej przystanek między punktem A i B. Taka życiowa poczekalnia. Joanna...

– Tak?

– Wiem, że nie powinienem, ale skoro już tyle powiedziałaś, powiesz coś jeszcze?

– Co?

– Naprawdę czekasz na męża? – Spojrzał na nią znad kierownicy. – O nim myślałaś, kiedy mówiłaś ten wiersz?

Jeszcze raz odwróciła się za siebie. Dawno już nie było widać świateł bilbordu. Wokoło rozlała się ciemna noc rozjaśniona reflektorami samochodów, które pędziły gdańską trasą. Czy czekam? – powtórzyła sobie w myślach pytanie Wiktora. Nie potrafiła na nie szczerze odpowiedzieć mimo furii, która czasem ją ogarniała na myśl o Tomaszu. Czy to pytanie, czy nieszczęsny bilbord, ale Joanna poczuła przygnębienie. Dopiero teraz pojawiły się wyrzuty sumienia.

Narastały z każdym mijanym metrem, gdy oddalała się od ukochanego miejsca.

– To nie powinno się… zdarzyć – powiedziała prawie bezgłośnie, utkwiwszy nieruchome spojrzenie gdzieś w ciemnej przestrzeni.

– Co?

– To między nami. Ja taka nie jestem.

– Chyba wiem, jaka jesteś.

– Nie wiesz. Daliśmy się… ponieść… To się więcej nie może powtórzyć. – Pokręciła zdecydowanie głową.

– Joanna, co ty… – odezwał się zduszonym głosem Wiktor, ale uniosła dłoń, by go powstrzymać.

– Jestem zmęczona, przepraszam.

Nie powiedział nic więcej, za co była mu wdzięczna. Sięgnął na tylne siedzenie po koc i położył go na kolanach Joanny.

– Zdrzemnij się, jak chcesz.

Zerkał na nią, gdy spała, z głową zwróconą w jego stronę. Z rozłożonego oparcia fotela zwisały jej mokre włosy. Wiktor dopiero teraz zauważył, że ona też ma bliznę – nad lewą skronią, tuż przy linii włosów. Szrama nie była duża, miała ze trzy centymetry, rana została równo zszyta, ale ciekawiło go, skąd Joanna ją ma.

Nie powinno się zdarzyć, powtórzył w myślach kategoryczne stwierdzenie Joanny. I sam przed sobą musiał przyznać, że jej słowa nieprzyjemnie go zaskoczyły, gdyż nie chciał, by zniknęła z jego życia. Gdy wspomniał tamten pocałunek Joanny przed domem, ogarnęło go coś, co można by nazwać stanem rozczulenia, choć było to dlań raczej obce uczucie. Nikt, prócz lekarzy i samego Wiktora, nie dotknął blizny na jego twarzy. Ludzie patrzyli na nią z obrzydzeniem lub lękiem, widział, jak się krzywią ze wstrętem, a ona ją pocałowała.

Nie pamiętał, kiedy ostatnio zaznał tyle czułości jak w tamtej chwili, kiedy pojął, że nawet gdyby nie wiedział o Joannie zupełnie nic, to w tym pocałunku pokazała mu całą siebie. Rozłożyła go tym kompletnie.

A jednak bał się jej powiedzieć prawdę o sobie, żeby się nie wystraszyła, dlatego zdecydował, że poczeka, żeby lepiej go poznała, bardziej mu zaufała. Dopiero wtedy zaryzykuje, choć on też słyszał słowa pułkownika o milczeniu, które bywa najokrutniejszą formą nieuczciwości. Za nic nie chciał spłoszyć Joanny, nawet jeśli długo miałoby się nie powtórzyć to, co dziś zrobili. A jeśli ona naprawdę czeka na męża, co wtedy? Zastanowił się. Wtedy nic, na razie tamtego nie ma, jest za to on, Wiktor. Powiedziała, że jestem piękny, rzucił okiem we wsteczne lusterko i sam się skrzywił, ujrzawszy swoje odbicie.

Ja? Piękny?

Wiedział przecież, jak wygląda z tą pospawaną twarzą, ale słowa Joanny zabrzmiały naprawdę szczerze. A jeśli ona zobaczyła we mnie coś, czego ja sam nie widzę? Ta niespodziewana myśl przyniosła mu mimo wszystko ukojenie. To była pierwsza noc od dawna, którą udało mu się mocno przespać, ledwo po długiej jeździe przyłożył głowę do poduszki.

ROZDZIAŁ XXI

Na czym ostatnio skończyłyśmy, Joasiu? – spytała późnym wieczorem Marta, gdy siedziały we dwie w pokoiku przy kuchni. Od ponad tygodnia trwały te wspominki, które Joanna nagrywała, a potem przepisywała na komputerze.

– O tym, jak chciałaś rąbać drzewo w szopie, ale twoi bracia to zrobili – przypomniała teraz staruszce.

Włączyła dyktafon, sięgnęła po kubek z herbatą i oparła się o ciepły piec. Ten niepowtarzalny klimat miejsca, w którym nie wiedzieć kiedy się zadomowiła, sposób, w jaki Marta potrafiła opowiadać, noc na dworze, grzejący piec, wszystko razem sprawiło, że opowieści, sięgające początków wczesnego dzieciństwa starej Mazurki, przenosiły Joannę w czasie i były jak najpiękniejsza książka z obrazkami.

Niemal widziała oczami wyobraźni dawną mazurską wieś, gdzie spokojne, acz pełne ciężkiej pracy życie toczyło się z dawna ustalonym rytmem, zgodnie ze swoim cyklem i obyczajami. Choćby wspólne modlitwy całej rodziny czy wieczorne śpiewy lub głośne czytanie – wszystko to razem stwarzało poczucie stabilizacji i pielęgnowało tradycję. Joanna ze wstydem przekonała się, jak mało wie o ludziach, którzy tu kiedyś żyli. Mazury kojarzyły jej się wyłącznie z jeziorami i wypadami na żagle, tymczasem o historii tej ziemi miała mgliste pojęcie. Nawet za bardzo nie odróżniała Warmii od Mazur.

– Trochę to mylę – przyznała się zakłopotana.

– A bo widzisz, kochana. – Marta głębiej wciągnęła powietrze. Siedziała na łóżku owinięta ulubionym beżowym swetrem z dużymi kieszeniami, nogi miała uwolnione od protez. – To dwa różne narody. Ci z Warmii to katolicy, a Mazurzy byli protestantami, choć razem to my Prusacy, a w czterdziestym piątym i potem to samo piekło cierpieliśmy. A i wcześniej ci, którzy polskości swej bronili, ciężko za to musieli płacić. Pamiętam, że i mój ojciec, zanim na wojnę poszedł, sprawę w sądzie miał i karę mu kazali płacić za czytanie polskich książek, co je po kryjomu brał z czytelni ludowych. Zapłacił i dalej nam czytał. A jak któremuś z nas, dzieci, trafiło się w domu coś po niemiecku powiedzieć, bo wiadomo, że ze szkoły czasem się przyniosło, to bywało, że i rózgi używał, tak tej niemczyzny nienawidził.

– I w Wehrmachcie służył?

– No a jak inaczej? – Marta się zdziwiła. – Toć tu Trzecia Rzesza była. Chyba że kula w łeb, a przecie nas w domu sześcioro dziatek miał. To znaczy razem dziesięcioro, ale dwie siostry bliźniacze, co się po braciach porodziły, a po nich jeszcze brat maleńki pomarli wcześnie. Najstarszego, Erwin mu po ojcu dali, jak tylko w trzydziestym dziewiątym wojna wybuchła, chcieli do SS wziąć, bo taki duży był, dorodny, a on tak nie chciał, tak rozpaczał, że z tej żałości zachorował i w Nidzicy w szpitalu zmarł. Mało go pamiętam, bo maleńka jeszcze byłam, ale mamusia mi opowiadała. Ale prawda i taka była, że dużo Mazurów za Hitlerem z przekonania poszło. Brat mój, ten, co przeżył i w Bochum zamieszkał, ojciec Ernesta, on więcej pamiętał, jak tu polityka szła. Mówił mi, że partia Hitlera tu, w naszym powiecie szczytnowskim, duże poparcie miała, bo u nas bieda straszna była. Ludzie rodzinne ziemie zostawiali i do Niemiec za chlebem jechać musieli. A jak Führer obiecał im tu pracę, pieniądze, życie lepsze, ponoć nawet stypendia były, i za Niemców Mazurów uważał, to i za nim poszli.

– Przyznam, że trochę się pogubiłam – powiedziała Joanna. – Nie bardzo potrafię określić, Mazurzy to w końcu Niemcy czy Polacy?

– Widzisz, Joasiu – Marta westchnęła – ojciec nam zawsze mówił, że my polskie Mazury, i tak nas rodzice chowali, to my więcej byli Polakami, ale już dziadek mój Anton, mamy ojciec, to on Niemcem nie został, ale i Polakiem się nie czuł. Powiadał o sobie, że Prusak. I nawet tak słowa mieszał, polskie, mazurskie i niemieckie, że i ciężko czasem było zrozumieć, co mówi. Potem, jak już podrosłam, brat mi opowiadał, że my ludzie stąd, takie ni to, ni owo. Ani Polacy, ani Niemcy nie uważali nas za swoich.

– Jak to autochtonów – wtrąciła Joanna.

– Tak to i będzie. – Marta kiwnęła głową. – Jak już wojna się skończyła, dziadek Anton opowiadał, że poszedł do urzędu, żeby polski dowód wziąć, to go zapytali: „Tyś Niemiec czy Polak?". A dziadek mówi, że Mazur, ale koniec końców musiał wybrać, więc za Polaka się podał i dokument podpisał, żeby ze mną na ojczystej ziemi zostać. Tylko Ruskie nijakiej biedy z tym nie mieli, dla nich po prostu faszystami byliśmy, a i niektórzy Polacy, którzy potem tu się przenieśli, też nas za takich mieli. – Znów pokiwała głową.

Przez chwilę milczały, popijając wystygłe herbaty. Joanna dorzuciła trochę drzewa do pieca, choć dobrze jeszcze grzał, ale Marta nie lubiła, kiedy wygasał. Tego też zdążyła się nauczyć w tym domu. Zajrzała jeszcze na piętro do śpiącej Tosi i wróciła do staruszki.

– I co było dalej? – spytała, siadając bliżej. Marta popatrzyła w ciemne okno, jakby widziała za nim swoje wspomnienia, po czym zaczęła opowiadać:

– I przyszedł ten rok czterdziesty piąty... – Znów nabrała głęboko powietrza. – Zima była wtedy straszna, a już szczególnie w styczniu. Ponad trzydzieści stopni mrozu i śniegu tyle, że zaspy do połowy domów sięgały.

– Chyba wolę śnieg niż taką chlapę. – Joanna wskazała głową okno, gdzie o parapety dzwonił deszcz. Po nagłej odwilży śnieg znikał błyskawicznie i wszędzie zrobiła się chlapa.

– A ja przestałam go lubić, ale pamiętam, jak mienił się na srebrno i w słońcu skrzył tamtego popołudnia – odrzekła w zamyśleniu Marta. Na kilka chwil pogrążyła się we własnym świecie, a potem dodała: – To było ostatnie popołudnie.

– Dlaczego?

– Widzisz, Joasiu – staruszka poklepała ją po dłoni – tak sobie myślę, że ja też miałam takie swoje wyspy szczęśliwe. Moja mama nazywała to rajem. I tak było. Bo dom, Joasiu, rodzina, w której człowiek oparcie ma, toż to raj prawdziwy na tej ziemi i szczęście wielkie. Dlatego wiem, jak to boli, kiedy zła siła wygania cię z tego raju. Więc tamta sobota, jak z szopy wracałam, była ostatnim dniem w raju. Chcesz posłuchać? Chyba że na dzień odłożymy, bo ciężkie to słuchanie będzie. – Spoważniała i popatrzyła Joannie prosto w oczy.

– Powiedz teraz – szepnęła.

Marta usiadła wyżej na łóżku. Przez moment gładziła żółte kwiatki na sztywnej od krochmalu białej poszwie, a w końcu zaczęła mówić:

– Wieczorem odmawialiśmy modlitwę do Anioła Stróża i spać się pokładliśmy, moje trzy siostry i ja.

Mama czekała na dziadka, a ja zasypiałam przytulona do Erny, miała czternaście lat, ja dziewięć. W nocy obudził nas dziadek i kazał prędko się zbierać, bo Ruskie idą. Więc zerwaliśmy się wszyscy w tę zawieruchę, a zamieć była straszna i zimno okrutne, kiedy nocą ludzie z wioski, prawie same kobiety i dzieci, uciekali lasem wprost ku śmierci...

Joannie ciarki przechodziły po plecach, gdy słuchała tej opowieści. Oczy robiły jej się coraz większe, coraz bardziej mokre od łez, coś dławiło ją w gardle. Miała wrażenie, że przeniosła się w czasie do innego wymiaru, do tamtego lasu.

Widziała wszystko, jakby rozgrywało się na jej oczach, słyszała wystrzały, krzyki ludzkie, widziała gwałty, prawie czuła strach zamarzającego w śniegu dziecka, słyszała rozdzierające wołanie „mamusiu" uwięzionej między trupami dziewczynki.

Boże Wszechmogący, myślała przejęta, przecież Marta miała tylko niecałe cztery lata więcej niż Tosia, a doznała tyle okrucieństwa. Jak to możliwe, że w ogóle przeżyła te trzy dni w śniegu i nie zamarzła? Jak bardzo musiała cierpieć, jak strasznie się bała! Nagle Joanna dostrzegła w tej staruszce tamtą dziewczynkę z lasu, tak podobną do jej córeczki.

Pełna współczucia, mocno przytuliła Martę, starając się ją zasłonić, żeby już nie spotkała jej żadna krzywda. A stara kobieta opowiadała dalej.

Joanna znów niemal poczuła ten straszny ból, gdy dziewczynce odpadały stopy i dłonie, widziała przed oczami lufę rosyjskiego pistoletu, słyszała drwiny, gdy Marta chodziła na kolanach. Jak to możliwe, że człowiek może tyle znieść i się nie poddać? Joanna była pod wrażeniem zasłyszanej historii i heroizmu tej niezwykłej kobiety, a raczej dziecka, które to wszystko przeżyło.

– Jak... – pytała łamiącym się głosem – jak dałaś radę to wytrzymać? Skąd w tobie tyle siły?

– No a jakie miałam wyjście? – odpowiedziała pytaniem tamta. – Byłam silna nie dlatego, że chciałam, tylko dlatego, że musiałam. Ale na tym śniegu przez te trzy dni, kiedy umierałam i wracałam do żywych, to po prawdzie sama już nie wiem, jak to przetrwałam. Jednak za dużo nieszczęścia ludzkiego widziałam, za dużo krzywdy, za dużo łez. Bogu dziękuję, że mnie przed losem innych kobiet uchronił, co to gwałtów takich zaznały, że wolały w wodę skakać, niż dać się tym bandytom schwytać.

– W zeszłym roku, czy trochę wcześniej, widziałam taki film, *Róża* – powiedziała Joanna, ocierając łzy z policzków. – Myślałam, że ta scena z gwałtem to fikcja, ale z tego, co mówisz...

– Też widziałam ten film – weszła jej w słowo Marta. – Pojechaliśmy z Teresą i pułkownikiem do kina w Olsztynie. I powiem ci, Joasiu, że naprawdę było jeszcze gorzej. Pamiętam, jak taka chora w gorączce w tym łóżku leżałam, to kobiety, które dziadek Anton ukrywał, chowały się pod moją pierzynę od Ruskich, bo mnie nie ruszali, za bardzo im chyba śmierdziałam i byłam za mała. Ale co inne od nich ucierpiały, Augusta i Emma, to na własne oczy widziałam, a potem po Hedwigę przyszli, co u nas mieszkała. Wyłamali nocą drzwi i wywlekli ją w kilku z chaty. Rano się powiesiła. Straszne to były czasy, Joasiu, straszne. – Pospiesznie otarła ręką zaczerwienione oczy.

– Może chcesz odpocząć? – spytała przejęta Joanna.

– Nie, dziecko. Powiem resztę. O drogach śmierci coś słyszałaś?

– Nic.

– Ja tego nie widziałam, bo do łóżka byłam przykuta z tej gorączki, ale dziadek opowiadał. Niedługo potem, jak Ruskie do nas przyszli, to tych, co uciec nie zdołali, jak bydło ze wszystkich wiosek popędzili na kolej, Mazurów i Warmiaków, żeby ich pociągami do Rosji na zatracenie wywozić. Kto nie miał siły iść, a czasem to było wiele kilometrów w mrozie, tego na drodze żołnierze zabijali. Dużo trupów na szosach i traktach leżało, bardzo dużo. Niektóre to dopiero wiosną z wody wypłynęły. A co Sowieci nakradli, nagrabili, poniszczyli, to ludzkie pojęcie przechodzi. Ponoć taki rozkaz Stalina był, żeby na Prusakach za wszystko odwet brać i litości nijakiej nie mieć, to i nie mieli. A powiedz, co winne kobiety, dzieci, starcy, żeby takiej zemsty doświadczyć?

– Nie wiem, to takie straszne. – Joanna pokręciła głową. – Tak nieludzkie, że nie umiem pojąć tej nienawiści ani tego, jak ty, pomimo wszystko, jesteś taka pogodna, tyle w tobie optymizmu, wiary w ludzi, dobra.

– To teraz tak wygląda. – Marta położyła rękę na pochylonej głowie swojej pomocnicy i pogładziła ją po włosach. – Dużo czasu minęło, nim przegnałam z serca nienawiść.

– Ty i nienawiść? – zaprotestowała Joanna. – Nigdy w to nie uwierzę.

– I to jak z początku nienawidziłam. – Głos Marty zabrzmiał ostrzej. – Ludzi, życia, swojego kalectwa, losu, który mi wszystko zabrał, biedy, w której rosłam, głodu, marzeń, jakie miałam kiedyś. Czy ty myślisz, że ja nie chciałam mieć dzieci, męża, kogoś, kto by mnie kochał i ja jego? Przecież każdy człowiek o tym myśli. I ja tak samo chciałam. I taki żal, i złość mnie ogarniały, że to mnie ominęło, nie z mojej winy przecież. Bo cóżem ja winna była? Nic. Długo musiałam się godzić z losem, który takie życie na mnie zesłał. A ja, tak jak i ty, tylko chciałam być szczęśliwa. Dopiero jak już włosów siwych mi przybyło, pomiarkowałam, że bycie szczęśliwym to wcale nie znaczy, że ma się idealne życie. Pojęłam, że warto żyć, nie patrząc na to, co los nam zsyła. Teraz, im bliżej mi do grobu, tym bardziej kocham życie. Widzisz, jaka przekorna jestem? – Marta zaśmiała się krótko.

– Oddałabym nie wiem co za taką przekorę – odrzekła Joanna, wpatrzona w pomarszczoną twarz Mazurki. – Nie mam nawet ułamka tej siły, co ty. Tutaj, u was, jakoś się trzymam, staram się nie myśleć o swoich kłopotach, ale jak wrócę do Warszawy, to pewnie znów strach będzie mnie budzić po nocach i widmo komornika prześladować.

– Dziecko drogie – Marta znów pogładziła ją po włosach – a czegóż ty się tak boisz? Przecież ten komornik więcej już ci nie zabierze, niż zabrał, bo więcej nic nie masz. Nie zabije cię, nie aresztuje, więc czegóż się tak lękasz?

– Nie rozumiem – zdziwiła się. – Jak to... czego?

– To tylko pieniądze – tłumaczyła cierpliwie staruszka. – Prawda, że bez nich nijak się obejść, toż i my zbieramy dla dzieci, żeby mogły do zdrowia wrócić albo ubrać się na zimę, ale odrzuć już ten strach, inaczej w przyszłość odważniej nie spojrzysz. Takaś młoda, zdrowa, wszystko jeszcze przed tobą. Tylko patrzeć, jak wiosna przyjdzie, a wtedy i człowiek odżywa, gdy świat na nowo rozkwita. Ty też odżyjesz, bo i w tobie jest siła, tylko uwierzyć w to musisz.

Joanna miała wrażenie, że nagle tu, w tym pokoju, dokonała wielkiego odkrycia, które wprawiło jej serce w szybszy rytm.

– A wiesz… – powiedziała na wpół oszołomiona, gdyż w jednej chwili pojęła coś, co powinna zrozumieć dużo wcześniej. – Ty masz rację. Masz absolutną rację… Skoro nie mam już nic, to nic więcej mi nie zabiorą, choćby nie wiem ile jeszcze tych długów wyszło. Nie zabiją mnie, nie aresztują, a z resztą sobie… poradzę – stwierdziła.

Że też dopiero teraz na to wpadła! Tak, poradzi sobie, ma przecież ręce i nogi, jest zdrowa i silna, na pewno ze wszystkim sobie poradzi.

Po raz pierwszy od dawna uwierzyła, że nie są to puste deklaracje. Gdzieś na dnie duszy zrodziło się w niej przekonanie, że naprawdę ze wszystkim sobie da radę, choćby nie wiadomo co miało jeszcze nastąpić.

– Jakie to szczęście, że spotkałam ciebie, Marto. – Joanna spojrzała ciepło na staruszkę. – Gdy czytałam list od ciebie, pomyślałam, że jesteś niezwykła, a teraz dzięki tobie uwierzyłam w coś, co dotąd wydawało mi się niemożliwe.

– Widać tak miało być, żebyśmy się spotkały, i los cię do mnie przyprowadził.

– Trochę mu pomogłaś. – Joanna uśmiechnęła się z wdzięcznością.

– Tylko trochę. Mnie też pomagali w życiu dobrzy ludzie. Gdyby nie oni, kto wie, jak by ze mną było. A tak możemy sobie rozmawiać we dwie w moim rodzinnym domu, do którego wróciłam, jak chciała mama.

– To jest ten sam dom? – spytała zaskoczona Joanna.

– Tu się urodziłam, pod tym dachem. – Marta zatoczyła ręką półkole. – No, teraz wszystko wygląda trochę inaczej, bo Ernest remont zrobił jakieś dziesięć lat temu, żeby chałupa się nie rozleciała. Przebudował trochę, pozmieniał, drugi pokój z kuchnią połączył, ale fundamenty te same i sercu bliskie.

– Mnie też stają się bliskie, tak samo jak wy wszyscy tutaj. – Joanna podeszła do okna.

Na zewnątrz panowały ciemności, których nie rozjaśniało choćby słabe światło księżyca. Minęła już północ, ale Joanna nie czuła zmęczenia, mimo że kolejna noc na tych wspominkach schodziła.

– Żal mi będzie od was wyjeżdżać. Zobacz, mam rodzinę, to znaczy ciotkę i wuja, a jednak u was jest mi jak w domu. Tak bezpiecznie, swojsko. I Tosia też świetnie się tu czuje.

– To zostańcie z nami – zaproponowała od razu Marta. – My tu wspólnie gospodarzymy, każdy, co tam może, do życia dokłada i jakoś to idzie. Będziesz miała, dołożysz, a jak nie, to tam, gdzie czworo je, to i piąte się naje.

– Dziękuję za tę propozycję, ale to niemożliwe. – Joanna się odwróciła.

Świadomość, że niedługo opuści to miejsce, budziła w niej przygnębienie, ale zostać tu – byłaby to jednak za duża rewolucja jak na nią.

– Dlaczego niemożliwe? – Marta się nie zrażała. – Oddasz mieszkanie, co tam je wynajmujesz w Warszawie, i już. Tylko z pracą gorzej będzie, bo tu u nas o nią ciężko. My z tym takiej biedy nie mamy, bo albo jesteśmy emeryci, jak pułkownik i ja, Teresa na rencie, a jeszcze przecież wynajmuje te swoje domy i zajęcia po okolicy prowadzi, Wiktor na swoim, pracuje przez ten, no... komputer. Da Bóg, że i ty coś sobie znajdziesz prędzej czy później. Może w Szczytnie albo w Olsztynie. Dużo tutejszych dojeżdża do pracy. Mąż lekarki jest dyrektorem szkoły w Pasymiu, a tyś nauczycielka, warto by jego popytać. Dobrzy ludzie tu u nas w Małszewie, Burdągu czy Łajsie mieszkają, to i wam będzie dobrze. Niektórzy to specjalnie z miast powyjeżdżali, żeby tu pośród lasów nad jeziorem szczęścia szukać. Toż my tak nad wodą położeni, że i wyspa prawie, tak jak swój dom nazwałaś. Pewnie, że to nie Warszawa, ale i tu da się żyć.

– Ja tu odżyłam, a dziś dostałam od ciebie najlepszą lekcję, jaka mi się w życiu przydarzyła, i nie chodzi tylko o historię. – Joanna ucałowała Martę w policzki.

– Skoro tak. – Staruszka zastanowiła się nad czymś przez chwilę. – To jeszcze jeden sekret ci wyjawię, tylko nie zdradź mnie przed nikim.

– Już jestem ciekawa. – Joanna przysunęła się bliżej.

– Sięgnij pod łóżko i wyjmij stamtąd pudełko.

Joanna schyliła się, wydobyła zatknięty pod ścianą szary karton i podała go swojej rozmówczyni.

Pudełko było bardzo stare, miejscami pożółkłe, ale nie zakurzone. Wyglądało, jakby ktoś codziennie je wycierał.

– W tym pudełku zamknięta jest nie tylko moja tajemnica, ale i najdroższa pamiątka. – Marta pogładziła czule wierzch kartonu, a na jej twarzy pojawiło się wzruszenie. – Kiedyś, jak panienką byłam... zakochałam się w kimś... Nie patrz tak na mnie, Joasiu – rzuciła, widząc pytające spojrzenie młodej kobiety. – Nie mam rąk ani nóg, ale serca nikt mi nie wyrwał, a serce kochać chciało, to i pokochało. We Wrocławiu, potem ci opowiem, jak tam trafiłam, poznałam w naszym sierocińcu takiego chłopca. „Cichy" na niego mówiliśmy, bo mało z kim rozmawiał i milczeć wolał. Strasznie go kochałam, tylko że on tego nie widział albo nie chciał widzieć, a może było dla niego za wcześnie, bo też niedoli wojennej doświadczył, ale nie wiem jakiej. Nigdy mi tego nie powiedział, choć dużo czasu razem spędzaliśmy. Bywało, że poszliśmy nad Odrę na wiele godzin. On leżał na trawie i patrzył w niebo, a ja marzyłam, żeby choć w policzek mnie pocałował.

– I pocałował?

– Nigdy. A jednak kochałam go jak nikogo już potem... – wyznała zapatrzona gdzieś przed siebie.

– Potem Cichy wyjechał z naszego ośrodka i nigdy więcej się nie odezwał, a ja tęskniłam. Nieraz i popłakałam z tej tęsknoty. Nie wiem, co się z nim potem stało, czy nauczył się żyć, tak jak chciał, czy umarł za życia, czego się bał najbardziej. Może już nie żyje.

– Nie chciałaś go zatrzymać? – spytała Joanna poruszona wyznaniem kobiety, której uczucie pozostało żałośnie niespełnione.

– Próbowałam, ale się zaparł. Teraz myślę, że może bał się mojego kalectwa, dlatego uciekł i nie odezwał się więcej. Nie wiem, ale przed wyjazdem dał mi to. – Dopiero teraz Marta uniosła wieko i wyjęła z kartonu staromodne czarne lakierki na cieniuteńkiej szpilce. Przytuliła je do piersi jak najcenniejszy skarb.

– Spełnił moje marzenie. – Opowiedziała o swoim dziecięcym pragnieniu i spojrzała na zegar. – Oj, jak już późno, pierwsza, spać trzeba. Dobranoc, Joasiu.

– Dobranoc, śpij dobrze.

Marta jednak nie zasnęła. Chciała zostać sama; odprawiła Joannę, by wspominać niespełnione marzenia. Za dużo ją kosztowało wyznanie tej tajemnicy. Nawet stare serce wciąż jednak kochało tak samo. Nie przybyło mu zmarszczek jak twarzy, ale zestarzało się w samotności.

Odwróciła się do ściany, by znów śnić swój sen nie sen, w którym przywoływała bliskich. Obok niej na poduszce leżały pantofle, które pogładziła resztą kciuka. Często je tak tuliła przed snem. Marzyła, by choć raz w życiu zakosztować pocałunku swego ukochanego, zaznać spełnionej miłości. Jestem jak drzewo bez owoców i studnia bez wody, żałośnie pusta w środku, niepokalana do śmierci, myślała.

Naprawdę cię kochałam; przywołała w pamięci obraz chłopca z amuletem. Czy i on by mnie pokochał, gdybym miała ręce i nogi? – boleśnie wróciło do niej dawne pytanie. Przecież to fałsz, że całkiem pogodziłam się z życiem, tylko wolę wierzyć, że tak właśnie jest. A czas nie goi ran, najwyżej żyć z nimi pozwala, dumała z sercem przepełnionym goryczą. Na poduszkę spłynęła ciepła łza.

Nie pierwsza, która od lat w nią wsiąkała, wtedy, gdy nikt tego nie widział. To była jej największa tajemnica. Jednak przenigdy nie dopuści, by ktoś poznał tę słabość, dla innych miała być silna, bo takiej jej potrzebowali. Tylko w samotności niekiedy dawała upust prawdziwym uczuciom.

W tym samym czasie pod tym samym dachem inna kobieta tuliła do siebie śpiące dziecko. Obsypywała pocałunkami pulchne i ciepłe od snu policzki córeczki i dziękowała Opatrzności, że oszczędziła jej podobnych cierpień. Opowiadanie Marty za bardzo poruszyło Joannę, by teraz mogła zasnąć.

Dlatego zrobiła coś, co powinna była zrobić dużo wcześniej. Wstała, włączyła słabą lampkę na okrągłym stoliku przykrytym koronkową serwetą i spróbowała wyrzucić nienawiść z serca. Na kartce, wyrwanej ze znalezionego na półce zeszytu w kratkę, zaczęła pisać list do Adama.

Małszewo, 6 marca 2015 r.

Cześć, Brat!

Prawdę mówiąc, to nie wiem, od czego zacząć, więc zacznę od końca. Też trochę za Tobą tęsknię. I też uświadomiłam to sobie, jak Cię zobaczyłam i gdy wspomniałeś o tym, jak lepiliśmy bałwany, a tata ciągnął nas na sankach. To był magiczny czas. Wiem, że nie wróci, ale my wciąż jesteśmy. Źle się stało, że przez tyle lat byliśmy sobie obcy. To moja wina i chciałabym jakoś to naprawić. Zrozumiałam to dziś, kiedy dostałam od pewnej mądrej kobiety najlepszą lekcję w życiu. Jesteśmy teraz u niej z Tosią na Mazurach. Miałyśmy przyjechać na kilka dni, a minęły już prawie trzy tygodnie, jak nie możemy stąd wyjechać, i pewnie jeszcze trochę zostaniemy. Marta, bo tak się nazywa ta kobieta, namawia mnie, żebym się tu przeniosła na stałe z Warszawy. Pomysł absolutnie nierealny, choć nie ukrywam, że trochę mi się spodobał. To naprawdę cudowne miejsce do ładowania akumulatorów, czego bardzo potrzebuję, a i Tosia jest tutaj przeszczęśliwa.

Adam, przykro mi, że tak się wszystko poukładało. Wiem, że powinnam była posłuchać Ciebie i ciotki, ale tego już nie da się zmienić. Bardzo bym chciała, żebyś w drodze do domu zajechał do Warszawy. Nagadamy się wtedy za wszystkie czasy. I jeszcze jedno, za długo pielęgnowałam w sobie żal i nienawiść za tamten wypadek. Wygodniej mi było zwalić winę na Ciebie, a nigdy nie pomyślałam, co Ty możesz czuć i jak z tym żyjesz. Przepraszam.

Dziękuję za pieniądze dla Tosi. Nie myśl tylko, że wyłącznie z tego powodu Ci odpisuję. Dziś naprawdę zrozumiałam, że choć nie ma już naszych rodziców, to my nadal jesteśmy rodziną. I nie mogę się doczekać, kiedy Cię zobaczę. Na dole masz mój telefon i adres. Też cmokam Cię w czółko, do zobaczenia, mam nadzieję, że niedługo.

Joanna

ROZDZIAŁ XXII

Tosiu, na pewno nie widziałaś mojego pierścionka? – spytała zaniepokojona Joanna.

Od kilku dni nie mogła znaleźć pamiątkowego sygnetu wuja, choć przetrząsnęła cały dom. Nie mogła sobie przypomnieć, kiedy ostatni raz miała wisiorek na szyi. Może został w Warszawie, po tym, jak... przygryzła wargę na samo wspomnienie szaleństwa, któremu tak łatwo uległa.

Choć minęło sporo dni, Joanna nie potrafiła jeszcze dojść do siebie. Teraz za każdym razem, gdy Wiktor na nią patrzył czy po prostu był w pobliżu, odczuwała skrępowanie, dlatego pilnowała się, by nie zostać z nim sam na sam. Tamto nie powinno było się wydarzyć, powtarzała w myślach kolejny raz, przerzucając gadżety leżące na parapecie w pokoiku na poddaszu. Zauroczył mnie, musiał mnie zauroczyć, to tylko chwilowa fascynacja, usprawiedliwiała sama siebie.

Odruchowo spojrzała w okno, za którym świat tonął w szaroburych barwach marcowego popołudnia. Drogą od ogrodu, pogrążeni w żywej rozmowie, szli trzej mężczyźni: pułkownik, Wiktor i Karol Dębski. Mecenas przyjechał dziś rano na spotkanie zarządu fundacji. Joanna zaszyła się z Tosią na piętrze i wpisywała do laptopa wspomnienia Marty, by nie przeszkadzać w zebraniu.

– Tosia, pytałam cię o coś. – Odwróciła się do córeczki, która z zapałem kolorowała książeczkę z obrazkami, wczorajszy prezent od Wiktora.

– Co? – spytała, malując czerwoną kredką kubraczek Puchatka.

– Pytałam, czy nie widziałaś mojego pierścionka, który nosiłam na rzemyku – powtórzyła Joanna i dotknęła ręką czarnego swetra na wysokości dekoltu.

– Nie. – Tośka pokręciła główką. Wysoka kitka, w którą, podobnie jak mama, miała zebrane włosy, zakołysała się jak wahadło zegara. Dziewczynka przerwała swoje zajęcie i przez chwilę nad czymś myślała, nim zadała pytanie: – Mamusiu, a wujek Wiktor może być moim nowym tatusiem?

Joanna zaniemówiła. Czegoś takiego się nie spodziewała. Popatrzyła zdumiona na córeczkę.

– Co ci strzeliło do głowy? – spytała po chwili, gdy już opanowała zdumienie. – Przecież ty masz swojego tatusia.

– Wcale nie. – Naburmuszyła się mała.

– Co nie?

– Wcale go nie mam, bo nie wiem, gdzie jest, i już go nie chcę. – Dziewczynka zmarszczyła czoło i wykrzywiła buzię do płaczu. – Niech sobie będzie w tym jakimś daleko. Wujek Wiktor jest fajniejszy, bo się ze mną bawi i żartuje, i nosi na barana, i jest taaaaki duży, i mówi, że też jestem fajna, i opowiada bajki, i śpiewa, i pokazał mi grę w komputerze, i chcę, żeby był moim tatusiem, i...

– Twoje chcenie nie ma tu nic do rzeczy, poza tym... – Joanna ucięła dalsze wywody w momencie, gdy rozległo się pukanie do drzwi i do pokoju wszedł Wiktor, a razem z nim zapach wilgotnego powietrza. Włosy też miał przesiąknięte wilgocią.

– Cześć, dziewczyny – przywitał się pogodnie. – I co, znalazłaś ten sygnet?

– Jeszcze nie – odparła zakrzyczana przez Tosię.

– Wujek! – zawołała pełna euforii dziewczynka.

Złapała książeczkę i stanęła przy nim, obejmując jego nogi ramionkami. Przykucnął przy małej.

– Ładnie narysowałam? – Podetknęła mu pod nos Puchatka.

– Pokolorowałam – poprawiła odruchowo Joanna. Rozstrajała ją nie tyle obecność Wiktora, ile z każdym dniem coraz większe przywiązanie, jakie okazywała mu Tosia. Nie trzeba było psychologa, by stwierdzić, że mała szuka w nim zastępstwa za Tomasza. Joanna wiedziała, że nie powinna do tego dopuścić. Musi stąd czym prędzej wyjechać, zanim jeszcze bardziej zamąci córeczce w głowie i przy okazji też w swojej.

– Pokaż, artystko. – Przyglądał się z uwagą rysunkowi. – No prawie dobrze, tylko ktoś tu trochę za linię wyjechał. – Pokazał kilka bazgrołów przy konturach.

– To Prosiaczka pokoloruję ładniej. – Ku zaskoczeniu Joanny mała nie obraziła się za tę delikatną krytykę.

Ciekawe, czy on każdemu tak wysoko stawia poprzeczkę, dumała Joanna, obserwując mężczyznę w kraciastej koszuli i wytartych dżinsach, który stał przed nią, lekko czymś podminowany.

– Wujek, a pamiętasz, że dziś z tobą jadę? – Tośka zadarła ku niemu główkę.

– Właśnie dlatego przyszedłem. – Pociągnął ją delikatnie za kucyk.

– Dokąd się wybieracie, jeśli wolno wiedzieć, ponieważ mnie jakoś nikt nie pyta o zdanie, a to duży błąd. – Joanna nadała swojemu głosowi surowe brzmienie.

– Przecież mówiłem wczoraj przy kolacji. – Wiktor się zdziwił. – Nie pamiętasz? Na trzecią mamy umówiony przegląd nissana w Szczytnie, a Tośka miała jechać ze mną. Dochodzi wpół do drugiej. Powinniśmy zjeść obiad i znikać.

– Obiecałaś, mamusiu, że pojadę z wujkiem. – Mała tarmosiła kawałek czerwono-czarnej flaneli przy mankiecie Wiktora i przytulała buzię do jego dłoni.

Prawda, przegląd, zdekoncentrowana Joanna potarła palcami czoło. Widząc uradowaną minę Tosi, nie mogła się wycofać z obietnicy.

– Dobrze, córeczko, ale to będzie ostatni raz do naszego wyjazdu.

– Wcale nie! – Mała tupnęła nóżką.

– Tośka! – upomniała ją Joanna i groźnie zmarszczyła brwi.

– Hej, młoda – odezwał się szybko Wiktor. – Z kapryśnicami nigdzie nie jadę. Idź do kuchni, ciocia Teresa zaprasza na obiad, a ja jeszcze porozmawiam z mamusią.

– No dooobra. – Dziewczynka odłożyła kolorowankę i zniknęła za drzwiami.

– O czym chcesz rozmawiać? – zagadnęła go Joanna, gdy zostali sami.

– Dlaczego od tygodnia mnie unikasz? – spytał bez ogródek. Stał tak blisko niej, że czuła jego oddech na czole. Cofnęła się pod okno i oparła o parapet.

– Nie unikam cię, tylko… – urwała.

W jakimś szczenięcym zakłopotaniu zaczęła wyłamywać palce u rąk. Wiktor patrzył na nią przenikliwie, aż w końcu odwróciła wzrok. Wsunęła palce do kieszeni dżinsów i wpatrywała się w swoje czerwone skarpetki, nie wiedząc, co powiedzieć. Była na siebie zła za tę reakcję, ale po tym, co między nimi zaszło, nie potrafiła czuć się w jego obecności swobodnie.

– Tylko? – powtórzył, robiąc krok w przód.

Podniosła głowę i próbowała wytrzymać jego spojrzenie.

– Tylko to wszystko dzieje się dla mnie za szybko, dużo za szybko – wyjaśniła, oblizując suche usta. – Już ci mówiłam, tamto w ogóle nie powinno się wydarzyć. Nie powinnam do tego dopuścić. Tak samo jak nie powinnam pozwolić, żeby Tosia się do ciebie przywiązywała.

– A może ja nie widzę w tym nic złego?

– Ale to ja jestem jej matką – nabrała powietrza – i ja decyduję, co dla niej będzie dobre.

– Nie mówiłem tylko o Tosi. – Wiktor cmoknął krótko. – Może na przykład chciałbym się przywiązać do ciebie albo ciebie do siebie?

– Zwariowałeś. – Machnęła ręką, jakby opędzała się od tej absurdalnej możliwości.

– Joanna, wystarczyło tylko zdjęcie domu, żebyś aż tak się wycofała, czy chodzi o Tomasza? Może przede wszystkim o Tomasza? – Ujął ją lekko za ramiona. – Co się zmieniło od tamtego razu? Chciałbym zrozumieć.

– Nie chodzi o Tomasza – odparła, czując się przyciskana do muru. – Wiktor, umówmy się, że tamtego razu nie było, zapomnijmy o nim. Nie byłam…

– Teraz to ty zwariowałaś – wszedł jej w słowo. – Zabrałaś mnie w kosmos i mam o tym zapomnieć?

– Nie byłam wtedy sobą – dokończyła poprzednią myśl.

– A kim?

– Nie wiem, co mnie… opętało – zająknęła się. Odwróciła głowę, by nie patrzeć w jego ciemne oczy nad sobą. – To było zauroczenie, fascynacja, nie potrafię powiedzieć. Widać oboje tego potrzebowaliśmy w tamtym momencie, ale nie możemy tego dłużej ciągnąć.

– Czego ty się tak boisz? Mnie? Tego, jak wyglądam? – dociekał. W jego głosie pobrzmiewał lęk połączony z zawodem.

– I kto tu z nas zwariował? – odbiła piłeczkę.

– Nic już nie rozumiem. – Bezradnie przesunął ręką po włosach.

– To po prostu nie ma… przyszłości. Przepraszam, jeśli czujesz się przeze mnie wykorzystany, jednak to niczego między nami nie zmieni – oświadczyła zdecydowanie.

Gwałtownie wypuścił powietrze z ust, chciał coś powiedzieć, ale z dołu doleciało niecierpliwe wołanie Teresy:

– Obiad!!!

– Musimy iść, inaczej zaraz tu wparuje. – Wiktor odwrócił się na pięcie. – Potem dokończymy naszą rozmowę, według mnie nie jest jeszcze skończona.

A według mnie jest, odrzekła w duchu Joanna. Zachowała jednak to stwierdzenie dla siebie, wolała, by nikt z siedzących przy stole nie odgadł ich tajemnicy. Wiktor usiadł obok niej i zachowywał się w miarę swobodnie, lecz jego bliskość ją krępowała.

Te przypadkowe zetknięcia ich ramion, kolan, jego ręka na jej plecach niby w zwykłym przyjaznym geście, jego oczekiwania i jej wycofanie – wszystko to razem wzmagało napięcie Joanny.

W trakcie obiadu, między delektowaniem się pieczenią w żurawinowym sosie a luźnymi uwagami, omawiano jakieś fundacyjne sprawy.

– Właściwie zarząd zebrał się z pani powodu – poinformował Joannę mecenas Dębski.

– Z mojego?

– Oczywiście, Tadziu, podaj to, o czym wiesz – zwróciła się do pułkownika Teresa. Ten wyjął z torby przewieszonej przez oparcie ławy paczuszkę i przekazał ją adwokatowi.

– Zgodnie z uchwałą zarządu fundacji „Kocham Cię, Życie" w składzie... – tu Dębski wymienił nazwiska – ...przekazuję pani oficjalnie dziesięć procent od znaleźnej sumy w postaci piętnastu tysięcy czterystu złotych. – Położył przed Joanną kopertę.

– Słucham? – spytała oszołomiona.

Tego się nie spodziewała. Prócz dolarów od Adama miała w portfelu nie więcej niż trzysta złotych. Zasiłek otrzyma dopiero za kilka dni. Oddając znalezione pieniądze, nie upomniała się o te dziesięć procent, gdyż było jej zwyczajnie wstyd, a tymczasem spotkało ją coś takiego.

– Pani pozwoli, że przeczytam teraz stosowną uchwałę, żeby formalnościom stało się zadość. – Mecenas Dębski wyjął z teczki dokument i odczytał jego treść, kończąc: – ...pieniądze, w wyżej wymienionej kwocie, zostały przekazane znalazcy w formie gotówkowej w obecności wszystkich członków zarządu. Reszta datku, zgodnie z jednogłośną wolą zarządu fundacji, została przelana na konto Ignacego Janeczko na operację kończyn. – Położył papier na stole. – Proszę państwa o podpisy.

Pierwsza po długopis sięgnęła Marta.

Trzymała go oburącz przed sobą kikutami bez palców i starannym pismem o nieco chwiejnych liniach zaczęła podpisywać uchwałę. Robiła to powoli, kaligrafując każdą literkę. Jakże trudno jej było napisać tamten list, uzmysłowiła sobie w tym momencie Joanna. Ile nie tylko serca, ale i wysiłku musiała włożyć w każde słowo. Jeśli naprawdę istnieją anioły, to ty nim dla mnie jesteś; Joanna z czułością patrzyła na siwiuteńką głowę staruszki. Potem dokument podpisała reszta, a na końcu Joanna.

– Ja doprawdy nie wiem, czy powinnam... – zaczęła, trzymając długopis nad kartką.

– Podpisz, Joasiu, to nasza wspólna decyzja. – Marta uśmiechnęła się zachęcająco. – Tylko czekaliśmy, aż Karol przyjedzie, żeby w papierach się zgadzało.

– Skoro tak, to bardzo wam wszystkim dziękuję. – Joanna objęła wzrokiem pięcioro życzliwych ludzi przy kuchennym stole, przytuliła do siebie córeczkę i też podpisała uchwałę.

– A wieczorem będziemy świętować – dodała Marta. – Zostaniesz, Karolku, na noc?

– Jak zwykle możesz spać u mnie – wtrącił pułkownik. – Chyba po głębszym nie wsiądziesz za kółko?

– W sumie... – mecenas podrapał się palcem w szpakowatą skroń – mógłbym przenocować. Wokandy jutro nie mam, najwyżej później pójdę do kancelarii. Irena z Marylą i tak wracają z Krakowa dopiero za tydzień.

– No, to ustalone – ucieszył się Tadeusz Chmura – ponieważ szykuje nam się mała uroczystość. Wypada uczcić tę uchwałę.

– Na nas czas. – Wiktor wstał od stołu. – Tośka, kurtka na grzbiet i znikamy.

– Mamusiu, pomóż mi, szybko – powiedziała Tosia z buzią wypchaną ziemniakami.

– No co ty, Tośka? – zaoponował. – Chcesz jechać ze mną na przegląd, a sama się nie ubierzesz? Z maluchami się nie zadaję – zażartował.

Dziewczynce nie trzeba było dwa razy powtarzać.

– Ja sama, mamusiu. – I od razu pognała do sieni.

Joanna obserwowała, jak córeczka ubiera się sprawnie, bez marudzenia i po chwili, w krzywo wsuniętej czapce, nierówno owinięta szalikiem, dumna z siebie pomaszerowała obok Wiktora do micry. Odwróciła się jeszcze i z zadowoleniem pomachała im na pożegnanie. Kiedy odjechali, Joanna zaczęła zbierać naczynia ze stołu.

– Czujecie, jak pachnie? – Teresa wciągnęła głęboko przez nos unoszący się w powietrzu zapach męskiej wody. – Tadzio używa old spice'a, Karol nieśmiertelnego fahrenheita, a to jakby cedr i piżmo. Pamiętacie, żeby kiedykolwiek nasz Wiktor się perfumował? I obdarty mniej chodzi, nosi koszule zamiast tego złachanego swetra. A ta w krateczkę to chyba nowa. Ładnie mu w tych kolorach. Pali też mniej i łazienkę częściej blokuje, nawet brodę zaczął modnie przystrzygać, a wcześniej jak dzik chodził zarośnięty. I rozmowny się zrobił, więc albo wiosna mu zaszumiała w głowie, albo... – urwała i mrugnęła do Joanny.

– Miłość – dokończył szeptem pułkownik i też na nią spojrzał.

– Żarty was się trzymają – mruknęła. Stanęła przy zlewie i zaczęła zmywać, by nie dostrzegli jej zmieszania.

– Co ta wiosna z ludzi robi! – Pan Karol zabawnie przewrócił oczami i nałożył sobie na talerzyk kawałek ciasta.

– Mili moi. – Marta upiła łyk kompotu. – Przygadujecie Wiktorowi, a sami na siebie patrzycie jak dwa gołąbki na dachu. Da Bóg, to jeszcze na waszym weselu zatańczę. Już tyle lat się znacie, czas pierścionek wybierać, pułkowniku, pókiś jeszcze młody.

– Oczekuję na brylant z szafirami – oświadczyła figlarnie Teresa. – Tadziu, póki się do końca nie zestarzałeś i siedemdziesiątki nie przekroczyłeś, wybierz się wreszcie do jubilera.

– Nawet jeszcze dziś. – Skłonił się przed Teresą. – Joasiu, a swoim się nie martw. Po obiedzie wznowimy poszukiwania. I daruj nam te dowcipy, ale z wiosną w każdym krew żywiej krąży, to i głupoty czasem się plecie.

– Nie gniewam się, wiem, że to tylko żarty – odpowiedziała lekko. Wytarła do sucha zlew i ręce i odwiesiła ścierkę. – Przejdę się trochę. Powinnam się dotlenić i chcę odwiedzić groby.

– O, widzisz! – Marta klepnęła ręką w kolano. – Dla mnie trochę dziś za ciężko, ale weź, dziecinko, znicze, skoro tam idziesz, i zapal w moim imieniu.

– Chętnie przejdę się z panią, Joanno. – Mecenas też wstał i poklepał się po odstającym nieznacznie brzuchu. – Powinienem się więcej ruszać. Mogę pani towarzyszyć?

– Będzie mi miło.

Leśnym duktem spływały resztki śniegu. Mróz już puścił i droga zamieniła się w błotną maź. Miejscami stała woda w wyżłobionych koleinach, powietrze pachniało wilgocią, ale też nadciągającą wiosną. Czuło się ją w raźniejszym śpiewie ptaków i lżejszym powiewie wiatru. Niebo było jeszcze szare, bez kawałka błękitu, ale zieleń lasu ożywiała monotonny pejzaż.

Prowadząc luźną rozmowę, doszli do grobów. Joanna na każdym zapaliła znicz.

– Nawet nie jestem sobie w stanie wyobrazić – powiedziała zadumana – co oni wszyscy musieli czuć. Uciekali, by ratować życie, a spotkała ich śmierć.

– Tak. – Mecenas westchnął. – Wielka tragedia się tu wydarzyła. Dobrze, że spisuje pani wspomnienia Marty. Ludzie powinni o tym pamiętać. Wiele jest takich nieodkrytych jeszcze faktów, które należy wyciągnąć na światło dzienne i odkłamać historię, by nadać jej prawdziwy wymiar.

– Ma pan rację – odrzekła, nasunąwszy na głowę kaptur czerwonej kurtki. – Zwłaszcza dopóki żyją ci, którzy to pamiętają. Mój wuj też przeżył wojnę, ale nie chce do tego wracać. Właściwie to nic nam nigdy nie powiedział. Uważa, że tamte sprawy powinno się głęboko zakopać.

– Nie zgodzę się z tym. Trzeba głośno mówić o wojennych okrucieństwach, nie tylko ku pamięci, ale też ku przestrodze. Mamy szczęście żyć w spokojnych czasach, lecz nic przecież nie jest dane raz na zawsze.

– Sama się przekonałam, że nic nie jest dane raz na zawsze. – Joanna brnęła po błotnistej ścieżce.

– No właśnie. – Mecenas dotknął jej ramienia. – Marta trochę mi wspominała o pani sytuacji. Proszę się na nią nie gniewać, zrobiła to z czystej życzliwości. Może mógłbym jakoś pani pomóc, Joanno?

– Nie stać mnie na adwokata, panie Karolu. Te pieniądze, które dziś od państwa wspaniałomyślnie dostałam, to jak koło ratunkowe.

– Pani Joasiu – życzliwie ścisnął ją za ramię – nie rozmawiajmy teraz o moim honorarium. Proszę mi pokrótce opowiedzieć o swoich kłopotach. Przejdziemy się jeszcze trochę? – Wskazał drogę w stronę Tylkowa. – Chyba tamta ścieżka jest trochę suchsza. A teraz zamieniam się w słuch.

No więc opowiedziała, gdy tak szli niespiesznie pomiędzy wysokimi drzewami. Dębski słuchał w skupieniu. Raz czy dwa zadał krótkie pytanie. Joanna starała się mówić o tym wszystkim bez emocji, ale nie dała rady zachować spokoju. Głos jej się niekiedy łamał, a oczy wypełniały łzami, kiedy skrupulatnie, nie pomijając niczego, przedstawiała prawnikowi swoją sytuację.

– I tak to wygląda. – Westchnęła na koniec. – Beznadziejnie, prawda?

Mecenas cmoknął krótko, a potem odrzekł, ważąc słowa:

– Za mało wiem, to znaczy nie mam żadnych dokumentów, żeby stwierdzić to tak autorytarnie, ale nie będę ukrywał, że skoro formalnie wszystko obciąża panią, nie będzie łatwo tego wyprostować. Jak ta sprawa wygląda na dziś? Kiedy ostatnio rozmawiała pani z komornikiem?

– Był przed świętami u wujostwa i od tego czasu cisza. Nie wiem, jak to teraz wygląda, i chyba wolę nie wiedzieć – powiedziała zrezygnowana.

– Mogę zrozumieć taką postawę, ludzie czasem tak reagują, grają na zwłokę, ale to błędna niekiedy droga. Unikanie problemu go nie rozwiąże, tylko może nas bardziej pogrążyć. Myślę, że w tej sytuacji trzeba będzie się dogadywać z wierzycielami. Być może pójdą na długie układy ratalne albo odstąpią od windykacji i wpiszą straty w koszty. Powinniśmy też jak najszybciej zaocznie przeprowadzić pani rozwód z mężem, aby już więcej nie mógł zaszkodzić. Sąd przyzna dziecku alimenty, więc będzie pani miała trochę pieniędzy. I proszę też pamiętać, że jeśli jest pani nieściągalna, to komornik umarza egzekucję. Tyle tak na szybko mogę pani powiedzieć bez oglądania dokumentów. Prawo chroni też dłużnika, nie tylko wierzycieli, choć ci mają lepszy oręż w ręku. Ale jeśli uczyni mnie pani swoim pełnomocnikiem, to spróbujemy powalczyć. Chodzą słuchy, że ma być znowelizowana ustawa o upadłości konsumenckiej, więc może to też będzie jakaś szansa? Proszę w przyszłym tygodniu przyjść do mnie do kancelarii ze wszystkimi dokumentami i zaczniemy działać z kopyta.

– Dobrze, tylko nie wiem, czy te papiery są kompletne. Zabrałam je jesienią z biura męża, zapakowane w kartony, coś tam przejrzałam, ale zupełnie się w tym nie orientuję. Mój mąż zajmował się wszystkim.

– Proszę przynieść, co pani ma. Jakoś to ogarniemy.

– Panie mecenasie, a... – zająknęła się Joanna. – Ile pan by policzył za taką usługę?

– Hmm... – Zmarszczył brwi. – No cóż, skoro pani aż tak nalega, to powiem. Być może panią urażę, ale czy nie będzie to nadużycie, jeśli w ramach mojego honorarium przejdziemy na ty?

– Proszę ze mnie nie żartować. – Aż przystanęła na ścieżce i z niedowierzaniem patrzyła na życzliwą twarz niewysokiego mężczyzny przed sobą.

– Ależ ja wcale nie żartuję, Joanno. – Mecenas przyłożył rękę do piersi. – Jesteś dla mnie teraz jak rodzina, skoro przyjaźnisz się z Martą i resztą. Nie ma takiej sprawy, której dla nich byśmy nie poprowadzili, ani ja, ani moja żona, za tyle dobra, które nam okazali. Jesteśmy ich dłużnikami. To jak, przyjmujesz moją ofertę? – spytał. Zdjął rękawiczkę i wyciągnął rękę.

– Nawet nie wiesz, jak bardzo jestem ci za nią wdzięczna. – Joanna, ochłonąwszy nieco, uścisnęła dłoń Karola, a także jego samego. – Naprawdę przywiódł mnie do was Anioł Stróż. Inaczej nie mogę sobie tego wytłumaczyć.

– Chyba wiem, co masz na myśli. – Dębski uśmiechnął się ciepło. – Znasz moją córkę Marylkę?

– Widziałam ją raz, jak jeszcze pracowałam w komisie, śliczna dziewczyna.

– To prawda, ale kto wie, co by się z nią stało, gdyby nie oni. – Wskazał głową za siebie w stronę domu.

– Opowiesz? – spytała, zawracając ku Małszewu.

– To nasze jedyne dziecko – zaczął mówić Karol. – Więc jak się domyślasz, trochę ją rozpieściliśmy. Teraz wiem, że kochać to znaczy też wymagać, a nie jedynie spełniać wszystkie zachcianki, jak my robiliśmy. Widać oboje z Irenką musieliśmy do tego dojrzeć, żeby zrozumieć, gdzie popełniliśmy błędy. Szkoda tylko, że Maryla na tym ucierpiała. Nie stawialiśmy żadnych wymagań ani granic, byliśmy dla niej zbyt pobłażliwi, no i to się zemściło.

– Wydała mi się taka poukładana, pełna dobrej energii.

– To teraz, ale wcześniej był koszmar. – Adwokat pokręcił głową. – Pod koniec gimnazjum zaczęły się kłopoty. Koleżanki, chłopcy, imprezy i tak dalej. Dopóki dobrze się uczyła, przymykaliśmy oczy i nawet nie dopuszczaliśmy do siebie myśli, że nasza córka może próbować jakichś świństw. Wydawało nam się, że dobrze ją wychowaliśmy. Prawdę mówiąc, to oboje z żoną byliśmy zbyt pochłonięci pracą, a Marylka miała przez to dużo swobody. Nawet jak wychowawczyni zwracała nam w szkole uwagę, że Maryla dziwnie się zachowuje, to broniliśmy jej jak lwy, totalnie zaślepieni. Byliśmy przekonani, że skoro ma wszystko, czego dusza zapragnie, to nie ulegnie żadnym pokusom. Tymczasem nasza córcia od dawna popalała zioło, brała amfetaminę, eksperymentowała z innymi paskudztwami.

– Straszne. – Joanna się wzdrygnęła. – Jak się o tym dowiedzieliście?

– Irena przez przypadek znalazła w jej rzeczach podejrzane foliowe torebeczki z proszkiem, no i dopiero wtedy spadły nam klapki z oczu, choć Maryla zapierała się w żywy kamień, że to nie jej. Ale już nie daliśmy się zwieść. Wysyłaliśmy ją na terapię do prywatnych ośrodków, jednak uciekała. Czasem nie było jej po kilka dni, nim odnalazła ją policja. Musiałem się nagimnastykować, żeby jej nie wsadzili do ośrodka dla trudnej młodzieży. Za każdym razem obiecywała poprawę i za każdym wracała do narkotyków. Aż kiedyś, na początku drugiej klasy liceum, którą oczywiście zawaliła, wylądowała w szpitalu, po jakiejś imprezie, ostro przegrzana.

– Boże! – Joanna zacisnęła powieki. – Jak pomyślę, że Tośka kiedyś może mi wyciąć podobny numer, to robi mi się słabo. Jak dobrze, że ma dopiero niecałe sześć lat.

– Dlatego trzeba mądrze kochać i nie rozpieszczać – odparł Dębski. – Byliśmy bezradni. Psychoterapeuta doradził nam twarde posunięcie. Sugerował zamknięty ośrodek terapeutyczny o wysokim rygorze, z dala od domu, i radykalną zmianę środowiska. Posłuchaliśmy.

– Dlatego trafiła tutaj?

– Najpierw na przymusowy odwyk w szpitalu na Sobieskiego, a tu dopiero potem. Chcieliśmy ją oddać do Monaru, ale wybłagała ostatnią szansę. Jesteśmy z Tadziem w jednym kole łowieckim, zresztą znamy się od dość dawna. Wiesz, że był prokuratorem?

– Wiem. Powiedział mi trochę o sobie.

– No właśnie, swojego czasu ludzie go opluwali, ale ja mu ufałem. Kiedyś na polowaniu zwierzyłem mu się z problemów, jakie mamy z córką. To on zaproponował, żeby przywieźć ją tutaj, na to bezludzie. Obiecał, że się nią zajmą. Powiedział mi o Marcie, Wiktorze, Teresie, więc przyjechaliśmy z żoną na rekonesans. Mieliśmy pewne obawy, ale szczerze ci powiem, że od pierwszej rozmowy wiedzieliśmy, że naszej córce dobrze zrobi to miejsce i ci ludzie. Zwłaszcza Wiktor wydał nam się odpowiednim człowiekiem, żeby ją krótko trzymać, a ponieważ się zgodził sprawować nad nią opiekę w naszym zastępstwie, spróbowaliśmy więc i postawiliśmy Maryli twarde ultimatum. Albo Małszewo, nauka, praca i zachowanie bez zarzutu, albo zamknięty ośrodek.

– I wybrała Małszewo, jak się domyślam.

– Tak. Skończyła drugą klasę w liceum w Pasymiu, a maturalną robi już w nowej szkole w Warszawie. Już teraz rozumiesz, dlaczego mówię, że dla tych czworga zrobimy wszystko. Uratowali nasze dziecko i naprawili, co myśmy zepsuli ślepą, bezrozumną miłością.

– Jak dobrze, że się udało – powiedziała przejęta.

– No, nie do razu. Kiedy zobaczyła, że to nie przelewki i musi się stosować do twardych reguł, na początku się buntowała, ale szybko ją tu poskramiano, nie było zmiłuj. Nieraz po awanturze z Wiktorem dzwoniła zapłakana, żeby ją stąd zabrać, że woli nawet więzienie, ale nie ulegliśmy. Miała tu przysłowiowy kij i marchewkę. I na dobre jej to wyszło, choć serce bolało, gdy człowiek słyszał, jak bidulka chlipie w słuchawkę. Tak więc widzisz, Joasiu, nawet miłość do dziecka powinna być rozsądna, z jasno wytyczonymi granicami, inaczej można ponieść sromotną klęskę.

– Z tego, co powiedziałeś, powinnam wyciągnąć wnioski dla siebie, by nie rozpuścić Tosi. Teraz czasem miewa humorki, ale to jeszcze dziecko. Gorzej będzie, gdy zacznie dorastać, a ja przecież jestem… sama.

– Mówią, że najlepsze są doświadczenia empiryczne, jednak nie życzę ci tego, co my przeżyliśmy, a poza tym jesteś jeszcze bardzo młoda, może tak ci się ułoży, że kiedyś nie będziesz sama.

– Po tym, co mi zrobił Tomasz, wyleczyłam się z ochoty na kolejne związki – odparła zdecydowanie. – Wolę polegać tylko na sobie i dobrych ludziach, takich jak ty czy Marta.

– Nigdy nie mów nigdy. – Jej towarzysz znów się roześmiał. – Życie jest nieprzewidywalne. Czasem człowiek coś sobie planuje, układa, a tu nagle wszystko bierze w łeb. O, zobacz, czy to nie Matylda tam idzie? – spytał, gdy dochodzili do krzyżówki.

– Tak, to ona – potwierdziła Joanna, widząc znajomą niewysoką postać, która wyłoniła się zza zakrętu drogi prowadzącej do Łajsu.

– Halo, Matylda! – zawołał Karol.

Kobieta w limonkowej kurtce odwróciła się i zamachała do nich.

– Witajcie, właśnie do was idę – wyjaśniła lekarka, gdy się z nią zrównali. – Zadzwoniła Marta i zaprosiła nas na wieczór. A ponieważ Jacek jest na szkoleniu, poprosiła, żebym wpadła wcześniej pomóc w przygotowaniach, więc zrobiłam sobie spacer – mówiła z zaróżowionymi od chłodu policzkami.

– To tak jak my – odrzekła Joanna. – Byliśmy z Karolem na grobach, a potem przyszliśmy tutaj.

– No właśnie widziałam znicze. A mówiłam, że nie będziesz chciała stąd wyjeżdżać? – Matylda ujęła Joannę pod ramię. – A ciebie co tu sprowadza w środku tygodnia? – zagadnęła Karola.

– Sprawy fundacji, a ściślej wypłata znaleźnego – wyjaśnił.

– Ubiegając twoje pytanie – wtrąciła od razu Joanna, widząc zdumienie na twarzy doktor Niteczki – to ja znalazłam te pieniądze. Stoczyłam małą walkę ze sobą, czy je zwrócić, ale w końcu oddałam.

– Ha! – Tamta aż krzyknęła. – Sama nie wiem, jak bym się zachowała, gdybym to ja znalazła takie pieniądze, ale dobrze, że już po kłopocie. Nie wiecie, o co chodzi z tym spotkaniem u was? Podobno ktoś ma przyjechać.

– Niebawem się dowiemy, drogie panie – odpowiedział mecenas Dębski.

ROZDZIAŁ XXIII

Tego popołudnia w domu Marty zapanowało dziwne podniecenie. Coś wisiało w powietrzu. Marta wyjęła z szafy haftowany biały obrus i nakryła nim stół. Odprawiła też do pokoju Teresę, by wypoczęła po codziennej krzątaninie, gdyż na kolację przyjdzie wyjątkowy gość. Wszyscy domownicy mieli też ubrać się ładniej niż do kościoła.

Joanna przerzucała rzeczy w torbie w poszukiwaniu czegoś stosownego na tę niezwykłą okazję. Nie miała za wiele do wyboru, gdyż zabrała do Małszewa raczej codzienne, sportowe ciuchy, w końcu zdecydowała się na dopasowaną dzianinową sukienkę w niebieskim odcieniu, który najlepiej pasował do jej rudych włosów.

Chciała je zakręcić w spiralki, ale nie wzięła lokówki, więc tylko je wyszczotkowała i ułożyła palcami, usta zaś pociągnęła błyszczykiem. Efekt nie był piorunujący, jednak prezentowała się w miarę atrakcyjnie, stwierdziła, patrząc na swoje odbicie w lustrze. Dopiero ta dopasowana kiecka uświadomiła Joannie, jak schudła przez te kilka miesięcy.

– Ładnie wyglądasz, mamusiu. – Tosia, w różowej sukieneczce, przytuliła się do matki.

– Ty też, skarbie. – Ucałowała córeczkę.

– A kto przyjedzie?

– Nie wiem. – Joanna przygładziła szczotką Tosine loczki. – Musimy już iść.

Gdy zeszły do kuchni, przy elegancko nakrytym do kolacji stole, zastawionym fantazyjnie udekorowanymi półmiskami z jedzeniem, siedzieli prawie wszyscy, eleganccy i odświętni.

Marta, w białej bluzce i granatowych spodniach, miała na szyi perełki. Teresa była w pięknej wiśniowej sukni, lekarka też wyglądała ładnie w brązowym żakiecie. Karol wystąpił w ciemnym garniturze i pod krawatem, nawet Wiktor włożył marynarkę i czarną koszulę. Joanna po raz pierwszy ujrzała go w odświętnym wydaniu i musiała przyznać, że prezentował się wyjątkowo korzystnie. Tylko pułkownika jeszcze nie było.

– No, siadajcie, kochane. – Marta wskazała miejsca przy stole. – Zaraz przyjdzie nasz gość.

– A gdzie Tadeusz? – spytała Teresa. – Zawsze tak punktualny, a teraz go nie ma.

– Przyjdzie, przyjdzie – rzekła uspokajająco staruszka. – Karolu, zakrzątnij się, mój drogi, koło naleweczki, żeby nam się nie ckniło, a ty, Wiktor, nastaw tego grajka, niech nam czas umila. – Wskazała zestaw głośników z magnetofonem umieszczony pod oknem.

Wiktor podszedł do sprzętu i ze stosiku płyt wyjął jedną. Dochodziła osiemnasta, jak pokazywał zegar z kukułką.

– Co tu się święci? Możecie mi powiedzieć? – Teresa wyglądała na zniecierpliwioną, policzki jej spąsowiały z emocji. – Kto ma przyjechać, że takie uroczystości odstawiamy? Książę Karol?

– Dla niego byśmy się tak nie wysilali – odparł ze śmiechem Dębski, napełniając kieliszki nalewką.

Gdy kukułka zakukała sześć razy, w sieni rozległ się szmer, a po chwili do kuchni wszedł Tadeusz Chmura, ale jak odmieniony!

W ciemnoszarym garniturze, śnieżnobiałej koszuli i wiśniowej muszce, falujące włosy miał ładnie ostrzyżone i uczesane. Wyglądał jak starsza wersja Daniela; Joanna dopiero teraz dostrzegła podobieństwo między nimi. W rękach trzymał ogromny bukiet bordowych róż. Wszyscy podnieśli się z miejsc na jego widok. Wiktor włączył płytę i z głośników popłynął walc Barbary z *Nocy i dni*. Paniom momentalnie zamgliły się oczy, panowie też wyglądali na wzruszonych, a najbardziej pułkownik.

– Mamusiu, co się dzieje? – szepnęła Tosia.

– Patrz, córeczko – odszeptała Joanna.

– Oto i nasz oczekiwany gość – oznajmiła Marta.

Przejęty i uroczysty pułkownik podszedł do Teresy i odezwał się lekko drżącym głosem:

– Poza salą sądową nigdy nie wychodziły mi przemówienia. – Odchrząknął, by nabrać pewności siebie. – Dlatego zapytam wprost: Tereniu, czy wyświadczysz mi ten zaszczyt i zostaniesz moją żoną? – Przyklęknął przed nią.

Teresa znieruchomiała. Stała jak posąg z ręką uniesioną do ust. W ciszy rozbrzmiewały dźwięki walca.

– Powiedz „tak", ciociu! – zawołała nagle Tosia. Joanna odruchowo zasłoniła buzię dziecka dłonią.

Wszyscy się roześmiali.

– No oczywiście, że powiem tak! – zawołała równie głośno Teresa.

Pułkownik wyjął z kieszeni marynarki czerwone pudełeczko.

– Brylant jest, tylko bez szafirów – rzekł, uchyliwszy wieczko. – Przyjmiesz uboższą wersję i mnie razem z nią?

– O mój Boże! – wykrzyknęła na widok efektownego pierścionka. Znów na chwilę uniosła rękę do ust, a potem, ochłonąwszy, włożyła go na palec. – Przepiękny! W takim razie, Tadziu, od dziś biorę cię pod swoją komendę. I wstań już z tych kolan, inaczej nie zatańczymy.

Pułkownik wstał, ucałował dłoń narzeczonej, potem usta, a wtedy wszyscy zaczęli bić brawo i pospieszyli z gratulacjami.

– Kochani moi. – Wzruszona Marta ocierała łzy. – Już myślałam, że tego nie doczekam! Tak się cieszę.

– To teraz na zapowiedzi i latem wesele! – huknął mecenas. – Jaka szkoda, że moich dziewczyn tu nie ma.

– Karol, otwieraj szampana! – Wiktor wyjął z lodówki schłodzony alkohol.

Strzeliły korki, bąbelki szumiały w kieliszkach, które wszyscy wznieśli przed sobą.

– To po naszemu, moi mili – zaintonowała Marta.

– Kocham cię, życie! – rozległ się chór głosów przy spełnionym toaście.

– Tego się nie spodziewałam – powiedziała wciąż oszołomiona Teresa, błyskając wokół brylantem. – Prześliczny. Przyznajcie się, wiedzieliście o wszystkim? – Powiodła wzrokiem po obecnych.

– Ja nie. – Matylda zamachała rękami w powietrzu.

– Ja też nie – dodała Joanna.

– Coś mi tam się obiło o uszy – mruknął Wiktor.

– A czy to ważne, Tereniu? – Pułkownik otoczył ją ramieniem. – Liczy się efekt, ale cieszę się, że sprawiliśmy ci niespodziankę. Ten pierścionek kupiłem jakiś czas temu, tylko odwagi mi brakowało, żeby poprosić cię o rękę. Bałem się, że mi odmówisz, w końcu jestem już stary, a ty w kwiecie wieku. – Poczerwieniały mu policzki.

– Z mojego kwiatka płatki już spadają. – Teresa się roześmiała. – Poza tym jesteśmy młodzi inaczej,

Tadziu. Ale ukochanego walca dziś ci nie daruję. – Cmoknęła narzeczonego w policzek.

– Wiem, dlatego musiał zabrzmieć tego wieczoru. Wiktor, bądź tak miły i nastaw go jeszcze raz. Chcę zatańczyć z narzeczoną.

– Robi się.

Po chwili wirowali oboje na środku kuchni. Pułkownik okazał się świetnym tancerzem, jakby całe życie niczego innego nie robił. Teresa zdawała się płynąć lekko, ledwo dotykając stopami desek.

Między tańcami i śpiewem, w szampańskich nastrojach biesiadowali do późna. Tosi kleiły się już oczy, ale jeszcze nie dała się zagonić do łóżka. Podskakiwała pośród tańczących i goniła za kotem, a w przerwach zasypywała Joannę pytaniami.

– Mamusiu, a co to znaczy oświadczyć? – Zziajana wskoczyła jej na kolana.

– To właśnie taka chwila, kiedy mężczyzna pyta kobietę, czy zostanie jego żoną. Tak jak wujek spytał ciocię – wytłumaczyła i cmoknęła spocone czółko córeczki.

– A tatuś ciebie też tak spytał?

– Podobnie. – Joanna poczuła nieprzyjemne ukłucie na wspomnienie oświadczyn Tomasza. Była najszczęśliwsza na świecie, kiedy po wspólnych wakacjach w Paryżu włożył jej na palec pierścionek, który tej zimy zastawiła w lombardzie.

– I potem ciocia się ożeni z wujkiem i będą mieli dzieci? – chciała wiedzieć dziewczynka.

– Wypluj to słowo! – rzuciła przez ramię Teresa, dolewając sobie nalewki. – Na dzieci jesteśmy za starzy, kwiatuszku, wystarczy ślub. Joanno? – Uniosła butelkę zapraszającym ruchem.

– Nie piję przy małej. – Joanna pokręciła głową. – Tosiu, już późno, idziemy spać.

– Jeszcze nie, mamusiu, a ty ożenisz się z wujkiem Wiktorem?

– Kobiety wychodzą za mąż, to mężczyźni się żenią. Nie, nie wyjdę za wujka. I wystarczy już tych pytań – odparła, czując na sobie ciekawskie spojrzenia. Przy stole nagle zapadła cisza.

– Dwa śluby za jednym zamachem… – Lekko wstawiona Teresa zachichotała. – Tadziu, trzeba było zrobić dubeltowe oświadczyny.

– Jeszcze da się to nadrobić – rzekł pułkownik. – Wiktor, odwagi, przyjacielu. Buchaj na kolana przed damą, może zostaniesz przyjęty.

– Możecie już przestać? – Joanna lekko się zirytowała tymi sugestiami podpitego towarzystwa.

– Dosyć, moi kochani. – Marta przyszła jej w sukurs. – Nie należy stroić sobie żartów z ważnych spraw. Karolu, sałatki jeszcze? Matyldo, proszę się częstować. Toć w taką uroczystość nie grzech sobie pofolgować.

– A potem i spacery nie pomogą – stwierdziła zmęczona tańcem lekarka, której nie opuszczał rozweselony alkoholem mecenas Dębski.

– Takie żarty to też nic zdrożnego. Ostatecznie wszystko zostaje w rodzinie, patrzcie, jak chłopak się cieszy. – Adwokat wskazał na uradowanego czymś Wiktora i uniósł w górę kieliszek. – Zdrówko, panie i panowie!

Wiktor wychylił swój, zerknął raz i drugi na Joannę, po czym wstał. Lekko tanecznym krokiem okrążył stół i przed nią klęknął.

– Rudzielcu, zamknij oczy i wystaw rękę, skoro już przed tobą klęczę – powiedział uroczystym tonem i wyciągnął ku niej zaciśniętą dłoń.

– Wiktor, uspokój się – syknęła wściekle Joanna, za to Tośka klaskała w rączki i popiskiwała z emocji.

– Choć raz zrób, o co proszę – nalegał.

– O matko z córką! – Teresa zamrugała. – On po raz pierwszy o coś prosi, zamiast rozkazywać. Albo świat się kończy, albo już sobie zdrowo podchmielił.

– Mamusiu, zamknij oczka. – Tosia dotknęła paluszkami powiek Joanny, gdy Wiktor wciąż przed nią klęczał.

– Co ty wyprawiasz? – Pochyliła się w jego stronę. – Po co ten cyrk?

– Chcę ci dać pierścionek – odparł niewinnie.

Teresa znów parsknęła, a pozostali zrobili znaczące miny. Joanna, by mieć za sobą to przedstawienie, zamknęła oczy i wyciągnęła przed siebie rękę. Poczuła, jak Wiktor bierze jej dłoń w swoją i coś na niej kładzie.

– Zadowolona? – spytał.

Otworzyła oczy i zobaczyła w swojej dłoni sygnet wuja.

– Bardzo – ucieszyła się. – Gdzie go znalazłeś?

– W moim samochodzie na tylnym siedzeniu. Musiał ci spaść, gdy wracaliśmy z Warszawy, rzemyk się rozwiązał.

– Pewnie tak. – Joanna zamknęła w dłoni odzyskaną zgubę. – Wstań, nie klęcz już.

– Nie było rozkazu – powiedział tonem podkomendnego.

– Naprawdę zachodzą tu historyczne zmiany – pułkownik pokręcił głową – skoro i Wiktor oddaje się pod damskie rozkazy.

– Wypijmy za to – podsumował mecenas. – Kobiety to jednak lepszy gatunek niż my, panowie.

– A ty, biedaku, dopiero teraz to odkryłeś? – Teresa poklepała go po plecach.

– Przepraszam na chwilę, muszę położyć Tosię. – Joanna wstała.

Trwało to dłuższą chwilę, nim dziewczynka dała się uśpić. Było grubo po północy, kiedy Joanna jeszcze raz zeszła na dół, by pożegnać towarzystwo, nucące cicho biesiadny repertuar. Przewagę miały męskie głosy, z zapałem wyśpiewujące *Hej, sokoły*. W sieni Matylda ubierała się do wyjścia.

– Muszę już wracać do domu – powiedziała, zachwiawszy się lekko.

– Jak wracać? Pieszo? – Joanna pomogła jej wsunąć ręce w rękawy.

– To tylko parę kilometrów, przewietrzę się, trochę mi szumi w głowie, a jutro muszę do pracy.

– Nigdzie nie pójdziesz sama po nocy przez las – zaprotestowała Joanna.

– To znajomy las.

– Za dnia. Nocą może być mniej znajomy, zwłaszcza jak komuś szumi w głowie. – Sięgnęła po kurtkę. – Odwiozę cię.

– Naprawdę? Kochana jesteś. – Matylda objęła ją serdecznie. – A ty nie piłaś?

– Nigdy nie piję przy Tosi, taką mam zasadę. – Zdjęła z wieszaka torebkę i wyjęła kluczyki od micry.

Do sieni zajrzała Marta.

– Odwiozę Matyldę do domu – wyjaśniła Joanna.

– Dobrze, Joasiu, tylko jedź ostrożnie. A może Wiktor czy Karol z wami pojedzie? Zawsze to raźniej jechać lasem w więcej osób – powiedziała z troską.

– To blisko, poza tym teraz nie będzie z nich większego pożytku. – Joanna wskazała głową na kuchenne drzwi, za którymi rozbrzmiewało *Hej, szalała, szalała*, wykonywane bardzo rozciągniętymi głosami.

– Racja. – Marta uśmiechnęła się wyrozumiale. – Ale w taką uroczystość żal byłoby ich za to łajać. Ja już się położę, za długo tak siedzieć dla mnie starej.

– Śpij dobrze, zaraz wracam i też się kładę.

Ranne roztopy nocą ściął mróz. Woda, która w dzień stała w koleinach, zamieniła się w lód.

Joanna jechała ostrożnie, lecz samochód i tak ślizgał się na drodze. Matylda przysypiała z głową opartą o boczną szybę.

Nocna jazda przez las miała w sobie coś ekscytującego. Drzewa oświetlane reflektorami chwilami miały inne kształty niż w rzeczywistości. Rozbudzona wyobraźnia potęgowała nastrój niesamowitości. Raz czy drugi coś zamigotało między drzewami, dwa zielone punkciki. Chyba lisy, pomyślała Joanna, skręcając na Łajs.

Włączyła radio; lokalna stacja grała jakiś utwór, który Joanna słyszała po raz pierwszy. Od refrenu nuciła sobie razem z zespołem Czerwony Tulipan – przeczytała tę nazwę wyświetloną na panelu radia.

Powinien być prosty jak zegarek świat,
Po każdym „tik" byłoby „tak".
Żeby wszystko jak w zegarku,
Od dziewiątki do dziesiątki,
Jedenastki i dwunastki,
To by człowiek nosił maski,
Zamiast niszczyć twarz na wichrze.
Żeby wszystko jak w zegarku,
Po trzynastej jest czternasta,
To by sercem tak nie szastał,

To by miał sumienie czystsze.
Powinien być prosty jak zegarek świat,
Po każdym „tik" byłoby „tak"...

Jakie to prawdziwe, zadumała się nad słowami piosenki, która skończyła się zbyt wcześnie. Proste, a genialne. Tak, uczucia też powinny być proste jak zegarek, kochasz albo nie kochasz, kłamiesz albo mówisz prawdę. Odchodzisz bądź zostajesz, a nie umykasz ukradkiem. Dlaczego nam się ułożyło inaczej? – znów poczuła budzący się w sercu żal. Pewnie te oświadczyny tak mnie rozstroiły, pomyślała.

Gdy dojechały na miejsce, pomogła rozespanej Matyldzie wydostać się z auta, podprowadziła ją do drzwi domu i wsiadła z powrotem do ciepłego samochodu. Nocne powietrze w niczym nie przypominało tego rannego powiewu wiosny. Wilgotny ziąb przenikał do szpiku kości. Minęła krzyżówkę i wyjechała na drogę wiodącą do Małszewa, gdy wtem przez drogę przebiegła sarna. Joanna przyhamowała gwałtowniej. Micrą szarpnęło na tyle, że otworzył się schowek i wypadło z niego niebieskie etui. Dokumenty rozsypały się na mokrej wycieraczce przed fotelem pasażera. Joanna zatrzymała auto, włączyła światło w kabinie i zaczęła zbierać papiery samochodu i różne szpargały, które Ewa powtykała w przegródki.

Spośród jakichś starych rachunków wypadła fotografia. Joanna podniosła ją i zbliżyła do światła. Wystarczył jeden rzut oka na zdjęcie, by zatrzepotało w niej serce. Miała wrażenie, że ziemia usuwa jej się spod stóp. Na fotografii był Tomasz z... Ewą.

Przyjaciółka miała jeszcze wtedy krótką fryzurę, więc musiało to być gdzieś tak z pięć lat temu. Objęci, całowali się na jakiejś kanapie we wnętrzu, którego Joanna nie mogła rozpoznać. Wyglądało na to, jakby ktoś zrobił im zdjęcie z zaskoczenia, a pocałunek był wyjątkowo namiętny. Po drugiej stronie fotografii widniało jedno zdanie napisane przez Tomasza: „Żebyś nie zapomniała".

Joanna na chwilę przestała oddychać, jakby coś unieruchomiło jej płuca. Przestała myśleć, jakby też wyłączył się mózg, a działało tylko serce. Mniej bolała ją zdrada Tomasza niż Ewy. Nawet ty? Nawet ty mnie zawiodłaś?

Krew uderzyła jej gwałtownie do głowy. Przygryzła wargi i podarła zdjęcie w drobny mak. Zaręczynowa kolacja podeszła jej do gardła. Wysiadła z samochodu, który nagle zakołysał się jak łódka, i zwymiotowała.

A później, w przypływie nagłego szału, zaczęła z całej siły okładać pięściami maskę micry, jakby to była Ewa, Tomasz i wszystko razem, co zebrało się w jedno wielkie rozczarowanie.

*

Wiktor obudził się z obolałą głową i nieznośną suchością w ustach. Dawno nie przesadził tak z alkoholem. Jeszcze trochę latały mu obrazy przed oczami. Sięgnął po komórkę przy łóżku i sprawdził godzinę. Dopiero minęła szósta rano. Odrzucił kołdrę i z pewnym wysiłkiem, gdyż ból pulsował gdzieś pod czaszką, wstał z łóżka. Na zewnątrz było jeszcze ciemno. Nie włączył światła, by nie raziło go w oczy, i potykając się o porozwalane ubrania, wygrzebał ze sterty ciuchów w szafie dresowe spodnie, bluzę, wsunął bose nogi w pierwsze z brzegu buty i zszedł do kuchni po wodę. Po nocnej imprezie nie było już śladu. Wszystko zostało dokładnie posprzątane.

– Krasnoludki – mruknął pod nosem i opróżnił duszkiem pełną szklankę wody. Wyłuskał jeszcze z folii tabletkę na kaca, rozpuścił i wypił od razu. Zamierzał wrócić do łóżka, by dojść do siebie, ale do kuchni weszła Marta.

– O, jak dobrze, że już wstałeś, nawet miałam cię obudzić.

– Stało się coś? – spytał i przeciągnął się z potężnym ziewnięciem. – Chcę się jeszcze położyć przed pracą.

– Trochę się martwię o Joasię. – Staruszka usiadła przy stole.

– Co z nią?

– W nocy odwiozła Matyldę i jeszcze nie wróciła, a mówiła, że zaraz będzie z powrotem. Jak się obudziłam przed szóstą, to spojrzałam w okno, ale nie ma samochodu Joasi.

Wiktor przemył twarz zimną wodą, natarł nią kark, by odpędzić senność i pobudzić myślenie.

– Może śpi u Matyldy? – podsunął, przerzuciwszy ręcznik przez szyję.

– Nie zostawiłaby dziecka samego, ona nie z takich.

– O której wyjechała?

– Jakoś tak koło pierwszej było.

– Pięć godzin – mruknął. – Może wróciła, tylko nie słyszałaś? Zaczekaj, sprawdzę.

Przeskakując po dwa stopnie naraz, wpadł na piętro i ostrożnie zapukał do drzwi Joanny. Odpowiedziała mu cisza. Włożył głowę w szparę. Tośka spała jak zabita, kołdra była zsunięta na podłogę. Przykrył małą i rozejrzał się po pokoju. Na stoliku leżała komórka Joanny. Wstąpił jeszcze do siebie po telefon i wrócił do kuchni. Marta parzyła kawę.

– Nie ma jej. – Przesunął ręką po włosach. – Zadzwonię do Matyldy, może jednak u niej przenocowała.

– Zadzwoń, mój drogi, będziemy spokojniejsi. – Staruszka przeniosła kubki na stół.

Wybrał numer lekarki, ale od razu włączyła się poczta.

– Nie odbiera, jadę tam – zdecydował od razu.

Wypił kilka łyków gorącej kawy, ubrał się i wyszedł na chłodny poranek. W pierwszym impulsie chciał wskoczyć do dżipa, ale wolał nie ryzykować po nocnym piciu. Spacer dobrze mi zrobi, uznał i ruszył szybkim marszem w stronę lasu. Rześkie powietrze przywróciło mu trzeźwość umysłu.

Doszedł do końca wsi, gdy zobaczył, jak ścieżką znad jeziora wraca Joanna. Nawet w półmroku budzącego się dnia rzucały się w oczy jej rude włosy. Ona też go dostrzegła i zwolniła kroku. Wyglądało to tak, jakby chciała się cofnąć tam, skąd przyszła. Przez chwilę się wahała, w końcu ruszyła w jego stronę.

– Lubisz poranne spacery – powiedział, gdy się zrównali. Była zapuchnięta od płaczu, oczy miała czerwone i rozmazany tusz. Teraz naprawdę się zaniepokoił. – Joanna, co się stało?

Nachylił się i chciał ją objąć, ale się odsunęła.

– Dlaczego po każdym „tik" nie przychodzi „tak"? – spytała. Niby patrzyła na niego, ale wzrok miała nieobecny.

– Bo świat nie jest prosty jak zegarek – odparł.

Dopiero teraz spojrzała na niego przytomniej.

– Znasz tę piosenkę?

– Znam. Nawet lubię. Powiesz mi, co się stało? Gdzie twój samochód? – dopytywał się, coraz bardziej zaintrygowany nagłą zmianą, która w niej zaszła.

– Nie jest mój.

– Wiem, ale gdzie jest?

– Niedaleko – powiedziała.

Wyjęła z kieszeni ręce bez rękawiczek i przetarła policzki. Zauważył siniaki i ślady zadrapań na jej dłoniach. Przestał cokolwiek rozumieć.

– Co z twoimi rękami? – indagował. Chciał je obejrzeć, ale wsunęła dłonie na powrót do kieszeni.

– Zawsze tyle pytasz?

– Jeśli sytuacja tego wymaga, to tak. Miałaś zaraz wrócić, a spotykam cię bladym świtem na końcu wsi, masz obite ręce, jesteś zapłakana, samochodu brak, to chyba wystarczające powody, aby zapytać, co się stało – wyjaśnił jej, jak mu się zdawało, racjonalnie. Jednak na twarzy Joanny pojawiło się rozdrażnienie.

– Nie muszę się przed tobą tłumaczyć – oświadczyła, patrząc mu prosto w oczy. Wzrok miała zimny, nieprzystępny. – Jestem dorosła i sama za siebie odpowiadam.

– Posłuchaj. – Położył ręce na jej ramionach. – Chciałem jeszcze pospać, żeby dojść do siebie, ponieważ wczoraj przegiąłem z alkoholem, a o jedenastej mam pilne służbowe spotkanie w Szczytnie, mimo to z bolącą głową zwlokłem się z łóżka, żeby zobaczyć, co się z tobą stało, bo Marta się o ciebie martwiła. Ja zresztą też, jednak mniejsza o to. Nie wymagam, żebyś się przede mną tłumaczyła, ale mieszkasz z nami i zwykła przyzwoitość nakazuje, byś raczyła uprzedzić, że masz fantazję powłóczyć się nocą po lesie, i nie byłoby sprawy – powiedział, może zbyt ostro, ale trochę podnosiła mu ciśnienie tym irytującym dystansem.

Joanna strząsnęła jego ręce z ramion.

– Masz rację – przyznała już zwyczajnym tonem. – Przepraszam, nie powinnam tak się zachowywać. Po prostu nie pomyślałam, że Marta będzie się martwić. Odwiozłam Matyldę i wracałam do domu. Po drodze jednak zostawiłam samochód i kawałek przeszłam pieszo, bo musiałam się… przewietrzyć. Przebudziłam się przed piątą, nie mogłam już zasnąć, więc posprzątałam w kuchni i wyszłam nad jezioro, żeby pobyć ze swoimi myślami. Wiem, powinnam zostawić jakąś wiadomość, ale sądziłam, że zdążę wrócić, nim ktoś się obudzi. Zresztą właśnie wracałam. To wszystko.

– A jednak się tłumaczysz – powiedział żartobliwym tonem, ale Joanna nie zareagowała choćby minimalnym rozchmurzeniem, dlatego zagadnął ją poważnie: – Powiesz mi, co się stało?

– Nic. Pójdę już, Tosia zaraz wstanie – wykręciła się od odpowiedzi.

– Mocno śpi, zaglądałem do niej. Możemy dokończyć naszą wczorajszą rozmowę. Wieczorem nie było klimatu, a teraz…

– Nasza rozmowa jest skończona – przerwała mu. – Nie mam ci nic więcej ani do powiedzenia, ani do zaoferowania. Zdarzył nam się tylko incydentalny seks, kilka pocałunków i to wszystko. – Zrobiła w powietrzu niekreślony ruch ręką.

– Kogo ty chcesz oszukać? Mnie czy siebie? – Patrzył na nią przenikliwie, jakby chciał prześwietlić jej myśli. – Jestem facetem, lubię proste komunikaty, nie znam się na tych damskich niuansach, gdzie „nie" znaczy „tak" i na odwrót. Powiedz konkretnie, o co chodzi. Czymś cię zniechęciłem czy będziemy teraz odgrywać wierszyk o żurawiu i czapli albo historyjkę „chce, a boi się"?

– Ani wierszyk, ani historyjka, po prostu... złe doświadczenia. Proszę, nie męcz mnie już dłużej. Przynajmniej nie teraz.

Tyle było żalu w jej głosie, twarzy, pochyleniu ramion, że poruszony tym ogólnym przybiciem Wiktor ustąpił.

– W porządku – odrzekł spolegliwie. – Wracajmy do domu, zmarzłaś.

– Wiktor...

– Tak?

– Czy mógłbyś... – urwała. Włożyła rękę do kieszeni i wyjęła kluczyki. – Czy mógłbyś przyprowadzić samochód? Stoi za drugim zakrętem, niecałe dwa kilometry stąd. – Wskazała głową w stronę lasu. – Bardzo cię o to proszę, na razie nie dam rady do niego wsiąść.

– Jasne, nie ma sprawy, ale nie wyglądasz na wstawioną.

– Dziękuję – znów zignorowała jego żart. – Wracam dziś do Warszawy, pójdę się trochę przespać przed drogą.

Dziś? Do Warszawy? To niemożliwe, chyba się przesłyszał, ta wiadomość nieprzyjemnie go zakłuła. Czegoś takiego zupełnie się nie spodziewał.

– Joanna... – Ujął w dłonie jej zimne policzki. – Dlaczego chcesz dziś jechać?

– Muszę.

– Wcale nie musisz.

– Tak zdecydowałam i nie zatrzymuj mnie – powiedziała z taką determinacją, że naraz poczuł, jak coś dławi go w gardle.

Nie mógł znieść widoku, gdy się od niego oddalała i prędko szła w stronę domu.

Odwrócił się i poszedł po ten przeklęty samochód. Miał przynajmniej zajęcie, żeby nie dać się opanować złości, że ona dziś stąd wyjedzie. Gdy pogrążony w niewesołych myślach doszedł do micry, od razu zauważył kilka drobnych wgnieceń na masce, których jeszcze wczoraj nie było. Pocierał palcami kąciki oczu, starając się pojąć cokolwiek z tej sytuacji.

Spojrzał w dół. Przy kole leżały kawałki podartego zdjęcia. Podniósł parę większych skrawków, wsiadł do auta, włączył światło i próbował cokolwiek na nich zobaczyć.

Jako tako mógł rozróżnić męski but i nogawkę spodni, chyba czerwoną sukienkę i fragment krótkiej blond fryzury, ale raczej damskiej.

Dlaczego podarła to zdjęcie i była taka zapłakana? Czyżby ta psiapsióła wycięła jej jakiś wredny numer? Przecież gdyby ten gość na zdjęciu był Joannie obojętny, nie zareagowałaby w taki sposób. To znaczy, że chyba to ten jej mąż, a to znaczy, że ona chyba pomimo wszystko wciąż go... kocha, myślał, czując ćmiący ból w okolicy czoła.

Odchylił do tyłu głowę i w ciasnym samochodzie, w którym nawet przy maksymalnie cofniętym fotelu kolana miał na kierownicy, analizował swoje, jak przypuszczał, odkrycie. Musiał się spokojnie zastanowić, co dalej, tylko niech ten łeb przestanie mu pękać. Skrzywiony uciskał palcami skronie.

Tymczasem Joanna siedziała z Martą w kuchni i grzała zmarznięte ręce o kubek z kawą. Nad stołem sączyło się miękkie światło zawieszonej u sufitu lampy.

– Tobie coś jest – powiedziała Marta, przyglądając jej się z uwagą. – I ręce masz takie pokaleczone. Upadłaś gdzieś?

– Nie. – Joanna spojrzała na posiniaczone dłonie. Fizyczny ból, gdy waliła nimi w blachę, był niczym w porównaniu z tym, który czuła w duszy. Drugi raz wbito jej nóż w samo serce, tym razem zrobiła to kobieta, najbliższa przyjaciółka. Ten cios bolał bardziej. – Upadło coś, co myślałam, że jest niezachwiane, prawdziwe, szczere i znów się... pomyliłam.

– Co upadło?

– Przyjaźń.

Położyła głowę na ręce wspartej o stół i utkwiła wzrok w przestrzeń. Drugą ręką pomachała nad blatem rzemyczkiem z zawieszonym sygnetem.

Tik, tak, tik, tak... powtarzała w myślach, poruszając wisiorkiem jak wahadełkiem. Nie mogła sobie przypomnieć tej piosenki prócz refrenu. Coś było w niej o maskach. Twoją, Ewa, zerwałam sama. Poczuła pod powiekami łzy żalu. Gdyby nie ten samochód, nigdy nie dowiedziałaby się prawdy. Zdecydował przypadek.

– Wierzysz w przypadek? – spytała Martę, nie zmieniając pozycji. Sygnet już nie kołysał się nad stołem, staruszka trzymała go w ręce.

– Wierzę w przeznaczenie – odpowiedziała tamta. Głos miała zmieniony, na tyle inny, że Joanna podniosła głowę. – To przeznaczenie sprawiło, że wysłałam ci koszyk, a ty znalazłaś pieniądze i przyjechałaś tutaj, aby przywieźć go do mnie.

– Kogo?

– Ten sygnet, wszędzie bym go poznała. – W jej głosie, na twarzy było wzruszenie.

– Nie rozumiem...

– Kiedy wieczorem Wiktor ci go dawał, nie przyjrzałam się dobrze, zaraz go schowałaś, ale teraz już wiem, że to ten sam. Wtedy był pogięty, o widzisz, tu wygląda, jakby go ktoś wyprostował. – Pokazywała kciukiem ślady na sygnecie. – Ale ten rysunek, herb znaczy, zapamiętałam, jak Lutek nosił go na szyi i w rękach ściskał. Niejeden raz patrzyłam na te zawijasy.

– Lutek? Mój wujek Ludwik, to twój... Cichy?

– I mnie trudno w to uwierzyć... – Marta się rozmarzyła.

– Zamiast do Rzymu wszystkie drogi prowadzą do Małszewa – podsumowała Joanna, zaskoczona kolejnym przykładem tej niezwykłej roli przypadku. Rysowała palcem niewidzialne wzory na obrusie. – Teresa, pułkownik, teraz wuj Ludwik, wygląda, jakby coś celowo splatało nasze ścieżki, ciekawe, w jakim celu. Jaki w tym sens?

– Sama tego nie pojmuję. Widać małe kroczki składają się na długą drogę, której końca nie znamy. Tyle lat nie wiedziałam, co z nim, czy żyje, czy szczęśliwy, aż tu zjawiasz się ty z tym sygnetem, który całą siłą Lutka był wtedy. Nigdy mi nie powiedział, co sam w wojnę przeżył.

– Mnie też nie – odrzekła Joanna. – Wuj nie lubi wracać do przeszłości. Trochę się domyślam, przecież on pochodzi z dzisiejszej Ukrainy.

– A tak, łatwo odgadnąć. – Marta pokiwała głową. – Tu, w okolicy, jeszcze żyją ludzie, co przed banderowcami uciekali. Strach, jakie czasem rzeczy mówili. Ciężko pojąć rozumem te bestialskie mordy, jakie tam były.

– Wolę nie wiedzieć – Joanna się wzdrygnęła – nie dziś. Jeszcze nie mogę się otrząsnąć po tym, co ty mi opowiadałaś. Dlatego chyba rozumiem wuja, że wolał wyprzeć wojnę z pamięci.

– Prawda, on wypierał, inaczej niż ja, bo ja mówić o tym potrzebowałam. Oboje doświadczyliśmy dużo złego. Kto wie, może i dlatego więcej się do mnie nie odezwał, kiedy pomiarkował, że z dwojga nieszczęść nie uplecie się jednego szczęścia.

– Naprawdę był dla ciebie ważny – powiedziała Joanna ni to do siebie, ni do Marty.

– A był, tak jak nikt nigdy potem. Dlatego mówże, Joasiu, szczęśliwy on, zdrowy? Opowiedz, co możesz, niech chociaż tak się nim nacieszę. Chciał inżynierem zostać. Udało mu się?

– Nie, był urzędnikiem w magistracie – zaczęła opowiadać, choć co innego zaprzątało jej głowę i serce. Widziała jednak, jak Marta chłonęła każde jej słowo. Przez chwilę miała wrażenie, że siedzi przed nią młoda zakochana dziewczyna.

– Chciałabyś się z nim spotkać? – spytała Joanna, gdy już skończyła mówić o wuju. – Możemy pojechać razem do Warszawy.

– Dziękuję, że proponujesz, ale nie pojadę – odparła bez wahania Marta. – To nikomu niepotrzebne. Tamtego życia i tak nic nam nie wróci, a po co do nowego zamęt wnosić? Niech zostanie, jak jest. Gdyby Lutek chciał, gdybym była dla niego ważna, sam by mnie odnalazł. Mieszkałam we Wrocławiu jeszcze kilka lat. Wiedział, gdzie mnie szukać. Widać przyszło mi kochać w jedną stronę. Może to lepsze, niż nie kochać wcale?

– Najgorzej jest się rozczarować. Dlatego chyba lepiej nie kochać wcale. Mniej się wtedy cierpi.

– Nie masz racji, dziecko. Dopiero bez miłości człowiek cierpi najbardziej. A mogę cię o coś zapytać?

– Pytaj.

– Daruj, że taka śmiała jestem, ale bliscy mi oboje jesteście. Widziałam, jak Wiktor na ciebie patrzy, jak przy tobie odżywać zaczął, bo i on swoje przecierpiał, i jeszcze cierpi. A ty? Czujesz coś do niego, nie jest ci obojętny?

Joanna wstała i przeszła parę kroków po kuchni. Pytanie było szczere, chciała na nie szczerze odpowiedzieć. Oparła się dłońmi o parapet i zapatrzyła w okno. Burymi gałęziami drzew poruszał lekki wietrzyk. Drogę rozjaśniły zbliżające się światła samochodu. Chyba wracał Wiktor. Na powrót usiadła przy stole.

– Nawet gdyby nie był... obojętny – zaczęła, nabrawszy powietrza – to nie mam dla niego nic. Dlatego dziś wracam do Warszawy. Tak będzie dla nas lepiej. Dla niego i dla mnie. Twoje wspomnienia już spisałam, więc mój pobyt tutaj się skończył. Muszę sama uporządkować swoje życie, nim kiedyś odważę się kogoś do niego wpuścić. Jeśli w ogóle jeszcze się na to odważę.

– Lutek mówił podobnie. – Marta się zamyśliła. – Jedź, skoro tak zdecydowałaś, ale nie zapominaj o nas. Tu też masz rodzinę.

– Jak mogłabym zapomnieć? – Joanna ją objęła. – Będę was odwiedzać. Powiem o tobie wujowi.

Staruszka pogładziła kciukiem sygnet. Kiedy się odezwała, głos miała łagodny, cichy, ale brzmiała w nim stanowczość:

– Nie chcę, żebyś mówiła. Minęło nam życie bez siebie. Dla niego umarłam wiele lat temu i niech tak zostanie. Nie ma co na starość budzić wspomnień, które tylko ból, nie radość, niosą. Lutek chciał żyć życiem „po" i widać mu się udało, jak i nam wszystkim tutaj, mniej lub bardziej, ale się udało. Najbardziej Tereni i Tadziowi. Tobie też się uda i jeszcze na powrót pokochasz życie, a da Bóg, znajdziesz gdzieś swoje nowe wyspy szczęśliwe.

ROZDZIAŁ XXIV

Minęło południe, gdy Joanna wkładała torby do bagażnika. Spojrzała na drobne wgniecenia na masce. Dobrze ci tak, nie mam zamiaru tego naprawiać, należało ci się za to, że mnie oszukałaś, fałszywa żmijo, ciskała w duchu gromy na Ewę. Nie mogła tak tego zostawić. Zatrzasnęła klapę bagażnika, wyjęła z kieszeni kurtki telefon i wyszła na drogę, by mieć lepszy zasięg.

Nie zważając na różnice czasowe i opłatę za rozmowę międzykontynentalną, wybrała numer Rostockiej. Po paru sygnałach włączyła się poczta. Spróbowała jeszcze raz. Znowu nic. Zawróciła w stronę domu, gdy tamta oddzwoniła.

– Matko, co się stało? – spytała rozespana Ewa i ziewnęła w słuchawkę. – Chciałam jeszcze pospać kilka godzin.

– Jak mogłaś mi to zrobić? – zaczęła bez wstępów Joanna. – Każdy, tylko nie ty. Traktowałam cię jak siostrę, ufałam ci, a ty wszystko zniszczyłaś. On też był ci potrzebny do kolekcji?

– Aśka, o czym ty, do cholery, gadasz? – Po rozespaniu Ewy nie było śladu. – Upiłaś się czy jak?

– Widziałam wasze zdjęcie, twoje i Tomka. Całowaliście się.

– Nasze zdjęcie? – powtórzyła Ewa.

– Wypadło z etui ze schowka w samochodzie. Widzisz, co za przypadek. Głupio wpadłaś. Mogłaś lepiej je schować, a nie między dokumentami, skoro zostawiłaś mi samochód i prosiłaś o przegląd.

– Posłuchaj, to nie tak, jak myślisz, Tomek…

– Ograny tekst – przerwała jej. – Nie tłumacz się, chyba nawet nie chcę tego słuchać i…

– To Tomek mnie wyrywał! – teraz ona przerwała, a po chwili prawie na jednym wydechu wystrzeliła potokiem słów: – To było wtedy, jak urodziła się Tośka. Narzekał, że odstawiłaś go na bocznicę, że tylko dziecko się dla ciebie liczy, że zszedł na drugi plan i zamiast żony ma w domu matkę karmiącą!

– A ty musiałaś go pocieszać – rzuciła szyderczo Joanna. – Nie obchodzi mnie, co zrobił Tomek. Ważne, co zrobiłaś ty. Siedziałyśmy razem w ławce, dorastałyśmy razem, ufałam ci, zawsze mogłaś na mnie liczyć.

– A ty na mnie nie mogłaś, prawda? – zripostowała tamta.

– Gorzko się przeliczyłam! Wbiłaś mi nóż w plecy! – Joannę poniosło. Mówiła teraz głośno; jakaś kobieta, która porządkowała posesję obok, oparła się o grabie i zaczęła słuchać.

– Aśka, to było dawno! Tylko się całowaliśmy, do niczego więcej nie doszło! – odparła zdenerwowana Ewa.

– Tylko się całowaliście – powtórzyła z ironią. – I ja mam w to uwierzyć albo ma mnie to pocieszyć!

– Mówię prawdę!

– Nawet jeśli tylko się całowaliście, dla mnie to zdrada. Ty mnie zdradziłaś. Rozmieniłaś naszą przyjaźń na drobne. Nie chcę cię znać, Ewa.

– Przepraszam... – W słuchawce rozległ się płaczliwy jęk.

– Wsadź sobie swoje przepraszam – rzuciła z pogardą Joanna. – Zostawiłam ci małe pamiątki na samochodzie. Odstawię go na parking pod telewizją, nie chcę cię więcej oglądać.

– Hal...

Joanna przerwała rozmowę, usunęła numer Ewy z listy kontaktów i wyłączyła telefon. Jednak nie czuła ulgi, tylko jeszcze większe rozgoryczenie.

– Od przyjaciół strzeż mnie, Boże, z wrogami sobie poradzę – odezwała się młoda kobieta zza ogrodzenia. – Nie podsłuchiwałam, ale pani tak głośno mówiła, przepraszam, jeśli byłam mimowolnym świadkiem.

– Nie szkodzi. – Joanna przyłożyła chłodne dłonie do rozgrzanych emocjami policzków.

– To długo boli. – Nieznajoma podeszła do ogrodzenia. – Sama kiedyś to przeżyłam, gdy narzeczony na tydzień przed ślubem puścił mnie w trąbę z moją przyjaciółką.

– I co pani zrobiła? – Joanna popatrzyła na brunetkę w czerwonym polarze. Była mniej więcej w jej wieku.

– Podziękowałam narzeczonemu i przyjaciółce. – Subtelnie rozłożyła dłonie. – Jestem teraz z kimś, komu najbardziej mogę ufać.

– Z kim?

– Sama ze sobą. – Uśmiechnęła się pogodnie. – Przynajmniej mam pewność, że sama siebie nigdy nie zawiodę. Może wstąpi pani na herbatę? Pani jest od Marty, prawda?

– Można tak powiedzieć. Dziękuję za zaproszenie, ale za chwilę będę wyjeżdżać. Musiałam tylko zakończyć ten etap swojego życia. – Poklepała kieszeń z telefonem. – Pomogła mi pani tym, co powiedziała. Dziękuję i do widzenia.

– Do widzenia. Proszę się trzymać. – Kobieta machnęła ręką na pożegnanie i wróciła do grabienia liści.

Będę się trzymać, poradzę sobie, ze wszystkim sobie poradzę, pomimo wszystko i wbrew wszystkiemu nie poddam się, bo jestem silna. Nie będę nawet płakać, nie dam im tej satysfakcji, mówiła sobie w duchu, zmierzając żwawym krokiem ku domowi Marty.

Z przeciwka truchtał Karol w starych dresach i naciągniętej na oczy czapce.

– Musiałem… się… przebiec – wysapał zdyszany, gdy na ostatnich nogach dobiegł do Joanny. – Jeszcze jestem… wczorajszy po wczorajszym. Zaraz wracam do Warszawy i mam nadzieję, że do tego czasu w moich żyłach będzie płynąć wyłącznie krew, bez domieszki alkoholu. Ale to był wyjątkowy wieczór i wielka niespodzianka z tymi zaręczynami Teresy i Tadeusza.

– Tak, to prawda – przyznała. – Niech im się dobrze wiedzie.

– Oby jak najlepiej – dodał Dębski. – Ty również dziś wyjeżdżasz? Marta tak mówiła.

– Niedługo, jestem już spakowana. Przyjechałam na weekend, a prawie miesiąc zeszedł, jak tu siedzę.

– Mam ten sam problem. – Dębski się roześmiał. – To miejsce jest jak magnes, trudno się od niego oderwać. Joasiu, przyjdź do mnie do kancelarii pojutrze, tak koło jedenastej. Weź, co tam masz, z papierów. Dokumenty rejestrowe firmy, akty o rozdzielności majątkowej, ślubu, faktury, jakie znajdziesz, zresztą wypisałem ci wszystko na kartce, tylko zostawiłem ją u pułkownika w domu. Podpiszesz mi też upoważnienie i podasz swoje dane: PESEL, numer dowodu, adres zameldowania, to zacznę już działać. Od razu sporządzę wniosek rozwodowy. Wstąp na chwilkę ze mną. – Wskazał na niewielki zielony budynek z brązowym dachem, nad samym jeziorem, nieopodal posesji Marty.

– Dobrze, tylko pójdę po Tosię i zaraz będę.

– To ja w takim razie wskoczę pod prysznic, żeby nie narażać was na doznania ekstremalne. Widzimy się za chwilę u Tadzia.

Dom pułkownika był urządzony w stylu myśliwskim. Na pokrytych boazerią ścianach wisiały przeróżne trofea. Tosia otwierała szeroko oczy ze zdumienia, gdy patrzyła na liczne poroża porozwieszane w salonie i wypchane dzikie kaczki.

– Mamusiu, co to jest? Dlaczego takie to… brzydkie? – dopytywała z rączką przy buzi.

– Bo to paskudztwa, kwiatuszku. – Teresa nachyliła się do dziewczynki. – Ale nie martw się, niedługo tego nie będzie. Ciocia każe wujkowi wyrzucić te okropieństwa.

– Nawet dziś to zrobię, mój generale, skoro ci się nie podobają. – Tadeusz posłusznie ukłonił się przed narzeczoną.

– Ja myślę, skoro poddałeś się mojej komendzie – odparła tonem dowódcy. – Chodź ze mną, Tosiu, na górę, pokażę ci coś ciekawszego, ponieważ ta martwa natura tutaj przyprawia mnie o zawrót głowy.

Istotnie, wygląda to upiornie, przyznała w duchu Joanna, rozglądając się dokoła. Po chwili coś innego niż myśliwskie trofea przykuło jej wzrok. Dopiero teraz dostrzegła poustawiane nad otwartym kominkiem fotografie w ramkach.

Wstała z fotela i podeszła bliżej. Portretowe zdjęcia Daniela pochodziły z czasów, gdy był jeszcze nastolatkiem, a potem chyba studentem. Starsze zostały wycięte z kolorowych gazet i włożone w ozdobne ramki.

– Dziwisz się? – spytał pułkownik, stojący za jej plecami.

– Sama nie wiem. – Wzruszyła nieznacznie ramionami.

– To jednak mój syn. – Wziął do ręki jedno ze zdjęć. – Teraz jesteśmy sobie obcy, ale serce trudno odmienić. To moja pokuta za popełnione kiedyś grzechy.

– Nie chciałbyś tego jakoś naprawić? – Odwróciła się do niego.

– Do każdego tanga trzeba dwojga. – Odstawił zdjęcie na miejsce. – Jeszcze nas nie stać na wzajemne darowanie win.

Na schodach rozległy się szybkie kroki. Karol Dębski, pachnący, w świeżej koszuli i dżinsach, niósł jakieś kartki i długopis.

– O, jesteś już, Joasiu. – Położył papiery na stoliku. – Sporządziłem naprędce umowę, że mnie wynajęłaś, podpisz ją. Masz dane, o które prosiłem? Muszę je wpisać.

– Tak. – Podała karteczkę, a Karol wręczył jej swoją.

– Tu jest spis potrzebnych dokumentów – tłumaczył, uzupełniając informacje w umowie. – Joasiu, nie domyślasz się, gdzie może teraz przebywać twój mąż?

– Nie mam pojęcia. Myślisz, że nie dostanę rozwodu, jeśli go nie znajdą?

– Nie, nie – zaprzeczył od razu. – Spróbuję ustalić adres przez policję. A jak się nie uda, to rozwód i tak zostanie orzeczony, tylko może to trochę dłużej potrwać. Tosia ma jeszcze dziadków ze strony twojego męża?

– Tak, matka Tomasza żyje. Dlaczego o to pytasz? – zdziwiła się Joanna.

– Nie wiem, czy się orientujesz, że gdy rodzic uchyla się od obowiązku alimentacyjnego, przechodzi on na dziadków dziecka. Masz kontakt ze swoją teściową?

– Praktycznie żadnego – przyznała. – Ostatni raz rozmawiałyśmy jesienią. Zadzwoniłam do niej, żeby zapytać, czy wie coś o Tomku, ale nie wiedziała. Nigdy za sobą nie przepadałyśmy, a teraz ona oskarża mnie o wszystko.

– Więc jak się domyślam, z pomocą też raczej nie spieszy – stwierdził, widząc zakłopotanie Joanny. – No cóż, chyba to zaślepiona mamuśka, ale prawo jest prawem. Niech matka przejmie odpowiedzialność za zobowiązania syna, skoro ten od nich uciekł.

– Dziękuję ci, ale nie jestem pewna, czy wytrzymam konfrontację z matką Tomasza.

– Od tego jestem ja jako twój pełnomocnik. – Dębski położył rękę na ramieniu Joanny. – Sam się będę z nią kontaktował. Daj mi do niej telefon, to uprzedzę ją, że występujemy o rozwód i alimenty na Tosię.

Joanna po krótkim wahaniu włączyła na chwilę komórkę, odnalazła numer teściowej, zapisała go na kartce, po czym znów wyłączyła aparat. Podpisała uzupełnioną umowę i obejrzała podany przez mecenasa spis potrzebnych dokumentów.

– Dużo tego – powiedziała. – Będzie z kilka kartonów. No nic, przywiozę ci wszystko, co znajdę.

Karol myślał nad czymś przez moment.

– Wobec tego chyba mam lepszą propozycję. Do kancelarii i tak dziś nie pójdę, nie będzie tam ze mnie większego pożytku. – Zerknął na zegarek. – Jest po pierwszej. Jeśli zaraz wyjedziemy do Warszawy, to mogę wpaść do ciebie, razem przejrzymy te kartony i zobaczymy, co w nich się znajdzie. Szkoda, żebyś bez sensu taszczyła wszystko do mnie. Wstąpię też na chwilę do biura po wniosek rozwodowy. Wypełnimy go razem, podpiszesz i jutro będzie już w sądzie. Co ty na to?

– Jeśli nie sprawi ci to kłopotu, to możemy tak zrobić. – Joanna wolała to rozwiązanie.

– Wobec tego powinniśmy już się zbierać, żeby noc nas nad papierologią nie zastała – powiedział mecenas.

– Jak to, już? Nie zostaniecie na obiedzie? – odezwała się zdziwiona Teresa. Schodziła z Tosią z piętra. – Poza tym nie ma jeszcze Wiktora. Mówił, że wraca koło piętnastej. O ile zdołałam się zorientować w sytuacji, będzie niepocieszony, jeśli cię nie zastanie, Joasiu.

– Jak kocha, to poczeka – zażartował Dębski, czym mimowolnie wybawił Joannę z kłopotu. – Poza tym dopiero co było śniadanie. Jedziemy teraz, żeby się nie tłuc drogą po ciemku.

I tak, po pospiesznych pożegnaniach, przeplatanych marudzeniem Tośki, która jawnie się buntowała, że wraca do Warszawy, i po wielu zapewnieniach, że będzie wpadać z wizytą, Joanna wsiadła do znienawidzonej od wczoraj micry i ruszyła za Karolem.

Parzyła ją kierownica, uwierał fotel, a samo spojrzenie na schowek przyprawiało o mdłości. W dodatku, może była to tylko sugestia, ale miała wrażenie, że w aucie unosi się ledwo wyczuwalny zapach Wiktora. Choćby nie wiadomo jak się przed tym broniła, to z każdym kolejnym kilometrem, gdy oddalała się od tego domu, czuła, że zostawia w nim cząstkę serca.

Jak kocha, to poczeka, zacytowała słowa Karola. Przecież to nonsens, że Wiktor mnie kocha. Nie padły żadne deklaracje, niczego sobie nie obiecywaliśmy. Najwyżej mnie pragnie, tak jak ja pragnęłam jego, dlatego nie chciał, żebym wyjechała. To przecież normalne, że dwoje ludzi czasem potrzebuje siebie, i nic więcej się za tym nie kryje, próbowała racjonalnie tłumaczyć stan, który ją ogarniał.

I choć użyła wszelkich sensownych argumentów, ta cząstka serca, nad którą Joanna nie miała kontroli, szeptała jej co innego. To tylko serce, rozsądek mówi, bym skupiła się na poukładaniu swoich spraw, uznała i trochę pogłośniła radio, by muzyką zagłuszyć cisnące się uparcie do głowy mniej racjonalne myśli.

Joanna zbliżała się do Warszawy, gdy Wiktor dopiero wyjeżdżał ze Szczytna. Przegląd serwerów pochłonął mu dużo więcej czasu, niż planował. A jeszcze nie był w najlepszej formie po ostatnich wydarzeniach. Choć wypił kilka kaw, nie mógł się w pełni skoncentrować. Dlatego z ulgą skończył pracę i wsiadł do samochodu. Sięgnął po telefon, by zadzwonić do Joanny, ale ten zadźwięczał mu w dłoni.

– Jak dobrze, że ciągle masz ten sam numer – usłyszał głos kumpla od wypraw górskich, którego dawno nie widział ani nie słyszał. Właściwie odkąd zaszył się w mazurskiej głuszy, nie podtrzymywał żadnych kontaktów, prócz służbowych.

– Kamil? – zdziwił się teraz.

– A kto inny? Słuchaj, Wiktor, pilna sprawa. Nie wybrałbyś się z nami w Himalaje? Chcemy wejść na Annapurnę – zakomunikował tamten.

– Zwariowałeś? – odparł niezbyt uprzejmie Wiktor. Owszem, kiedyś o tym marzył, ale to było dawno temu. Teraz co innego miał w głowie.

– Pytam całkiem poważnie. – W głosie Kamila nie było cienia wesołości. – Mamy gotową ekipę, sponsorów od sprzętu sportowego, prawie wszystko opłacone, ale Rysiek, pamiętasz go?

– Ten dentysta, co był z nami w Alpach?

– Ten sam. Pojechał, pajac, szusować na lodowcach i girę paskudnie złamał. Gips co najmniej na dwa miesiące, więc wypada z naszej grupy i robi się ciężka luka, bo miało być nas czterech. Za cholerę nikogo nie znajdziemy do dwudziestego kwietnia, a prawie rok pracowaliśmy nad tą wyprawą.

– Dwudziestego kwietnia??? – powtórzył zdumiony tym nierealnym pomysłem i terminem. – Przecież to tylko miesiąc z kawałkiem. Człowieku, na głowę się z kimś zamieniłeś? Nikt o zdrowych zmysłach nie pójdzie na Annapurnę bez przygotowania, chyba że samobójca.

– Dlatego pomyśleliśmy o tobie. – Kamil się zaśmiał. – Byliśmy przecież na kilku wyprawach, wiesz, o co w tym biega, nie wymiękasz, z kondycją też niekiepsko u ciebie, a pamiętam, że zawsze chciałeś jechać na ośmiotysięczniki. Poza tym jeśli nie dasz rady, zawsze będziesz mógł zostać w bazie albo…

– Koniec, zapomnij – przerwał mu Wiktor. – Kiedyś o tym myślałem, ale to było dawno. Poza tym nie ma opcji, żebym zdążył do tego czasu kondycyjnie się przygotować, no i skąd ci wezmę dwadzieścia tysięcy zielonych na wyprawę. Nie, stary, ale dzięki.

– Dużo mniej niż dwadzieścia. Sponsor płaci, my tylko za przelot do Nepalu, wizy, ubezpieczenia i jakieś drobiazgi. Przebukujemy bilet lotniczy Ryśka, a ty potem oddasz mu kasę. Sprzęt też od sponsora, od oddychających gaci po butle z tlenem, więc wszystko prawie gotowe, tylko twoja decyzja. A kondycyjnie powinieneś dać radę, jeszcze masz czas, żeby parę razy się przebiec na Giewont, jeśli chcesz popracować nad sobą. Zresztą na miejscu będziemy się aklimatyzować w Nylam i Tingri…

– Kamil, stop. – Wiktor ponownie przerwał ten potok szczegółów, którymi nie był w najmniejszym stopniu zainteresowany. Teraz nie było nic tak ważne jak rozmowa z Joanną. – Dzięki, że o mnie pomyśleliście, ale nie produkuj się dłużej. Nie pojadę z wami.

– Ehhh – usłyszał nutę zawodu w głosie kumpla. – Myślałem, że cię namówię. Ale jakbyś jeszcze zmienił zdanie, to daj znać.

– Nie zmienię zdania, przykro mi, że cię rozczarowałem. Cześć.

Zakończył rozmowę i wybrał numer Joanny. Od razu włączyła się poczta. Spróbował ponownie, też nic.

Nie spodziewał się, że kilkadziesiąt kilometrów później sam przeżyje rozczarowanie.

Nie mógł uwierzyć, że wyjechała bez pożegnania, że nie zrobił nic, by ją zatrzymać.

Targała nim złość, żal, bezradność, wszystko naraz. Do wieczora chodził burkliwy i nie mógł sobie znaleźć miejsca. Wynajdował absurdalne zajęcia, byle tylko zająć czymś ręce i głowę. Byle nie myśleć o tej pustce, którą czuł w sobie. Palił jednego papierosa za drugim, pokłócił się z Teresą o jakieś duperele i znów, jak jeszcze niedawno, coś odegnało mu sen. Telefon Joanny wciąż milczał.

– Ma mnie w dupie – rzekł dosadnie, gdy rankiem dorzucał drewna do pieca w pokoju Marty.

Staruszka siedziała na łóżku i z troską w oczach patrzyła na przygnębienie młodego mężczyzny.

– Cóż ja ci mogę poradzić – powiedziała i głęboko odetchnęła. – U niej trosk tyle, że niejednego mogłaby nimi obdzielić. Zauważyłeś?

– Co? – spytał. Przymknął metalowe drzwiczki pieca i odwrócił się do kobiety.

– To – odetchnęła krótko – że teraz chcesz więcej, niż tylko zapomnieć o swoich zmorach.

– Nawet jeśli, to co z tego?

– A to, drogi chłopcze, że Joasia weszła ci chyba w serce, tylko że ją teraz strach opanował. Boi się jeszcze komuś zaufać. Jeśli naprawdę ci zależy, to musisz być wobec niej uczciwy. Inaczej daj jej spokój, żeby kłamstwem więcej jej nie ukrzywdzić. I tak już dość życie ją ukrzywdziło.

– Uczciwy? – powtórzył. – Co masz na myśli? Nie rozumiem.

– Rozumiesz, Wiktor, dobrze rozumiesz. – Marta pokiwała głową. – Zaczekaj trochę, aż ci się bez nijakich przymusów wszystko w sobie ułoży, a jak już rozważysz spokojnie w sumieniu, czy możesz zdobyć się wobec niej na szczerość, wtedy będziesz wiedział, co zrobić.

– Tą szczerością mogę ją tylko jeszcze bardziej wystraszyć – mruknął pod nosem.

– Wtedy powiesz sobie trudno, ale postąpisz uczciwie.

Marta w prostych słowach wyraziła to, o czym on sam przecież myślał, tylko powstrzymywała go obawa. Włócząc się po lesie, uspokoił nie tylko emocje, ale też umocnił się w postanowieniu, co zrobić. Nadzieja, że w ten sposób przekona Joannę do siebie, była nikła, ale była. Musiał spróbować, niezależnie od tego, co potem nastąpi. Wiedział, że jeśli nie wykorzysta tej nikłej szansy, będzie go to bolało bardziej niż popełniony kiedyś błąd.

*

– Kilka dni temu przyniósł listonosz. – Ciotka Eleonora położyła na stole plik listów, gdy Joanna przyprowadziła na Nowy Świat Tosię przed umówionym spotkaniem z Karolem. Joanna wzięła je do ręki i przejrzała pospiesznie. Wszystkie, a było ich pięć, pochodziły od komornika. Pociemniało jej w oczach.

Boże, to chyba nie kolejne długi. W pierwszej chwili chciała otworzyć listy od razu, ale wolała zrobić to w obecności Dębskiego. Odkąd zaproponował jej pomoc, a potem do późnej nocy przeglądał dokumenty wrzucone byle jak do kartonów, stał się jej najlepszym pasem bezpieczeństwa.

– Kiedy to się wreszcie skończy? – Pani Eleonora popatrzyła surowo na bratanicę. – Czy wiesz, że ja już zaczynam się wstydzić nie tylko sąsiadów, ale i listonosza?

– Eleonoro – odezwał się zniecierpliwiony Ludwik Gintowtt – czy wiesz, że ja już zaczynam się wstydzić za ciebie? Za każdym razem, kiedy Joasia przychodzi, ciosasz jej kołki na głowie. Czy to jej wina, że została oszukana?! – To pytanie wypowiedział głośniej. – Chlubisz się rodzinnymi tradycjami, dumą Krzemienieckich, a jak przychodzi co do czego, wychodzi z ciebie, wybacz, że to powiem, ale zaściankowość.

Pani Eleonora spojrzała na męża niepomiernie zdumiona. Po raz pierwszy zwrócił się do niej w ten sposób.

– Jak mogłeś mi coś takiego powiedzieć? – spytała, gdy już ochłonęła na tyle, by móc wydobyć z siebie głos. – Nie myślałam, że tego doczekam.

– Daruj, po prostu nie wytrzymałem. – Jej małżonek przebierał palcami po oparciu fotela.

– Muszę zmienić otoczenie, skoro we własnym domu mnie obrażają. Antonino, jest ładna pogoda.

Idziemy do zamku na spacer, a potem na lody. – Wyciągnęła rękę do dziewczynki, która tym razem bez protestu, skuszona wizją lodów, podeszła do starszej damy. Po chwili obie zniknęły za drzwiami.

– Ciocia chyba się pogniewała. – Joanna patrzyła przez okno, jak Tosia z ciotką szły za rączkę spacerkiem w stronę Krakowskiego Przedmieścia w pierwszy słoneczny i dość ciepły dzień, gdy widać już było nadchodzącą wiosnę.

– Przejdzie jej. – Wuj machnął ręką. – Wiem, że cała ta sprawa ją denerwuje, ale doprawdy tego już za wiele. Powiedz, Joasiu, a ten adwokat to dobry jakiś? Wystarczy mu honorarium, jakie będziesz mogła zapłacić? Nie mówiłaś, czy już się zorientowałaś, ile może być wart ten sygnet.

– Ten sygnet jest bezcenny, nigdy go nie sprzedam. – Joanna odwróciła się od okna.

I kiedy tak obserwowała wuja, który w ulubionym jedwabnym szlafroku, kremowej koszuli i apaszce pod szyją siedział w fotelu z gazetą na kolanach, korciło ją, by mu powiedzieć o Marcie. Czy to możliwe, że ten staruszek był kiedyś młodym chłopakiem, którego tak pokochała i od którego prezent był jej najdroższą pamiątką? Czy z Martą byłby szczęśliwszy niż z wyniosłą ciotką?

– Nie sprzedasz, mówisz… – Wuj się zamyślił.

– Nie, takiej pamiątki nie potrafiłabym, a ten adwokat pomaga mi za darmo. Nawet już sporządził wniosek rozwodowy i chyba złożył go w sądzie. – Wyznała wujowi to, czego nie zdążyła powiedzieć obrażonej ciotce.

– To i dobrze, że bierzesz rozwód. Dobrze też, żeś na tak przyzwoitego adwokata trafiła. To aż nie do wiary, że w tych czasach ktoś robi coś za darmo! – Pan Ludwik ożywił się trochę.

– To skomplikowana historia z mazurskim wątkiem, potem ci opowiem resztę, jak wrócę od mecenasa Dębskiego. – Na moment usiadła przy stole. – Niedługo powinnam wychodzić.

– Joasiu... – Wuj głośno wciągnął powietrze i przez chwilę trzymał je w płucach, a potem wolno wypuścił. – Ta kobieta, u której byłaś, ta... Marta. Ona nie ma dłoni ani stóp, prawda? – spytał, a na jego twarzy pojawiły się czerwone plamy.

Joanna na chwilę wstrzymała oddech. Skoro wuj sam się domyślił, mogła mu powiedzieć.

– Jeśli ty jesteś Cichym, to mówimy o tej samej Marcie.

Dawno albo nigdy nie widziała go tak wzruszonego jak teraz. Podbródek zaczął mu się trząść, w szarych oczach otoczonych siatką zmarszczek błysnęły łzy, drżały ręce oparte na poręczach fotela.

– Wujku? – Joanna kucnęła przy nim, zaniepokojona. – Wszystko w porządku?

– Tak, drogie dziecko, tak. – Ludwik położył dłoń na głowie Joanny. – Podejrzewałem, że to może być ona, jak o niej opowiadałaś, tylko nie miałem chyba odwagi spytać. Ta przyśpiewka o pofajdoku była jej ulubioną.

– Do tej pory jest.

– Tyle lat… tyle lat. – Pokiwał głową. – Marta opowiadała ci coś o mnie?

– Wszystko. – Joanna usiadła na oparciu fotela i objęła ramieniem wuja. – Pokazywała mi nawet lakierki, które jej kupiłeś.

– Ma je jeszcze? – spytał zdziwiony. Na jego twarzy pojawiło się wzruszenie. Wstał i podpierając się laską, poszedł do swojego pokoju. Joanna odprowadziła go wzrokiem.

Przez otwarte drzwi widziała, jak wuj wyjmuje coś spomiędzy książek na regale. Po chwili wrócił i na powrót usiadł w fotelu.

– Też jestem chyba… sentymentalny – powiedział, rozkładając na kolanach haftowaną chusteczkę. Białe płótno pożółkło ze starości. – Marta długo ją wyszywała. Ćwiczyła ręce na tych haftach i koronce. Wiesz, dopiero potem zauważyłem, że wyszyła w rogu nasze inicjały. Dała mi ją na pamiątkę. – Wodził palcem po literach M i L.

Joanna przyglądała się chusteczce i nie mogła pojąć, jak los mógł skazać tych dwoje na niespełnioną miłość. Widać przeszłość jest czasem barierą nie do pokonania, uznała, mimowolnie myśląc o Wiktorze, ale prędko się otrząsnęła i wzięła do ręki chusteczkę.

– To chyba był twój drugi talizman, skoro zachowałeś ją przez tyle lat – powiedziała zadumana. – Pierwszy to sygnet. Marta od razu go rozpoznała.

– Rozpoznała… – powtórzył wuj. – Patrz, co za zbieg okoliczności, gdybyś go nie miała, prawdopodobnie nigdy bym się o niej nie dowiedział.

– Mówiła, że wtedy był pogięty.

– Tak, złotnik musiał się napracować, nim jako tako przywrócił go do poprzedniego stanu. Zmiażdżyła go ciężarówka.

– Dlaczego nigdy nie chciałeś powiedzieć, co przeżyłeś w czasie wojny? – Joanna ujęła rękę starszego pana.

Wuj milczał przez dłuższą chwilę, wreszcie zaczął mówić. Głos miał ciężki, głuchy, pełen bólu.

– Bo kiedy widzisz, jak matce odrąbują głowę, a małe siostry roztrzaskują o mur, a ty nie możesz zrobić nic, to potem marzysz tylko, by wyrwano z ciebie pamięć.

– Boże… – szepnęła Joanna zaszokowana tym, co usłyszała.

– Wtedy Go tam nie było – powiedział z goryczą pan Ludwik. – Za to byli banderowcy. Daruj, kochanie, ale nie chcę już o tym rozmawiać. Może kiedyś. Powiedz mi lepiej o Marcie. Nadal ma długie jasne warkocze?

Choć moment był niestosowny, Joanna roześmiała się lekko, słysząc ten naiwny romantyzm starszego pana.

– Ma posiwiałe do białości krótkie włosy, takie jak twoje.

– No tak. – Znów westchnął. – Ona też się przecież zestarzała, nie tylko ja.

– Wujku, czy... – zawahała się.

– Chyba wiem, o co chcesz mnie zapytać. – Domyślnie skinął głową. – Nie przeszkadzało mi jej kalectwo, nie o to chodziło. Byłem emocjonalnie pusty, nie pragnąłem miłości. Tak mi się wtedy zdawało. A potem, no cóż. – Rozłożył ręce. – To jedna z tych spraw, które w życiu pokpiłem. Im więcej czasu mijało, tym mniej miałem odwagi, by ją odnaleźć. Poznałem Eleonorę i rozpocząłem nowe życie. Jednak Marta zawsze gdzieś tu była i... jest. – Dotknął dłonią piersi.

– Ona mówi to samo, ale nie chciała, żebym ci o niej mówiła. Spotkać się z tobą też nie chciała.

– Ma rację. To mądra i silna kobieta, a ja okazałem się dla niej za słaby.

– Nie żałujesz, że nie udała się wam ta miłość?

– Teraz to i tak nic nie zmieni. Każde z nas ułożyło sobie życie po swojemu. A może... – Zastanowił się nad czymś przez chwilę.

– Tak?

– A może powinienem napisać do niej list? Wytłumaczyć się jakoś, powiedzieć, że była dla mnie ważna. Może tak zrobię.

– Myślę, że sprawisz jej radość. Bardzo była wszystkim zainteresowana, gdy opowiadałam o tobie.

Zegar wybił dziesiątą. Joanna się podniosła.

– Przepraszam cię, ale muszę już wychodzić do mecenasa. Na Jana Pawła mam spory kawałek do przejścia.

– Idź, Joasiu, potem dokończymy rozmowę. Ja trochę sobie posiedzę sam ze wspomnieniami. Jestem ciekaw, co ci powie ten adwokat.

– To też przyjaciel Marty, dlatego pomaga mi za darmo.

– Czuję, że mamy sobie dużo do opowiedzenia, ale dyskretnie. – Ściszył głos. – Ciotka nie musi o wszystkim wiedzieć, żeby za bardzo się nie przejęła. Nie chciałbym jej zranić. I dziękuję, że zachowałaś mój sygnet. Leć, a ja, póki jestem sam, pomyślę o liście.

Kancelaria, która sąsiadowała z mieszkaniem Dębskich przy Jana Pawła, była podzielona na dwie części i miała dwa odrębne sekretariaty, notarialny i adwokacki. W biurze, zaadaptowanym z dużego mieszkania na parterze, pracowało kilka osób. Wnętrza urządzono klasycznie, stały tu ciężkie solidne meble.

Karol siedział przy biurku w swoim gabinecie pomiędzy stertami akt, teczek oraz kodeksów i stukał długopisem w blat. Miał podwinięte rękawy błękitnej koszuli, poluzowany krawat. Marynarkę powiesił na oparciu fotela. Wyglądał nie tyle na zajętego pracą, ile czymś zaskoczonego.

– Jesteś, Joasiu, siadaj proszę. – Wskazał jej miejsce na kanapie.

Usiadła z ulgą i kilka razy głęboko odetchnęła, by uspokoić serce.

– Skusiła mnie ładna pogoda, więc wybrałam spacer, ale chyba przesadziłam i ostatni kawałek biegłam, żeby się nie spóźnić.

– Jesteś na czas. – Karol nalał wody mineralnej do szklanki i podał ją Joannie. – Proszę, powinno pomóc. Zaraz będzie kawa.

– Dziękuję za kawę, wystarczy woda. – Wypiła duszkiem i odstawiła szklankę.

– A zatem – zaczął Karol – wniosek rozwodowy złożyłem. Teraz czekamy na termin rozprawy. Odbyłem też rozmowę telefoniczną z twoją teściową i lojalnie ją o wszystkim powiadomiłem.

– A co ona na to?

– Jakby to ująć? – Przewrócił oczami. – Była dość... nieprzyjemna.

– Mogłam się tego spodziewać. Zapytałeś ją o Tomasza?

– Naturalnie. Podobno nadal nie wie, gdzie przebywa jej syn. Ale nie rozmawiała ze mną jak załamana matka. Więcej słyszałem w niej irytacji. No nic, policja zajmie się ustaleniem miejsca pobytu pana Pyrki, jutro pojadę w tej sprawie do komendy. Przede wszystkim ci z Mławy będą go szukać, o czym też uprzedziłem twoją teściową.

– Naprawdę bardzo ci dziękuję. A moje inne sprawy? Udało ci się cokolwiek ustalić? Pewnie miałeś dużo pracy z tym bałaganem. – Powiodła ręką w powietrzu, wskazując na wszechobecne papiery.

– Fakt, niezły galimatias był w tych dokumentach, istny groch z kapustą. – Karol podrapał się długopisem w skroń. – Ale nie to jest teraz najważniejsze. Słuchaj, więc sprawa wygląda tak, dzwoniłem do tego komornika…

– No właśnie, mam tu nową korespondencję od niego. – Joanna wyjęła z torebki listy. – Dziś odebrałam, ale z otwarciem czekałam na ciebie.

– Pokaż mi je.

Po kolei otwierał koperty, lustrował wzrokiem ich zawartość i odkładał je na bok. Wciąż nic nie mówił; Joanna siedziała jak na szpilkach, ale nie odzywała się pierwsza.

– Jest dokładnie tak, jak mówił komornik. – Karol przysiadł na blacie biurka i machał stopą w wyglancowanym czarnym pantoflu. – Te pisma tylko to potwierdzają.

– Czyli co? – spytała z bijącym sercem. – Proszę cię, mów.

– Otóż wyobraź sobie, że wierzyciele wycofali od komornika wszystkie wnioski o egzekucję, które dotyczyły ciebie, to znaczy firmy założonej na ciebie, a to oznacza, że musiał umorzyć postępowania egzekucyjne. Dlatego przysłał ci te decyzje. A to oznacza, że uwolniłaś się od niego, nawet masz odblokowane konto.

– Możesz powtórzyć? – Joanna nie do końca mogła zrozumieć to, co przed chwilą usłyszała.

– Mówię, Joasiu, że nie masz już żadnych spraw z komornikiem, przynajmniej na dziś.

– Boże... – szepnęła oszołomiona.

Poczuła przeogromną ulgę, jakby ktoś zdjął z jej pleców ciężki głaz.

Koniec tego koszmaru, koniec koszmaru, powtarzała sobie jak mantrę. Już nie chciała wiedzieć nic więcej, grunt, że wreszcie jest wolna i może zacząć spokojnie żyć. Położyła głowę na miękkim oparciu kanapy i patrzyła w sufit, wciąż nie mogąc uwierzyć w to, co właśnie usłyszała. Idąc do kancelarii, nawet w najśmielszych przypuszczeniach nie spodziewała się takiego finału.

– Lecz to nie wszystko. – Karol zaczął spacerować po gabinecie. – Jest tu parę niejasnych punktów, ale jeden wspólny mianownik. Otóż wierzyciele, czyli różne spółki i firmy, a było ich pięć, wycofali te wnioski jednego dnia. Mało tego, wszystkie te firmy są powiązane kontraktami z Danielem Chmurą, to znaczy z jego holdingiem.

– Z Danielem...? – Joanna usiadła prosto i podążyła wzrokiem za spacerującym prawnikiem.

– No właśnie. To jest ów wspólny mianownik, jednak na tym nie koniec. – Karol skrzyżował ręce przed sobą i oparł się o biurko. – Dowiedziałem się też własnymi kanałami, że twoje wszystkie długi kupiła ta sama osoba. Zgadnij kto.

– Daniel – potwierdziła swoje najgorsze obawy, a niedawne uczucie ulgi prędko ustąpiło miejsca zdenerwowaniu.

– Tak jest. Teraz to on jest jedynym twoim wierzycielem.

– Ale... dlaczego? Na litość boską, dlaczego? – pytała zdumiona.

– Tego właśnie nie wiem. – Dębski rozłożył ręce. – Może chce na nich zarobić, na długach można całkiem nieźle zarobić, jeśli ktoś wie jak. A może z jakichś powodów chce cię trzymać w szachu. W każdym przypadku to poważny gracz. Zresztą, ty go chyba znasz?

– Znam. I chyba wiem, dlaczego chce mnie trzymać w szachu – powiedziała, patrząc gdzieś w przestrzeń. Po czym wstała, wzięła płaszcz, torebkę i ruszyła do drzwi. – Przepraszam cię, ale muszę teraz wyjść.

– Dokąd?

– Do Daniela, chcę to z nim wyjaśnić.

– Jadę z tobą.

Wpadłam z deszczu pod rynnę? Dlaczego ten człowiek mnie osacza? Chce mnie zmusić do przyjęcia propozycji? W głowie Joanny kłębiły się pytania, na które nie umiała znaleźć odpowiedzi. Siedziała w samochodzie Karola zatopiona w myślach. Dębski wyjaśniał, że jako jej adwokat sam będzie rozmawiał z Danielem, żeby dobierać odpowiednie słowa i wystąpić oficjalnie, ale Joanna nie reagowała.

Po niespełna półgodzinie, gdy przebili się przez centrum do biurowca Chmury, szybka winda powiozła ich na dwudzieste piętro. Gdy mijali coraz wyższe piętra, emocje Joanny rosły. Nie, załatwi to sama.

– Najpierw ja z nim porozmawiam – zakomunikowała zdecydowanie Karolowi, kiedy już zbliżali się do sekretariatu prezesa.

– Uważam, że lepiej będzie, jeśli ja... – zaczął ostrożnie, ale mu przerwała.

– Daj mi tylko kilka minut, potem wkroczysz ty i załatwisz resztę po swojemu. Ale najpierw muszę coś powiedzieć temu panu w cztery oczy – odparła i pchnęła drzwi. Za biurkiem siedziała ta sama sekretarka, która jesienią przyjęła je lunchem.

– Dzień dobry, przyszliśmy się spotkać z panem Chmurą – odezwała się Joanna. Tamta popatrzyła na nich zaskoczona.

– Byli państwo umówieni? – spytała oficjalnym tonem.

– Nie. Jest prezes? – Joanna wskazała na drzwi do gabinetu.

– Jest, ale ma ważnych gości z Brukseli. Nie można mu teraz przeszkadzać w naradzie. Umówię państwa na konkretny termin. – Sięgnęła po notatnik. – Najbliższy wolny jest w połowie maja.

Karol podszedł do biurka, by podać swoje nazwisko, ale Joanna nie zamierzała dać się spławić.

W dwóch krokach znalazła się przy drzwiach i położyła rękę na klamce.

– Karol, zaczekaj tu chwilę na mnie – rzuciła przez ramię.

– Nie może pani tam wejść! – Sekretarka podniosła się gwałtownie.

– To niech mnie pani zatrzyma! – rzuciła przez zęby Joanna, otworzyła drzwi i weszła do środka.

Przy długim konferencyjnym stole o lśniącej politurze siedziało kilku mężczyzn i dwie kobiety, którzy rozmawiali po angielsku. Wszyscy jak na komendę spojrzeli w stronę drzwi, w których stała Joanna, a tuż za nią sekretarka, usiłująca wyprowadzić nieproszonego gościa.

– Bardzo przepraszam, panie prezesie, ale ta pani wtargnęła tu siłą – powiedziała służbistym tonem.

Joanna zrobiła kilka kroków w stronę stołu.

– Przyszłam, żeby powiedzieć ci w oczy, jakim jesteś sukinsynem, Daniel – odezwała się po angielsku. Zapanowała konsternacja. Wszyscy patrzyli to na nią, to na Daniela, który wprawdzie zrobił dobrą minę do złej gry, lecz widać było po nim zmieszanie.

– Wezwę ochronę – powiedziała sekretarka, ale szef powstrzymał ją ruchem ręki.

– Przepraszam państwa za ten incydent. – On też mówił po angielsku. – Zróbmy małą przerwę. Pani Izo, proszę zaprowadzić naszych gości do saloniku i zamówić lunch.

Wszyscy wstali posłusznie, pozbierali ze stołu dokumenty, powkładali je do teczek i wyszli. W gabinecie została tylko Joanna i Daniel, który zdążył już nieco ochłonąć. Nalał do kryształowej szklanki odrobinę whisky i wypił na raz. Joanna wciąż stała z rękoma w kieszeniach długiego płaszcza.

– Usiądź, Joanno. Miło cię widzieć. – Daniel zajął miejsce za biurkiem. – Mówiłem ci, że sama do mnie przyjdziesz, i oto jesteś. Widzisz, zawsze osiągam to, czego chcę. Choć liczyłem, że pojawisz się w subtelniejszy sposób, ale wielkie wejścia to podobno domena prawdziwych kobiet. Do twarzy ci w tej czerni, dlatego nie mam pretensji, że przerwałaś mi nudne spotkanie. – Wskazał na jej płaszcz.

– Nie nabierzesz mnie na swoje maniery pseudodżentelmena. – Stanęła po drugiej stronie biurka. – Pod tą maską szanowanego biznesmena kryje się wyrachowany drań bez żadnych skrupułów, a jeszcze niedawno sądziłam, że jesteś uczciwy. Dlaczego kupiłeś moje długi?

– Tak myślałem, że właśnie ta kwestia cię do mnie sprowadza. – Daniel sprawiał wrażenie, że bawi go ta sytuacja.

– Odpowiedz na moje pytanie, dlaczego kupiłeś moje długi? – powtórzyła z naciskiem.

– Bo mogłem – odrzekł w podobny sposób co kiedyś i oparł nogi o blat biurka. Miała teraz przed sobą podeszwy drogich męskich butów, jednak nie obszedł jej ten lekceważący gest.

– Co z nimi zrobisz? – spytała krótko.

– Wszystko, co zechcę. – Uśmiechnął się szeroko. – To dla mnie drobne pieniądze. Mogę je zainwestować, wrzucić w koszty, zarobić na nich, zniszczyć, zapomnieć, odsprzedać, ściągać je z ciebie latami albo tylko patrzeć, jak będziesz się bała tego, co zrobię. Wszystko zależy od ciebie. Chciałem, żebyś się przekonała, jaką mam władzę – mówił, oglądając przy tym swoje paznokcie. – To mnie podnieca, a najbardziej podnieca mnie to, czego nie zdobywam od razu, a co i tak osiągam. Teraz mam cię w garści i mogę zrobić z tobą, co tylko chcę. – Zacisnął rękę w pięść i spojrzał na Joannę. Jego zmrużone oczy przypominały oczy węża.

– Mylisz się – zaprzeczyła. – Masz tylko pieniądze i nic więcej. Dlatego tak naprawdę jesteś biedny. Nawet mi cię żal. To smutne, że musisz kupować doznania. I zapewniam cię, że nie masz mnie w garści. Wolę umrzeć, niż pozwolić, byś mnie choć tknął. Wiesz, twój ojciec ma jednak rację.

Gdy wypowiedziała ostatnie zdanie, postawa Daniela uległa nagłej zmianie. Zdjął nogi z biurka, a z jego twarzy znikł wyraz tryumfu. Wyglądał na zaskoczonego.

– Skąd znasz tego parszywego… komucha? – spytał z nieskrywanym wstrętem.

– Nieważne skąd. Ten parszywy komuch, który nadal trzyma twoje zdjęcia, ma przynajmniej sumienie. A ty, obojętne, co kiedyś robił twój ojciec, możesz mu buty wiązać. Dla mnie jesteś nikim, choćbyś miał wszystkie pieniądze świata. I nie boję się ciebie, niezależnie od tego, co zrobisz z moimi długami. Żałuję, że kiedyś cię znałam – zakończyła z pogardą.

Wściekły, zrzucił papiery z biurka. Jakieś drobiazgi także rozsypały się na miękkiej wykładzinie. Na ten odgłos do gabinetu wszedł Karol. Spojrzał na leżące koło biurka dokumenty, przeniósł wzrok na poczerwieniałego Daniela i zbliżył się do Joanny.

– Wszystko w porządku? – zapytał krótko.

– Tak – odpowiedziała spokojnie. – Panu prezesowi puściły nerwy.

– Nazywam się Karol Dębski, jestem pełnomocnikiem tej pani – przedstawił się mecenas. – Lepiej będzie dla ciebie – zwrócił się na ty do Daniela – jeśli więcej nie puszczą ci nerwy. Słyszałem to i owo przez drzwi. Jeśli nie przestaniesz nękać mojej klientki, pójdziemy na wojnę. Trochę cię znam z wielu opowieści. Uwierz mi, dziennikarze będą zachwyceni, jak odgrzebiemy twoje dawne sprawy, które tuszował twój ojciec. Trochę tego było, nieprawdaż? – Mecenas uśmiechnął się złośliwie.

Daniel oddychał ciężko i był na granicy wybuchu.

– Won! – wycedził przez zęby i klepnął dłonią w blat.

– Z przyjemnością. – Prawnik wziął Joannę pod ramię i ruszyli ku drzwiom.

– Miłego dnia, panie prezesie – rzuciła na pożegnanie.

Wyszła niby spokojnie, z głową wysoko uniesioną, ale nogi miała jak z waty. Dopiero w windzie odzyskała panowanie nad sobą.

– Co on teraz może zrobić? – spytała Karola.

– Nie wiem, wszystko albo nic. Czas pokaże, ale nie martwmy się na zapas.

– Naprawdę znasz jego dawne sprawki?

– Tadeusz co nieco mi powiedział, ale wybacz, obowiązuje mnie tajemnica. Przynajmniej do czasu, gdy Daniel zacznie wykonywać jakieś gwałtowne ruchy. Kto wie, może sobie odpuści, sprawiał wrażenie zaszachowanego, choć różnie może być. Będziemy teraz czekać na jego posunięcie, żeby nie wybiegać przed orkiestrę.

– Chyba nie mam innego wyjścia, ale myślałam, że zagrałeś va banque z tym tuszowaniem.

– Nie do końca, ale nawet gdyby to był blef, wystarczająco długo pracuję w tym fachu i wiem, że takich fortun ludzie nie dorabiają się uczciwie. I sądząc po reakcji Daniela, raczej się nie pomyliłem. Tak czy inaczej, daliśmy mu do myślenia. A poza tym byłaś niesamowita, kiedy tak do niego wtargnęłaś.

– Sama nie wiem, co mi się stało. Dotąd mi się wydawało, że jestem poukładana i spokojna, a zachowałam się jak osoba nieokrzesana, ale nie żałuję.

– Ja myślę, że nie żałujesz. I żadna nieokrzesana, tylko nieustępliwa, a to mi się podoba. Gdybyś była po studiach prawniczych, bez wahania bym cię zatrudnił w kancelarii. Razem moglibyśmy stworzyć niezły zespół.

– No niestety. – Joanna westchnęła. – Studiowałam polonistykę, ale teraz, gdy uwolniłam się od komornika, łatwiej mi będzie znaleźć pracę. Zasiedziałam się w Małszewie i trochę to zaniedbałam. Teraz muszę się spieszyć, żeby nie roztrwonić pieniędzy od was.

– Chyba że założysz coś swojego – podsunął, gdy wyszli z budynku.

– Po tym, co właśnie przeżyłam, nigdy w życiu się na to nie odważę. Od maja mam pracować w barze kanapkowym, a na teraz poszukam czegoś zastępczego.

– Jak to mówią, nigdy nie mów nigdy, poza tym stać cię na więcej niż praca w barze kanapkowym.

– Na razie chcę się gdzieś zaczepić, potem będę przebierała w ofertach – zażartowała sarkastycznie. – Niech najpierw jako tako złapię równowagę.

– Dasz sobie radę, Joasiu, a z Danielem pomogę ci, ile będę mógł. Myślę, że na razie nie zrobi nic. Będzie potrzebował czasu na rozważenie za i przeciw. Chyba nawet wyjeżdża. Słyszałem, jak rozmawiali ci ludzie, którzy od niego wyszli. Podobno niebawem wybiera się do Afryki. Ale potem może przystąpić do działania. Zaczekamy na rozwój wypadków. Dochodzi pierwsza. – Karol spojrzał na zegarek. – O wpół do drugiej muszę być w sądzie. Chciałbym z tobą pójść gdzieś na ciastka, by omówić resztę twoich spraw, ale dziś nie zdążę, chyba że po rozprawie.

– Może kiedy indziej, dziś ja też mam do załatwienia kilka rzeczy, chcę popytać w urzędzie o mieszkanie socjalne, może mają lepsze wieści niż miesiąc temu. – Westchnęła.

– A tak, podobno są długie kolejki, coś trzeba będzie zrobić z tym mieszkaniem. – Mecenas Dębski skubnął w zamyśleniu dolną wargę. – No nic, pomyślimy, jak to ugryźć. Widzimy się po weekendzie. Wpadniesz do nas z Tosią na obiad w przyszłym tygodniu? Powinnaś się poznać z moimi paniami.

– Bardzo chętnie. – Joanna wyciągnęła rękę, którą Karol mocno uścisnął. – Dziękuję, że ze mną poszedłeś. Jesteś niesamowity, mam szczęście, że cię spotkałam.

– E tam – rzekł skromnie. – Oddaję tylko innym to, co sam dostałem, wiesz przecież, o czym mówię. Poza tym nic szczególnego nie zrobiłem, sprawa niejako rozstrzygnęła się sama. Podrzucić cię gdzieś?

– Nie, przejdę się, taki ładny dzień.

Szła ulicą, wystawiając twarz ku słońcu, w ten wyjątkowy dla niej dzień, ostrożnie zadowolona, że los wreszcie się do niej trochę uśmiechnął i mogła złapać oddech nadziei. Dochodziła do Marszałkowskiej, gdy zadzwoniła komórka.

– Joanna, będę jutro w Warszawie, możemy się spotkać? – Serce jej podskoczyło, gdy usłyszała głos Wiktora. – Muszę ci coś powiedzieć.

ROZDZIAŁ XXV

Wiktor potrzebował kilku dni, by ostatecznie ułożyć sobie to, co zamierzał wyjawić Joannie. Nawet do niej nie dzwonił, chciał przemyśleć wszystko spokojnie, w zgodzie z własnym sumieniem, bez nijakich nacisków, jak określiła to Marta. A gdy uznał, że jest gotów, wsiadł w samochód i pojechał do Warszawy.

Punkt siedemnasta, tak jak się umówili, stanął przed drzwiami mieszkania Joanny. Nie był strachliwy, nie ulegał emocjom, jednak teraz nerwy dawały o sobie znać. Czuł, jak się poci pod marynarką i za grubą, jak na tę pogodę, kurtką. Poprawił kołnierzyk czarnej koszuli, mocniej ścisnął w dłoni łodyżki białych tulipanów i zapukał do drzwi.

Otworzyła mu od razu. Nie widział jej tylko cztery dni, a miał wrażenie, że minęło mnóstwo czasu. Była tak samo ubrana jak wtedy, gdy przyszedł do niej po raz pierwszy. Ten sam sweterek, dżinsy, rozpuszczone włosy.

– Dla ciebie. – Podał jej bukiet i nachylił się, by ją pocałować na powitanie. Nadstawiła policzek, choć liczył na co innego.

– Dziękuję, bardzo ładne, z jakiej to okazji? – spytała. Znów zrobiła coś z policzkami i patrzyła tak, że przeszedł go dreszcz. Odwiesił kurtkę, odwrócił się do Joanny i przyciągnął ją delikatnie do siebie, ale natychmiast się usztywniła.

– Musi być jakaś okazja? – odpowiedział pytaniem. Starał się mówić swobodnie i tak się zachowywać, by pokonać dystans, który wciąż był między nimi, co go irytowało.

– Nie musi – odpowiedziała i wysunęła się z jego ramion.

– Tośki nie ma?

– Nocuje dziś u ciotki. Chodź do kuchni, przygotowałam kolację. Pewnie jesteś głodny. Jedziesz prosto z Małszewa?

– Przyjechałem wcześniej i zajrzałem na Ochotę, żeby skontrolować, czy młodzież grzecznie się zachowuje, ale spłynęli na weekend do domów – wyjaśnił.

Obserwował, jak wkładała kwiaty do wazonu, wyjmowała talerze i sztućce. Nie mógł się powstrzymać; stanął za jej plecami, gdy podeszła do kuchenki, i tak jak wtedy, gdy się kochali, odgarnął włosy Joanny, a potem pocałował ją w kark. Przez mgnienie poddała się pieszczocie, przechyliła głowę, jednak po chwili znów zrobiła unik. Odwróciła się do niego i położyła mu palec na ustach.

– Nie… – powiedziała półgłosem, choć stanowczo.

– W porządku. – Ujął pasemko jej włosów. – Pospieszyłem się, ale to dlatego, że dawno cię nie widziałem, a teraz tłumacz się, dlaczego wyjechałaś bez pożegnania – powiedział żartobliwie.

– Widzę, że żądanie ode mnie tłumaczeń weszło ci w krew – odparła w podobnym tonie. – No cóż, z grzeczności po raz drugi ci ustąpię, po prostu spieszyliśmy się z Karolem, żeby w miarę wcześnie wrócić do Warszawy i przejrzeć moje dokumenty.

– A tak, Marta mówiła. – Kiwnął głową. – Prosiła, by cię pozdrowić, co też czynię. Czuj się pozdrowiona.

– Dziękuję. Upiekłam kurczaka w piwie, lubisz?

– Obie rzeczy tak samo – odrzekł i cofnął się do przedpokoju po torbę. – Mam białe wino, powinno pasować do kurczaka.

– Wiktor, nie wiem, czy to dobry… pomysł – oznajmiła ostrożnie.

– Posłuchaj. – Położył rękę na jej ramieniu. – Powiedziałaś jasno „nie" i szanuję to. Proszę cię tylko, żebyśmy rozmawiali normalnie. Chciałbym ci coś ważnego powiedzieć, a ten dystans, który się wytworzył, trochę mnie spina.

– Skoro tak – poddała się – to otwieraj wino i chwal mojego kurczaka, nawet jeśli nie będzie ci smakował.

– Jestem tak głodny, że go zjem, nawet jeśli jest z piórami.

– Dlatego specjalnie dla ciebie go nie oskubałam, twardzielu. – Poklepała go po plecach.

Jedli dobrą kolację, sączyli wino, Joanna zrelacjonowała mu sprawę z komornikiem, rozwodem, nie pomijając kwestii Daniela. Wiktor był jej wdzięczny za szczerość i uznał, że jest winien to samo.

Skończyli jeść i przenieśli się do pokoju. Joanna włączyła lampkę na parapecie, był dobry nastrój do zwierzeń, choć równie dobrze mógł służyć temu, co przed miesiącem przeżywali w tych ścianach.

Joanna usadowiła się bokiem na wersalce. Wiktor zdjął marynarkę i usiadł z drugiej strony. Przez chwilę kręcił kółka kieliszkiem i patrzył na wirujący płyn, wreszcie dopił resztę wina, a potem powiedział:

– Pytałaś, skąd ta blizna. – Dotknął palcem policzka.

Widziała, z jakim trudem przychodzi mu to wyznanie.

– Nie mów, jeśli nie chcesz, nie muszę wiedzieć – odezwała się łagodnie.

– Chcę, żebyś wiedziała, potem sama zdecydujesz, co zrobisz. Dlatego tu przyjechałem.

– Dobrze, więc słucham.

– Nie wiem, od czego zacząć. – Wpatrywał się w czubki swoich butów.

– Może od końca? – zaproponowała.

Podniósł się, przeszedł kilka kroków po pokoju i stanął twarzą do okna.

– To rana po nożu, zabiłem człowieka i zostałem za to skazany – wyrzucił z siebie prawie na jednym tchu.

Głos miał głuchy, mroczny, inny niż zwykle. I wyglądał inaczej niż zwykle, gdy się do niej odwrócił. Widziała jego udrękę.

– Każesz mi teraz się wynosić? – spytał. – Mogę wyjść.

– Nie. Chcę, żebyś opowiedział mi resztę.

Usiadł obok niej i zaczął opowiadać.

– To było w sierpniu, trzy lata temu. Odprowadziłem Milenę, moją dziewczynę, i wracałem do domu. Nie miałem daleko, ledwie kilka ulic, z Dickensa na Urbanistów, ale wybrałem inną trasę niż zwykle. Była ciepła noc, więc poszedłem przez park Szczęśliwicki. Szedłem wzdłuż jeziorka, gdy usłyszałem krzyk kobiety, więc tam pobiegłem. Jakiś typ w kapturze szarpał i bił dziewczynę, broniła się, więc złapałem bydlaka za wszarz i odciągałem od niej. Skoczył na mnie, trochę się biliśmy. Było ciemno, nie widziałem, że miał kosę, znaczy nóż. Przejechał mi tym drańśtwem ostro po twarzy, a wtedy mnie poniosło. Powaliłem go jednym ciosem – Wiktor zacisnął pięść, aż pobielały mu kostki – a potem... potem nad sobą... nie zapanowałem. Nie wiem, co się ze mną działo, ile razy go uderzyłem, dwa, trzy, cztery, ale mocno, bardzo… mocno, tak że rozwaliłem mu czaszkę i już nie wstał… – urwał.

Odchylił głowę na oparcie wersalki.

Joanna z wrażenia prawie przestała oddychać, jednak się nie odzywała. Po chwili Wiktor wrócił do swoich zwierzeń.

– Sąd uznał, że przekroczyłem granice obrony koniecznej, dlatego zostałem skazany.

– Siedziałeś w więzieniu? – spytała nieswoim głosem. Odwrócił się i popatrzył na nią uważnie.

– Wystraszyłaś się?

– Odpowiedz.

– Nie byłem w więzieniu. Sąd uznał, że działałem w stanie pobudzenia, i zastosował nadzwyczajne złagodzenie kary, dostałem dwa lata i osiem miesięcy. Nie trafiłem jednak do więzienia, od wymierzenia kary też odstąpiono. Pomogły zeznania tamtej dziewczyny, moja adwokat, dobra opinia, niekaralność i takie tam. Może i to, że tamten był recydywistą. Teraz wiesz już prawie wszystko – zakończył i wypuścił powietrze z ust, jak ktoś, kto pozbył się wielkiego ciężaru.

– Prawie? Może być jeszcze coś więcej?

– A to, że rzuciła mnie Milena, choć mieliśmy ustaloną datę ślubu, ale uznała, że jestem niebezpieczny, agresywny i nie widzi dla nas przyszłości, więc trochę rozpieprzyło mi się życie. Zdziczałem, zaszyłem się u Marty i do śmierci będę miał moralniaka. Nie chodzi mi aż tak bardzo o tamtego gnoja, tylko o fakt, że byłem zdolny do tego, by... zabić. Wylazło ze mnie dzikie zwierzę. Może naprawdę jestem niebezpieczny, skoro nie umiem opanować emocji, a zatem lepiej się trzymać ode mnie z daleka. Tak mi zresztą powiedziała Milena.

– Co z nią teraz?

– Wyszła za mąż, urodziła dziecko, czyli standard. – Wzruszył ramionami.

– Żałujesz tego, co się stało?

– Chodzi ci o nią? Nie, już dawno wywietrzała mi z głowy, chociaż na początku trochę bolało.

– Nie o nią.

– Aaaa... nie, nie żałuję. To znaczy nie żałuję, że stanąłem w obronie tamtej dziewczyny, tylko tego, co było potem. Wystarczyłoby przecież, żebym go obezwładnił, nie musiałem go tak tłuc, a jednak to zrobiłem, więc jestem bandytą.

Zacisnął powieki i wykrzywił usta, jakby w ten sposób próbował opanować słabość, której nie chciał okazać. Blizna na policzku poczerwieniała. Joanna przysunęła się bliżej i objęła go ramieniem.

– Nie jesteś bandytą, po tym, co zrobiłeś i powiedziałeś, dla mnie jesteś... bohaterem – szepnęła.

Dopiero teraz nieznacznie zalśniły mu oczy; otarła palcami wilgoć z jego powiek.

– Przepraszam na chwilę. – Wstał i poszedł do łazienki.

Nie chciał, by Joanna widziała, że się rozsypał. Był niemal pewien, że ta wrażliwa kobieta nie powiedziała tego wyłącznie z litości. Tylko dlaczego? – zastanawiał się, wpatrzony w swoje odbicie.

Z kuchni dochodził szum czajnika. Wiktor przemył twarz zimną wodą i wyszedł z łazienki. Teraz miał nastąpić drugi etap tej rozmowy. Przecież powiedział dopiero połowę tego, co zamierzał. Część druga mimo wszystko może się okazać trudniejsza.

– Zrobiłam herbatę. – Joanna wskazała na kubki. – Pomoże bardziej niż wino.

– Mniej rozczula. – Wziął oba i wrócili do pokoju.

– Jak trafiłeś do Marty? – Joanna wróciła do jego historii.

– Przez przypadek. Zanim to się stało, miałem już rozkręconą firmę komputerową i zlecenia w tej okolicy; apteki, hurtownie, sklepy. Zakładam systemy, a potem je serwisuję. Po sprawie nie mogłem sobie znaleźć miejsca w Warszawie. Musiałem gdzieś uciec, żeby nie zwariować, przeniosłem się więc na Mazury. Wynająłem jakąś norę w Pasymiu. Kiedyś dla zabicia czasu zaszedłem do kościoła posłuchać chórów. Teresa urządziła jakieś występy miejscowych, nawet fajnie to wyszło. Marta też wtedy tam była, siedzieliśmy obok siebie. Jak głupek gapiłem się na jej ręce. Potem zaczęliśmy rozmawiać, wiesz, jaka ona jest, każdego do siebie ciągnie. Zaprosiła mnie raz i drugi do Małszewa, pojechałem, pomogłem w jakichś drobnych naprawach w domu, a potem już zostałem. Niby tylko na trochę, a już ponad dwa lata, jak nie mogę stamtąd wyjechać. To jedyne miejsce, gdzie jako tako dawałem radę się pozbierać po tym, co się stało. Marta bardzo mi pomogła.

– Doskonale to rozumiem. – Joanna się uśmiechnęła. – Mnie też pomogła.

– Więc widzisz. W sumie jesteście trochę do siebie podobne.

– To duże nadużycie – zaprzeczyła. – Nie mam połowy tej siły, co ona.

– Chyba sama siebie nie doceniasz. – Wiktor dotknął palcami jej policzka. – Zanim się do niej na dobre wprowadziłem, powiedziałem jej o wszystkim, a ona się nie odwróciła. Powiedziała, że każdy zasługuje na drugą szansę. Ty też się nie wystraszyłaś tego, co zrobiłem, a przecież od razu mogłaś mnie wyrzucić. Zresztą Karol także mi zaufał i powierzył dzieciaka, a mimo to sam jeszcze nie potrafię siebie usprawiedliwić. To wciąż we mnie siedzi, ale… – przerwał.

– Tak?

– Ale w pewnym momencie zaczęło się uspokajać, zacząłem chcieć czegoś więcej niż tylko zapomnienia. Wtedy, gdy spotkałem…

Joanna drugi raz położyła mu palec na ustach. Nie chciała usłyszeć więcej. W jego spojrzeniu dostrzegła, co miał zamiar jej powiedzieć, a ona nie była na to gotowa.

– Wiktor – ubiegła jego deklaracje – chyba wiem, do czego zmierzasz, ale to niemożliwe. Już ci mówiłam.

– Dlaczego niemożliwe? – spytał zmartwiony. – Przez to, co o mnie wiesz? Chciałem być z tobą szczery, żeby nie było żadnych niedomówień, choć wiem, że może to być dla ciebie trudne.

– To nie ma nic do rzeczy. – Joanna pokręciła głową.

– Więc co ma? Przecież to się czasem zdarza, że wystarczy raz spojrzeć na kogoś, by zrozumieć, że właśnie za nim się tęskniło, na niego czekało, tak jak ja chyba czekałem na... ciebie.

– To bardzo piękne, co powiedziałeś, ale z nami tak nie będzie.

– Przecież już było, tu, w tym pokoju. Dlaczego teraz się bronisz, czemu nie chcesz wpuścić mnie na dobre do swojego życia? – pytał z takim żalem w głosie i oczach, że nie mogła tego znieść, ale nie mogła też postąpić wbrew sobie.

– Zrozum, to dla mnie za wcześnie, dużo za wcześnie – tłumaczyła mu pospiesznie. – Wtedy oboje się zapomnieliśmy. Jeśli nawet w jakimś sensie nie jesteś mi... obojętny, jeśli nawet mogłoby nam się udać, to nie mogę dać ci tego, na co zasługujesz. Mam spopielone serce, nie potrafię się zakochać, a to nie jest dobry fundament związku. Nawet nie wiem, kim jestem: panną, wdową, rozwódką, mężatką? – mówiła zdławionym głosem.

– Nie obchodzi mnie twój stan cywilny, tylko ty. – Wiktor odgarnął jej włosy z twarzy. – Chcę być z tobą, kochać się, kłócić, a potem godzić, śmiać się i płakać, zabrać cię na wyspy szczęśliwe albo odkryć je z tobą... – przekonywał, ale Joanna mu przerwała.

– Wiktor, uwierz mi. – Wzięła go za rękę. – Gdybyśmy się spotkali w innej rzeczywistości, wszystko mogłoby wyglądać inaczej, ale po tym, co się stało, nie potrafię się zaangażować. Nie umiem zrobić tego po raz drugi. Chcę sama odbudować swoje życie, poczucie własnej wartości, mieć pewność, że wszystko zależy tylko ode mnie. Może uznasz mnie za egoistkę, ale to mój wybór. Wybacz, jeśli mimowolnie dałam ci nadzieję. – Pogładziła go po ramieniu.

Zaplótł ręce za głową, wyciągnął przed siebie nogi i patrzył w ścianę z Tosinymi rysunkami. Na jego twarzy widać było smutek i zawiedzione nadzieje. Joannie wydawało się, że czuje jego przygnębienie prawie na równi z własnym. Jednak nie mogła postąpić inaczej.

– Jesteś wyjątkowy, naprawdę – przebijała się dalej przez jego milczenie. – Zasługujesz na kogoś, kto cię pokocha aż do utraty zmysłów, bez zahamowań, wątpliwości, lęków. Zasługujesz na wielką prawdziwą miłość, wolną od złych doświadczeń, której ja nie potrafię ci ofiarować. Nie gniewaj się.

Wyglądał, jakby zastygł z żalu. Ani jeden mięsień nie drgnął na jego twarzy. Gdyby nie oddech i mruganie powiek na nieruchomych oczach, wciąż wpatrzonych w jeden punkt, sprawiałby wrażenie kamiennego posągu. Mijały sekundy, minuty przygnębiającej ciszy.

– Czemu nic nie mówisz? – odezwała się wreszcie Joanna.

Głowę miała lekko pochyloną, obejmowała ramionami podciągnięte pod brodę kolana. Wiktor wstał, podszedł do okna, poprawił firankę, przesunął palcem po krzywym domku na rysunku Tosi przyklejonym do ściany. Wpatrywał się chwilę w obrazek i wrócił do Joanny.

Kucnął przed nią i wreszcie się odezwał:

– Jesteś mistrzynią odmowy. Ale przetrawiłem to, co powiedziałaś, i może... – zająknął się – choć to trudne, ale może masz rację. Może rzeczywiście dla nas dwojga jest jednak za wcześnie. Chyba dałem się ponieść złudzeniom, ale skutecznie sprowadziłaś mnie na ziemię. – Uśmiechnął się trochę gorzko.

– Sam widzisz. – Joanna zsunęła się na podłogę i usiadła naprzeciw niego na podwiniętych nogach. – Może tylko byśmy się sobą rozczarowali, a wtedy byłoby jeszcze trudniej. Marta powiedziała, że z dwóch nieszczęść nie da się upleść jednego szczęścia, i chyba miała rację.

– Tak, chyba tak – potwierdził zgaszonym tonem. – Teraz najwyżej mogę mieć pretensje do losu o to, że spotkałem cię za późno, albo o to, co nam się nie zdarzyło.

– Wiktor, nie katuj dłużej ani siebie, ani mnie. – Przytknęła dłoń do jego policzka. Wiktor przykrył jej rękę swoją.

– Dobrze, ale chciałbym wiedzieć jeszcze jedno. – Popatrzył jej prosto w oczy. – Ten wiersz o wyspach szczęśliwych, który mówiłaś... Myślałaś wtedy o Tomaszu, mam rację?

Joanna milczała.

– Czyli mam rację – odpowiedział sam sobie. – Rozwodzisz się z nim, ale nadal o nim myślisz.

– Nie masz racji – zaprzeczyła cicho. – Myślałam o swoich marzeniach, które kiedyś miałam, a które mi zabrał.

– Skoro tak mówisz. – Wstał z podłogi. – Dochodzi ósma, pojadę już.

– Dokąd? – Joanna też się podniosła. – Przecież piłeś, nie możesz prowadzić. Mam gdzieś dmuchany materac, przenocuj, a rano... – urwała, gdy rozległ się sygnał komórki.

– Chyba tam jest twój telefon. – Wiktor wskazał w stronę przedpokoju.

– Może Tosia zachorowała? – Joanna czym prędzej wyjęła aparat z kieszeni płaszcza.

– Dobry wieczór, Joasiu. To ja – usłyszała znajomy głos w słuchawce. Tego telefonu się nie spodziewała.

– Tak, poznaję – odpowiedziała teściowej. Krystyna Pyrka mówiła jakoś inaczej niż zwykle, miękko. Joannę dziwnie zaniepokoiła ta zmiana.

– Dzwonię w imieniu... Tomka. – Teściowa chrząknęła.

– Tomka? – powtórzyła zdumiona. Usiadła na najbliższym kartonie. Wiktor stanął obok niej.

– Tak. Leży w szpitalu w Tworkach. Czy... czy mogłabyś do niego pojechać? – spytała tamta płaczliwym tonem.

Takiej wiadomości Joanna się nie spodziewała.

– Nie – rzuciła szeptem.

– Proszę cię, jak matka... matkę. – Krystyna Pyrka zaczęła szlochać. – Tomek jest w bardzo złym stanie. Chciał... chciał popełnić samobójstwo. On bardzo wszystkiego żałuje. Załamał się, strasznie cierpi.

– Ja też przez niego cierpiałam – odparła chłodno. – A teraz się z nim rozwodzę.

– Wiem, dzwonił do mnie twój adwokat. Zrobisz, co uznasz za stosowne. Ale teraz liczy się coś innego. Nigdy nie widziałam Tomka w takim stanie. Joasiu, błagam, przyjedź, porozmawiaj z nim, on cię potrzebuje, tęskni za tobą i Tosią. To przecież twój mąż, ojciec twojego dziecka. Chyba nie chcesz mieć go na sumieniu.

– No nie, to chwyt poniżej pasa. – Teraz naprawdę się zdenerwowała.

Jednak teściowa dalej płakała w słuchawkę.

– Przepraszam, Joasiu, sama nie wiem, co plotę, ale to z nerwów. Proszę cię, zaklinam, nie odtrącaj go teraz. Ja też żałuję, że byłam wobec ciebie niesprawiedliwa, nie doceniałam tego, jak dbałaś o rodzinę, dom, Tomka. On jest teraz nad przepaścią, jeśli nie podasz mu ręki… – nie dokończyła, wybuchnęła spazmatycznym szlochem.

Joanna nie mogła tego dłużej słuchać.

– Niech się mama uspokoi – powiedziała, próbując zebrać myśli. – Nie mogę teraz rozmawiać, też muszę się… opanować. – Wytarła zwilgotniałą dłoń o dżinsy. Dopiero teraz zwróciła uwagę, jak drżą jej ręce. – Zadzwonię jutro.

Wyłączyła się prędko, by nie słuchać dłużej tych błagań. Nie wiedziała, co o tym wszystkim sądzić. Miała totalny mętlik w głowie.

– Chyba do niego nie pojedziesz? – Wiktor patrzył na nią jak na szaloną.

– Znowu wszystko słyszałeś – stwierdziła drżącym głosem.

– Słyszałem. – Pochylił się nad nią. – Pojedziesz?

– Nie męcz mnie. – Przyłożyła rękę do czoła. Pulsujący ból tętnił jej w skroniach.

– Joanna, nawet mi nie mów, że o tym myślisz. – Złapał ją za ramiona. – Przecież ta kobieta koncertowo zagrała na twoich uczuciach, lepszej wirtuozerii w życiu nie słyszałem. Dasz się na to nabrać?

– To ojciec mojego dziecka – powtórzyła argument teściowej, który wydał jej się zarówno prawdziwy, jak i miałki, ale tylko taki przyszedł teraz do jej oszołomionej głowy.

– Jasne! – Wiktor zazgrzytał zębami. – Ojciec twojego dziecka! Który jak przyszło co do czego, zabrał dupę w troki i zostawił ciebie i Tosię! Co ty jesteś, Matka Teresa, święta Joanna?! To dorosły facet, niech sam płaci za swoje decyzje! Nie musisz się nad nim użalać, litować! Chyba że lubisz czuć się winna! Kobiety podobno tak mają! – Nakręcał się coraz bardziej i nie kontrolował już głosu, który skoczył kilka tonów wyżej.

– Możesz nie krzyczeć?

– Sorry, ale szlag mnie trafia, że dajesz tak się wkręcać – powiedział ciszej, choć emocje wciąż w nim wrzały. – Przejrzyj na oczy, przecież oni próbują tobą manipulować.

– A może właśnie chcę mu spojrzeć w oczy? – Joanna się najeżyła. – Poza tym sama potrafię ocenić sytuację.

– Oczywiście – szydził bezlitośnie, stojąc nad nią. – Ocenić sytuację, pojechać z dobrym słowem do załamanego biedaczka, spojrzeć mu w oczy, otrzeć łezki, potrzymać go za rączkę, pocałować w dupkę...

– Wiktor! – przywołała go do porządku. Podniosła się i wyprostowała. – Nie masz prawa tak do mnie mówić, a ja nie muszę się przed tobą tłumaczyć! Zrobię to, co uznam za stosowne, i koniec! – Ją też poniosło.

– Naturalnie, że nie musisz się przede mną tłumaczyć – odparł spokojniej, choć w jego głosie nadal pobrzmiewała kpina połączona ze złością. – I zrobisz, co uznasz za stosowne. Będziesz nadal się łudzić, szarpać, wymyślać zabawy w szczęście, oszukiwać siebie, Tośkę, pisać do niej listy za kochającego tatusia, który przepadł w jakimś „daleko"... O cholera... – Skrzywił się, powiedziawszy za dużo. – To miała być nasza tajemnica.

– Boże, ona wie, że to... ja? – spytała zdruzgotana.

– Wie, poznała twoje pismo – odpowiedział łagodniejszym tonem, trochę już ochłonąwszy.

– I powiedziała o tym tobie, a nie mnie? Dlaczego? Chyba... przestała mi ufać. – Joanna zakryła ręką usta.

– Nie przestała, po prostu nie chciała, żebyś była smutna. Zauważyłaś? – spytał i potarł policzek.

– Co?

– Pierwszy raz się kłócimy. – Sięgnął po kurtkę. – Pójdę już, żebyśmy się nie pożarli na amen. Może nie być okazji, żeby się pogodzić, skoro twój mąż pojawił się na horyzoncie, a ty popędzisz do niego z pomocą. Może nawet wycofasz ten wniosek, skoro, jak widzę, tak naprawdę nie jesteś gotowa na rozwód. Zamówię taksówkę. – Wyjął telefon, odbył krótką rozmowę, zarzucił torbę na ramię i z ręką na klamce powiedział: – Jednak on wciąż jest twoją wyspą, może tylko mniej szczęśliwą, niż marzyłaś.

– A ty jesteś głupio zazdrosny – odcięła się, jak mogła.

– Bo jestem facetem. Ale znów zaczynamy się kłócić, cześć!

Który nic nie rozumie, dokończyła w myślach, zamykając za nim drzwi. Świat, ludzie, uczucia mają więcej kolorów niż tylko czerń i biel i nie są tak proste jak zegarek, myślała, wyglądając zza firanki.

Widziała, jak palił papierosa, spacerując wzdłuż domu, a potem wsiadł do taksówki. Ani razu nie spojrzał w okno, za którym stała. Nadal był zły, co dostrzegła, gdy z pasją zgniótł butem niedopałek. Odprowadzała wzrokiem oddalające się czerwone światła samochodu. Widzisz, jednak miałam rację, Wiktor, nie jesteś gotów, by zmierzyć się z moją przeszłością, a przecież masz własną. Ja też sama nie wiem, jak uporam się ze swoją.

Ta cząstka serca, którą mi niespodziewanie zabrałeś, to chyba za mało, by wspólnie coś budować. W miłości nie może być niedomówień, tylko wszystko albo nic, inaczej nie ma to sensu. Dlatego wolę, żebyśmy byli nieszczęśliwi bez siebie niż ze sobą.

*

Wiktor nie mógł sobie znaleźć miejsca we własnym mieszkaniu. Snuł się w niedzielne południe z kąta w kąt po pobojowisku zostawionym przez studentów. Nie mógł określić, czego było w nim więcej, wściekłości czy rozczarowania. Wyładował się na łóżku polowym, które składał z trzaskiem po kiepsko przespanej nocy. Pchnął z impetem nogą walające się na podłodze stare zatłuszczone kartony po pizzy i chińskim żarciu, czyjeś brudne skarpetki, jakieś pokreślone kserówki pomiędzy kłakami kurzu.

Co za chlew, irytował się w duchu. Czas skończyć z tą menażerią i moją życiową prowizorką, postanowił. Joanna mnie nie chce, trudno, sam sobie będę sterem, żeglarzem i okrętem, myślał, przebierając palcami po blacie. Czuł się boleśnie przez nią znokautowany racjonalnymi argumentami. Na walkę z jej uprzedzeniami nie był ani gotów, ani nie miał do tego dość determinacji. I tak wiele go kosztowało tamto wyznanie.

Otworzył się, określił, na więcej nie było go teraz stać. Jeszcze na dobre nie okrzepł po tamtych przejściach, przecież dopiero zaczął czegoś chcieć, chyba naprawdę spotkaliśmy się w złym czasie na miłość, tłumaczył sobie, ale trudno mu było otrząsnąć się z narastającej apatii.

Dopiero po południu jako tako doszedł do siebie. Zmobilizował się i pojechał tramwajem po zostawiony na Pradze samochód. Dzień był równie ciepły, choć nie tak słoneczny jak wczoraj. Ale nawet gdyby świeciło ostre słońce, to Wiktor, ogarnięty wewnętrznym mrokiem, pewnie by tego nie zauważył. Czuł przygnębienie na widok miejsca, z którym wczoraj wiązał, co prawda, wątłe, ale jednak nadzieje. Podchodził już do dżipa, gdy usłyszał z boku entuzjastyczny pisk:

– Wuuujeeek!!!

Odwrócił się szybko.

Z placyku zabaw biegła ku niemu Tośka w różowej kurteczce. Rączki wyciągnęła przed siebie i uśmiechała się całą buzią. Przynajmniej ona się cieszy, że mnie widzi, pomyślał. Za nią szła chmurna Joanna i jakaś kobieta w średnim wieku, mała, chuda, blada i wiedźmowata. To chyba ta teściowa, zdołał pomyśleć, nim Tośka skoczyła na niego z impetem. Wziął dziewczynkę na ręce i cmoknął ją w policzek.

– Cześć, mała – starał się, by jego głos zabrzmiał pogodnie. – Dobrze cię widzieć.

– Gdzie byłeś, wujku? Też daleko? – Objęła go mocno za szyję.

– Nie, skąd. – Przytulił ją do siebie. – Byłem tutaj i właśnie przyszedłem po samochód.

– I zabierzesz mnie i mamusię do tamtego domku? – spytała z nadzieją w głosiku.

– Tosiu, wystarczy. – Joanna zabrała dziewczynkę z jego rąk.

– Ale ja chcę pojechać z wujkiem do tamtego domku w lesie i do kotka, i cioci, i do tamtej babci, a tej babci – pokazała paluszkiem na kobietę w beżowym płaszczu – nie lubię.

– Tośka! – Joanna podniosła głos, nachylając się nad córką. – Natychmiast przeproś babcię Krysię – poleciła surowo.

Mała wygięła buzię w podkówkę i bąknęła niewyraźne „przepraszam".

– Nic się nie stało, Tosiu. – Tamta chciała ją pogładzić po głowie, ale dziewczynka schowała się za nogi Wiktora.

Nie wiedział, jak ma się zachować, w duchu jednak, choć może nie było to zbyt uczciwe, ucieszył się z tej szczerej reakcji brzdąca.

Wyraźnie zmieszana Joanna dokonała pospiesznej prezentacji. Teściowa Joanny obrzuciła go niechętnym spojrzeniem, zatrzymując oczy na bliźnie, po czym cofnęła się kilka kroków. Joanna odprawiła do niej opierającą się Tosię, którą musiała na siłę odczepić od jego nogawki.

– Jednak się zdecydowałaś – rzekł, gdy na moment zostali sami.

– Na razie próbujemy rozmawiać. – Wskazała dyskretnie głową w stronę matki Tomka. – Przed chwilą przyjechała.

– Zrobisz, jak zechcesz – wzruszył ramionami – wiesz, co o tym myślę, ale nie mogę ingerować w twoje decyzje. Słuchaj, Marta zaprasza was na Wielkanoc. Przyjedziecie?

– Nie wiem, nie obiecuję, może raczej po świętach. – Przestąpiła z nogi na nogę, odrzucając do tyłu włosy, była bardzo spięta. – Dziś się dowiedziałam, że mój brat przylatuje z Argentyny, więc raczej spędzę święta z rodziną.

– To tak jak ja. – Wiktor kiwnął głową. – Jadę teraz do ojca, na Wielkanoc też zostanę ze swoimi, a potem... – urwał.

– Tak? – Podniosła na niego oczy, dotąd umykające gdzieś na boki.

– Mam pewne plany na siebie. – Uśmiechnął się krzywo. – Uświadomiłaś mi, że czas zrobić w życiu porządek. W sumie jestem ci wdzięczny, dlatego więcej nie będę cię niepokoił. Powinniśmy chyba od siebie odpocząć, żeby się nie katować wzajemnym widokiem. Tośki też nie powinienem w tej sytuacji do siebie przywiązywać. Jakoś mnie przed nią wytłumaczysz, na przykład, że wyjechałem daleko, zresztą może nawet wyjadę daleko, skoro nam się nie udało. – Choć jego słowa brzmiały pewnie, to jednak patrzył na nią tak zawiedzionym wzrokiem, że Joannie krajało się serce.

– Wiktor, jak tak mówisz, to... – Przygryzła wargi.

– To co?

– To czuję się winna.

– Wybacz, jeśli tak to odebrałaś. Nie miałem takiego zamiaru. Trzymaj się, Joanna, i powodzenia we wszystkim, co postanowisz, a jeśli zatęsknisz, dzwoń. – Cmoknął ją krótko w policzek i poszedł do auta tak prędko, jakby ktoś go gonił.

Odwróciła głowę. Nie chciała widzieć, jak odjeżdżał. Tobie też powodzenia we wszystkim, co postanowisz, posłała za nim ciepłe myśli.

ROZDZIAŁ XXVI

Od tamtej niedzieli Joanna miała wyjątkowo napięte nerwy. Irytowały ją humory Tosi, rozmowy z teściową, częste telefony matki Tomasza i naciski, które ta próbowała wywierać, jednak najbardziej drażniło własne wahanie. Czuła nad sobą presję powinności. Dobrze, pojadę do niego, wygarnę mu wszystko prosto w twarz, nie dam sobą dłużej manipulować, może wtedy poczuję ulgę i, tak jak Wiktor, zrobię porządek we własnym życiu, postanowiła wreszcie. Patrzyła na przywiędłe już tulipany. Ich łodyżki zwiotczały, część płatków opadła, ale Joanna nie miała serca ich jeszcze wyrzucać. Pogładziła delikatnie palcami pożółkły bukiet.

– Tosia, ubieraj się, musimy już iść do wujka Karola! – zawołała z kuchni.

– Zaraz – usłyszała.

Joanna ubrała się starannie w dopasowaną czarną sukienkę, zrobiła makijaż, ułożyła włosy, które spływały miękkimi falami do ramion. Bardziej niż o dobry wygląd na proszonym obiedzie u Dębskich zależało jej na tym, żeby Tomasz zobaczył ją tego popołudnia w najlepszej formie.

– Przynajmniej taką będę miała satysfakcję – mruknęła pod nosem.

A jednak, mimo że dodała sobie pewności strojem, przez prawie cały czas obiadu nie opuszczało jej napięcie na myśl o spotkaniu z mężem.

Rozmawiała z gospodarzami, odpowiadała coś Tosi, ale była rozkojarzona. Pozbierała się dopiero przy deserze, gdy pani Irena położyła rękę na jej dłoni.

– Wiesz, Joasiu – odezwała się. – Sytuacja w naszej kancelarii uległa pewnej zmianie.

– Tak? – Joanna drgnęła. – Chodzi o honorarium za prowadzenie mojej sprawy?

– Nie, nie. – Karol pokręcił głową. – Chodzi o coś zupełnie innego…

– To my już sobie pójdziemy z Tośką pograć na kompie – weszła ojcu w słowo Maryla, a Tosia zameldowała się przy niej ochoczo.

– Tylko nie za długo, Tosiu, zaraz musimy iść – zwróciła się do córeczki Joanna i wyjaśniła Dębskim: – Za dwie godziny mam ważne spotkanie, a wcześniej muszę zaprowadzić Tosię do dziadków.

– Ale ja nie chcę do dziadków! – Mała skrzywiła się płaczliwie. – Mogę zostać tutaj, mamusiu? Tylko raz. Tu jest fajnie.

– Zostaw ją z nami, Joasiu. – Pani Irena pogładziła włoski Tosi. – Jest taka słodka.

– Nie wiem, czy to nie będzie dla was kłopot... – Joanna się zawahała.

– E tam, żaden – powiedziała Maryla. – Najpierw pogramy, a potem pomalujemy sobie paznokcie. Chodź, młoda, idziemy do mnie. – Wzięła za rączkę podskakującą z radości dziewczynkę i poszły w głąb rozległego mieszkania. Pani Irena odprowadziła je wzrokiem.

– Marylka, jak była młodsza, zawsze chciała mieć siostrzyczkę – powiedziała z uśmiechem. – No, ale się nie udało.

– Taki los. – Karol westchnął. – A wracając do naszej rozmowy, Joasiu. Otóż piętnastego maja odchodzi od nas pracownica, która prowadziła sekretariat.

– Wyszła za mąż i jedzie z mężem do Londynu – dodała jego żona. – Dlatego pomyśleliśmy z Karolem, że może ty byś chciała objąć jej obowiązki?

– Ja? – zdumiała się Joanna. Ta propozycja tyle samo ją zaskoczyła, co uradowała. – Ale przecież ja nie mam wykształcenia prawniczego.

– Do tej pracy nie jest konieczne, a w potrzebnych drobiazgach cię podszkolimy. – Karol rozwiał jej obawy. – Nie uwłaczając żadnemu uczciwemu zajęciu, uważam, że bar kanapkowy to raczej miejsce dla studentki, która chce sobie dorobić. Ty powinnaś mieć stabilniejszą posadę. To jak, zgadzasz się?

– Z radością. – Joanna uśmiechnęła się po raz pierwszy od kilku dni.

– No to świetnie. – Pani Irena klasnęła w dłonie. – W takim razie witamy na pokładzie. W drugiej połowie kwietnia możesz zacząć przychodzić, żeby zapoznawać się ze swoimi obowiązkami w kancelarii, byś od maja ruszyła pełną parą. Ustalimy też dogodne dla nas wszystkich warunki twojego zatrudnienia, ale myślę, że będziesz zadowolona.

– Już jestem i nawet nie będę pytać, dlaczego mi pomagacie. Chyba wiem, kto się do tego przyczynił, mój Anioł Stróż. – Joanna pobiegła myślami do domu w Małszewie i staruszki, która była jego dobrym duchem.

Rozmawiali jeszcze chwilę, a krótko po piętnastej Joanna zaczęła się zbierać. Znów ogarnęło ją napięcie przed zbliżającym się spotkaniem z Tomkiem i jego matką. Teściowa miała czekać przed szpitalem.

– Może cię podwieźć? – zaoferował mecenas Dębski, podając jej płaszcz. – Dziś jestem już wolny.

– Dziękuję, ale to daleko. Jadę do… Tworek – dokończyła ciszej.

– Do Tworek? – zdziwiła się Irena. – Do szpitala psychiatrycznego?

– Tak. – Joanna chrząknęła zmieszana. – Mój mąż tam leży.

– Tym bardziej cię zawiozę. – Karol wziął swój płaszcz z wieszaka.

Jechali w komunikacyjnym szczycie mercedesem Karola w stronę Pruszkowa. Z każdym kilometrem, który zbliżał ją do tego miejsca, Joanna czuła się gorzej. Co mu powiem, Boże, co ja mu powiem po tylu miesiącach, czy w ogóle jest jeszcze coś do powiedzenia w tej sytuacji? Kilka razy chciała zrezygnować z tej wizyty. Walka, którą toczyła w myślach, musiała być widoczna na jej twarzy, bowiem gdy już wyjechali z centrum, Karol zapytał:

– Może zawrócę?

– Nie. I tak od tego nie ucieknę. Zresztą jego matka tam na mnie czeka. – Opowiedziała mu pokrótce tyle, ile wiedziała.

– Zapytaj Tomasza, oczywiście jeśli będzie to możliwe, czy zgadza się na rozwód. Teraz może być trudniej go uzyskać, skoro twój mąż jest chory. Wybacz, że ci to mówię, ale powinnaś wiedzieć.

– Na razie o niczym nie myślę, byle tylko mieć za sobą tę wizytę.

– Rozumiem. A o Tosię się nie martw, zajmiemy się nią. Może nawet u nas spać. Kancelarię otwieramy o dziesiątej, więc zdążysz odebrać małą. Może chcesz, żeby po ciebie przyjechać?

– Nie, dziękuję.

Wreszcie dojechali na miejsce. Wielkie stare budynki zrobiły na niej przygnębiające wrażenie. Nigdy nie była w szpitalu psychiatrycznym, a w tej chwili za tymi ponurymi murami znajdował się ktoś, kto kiedyś był jej tak bliski, a teraz...

Teraz Joanna poczuła gwałtowną niechęć, gdy przed wejściem zobaczyła teściową, która na jej widok zamachała ręką.

– Dzień dobry! – Matka Tomasza powitała ją wylewnie, ale Joanna nie odpowiedziała jej tym samym. Ograniczyła się do kiwnięcia głową.

– Tak mi ulżyło, że przyjechałaś. Bałam się, że zrezygnujesz. Nie wzięłaś Tosi? – spytała zawiedziona Krystyna Pyrka.

– Tutaj?

– No tak, niezbyt przyjemne miejsce, ale mogłam się nią zająć, żebyś w spokoju porozmawiała z Tomkiem. Tęsknię za wnuczką – dodała czule.

– Doprawdy? – Joanna uniosła brwi. – Ostatni raz, prócz niedzieli, widziała mama swoją wnuczkę w poprzednią Wielkanoc, więc nie mówmy o tęsknocie.

– Tak, oczywiście. – Teściowa chrząkała zmieszana. – Popełniłam wiele błędów, które teraz chcę naprawić. Wejdźmy do środka, chłodno tak stać. Tomek leży w tamtym budynku. – Wskazała ręką przed siebie.

Po chwili weszły do szpitalnego holu.

– Joanno, rozmawiałam z jego lekarzem prowadzącym. Uprzedzał, żeby oszczędzić Tomkowi wszelkich złych emocji i traktować go łagodnie, ponieważ naprawdę jeszcze jest niestabilny. Leży na obserwacji na oddziale zamkniętym, ale może wychodzić na korytarz. Dlatego jak będziesz z nim rozmawiała, to proszę cię o... powściągliwość.

– Najpierw chcę porozmawiać z mamą. – Joanna głęboko wciągnęła powietrze, gdyż z powodu stresu nie mogła normalnie oddychać.

– Dobrze, chodźmy tam. – Teściowa wskazała krzesełka pod ścianą.

Usiadły obok siebie. Przez jakiś czas trwała kłopotliwa cisza. Matka Tomka na przemian to wycierała oczy, to głośno czyściła nos w chusteczkę.

– Nie wiesz, jak to boli, gdy widzisz, że twoje dziecko cierpi, nawet dorosłe, ale przecież to dziecko, mój jedyny syn. Zawsze był taki wrażliwy, może się trochę pogubił, pobłądził, ale to dobry chłopak.

– Taaaa... – mruknęła Joanna. – Bardzo dobry, zostawił mnie i Tosię na pastwę losu, który sam nam zgotował.

– Joanno, bądź sprawiedliwa. – Pyrkowa pogładziła ją po ramieniu. – Przecież długo was też utrzymywał. Niczego wam nie brakowało, a że powinęła mu się noga, to każdemu może się zdarzyć. Małżeństwo jest na dobre i złe, w zdrowiu i chorobie, bogactwie i biedzie. Dlatego proszę, nie odrzucaj go teraz, kiedy jest na dnie. Pomogę wam, jak tylko zdołam – deklarowała żarliwie.

– Szkoda, że dopiero teraz mama proponuje pomoc, a nie wtedy, jak zadzwoniłam. Były dni, gdy mogłam kupić tylko chleb... – Joanna przygryzła wargę. – A mama nawet nie spytała, czy Tosia ma co jeść, gdzie mieszkać, czy jest zdrowa. Zawsze liczył się tylko Tomek, nie my. My byłyśmy te złe, obce, które wykorzystują biednego synusia – mówiła z goryczą.

– Przepraszam, wiem, że źle postępowałam. – Tamta znów przyłożyła chusteczkę do oczu. – Bardzo się wstydzę i chcę to naprawić. Mam przecież trochę ziemi, sprzedam ją, spłacę te wasze długi, możecie zamieszkać u mnie w Mławie, tylko nie odwracaj się teraz od Tomka. Bądź dla niego wyrozumiała, przynajmniej dopóki jest w takim stanie. Wiem, że nabroił, ale wszystko może się odmienić na lepsze, niech tylko Tomasz z tego wyjdzie. Tylko ty, Joasiu, możesz mu w tym pomóc. Nikt inny.

– Czuję się wystarczająco wpędzona w poczucie winy – Joanna resztką sił powstrzymywała wybuch – więc może sobie mama darować resztę. A zanim do niego pójdę, chcę wiedzieć tylko jedno, a podejrzewam, że mama zna odpowiedź na to pytanie. Gdzie był Tomek przez ten czas? – spytała, wpatrując się bacznie w twarz teściowej.

Trwało chwilę, nim padła cicha odpowiedź:

– U mnie.

Po prostu odebrało jej głos, gdy to usłyszała. Joanna chwytała powietrze ustami jak ryba wyciągnięta z sieci, nawet oczy jej zastygły w bezruchu. Dopiero gdy zaczęły ją piec, uświadomiła sobie, że nie mruga.

– Ja też mam do ciebie pytanie. – Krystyna Pyrka nie czekała, aż minie szok synowej. – Kim był ten straszny człowiek w niedzielę pod twoim domem? Nie zrozum mnie źle, ale nie powinnaś pozwalać, by zbliżał się do Tosi, wyglądał jak bandyta.

Gdyby nie ów stan zawieszenia, który na chwilę zmroził emocje Joanny po tym, co usłyszała, może by nie potrafiła nad sobą zapanować i rozszarpała tę kobietę. Zamiast tego zacisnęła dłoń w pięść, aż paznokcie wbiły się w skórę, zagryzła zęby i wstała.

– Gdzie leży Tomek? – Tylko to zdołała z siebie wydobyć.

Wygarnę mu, wszystko mu wygarnę, za siebie, za Tosię, za zrujnowane marzenia, za Ewę, nie jestem świętą Joanną, nie obchodzi mnie jego stan, mówiła sobie, pokonując kolejne stopnie szpitalnych schodów.

Tylko po to tu przyjechałam, żeby spojrzeć mu w oczy, nie będę ocierać mu łez, niańczyć go, jak mówił Wiktor. On to straszny człowiek? A wy? Kim jesteście oboje? Mówiła w myślach, dając się ponosić narastającej złości. Czuła gniew nawet wtedy, gdy nacisnęła dzwonek przy wejściu na oddział.

– Pani do kogo? Nazwisko pacjenta. – Starsza pielęgniarka otworzyła drzwi z drugiej strony.

– Tomasz Pyrka – odpowiedziała na wydechu Joanna.

– Proszę za mną. – Kobieta wpuściła ją na oddział i zamknęła drzwi na klucz, który schowała do kieszeni fartucha.

I oto nagle Joanna znalazła się w innym świecie. Świecie krat w oknach i drzwi bez klamek. Choć starała się nie rozglądać, idąc za pielęgniarką, nie mogła jednak nie widzieć brudnej pościeli w salach zapchanych łóżkami, ludzi o nieobecnych twarzach, skołtunionych włosach, otwartych ustach.

Niektórzy snuli się w brudnych piżamach przy ścianie od końca do końca korytarza, jedni szybko, drudzy wolniej. Inni leżeli, patrząc w sufit, jeszcze inni podskakiwali przed głośno grającym telewizorem, skąd płynęło disco polo. Zza zamkniętych drzwi bez klamki dochodziły upiorne wrzaski jakiejś kobiety, która darła się jak obdzierana ze skóry.

– Ałaaaa!!!!!... Kuuuuurwaaaaa!!!!! Aaaaaa!!!!! Uuuuuuu!!!!

– Zamknij jadaczkę, debilko!!! – Teraz rozległ się stamtąd zirytowany męski głos.

– Nowa pacjentka – wyjaśniła niewzruszona pielęgniarka, widząc przerażenie na twarzy Joanny. – Dziś ją przywieźli. Zaraz ją zalekują, to się uspokoi. To tu. – Stanęła przed drzwiami z napisem: „Oddział zamknięty. Obserwacja".

– Tutaj leży mój mąż? – Joannie zrobiło się słabo, gdy usłyszała stamtąd wrzaski, wyzwiska, zawodzenia kobiecych i męskich głosów.

– Tak, ale może wychodzić na krótkie spacery po głównym korytarzu, tylko że pod opieką. Jak już skończą państwo rozmawiać, musi pani przyprowadzić męża i przekazać go sanitariuszowi. Nie może pani zostawić męża samego ani na chwilę. Nawet sikać musi przy otwartych drzwiach, żeby go pani widziała. Jeśli ma pani dla niego jakieś rzeczy, muszę je przejrzeć – dodała, kończąc instruktaż.

Joanna zaprzeczyła ruchem głowy.

– Pani po raz pierwszy jest na takim oddziale, prawda? – domyśliła się tamta.

Joanna zdołała tylko kiwnąć głową.

– To rzeczywiście przykry widok, ale można przywyknąć. – Kobieta zapukała do masywnych drzwi.

Po jakimś czasie uchylił je od środka potężny sanitariusz, tuż za nim pojawiła się grupa kilkorga pacjentów w różnym wieku. Niektórzy byli częściowo obnażeni albo mieli na sobie podarte piżamy.

Joanna przez wąską szparę dostrzegła jeszcze więcej łóżek, z jeszcze brudniejszą pościelą niż na innych salach. Nagle do grupki stłoczonej w korytarzyku przy drzwiach podczołgał się starszy, całkiem nagi i bardzo chudy mężczyzna. Joannę zemdliło, gdy zobaczyła jego nieosłonięte genitalia i poczuła bijący z oddziału smród, zaduch i coś, czego nie można było poczuć zmysłami – cierpienie dusz uwięzionych w okaleczonych chorobą umysłach, a przy tym zamkniętych w ciasnym świecie oddziału obserwacji.

– Przyprowadź pana Pyrkę, żona przyszła – zwróciła się pielęgniarka do sanitariusza.

– Dobra – mruknął, odganiając ręką z uchylonych drzwi wciskające się w szparę głowy pacjentów. Niektórzy robili dziwne miny i wywalali na wierzch języki. – Przynieś czystą piżamę, nam się już skończyły, Heniek znów się zesrał do łóżka. – Wskazał ręką na pełzającego golasa. – Zaraz przyprowadzę męża – powiedział do Joanny, zdecydowanym ruchem odepchnął tłumek za sobą i zamknął drzwi, do których zaczęli się cisnąć pacjenci.

– Zawsze próbują uciekać, proszę tu zaczekać na męża – poleciła pielęgniarka i cofnęła się do dyżurki.

Po chwili drzwi oddziału znów się uchyliły i wyszedł z nich sanitariusz, prowadząc pod ramię...

– Jezu... – Na widok męża Joanna przycisnęła rękę do ust.

Nie mogła uwierzyć, że człowiek, który przed nią stoi, to jej Tomasz. Zamiast zadbanego pogodnego mężczyzny w dobrze skrojonych garniturach, pachnącego dobrymi perfumami, ze zdrową cerą, gładką twarzą zobaczyła... ruinę człowieka.

Stał przed nią wychudły, zgarbiony, pożółkły, z zapadniętymi policzkami i pustym wzrokiem. Dawno niestrzyżone włosy, zlepione w tłuste strąki, opadały mu na szyję. Wielodniowy zarost przemieniał się już w niechlujną brodę. Spod za dużej szpitalnej piżamy, której góra nie pasowała do dołu, wystawał poszarzały z brudu podkoszulek. Joannę uderzył smród przepoconego męskiego ciała i nieświeżego oddechu.

– Za kwadrans proszę przyprowadzić pacjenta z powrotem – polecił sanitariusz i zniknął za drzwiami.

– Tomek... – szepnęła jedynie i łzy same potoczyły się po jej policzkach, choć przecież miała być silna, twarda, pokazać się w dobrym wydaniu, żeby poczuć satysfakcję i móc wygarnąć mu wszystko w twarz. Nagle wyparowała z niej cała wcześniejsza złość, a pojawiło się współczucie, ból, żal, wszystko naraz.

– Jesteś... – Spojrzał na nią. Powoli wyciągnął rękę i jak ślepiec dotykał policzka Joanny, czoła, włosów. – To naprawdę... ty.

Zebrał się w sobie i powolutku, jak na zwolnionym filmie, podszedł do niej i położył głowę na jej ramieniu. W naturalnym odruchu, choć tego też przecież nie planowała, nawet o tym nie myślała, ale objęła to wychudzone ciało o zwisających bezwładnie ramionach.

– Jestem – mówiła łagodnie, gładząc jego plecy. Wtem poczuła, że Tomasz płacze.

– Bałem się, tak się bałem, że... nie przyjdziesz. – Łkał w jej szyję. – Zabierz mnie stąd... zabierz mnie z tego piekła. Nie wytrzymam tu dłużej, nie wytrzymam dłużej bez ciebie.

– Już, spokojnie. – Przytuliła go mocniej, czulej. – Nie płacz, proszę cię, nie płacz. Gdzie tu możemy porozmawiać?

– Nigdzie.

– To przejdźmy się po korytarzu. Przynajmniej mniej będzie słychać wrzasków.

Prowadziła go pod ramię jak starca. Szedł powoli, zgarbiony, szurając nogami, wczepiony w nią oburącz. Przed telewizorem w prowizorycznej świetlicy stało kilka stolików, przy każdym ktoś siedział. Joanna wypatrzyła dwa wolne krzesła i ruszyła w tamtą stronę, ale Tomasz się zatrzymał.

– Chodźmy do palarni – powiedział trochę spokojniej.

– Dobrze.

W małym pomieszczeniu, gdzie pracował wentylator zamocowany wysoko w zakratowanym oknie, było gęsto od dymu. Z nieopróżnionych popielniczek wysypywały się niedopałki. Joanna ledwo mogła oddychać w tym smrodzie. W środku był jakiś mężczyzna w dresach, który kończył palić.

– Poczęstujesz? – Tomasz wskazał na paczkę westów. Tamten bez słowa wyjął papierosa, przypalił go sam, podał Tomkowi i wyszedł.

– Nie wiedziałam, że palisz. – Joanna usiadła na krześle naprzeciw Tomasza. Zostali sami.

Nie odpowiedział, tylko zachłannie zaciągnął się dymem. Ręce mu się trzęsły, gdy raz za razem podnosił papierosa do ust, a kiedy został tylko ustnik, Tomek zaczął grzebać w popielniczce, wyjął stamtąd peta i odpalił go od tlącego się filtra. Joanna była zszokowana. Zamknęła oczy, by choć przez chwilę nie patrzeć na ludzki wrak, którym stał się jej mąż. Boże Wszechmogący, co on ze sobą zrobił? – zadawała sobie w duchu pytanie.

Gdy je otworzyła, miała wrażenie, że Tomek trochę się uspokoił. Siedział na krześle, ręce włożył między nogi i bujał się w tył i w przód.

Nie wiedziała ani jak ma się zachować, ani co zrobić. Ten człowiek naprzeciw niej wydawał się jej tak samo bliski jak obcy. Chciała go o wszystko wypytać, wyjaśnić tyle pogmatwanych spraw, wylać swoje żale, jednak odsunęła to na potem. Teraz nie była w stanie wykrzyczeć mu krzywd, których doznała, gdy on wyglądał jak jedna wielka krzywda.

– Jak się czujesz? – spytała troskliwie.

– *A ty mnie na wyspy szczęśliwe zawieź, wiatrem łagodnym włosy*... – zaczął nieoczekiwanie, ale Joanna od razu przerwała.

– Przestań. – Zakryła uszy rękami. – Nie mogę tego słuchać. Tomasz, kim ty teraz jesteś? Nie wiem, jak mam z tobą rozmawiać – mówiła przez zduszone gardło.

– Nie jestem wariatem. – Zsunął się na ziemię i objął Joannę za nogi. – Ale umieram bez ciebie. Już umarłem, teraz tylko dogorywam. Chciałem się zabić, ale mi... nie wyszło. Nic mi nie wyszło. To wszystko moja wina, tak bardzo żałuję tego, co się stało... – ni płakał, ni mówił z twarzą na kolanach Joanny.

– Wstań. – Nachyliła się nad nim. – Tu jest brudno, usiądź, będzie ci wygodniej. Potem porozmawiamy, jak dojdziesz do siebie. Chodź, pomogę ci.

Ujęła go pod pachy i pomogła mu się podnieść. Wstał, opierając się o nią, i na powrót usiadł na krześle. Był tak przybity, zmieniony, że serce jej się ściskało.

– Pewnie mnie nienawidzisz – odezwał się po jakimś czasie.

– Nie – zaprzeczyła. – Gdyby tak było, nie przyszłabym tutaj.

Do palarni wszedł sanitariusz, ale inny, nie tamten, który wcześniej przyprowadził Tomasza.

– Panie Pyrka, wracamy na oddział, czas na leki. – Ujął go zdecydowanie pod rękę.

– Joanna... – Tomasz wbił w nią przerażone oczy. – Nie zostawiaj mnie... nie chcę tam wracać, porozmawiaj z lekarzem... – prosił już z progu, wyrywając się tamtemu.

Joanna nie mogła słuchać oddalających się błagań Tomka, patrzeć na jego strach, upodlenie, bezwolność. Po tym, co widziała, czuła się rozbita i zszokowana. Ledwo mogła wydobyć z siebie głos, gdy jakiś czas później siedziała w gabinecie lekarskim i pytała o możliwość wypisania Tomasza ze szpitala.

– Pani mąż został hospitalizowany bez własnej zgody – tłumaczył jej psychiatra, postawny mężczyzna w średnim wieku – ponieważ groził odebraniem sobie życia. Przywiozła go tu policja. W takich wypadkach, zgodnie z przepisami, mamy obowiązek przymusowej obserwacji pacjenta na oddziale zamkniętym przez dziesięć dni. Po tym czasie, jeśli nie stwierdzimy u męża choroby psychicznej, która zagraża życiu i bezpieczeństwu jego bądź innych osób, zostanie przeniesiony na oddział psychiatryczny ogólny, co powinno nastąpić za pięć dni, jeśli nic się nie zmieni w zachowaniu pacjenta – tłumaczył, pstrykając przy tym długopisem.

– A czy teraz można już coś powiedzieć o jego stanie? Dawno nie widziałam męża, jest taki zmieniony.

– Nie wiem, jak wyglądał wcześniej, ale w takim stanie do nas trafił. Na razie choroby psychicznej nie stwierdziliśmy, jednak oznaki załamania nerwowego i symptomy depresji są widoczne. Dlatego mąż powinien unikać stresujących sytuacji.

– Nie znam się na tym, ale chyba najbardziej stresuje go ten oddział, na którym teraz przebywa. Tam jest tak... strasznie.

– No, niestety, droga pani. – Lekarz rozłożył ręce. – Takie mamy realia polskiej psychiatrii, ciągle niedoinwestowanej. Brak miejsc i środków powoduje, że musimy upychać razem schizofreników, pacjentów z depresją, osoby uzależnione i tak dalej, jeśli są kierowani na obserwację. To nikomu nie służy, lecz nie ma innego wyjścia.

– Jak mogę mu pomóc w tej sytuacji?

– Po prostu być przy nim, odwiedzać, wykazać dużo cierpliwości, spokoju, zrozumienia. W takich sprzyjających, przyjaznych warunkach, przy poparciu, które będzie czuł od bliskich, prędzej wróci do równowagi.

– Kiedy to może nastąpić?

– Nie umiem odpowiedzieć na to pytanie. Gdybym był chirurgiem i leczył złamaną nogę, byłoby łatwiej. Złamanej duszy, niestety, nie da się zagipsować, żeby się zrosła. To może potrwać.

Był późny wieczór, gdy Joanna, odwieziona starym golfem przez teściową, dotarła wreszcie do domu. Od razu weszła do łazienki, by zmyć z siebie zapach miejsca, które ją samą doprowadzało prawie na skraj obłędu. Przed oczami wciąż widziała żałosną ruinę, jaką stał się Tomasz.

Widzisz, Wiktor, jednak miałam rację, musnęła ręką białe tulipany w wazonie, nie tylko przeszłość, ale teraźniejszość i przyszłość stanęłyby już dziś między nami. Nie można odwrócić się od człowieka, który tak cierpi jak Tomek, przecież każdy zasługuje na drugą szansę, cokolwiek by wcześniej zrobił, dlatego wybacz, że nam się nie zdarzyło.

Ty też znajdziesz kiedyś swoje wyspy szczęśliwe, myślała rozdarta między głosem serca, rozsądku i sumienia. Wyjęła z wazonu zwiędły bukiet i wyrzuciła do śmieci.

Odwiedzała Tomasza codziennie. Zjawiała się przed południem i zostawała długie godziny. Zawoziła Tosię na Nowy Świat i pod pretekstem szkolenia w kancelarii jechała do Tworek. Nikomu z rodziny jeszcze nie powiedziała, że Tomasz się odnalazł. Nie byłaby teraz w stanie stawić czoła ostrym wyrzutom, jakich się spodziewała od ciotki Eleonory, że znów daje się omotać oszustowi.

Pomna słów psychiatry, nie poruszała z Tomaszem drażliwych tematów, choć przychodziło jej to z wielkim trudem. Skupiała się na tym, by wrócił do równowagi, i tylko przy nim była. Czasem rozmawiali o błahych sprawach, czasem milczeli lub oglądali razem telewizję na korytarzu. Na resztę przyjdzie czas, gdy wyzdrowieje, umacniała się w swoim postanowieniu. Czuła też niewielką ulgę, widząc, jak z każdym dniem Tomasz powoli zaczynał odżywać. Więcej mówił, mniej płakał, tylko palił tyle samo. Wiktor palił mniej i inaczej trzymał papierosa, przyszło jej na myśl, gdy obserwowała męża podczas jednej z kolejnych wizyt.

– Przyniosłam ci kosmetyki, może byś się wykąpał, ogolił – zaproponowała, sięgnąwszy po torbę. – Lepiej się poczujesz.

– Lepiej się czuję, gdy jesteś ze mną – odpowiedział, gasząc papierosa. – Tęsknię za Tosią, pewnie urosła.

– Tak, sporo urosła przez ten prawie rok. – Joanna mimowolnie zagryzła wargi, by powstrzymać cisnące się na usta pretensje.

– Pozwolisz mi ją zobaczyć? – spytał z pokorą, odwróciwszy głowę ku oknu. On też przygryzł wargi i zaczęła mu się trząść broda.

– Nie powinna cię widzieć w takim stanie – odparła łagodnie, lecz stanowczo. – Mogłaby się przestraszyć, a chyba tego nie chcesz. Musimy z tym trochę zaczekać. To co, wykąpiesz się, ogolisz?

– Musiałabyś mnie pilnować w łazience. – Wytarł nos rękawem.

Więc pilnowała go w ogólnej łazience, gdy przy otwartych drzwiach mył się pod prysznicem. Które z nas jest tym bardziej upokorzone? – zastanawiała się, odwracając mimowolnie wzrok od jego nagości, kiedyś przecież tak naturalnej. Teraz jednak widziała w nim tylko chorego człowieka pozbawionego elementarnej intymności, nawet tak drobnej, by samemu wziąć prysznic. Wstrząsnął nią ten widok.

Odświeżony, przebrany w czystą piżamę i bez niechlujnego zarostu Tomasz wyglądał znacznie lepiej.

– Odprowadzę cię na oddział i muszę wracać do Tosi. – Joanna wkładała do torby brudne rzeczy, by wyprać je w domu.

– Ale przyjdziesz jutro po śniadaniu? – zapytał z lękiem w oczach i głosie, obejmując się ramionami.

– Przyjdę. – Wzięła go za rękę i poprowadziła ku nieszczęsnym drzwiom. Już nie była tak zszokowana rozbrzmiewającymi zza nich odgłosami. Gdy pukała do środka, Tomasz próbował przytrzymywać jej rękę.

– Musisz tam wrócić, bądź dzielny – tłumaczyła mu cierpliwie.

– Dobrze, jesteś taka kochana, tylko przyjdź jutro po śniadaniu, będę czekał – prosił, jeszcze odwracając głowę, gdy zamykały się za nim drzwi, za które nie mogła już wejść.

Boże, on się zachowuje jak dziecko, które trzeba pielęgnować, pocieszać, pilnować.

Jest taki rozchwiany, jak długo wystarczy mi na to cierpliwości? Tydzień, dwa, miesiąc? Mam przecież jeszcze Tosię, zaraz zacznę pracę, a co będzie potem, kiedy już wyjdzie ze szpitala? Przecież na zdrowy rozum powinnam go zostawić bez skrupułów, skoro on ich nie miał wobec mnie, a jednak nie mogę tego zrobić. Może naprawdę lubię czuć się winna, jak uważa Wiktor? – myślała, wsparta głową o boczną szybę samochodu teściowej, która podwoziła ją do centrum.

Joanna patrzyła obojętnym wzrokiem na przesuwające się powoli widoki, ponure budynki, rzędy sunących aut, ludzi na przystankach, bezlistne jeszcze drzewa i szare powietrze. Nie mogła sobie przypomnieć, jaki dziś dzień. Chyba czwarty, dziś przylatuje Adam, jutro Wielkanoc, układała sobie daty w głowie.

– Dziękuję, Joasiu, za wszystko, co robisz dla Tomka. Teraz dopiero widzę, jakim jesteś skarbem i jakie mój syn ma szczęście. – Z zamyślenia wyrwał ją głos teściowej.

– Niech mama przestanie – odparła trochę obcesowo, ale nie mogła się wyzbyć niechęci do tej kobiety. Jej nie musiała chronić jak Tomasza. – Robię to z czystej, ludzkiej przyzwoitości. Tak każe mi sumienie i nie umiem postąpić inaczej, niezależnie od tego, jak bardzo Tomek mnie skrzywdził. Może się mama zatrzymać? Wysiądę tu. – Wskazała najbliższą zatoczkę przystanku.

Zabrała torbę z rzeczami męża, wciśnięty przez Pyrkową do środka prezent dla Tosi „od zajączka" i ruszyła ulicą, by odpocząć od przesłodzonych zachwytów teściowej.

Powinna zrobić zakupy, pomóc ciotce w domowych zajęciach i przygotowaniach do przyjazdu Adama, zanieść z Tosią koszyczek do kościoła, jednak zamiast czym prędzej wrócić na Nowy Świat do poczucia obowiązków, usiadła na najbliższej ławce, zamknęła oczy, by zobaczyć zieleń małszewskiego lasu i choć w ten sposób dać wytchnąć skołatanej głowie.

ROZDZIAŁ XXVII

Naprawdę jeszcze tego nie rozumiecie? – spytał po raz kolejny zniecierpliwiony Wiktor.

Od godziny tłumaczył Teresie i Tadeuszowi, jak obsługiwać stronę fundacji w Internecie. Cała rodzina, łącznie z mecenasem Dębskim, siedziała w kuchni Marty. Od świąt minął już tydzień, pod ścianą przy drzwiach piętrzyły się bagaże, wśród nich wypchany po brzegi ogromny plecak na stelażu, który należał do Wiktora, i kilka jego kartonów.

– Przecież to takie proste. Teresa, popatrz, tu klikasz myszką, tu otwierasz plik, a tu odpisujesz na posty. Każdy dzieciak to potrafi – mówił z narastającą irytacją. Od jakiegoś czasu tak właśnie z nim było: wystarczył byle powód, by tracił cierpliwość.

– A ty rozróżnisz, mądralo, sopran koloraturowy od lirycznego albo wiesz, co to mormorando, bo ja wiem – odcięła się Teresa. – Ale tego nie ogarniam. Tadziu, a ty?

– Coś powolutku chwytam. – Pułkownik, w zsuniętych na czubek nosa okularach, zbliżył twarz do monitora. – Tylko nie pamiętam, jak się zakłada to żółte tutaj. – Dotknął palcem ekranu.

– Folder, nie żółte. – Wiktor przewrócił oczami. – Maryla, tłumacz dalej, ja się poddaję, zresztą już powinienem wyjeżdżać – mówił, wkładając dżinsową koszulę na czarny T-shirt. Dziewczyna zdjęła z kolan kota, ale nie przysunęła się do laptopa, tylko powiodła wzrokiem po obecnych.

– Kiedy powiedzieliście, że Wiktor się wyprowadza z Małszewa, to myślałam, że mnie wkręcacie, ale on na serio stąd wybywa. – Wskazała na spakowane rzeczy. – Wkurzał mnie ten typ, czasem miałam ochotę go walnąć…

– A jaką ja miałem czasem ochotę ciebie walnąć… – wszedł jej w słowo Wiktor, sznurując wysokie buty. – Lepiej, żebyś nie wiedziała, zołzo wredna.

– I vice versa. – Pokazała mu język. – Ale gdy pomyślę, że nie będzie już tu tego zgreda, to tak jakoś drętwo mi się robi. – Dziewczyna wyraźnie posmutniała, na równi z pozostałymi.

Pani Irena przestała układać pasjansa, Marta odłożyła robótkę, mecenas przerwał skręcanie zydelka, nawet narzeczeni podnieśli głowy znad monitora.

– No co tak na mnie patrzycie? – Wiktor obrzucił wszystkich szybkim spojrzeniem. – Jeszcze się wzruszę.

– Może przemyśl to, synku, jeszcze – poprosiła Marta, markotna jak rzadko.

– Już postanowiłem. – Przysiadł na chwilę na ławie. – Jestem tu dwa lata i wystarczy, czas na zmianę, zresztą już jesienią chciałem wyjechać, a przeciągnęło się do wiosny.

– A co będzie z naszą fundacją? – zmartwiła się pani Irena.

– Nic, a co ma być? – Wzruszył ramionami. – Maryla, jako pełnoletnia, weszła do zarządu na moje miejsce, Karol i ty ogarniecie sprawy prawne, a narzeczeni komputerowe i będziecie działać.

– A twoja firma? – dopytywał się Dębski. – Jesteś pewien tego serwisu podwykonawczego?

– Nie jestem, ale przecież będziesz czuwał nad fakturami, więc mogę być spokojny. Poza tym mnie też należy się urlop. Jeszcze jakieś pytania? Powinienem już się zbierać – powiedział, biorąc ze stołu kawałek ciasta.

– Dokąd ty właściwie jedziesz? – spytała Teresa. – Nie połapałam się wczoraj, jak mówiłeś.

– Najpierw zrzucić u kumpla klamoty i skompletować sprzęt do wspinaczki, a dwudziestego kwietnia na lotnisko, na samolot do Nepalu, potem w góry, a potem... – rozłożył ręce – mam plany i na potem. Zaczynam nowe życie.

– Ale na naszym ślubie w czerwcu musisz być. – Tadeusz Chmura wstał od stołu i klepnął młodego mężczyznę w ramię. – Szkoda, że Joasi z nami nie ma. Bylibyśmy w komplecie na pożegnanie. Na święta też nie przyjechała.

– Ale dzwoniła z życzeniami – przypomniała mu Marta – pamięć się liczy, a być nie zawsze można.

– Otóż to – poparła ją Irena Dębska. – Ona teraz nie do życia, tylko u męża w szpitalu całe dnie siedzi, tak się przejmuje jego stanem.

– Bo serce w niej złote, choć zranione mocno – podsumowała staruszka.

Wiktor nie mógł dłużej tego słuchać. Nawet jeśli rozumiał Joannę, to wciąż nie potrafił do końca się pogodzić z jej argumentami.

Od tamtej pory nie widział się z nią, nie rozmawiał, ograniczył kontakt do świątecznego esesmesa, uznał, że tak będzie lepiej dla nich obojga, skoro tak wybrała.

I choć żywił do tego jej męża gorącą niechęć, to zazdrościł mu kobiety, która przy nim trwała pomimo wszystko.

Dlatego stąd wyjeżdżał, na każdym kroku, w każdym kącie, nawet w rozmowach wciąż czuł tu obecność Joanny. Musiał zmienić klimat, podjąć nowe wyzwanie, by nie zwariować. Dałaś mi impuls, bym zdobył się wreszcie na poukładanie życia, myślał, wkładając ostatni karton do samochodu.

– Trochę się tego nazbierało, synku. – Marta wyszła za nim na ganek. Usiadła na ławeczce przed domem i oparła się o ścianę rozgrzaną wiosennym słońcem.

– Sam nie myślałem, że mam tyle tego. – Uśmiechnął się, lekko wzruszony. – To jednak dwa lata.

– Tak mi żal… – Marta pokiwała głową.

– Mnie też. – Z domu wyszła Marylka i objęła za szyję Wiktora. – Zostań.

– Weź wyluzuj – potargał pieszczotliwie jej włosy – bo naprawdę się wzruszę, a przecież jestem drętwy jak kołek.

– Głupi kołek. – Chlipnęła mu w szyję. – Z kim będę się teraz kłócić, jak przyjadę?

– Z Felkiem, dbaj o niego. – Podniósł ją i cmoknął w czoło. – Albo z jakimś chłopakiem, którego tutaj przywieziesz. Dosyć, ciężka jesteś. – Postawił Marylę na ziemi, mocno się starając, by nie poddać się ogólnemu nastrojowi.

Za dziewczyną na ganek wyległa reszta domowników. Było wyjątkowo ciepłe południe, wiał delikatny wietrzyk, po błękitnym niebie sunęły białe obłoki.

– Skoro Wiktor postanowił swojego szczęścia w świecie szukać – odezwała się Marta – to nam tylko pogodzić się z tym zostaje. A ponieważ jesteśmy prawie w komplecie i pogoda ładna, to mam do was prośbę wielką.

– Jaką, babciu? – Dziewczyna usiadła obok na ławce.

– Pójdźmy w pole – powiedziała staruszka. – Pożegnamy Wiktora po naszemu.

Krok za krokiem ruszyli na wzgórze za domem, pomagając iść Marcie. W to samo miejsce, gdzie kiedyś trzy siostry wiązały zboże w snopki. Teraz wyglądało nieco inaczej, stały przy nim domy, drzewa urosły, ale wciąż było to dawne wzgórze z migoczącym w dole jeziorem.

– Czujecie, jak pachnie? – spytała Marta, gdy znaleźli się na polu, co było dla niej wysiłkiem. Przez moment łapała oddech.

– Pachnie wiosną. – Irena odetchnęła głęboko.

– Tak – odrzekła staruszka, ogarniając matczynym spojrzeniem swoich bliskich. – To zapach ziemi, powietrza, życia, które się odradza. Póki trwa, kochajcie je, cokolwiek wam przynosi. Wtedy nie złamie was żadne nieszczęście, nawet jeśli was dopadnie, bo czasem los człowieka w jednej chwili odmienić się może i wstaniecie jeszcze silniejsi. Nie ma większego bogactwa i szczęścia nad życie, które najbardziej docenia ten, kto je kończy. A podwójnie szczęśliwy ten, kto ma obok siebie drugiego człowieka, tak jak mam was. Dlatego dziękuję, moi mili, że ze mną jesteście. I nawet jeśli wyjedziecie stąd daleko, to tu – Marta dotknęła ręką serca – na zawsze ze mną jesteście.

Nikt się nie odezwał, by nie płoszyć nastroju tej chwili. Porozumieli się bez słów.

Wiktor pierwszy wyciągnął przed siebie rękę. Karol przykrył ją swoją, po nim zrobiła to Irena, aż w końcu nad brunatną ziemią pośrodku wianuszka ludzi powstała piramidka złączonych dłoni i rozległo się znajome zawołanie:

– Kocham cię, życie!

*

Są różne rodzaje szeptów. Namiętny, który płynie z ust czułego kochanka, złowieszczy czy też przeszłości, jest też szept upiorny, brzmiący gorzej niż wrzaski. Ten właśnie miała niebawem usłyszeć Joanna. Na razie jednak w mieszkaniu na Pradze, gdzie siedziała razem z Adamem, rozbrzmiewały szepty przeszłości. Był już wieczór, gdy po wizycie w szpitalu u Tomka odebrała Tosię i razem z bratem wynajętym przez niego samochodem wrócili do domu. Teraz rozmawiali w kuchni, przygotowując kolację.

– „Kocham cię, życie", takie mieli motto i tak nazwali fundację. – Joanna opowiadała Adamowi o małszewskim domu. Opowiadali sobie o wszystkim, starając się nadrobić stracony czas.

– Z tego, co mówisz, to fajni ludzie – przyznał, krojąc pomidory na sałatkę. – I fajna rodzina. Nasza też nie była najgorsza, chociaż ojcu czasem odbijało.

– Przestań. – Joanna przecięła ręką powietrze. – To nic już nie zmieni, wyjaśniłeś mi wszystko, rodzice dawno nie żyją i chyba wolę zachować ich w pamięci tak, jak ich widziałam sama, a nie jak było naprawdę.

– Może tak i lepiej – powiedział, przesypując do miski kawałki pomidorów. – Ojciec nie pił często, ale jak wpadał w ciąg, to mu odbijało i czepiał się matki, że go zdradziła, bo ty jesteś ruda, a nikt w rodzinie rudy nie był, a wtedy mama płakała.

– Nic takiego sobie nie przypominam.

– Byłaś mała, ukrywała to przed tobą, chciała cię chronić, ojciec zresztą też. Przynajmniej tyle rozsądku zachował. Ja jednak byłem starszy, więc widziałem i słyszałem więcej. Potem, jak trzeźwiał, to ją przepraszał, ale co po pijaku nagadał, to nagadał. Wtedy, jak byliśmy w Gdańsku, gdzie ojciec odebrał nagrodę za projekt, też chlapnął sobie na bankiecie i znów się zaczęła stara śpiewka.

– Już to mówiłeś.

– Wiem, ale chciałbym, żebyś mi uwierzyła. Pokłócili się o to, mama się wkurzyła i poprosiła, bym was zawiózł do hotelu. Nie było daleko. Kilkanaście kilometrów, ale ciemno, ślisko. Stary usiadł obok mnie i zaczął się wymądrzać: „źle trzymasz kierownicę", „inaczej ręce", „czego cię uczyłem", „jedź szybciej" – przedrzeźniał. – Więc było nerwowo. Ty spałaś z tyłu, mama uspokajała go: „Eryk, przestań". Wtedy nadjechała ta ciężarówka. Spanikowałem... Ojciec złapał kierownicę, szarpał się ze mną, mocno odbił w prawo, no i stało się... – Adam odłożył nóż i długo płukał ręce pod zlewem, odwrócony plecami do Joanny.

Był prawie tak wysoki jak Wiktor, nawet w jego wieku. I kiedy patrzyła na plecy brata, ubranego w dżinsową koszulę podobną do tej, jaką nosił też Wiktor, mimowolnie pomyślała o tamtym mężczyźnie. Zapiekło ją to wspomnienie, więc czym prędzej wyrzuciła je z głowy.

– Teraz wiem, że to nie była twoja wina. – Wstała i pogładziła brata po ramieniu. – Tylko dlaczego nie powiedziałeś mi o tym wcześniej, dużo wcześniej? Wiele by się zmieniło między nami.

– Nie mówiłem, gdyż miałem zakodowane przez rodziców, żeby zawsze cię chronić. Dlatego wolałem nie niszczyć ci obrazu ojca, którego tak uwielbiałaś. W sumie nie był taki zły, miał tylko małą przypadłość, delikatny pociąg do szklanki – zażartował gorzkawo, wycierając ręce w papierowy ręcznik. Nagle pociągnął nosem nad włosami Joanny. – Co od ciebie tak wali? Wczoraj, u ciotki, też tak niemiłosiernie śmierdziało, że wytrzymać nie mogłem. Palić zaczęłaś? – spytał, krzywiąc się.

Joanna zmieszała się jak uczennica przyłapana na gorącym uczynku. Adamowi też jeszcze nie powiedziała o Tomaszu. Zwłaszcza on mógłby tego nie zrozumieć, dlatego wolała trzymać sprawę w tajemnicy. I tak musiała skłamać, gdy Tośka wypaplała o wizycie teściowej. Tu przynajmniej mogła się zasłonić tęsknotą babki. Lecz nie miała na razie dobrych argumentów, żeby uzasadnić powody, dla których opiekuje się znienawidzonym przez rodzinę mężem. Jednak przede wszystkim nie wiedziała, jak i kiedy powiedzieć o wszystkim Tosi, o którą Tomek pytał coraz częściej. Dlatego wciąż milczała.

– W kancelarii dużo palą, wychodzą na balkon, ale leci do środka, więc przesiąkłam – skłamała na poczekaniu. – Tosia, kolacja! – zawołała, by ukryć zakłopotanie.

Dziewczynka przybiegła do kuchni z blokiem rysunkowym i kredkami i wskoczyła na krzesło obok Adama. Odkąd przyjechał na święta, nie odstępowała go na krok i zamęczała pytaniami.

– Wujku, a opowiesz mi jeszcze o kangurkach i tych, no... misiach kola? – spytała, kładąc rzeczy obok talerza.

– Koala – poprawił. – Mogę, ale wszystko, co wiem, już ci opowiedziałem.

– Narysuj mi kangura. Umiesz?

– Pewnie. – Adam sięgnął po kredki.

– Tosiu, najpierw kolacja – powiedziała Joanna, ale zaaferowana czymś dziewczynka zdawała się nie słyszeć.

– Bo wujek Wiktor nie umie rysować, ale i tak jest fajny – paplała wpatrzona w Adama. – I się mamusi wyświadczył, i dał pierścionek, i klęczał przed nią jak wujek pułkownik przed ciocią Teresą w naszym domu w lesie, i...

– I już wystarczy, proszę, kanapka dla ciebie. – Joanna przerwała te rewelacje i podała małej bułkę z szynką.

– Robi się ciekawie. – Adam mrugnął do siostry. – Od kilku dni o niczym innym nie słyszę od Tosi, tylko: wujek Wiktor to, wujek Wiktor tamto. Gadaj jak na spowiedzi, co to za historia, masz kogoś, kto ci się, jak rozumiem, oświadczył?

– Adam, opanuj się. – Joanna dyskretnie wskazała na córeczkę. – To były tylko żarty. Jedz i narysuj tego kangura. Tosia zaraz musi się kąpać i spać.

Kangury i miśki Adama okazały się piękne. Miał po rodzicach większe zdolności plastyczne niż Joanna. Tośka nie mogła oderwać oczu od rysunków i wciąż prosiła o następne, wtrącając od czasu do czasu coś, co zapamiętała z Małszewa.

– Słuchajcie, dziewczyny. – Adam skończył kolejny obrazek. – A może pojedziemy do nich z wizytą? Na jeden dzień. Już nie pamiętam, kiedy ostatnio byłem na Mazurach. Co wy na to? Na przykład w niedzielę. Niech się nacieszę Polską, nim wrócę do siebie.

– Tak! Tak! Tak! – Tośka zaklaskała w rączki. – Mamusiu, pojedziemy do babci Marty? Obiecałaś, że pojedziemy po świętach.

– Dobrze. – Joanna zgodziła się bez większych oporów, równie stęskniona za tamtymi jak jej córka. – Możemy pojechać w niedzielę, a teraz idź do łazienki. Naleję ci wody do wanny.

– Wujku, a będziesz dziś u nas spał? – poprosiła Tosia, siedząc na kolanach u Adama.

– Antośka, gdzie? – roześmiał się. – Nie ma tu dla mnie łóżka. Leć się szorować.

Chwilę później, gdy dziewczynka chlapała się w wannie, a Joanna zmywała naczynia, Adam zapytał, gryząc jabłko:

– Co to za historia z tym Wiktorem? Poważnie, masz kogoś? – Zajrzał jej w oczy przez ramię.

– Czy ja cię pytam o twoje laski?

– A pytaj. – Wzruszył ramionami. – Na stałe na razie nie mam żadnej. Po rozwodzie z Amandą stosuję teorię zmienności, czyli dziś ta, jutro inna. A ostatnio twoja Ewka zaczyna mnie zagadywać na fejsie.

Joannie wysunęła się z rąk szklanka i stłukła w zlewie. Od tamtej rozmowy nie miała kontaktu z Ewą. Odstawiła na parking pod telewizją jej samochód, zostawiła kluczyki w portierni i wyrzuciła dawną przyjaciółkę z pamięci.

– Jeśli nie chcesz doprowadzić mnie do furii, to więcej o niej nie wspominaj – wycedziła przez zęby. – Dla mnie już nie istnieje.

– Wow, aż tak? – zdziwił się. – Czym ci podpadła?

– Miałeś nie wspominać, a spać u nas możesz. Nadmuchasz sobie materac i rozłożysz w kuchni. Jak Tośka zaśnie, to pogadamy sobie. – Joanna obrzuciła go dłuższym spojrzeniem. – Brakowało mi ciebie.

– Wyjeżdżam dopiero w maju, więc jeszcze trochę pobędę. – Adam rozejrzał się po kuchni. – To jednak nora. Do dupy masz warunki.

– Na lepsze na razie mnie nie stać, ale jak zacznę pracować, to może coś się zmieni.

– Słuchaj. – Adam wyrzucił ogryzek do kosza i siadł okrakiem na krześle. – Chciałbym ci coś zaproponować. Może się to wydawać szalone, ale zastanów się nad tym, co mi przyszło do głowy.

– Już się boję – zażartowała. Odwiesiła mokrą ścierkę, oparła się o szafkę ze zlewozmywakiem, skrzyżowała przed sobą nogi i zaplotła ręce na piersiach. Czekała, co to za pomysł.

– Nie przyjechałabyś z Tośką do mnie na stałe? – spytał wprost i od razu uniósł dłonie, gdy zobaczył, jak oczy siostry robią się okrągłe ze zdumienia. – Zanim coś powiesz, posłuchaj. Emigracja tylko na początku jest trudna, potem się przyzwyczaisz. Mam duży, pusty na razie, dom nad oceanem. Na początku będziemy mieszkali razem, zanim się ustawisz. Zapłacę za samolot, pomogę ci znaleźć pracę, Tośka pójdzie tam do szkoły, szybko złapie język, póki jest mała. Zobaczysz, jak odżyjesz. Australia to dobre miejsce do szczęśliwego życia i też wyspa. Może taka, o której zawsze marzyłaś? Zostaw to gówno tutaj i olej przeszłość, Tomka, długi, tego Daniela, który podobno ma cię w garści…

– Karol mówił, że tamten na razie nie zrobił żadnego ruchu – weszła mu w słowo. – Podobno wyjechał na safari.

– Walić, gdzie wyjechał ten cymbał. – Adam lekceważąco wzruszył ramionami. – Nic ci nie zrobi. Niechby tylko spróbował! A nawet gdyby przyszło mu do głowy bruździć, to tam cię nie dosięgnie. Olej gościa, tak samo jak olałaś Ewkę, skoro gówno warta, i przyjedź do mnie. Ciotka z wujem sobie poradzą. Zresztą przedstawiłem im ten pomysł i mnie poparli. Aśka – złapał ją za rękę – jak byłaś mała, wkurzałem się, gdy starzy czasem kazali mi cię pilnować. Wolałem iść z chłopakami na boisko, ale byłaś i jesteś mi bardzo bliska. Nie mogę patrzeć, co zrobił z twoim życiem ten gnój Tomeczek. Ma szczęście, że go nie dopadłem, raczej nie przeżyłby tego, co mam mu do powiedzenia. – Zacisnął mocno zęby, ale zaraz się opanował. – Tośka ma paszport na cały świat?

– Ma.

– No, to ten problem z głowy. Jeśli się zdecydujesz, to nawet za miesiąc, najdalej dwa, możecie lecieć. Rozważ to, ale tak poważnie. Zamknij drzwi za gównianą przeszłością, żeby dłużej nie śmierdziała, i zacznij od nowa. Pomyśl też o małej, tam będzie miała lepszy start niż tu. A ja będę się lepiej czuł, mając was obok, no bo kogo my mamy teraz prócz siebie? Przecież jesteśmy rodziną – przekonywał i mocniej ściskał rękę siostry.

Miałaby wyjechać do Australii? Przewrócić do góry nogami całe życie? Tak mocno zamknąć za sobą drzwi, by otworzyć następne aż na antypodach?

Pomysł wydał jej się tyle samo ekscytujący co nierealny. Co z Tomaszem i resztą… spraw? Nie, to przecież absurd, choć mimo wszystko wielka pokusa… Niby dlaczego mam nie zacząć układać sobie życia na nowo, nie poszukać szczęścia właśnie tam? Przecież nie muszę lecieć już dziś. Mogę trochę poczekać, aż Tomasz stanie na nogi, by mieć czyste sumienie, i wtedy…

– Wiesz – odezwała się po dłuższej chwili. – Może to byłoby i dobre rozwiązanie?

Adam momentalnie się rozjaśnił.

– Jeszcze tak się nie ciesz. – Szturchnęła go w ramię. – Muszę o tym dopiero pomyśleć, a teraz wygonić z łazienki Tośkę, bo się tam rozpuści. Słuchaj, posiedzisz z nią jutro? Mam do załatwienia ważną sprawę.

– Jasne, i dawaj ten materac. Jakoś przebieduję w tej kuchni.

ROZDZIAŁ XXVIII

Dzień upiornego szeptu zaczął się rankiem, gdy Joanna przyjechała do Tworek. Tomasz, który już nie musiał wracać na obserwację i został przeniesiony na oddział ogólny, stał się rozmowniejszy. Nawet skłonny do zwierzeń i wyjaśnień, na które Joanna czekała. Od godziny siedzieli w śmierdzącej palarni, jedynym miejscu, w którym mogli jako tako spokojnie porozmawiać. Tomasz odpalał jednego papierosa od drugiego, ciągnąc swoją spowiedź.

– To, co ci powiedział o mnie Daniel, to prawda. Jestem uzależniony od hazardu, ale zacząłem terapię. Chcę z tego wyjść, żeby wszystko naprawić – mówił cicho, prawie szeptem, nisko zwiesiwszy głowę. – Co chcesz jeszcze wiedzieć?

– Tyle mam ci do zarzucenia, że nie wiem, od czego zacząć... – Joanna ze zdenerwowania obracała w dłoni klucze od mieszkania. Nie wiedziała, czy jest na to za wcześnie, czy w sam raz, ale chciała wyrzucić z siebie wszystkie żale.

– Zniknąłeś, okradłeś nas, zostawiłeś mnie z niczym. Jak... mogłeś? Tomek, jak mogłeś mi to zrobić?

– To nie miało być tak. – Spojrzał na nią z lękiem. – Nie chciałem uciekać. Chciałem się tylko... odegrać. Dlatego zabrałem wszystkie pieniądze. Myślałem, że dobrze mi pójdzie, ale wszystko straciłem. Wtedy się załamałem i pojechałem do matki. Prosiłem, żeby nic ci nie mówiła.

– A dlaczego ty mi nie powiedziałeś? – Joanna mocniej zacisnęła klucze w dłoni. – O długach, hazardzie, komorniku, licytacji. Przecież jakoś byśmy sobie poradzili. A ty uciekłeś jak szczur, bez słowa. A przecież mówiłeś, że mnie... kochasz. Tego się nie robi komuś, kogo się kocha.

Wytarł rękawem cieknący nos i załzawione oczy.

– Kocham cię, Joasiu, tylko... – Zacisnął powieki. – Bałem się powiedzieć ci o moich problemach. Bałem się, że mnie zostawisz, pomyślisz, że jestem nieudacznikiem, a chciałem być dla ciebie... bohaterem, człowiekiem sukcesu, a nie słabeuszem. Myślałem też, że jakoś wyjdę z tych długów, wezmę kredyty, pospłacam, co się da, ale tylko się zapętlałem, dusiłem. Nie chciałem też, żebyś się martwiła, wolałem przeżywać to sam. Wybacz, niestety wyszło inaczej.

– Tomek, na litość boską! – Joanna odłożyła klucze i chwyciła go za ręce. – Nie jestem śpiącą królewną, tylko twoją żoną. Przecież gdybyś mi powiedział, przyznał się, jakoś byśmy dali radę. Nawet pod mostem, ale bylibyśmy razem. Może znaleźlibyśmy jakieś rozwiązanie. A ty wolałeś wszystko zataić, uciec, okraść dziecko, kłamać, wymyślić Tosi jakąś przeklętą białaczkę.

– Przepraszam, Joasiu, przepraszam. – Ukląkł i objął ją za kolana. – Byłem chory z uzależnienia, tylko wtedy się do tego nie przyznawałem, nawet sam przed sobą. Potrzebowałem pieniędzy na grę, rachunki, życie. Tymi za mieszkanie, których nie oddałem Adamowi, spłaciłem resztę kredytu za nasz dom, bo bank się upominał. Gdyby nie to, zabraliby nam go wcześniej – tłumaczył. Przycisnął usta do dłoni Joanny. – Nie masz obrączki ani pierścionka ode mnie. – Dopiero to zauważył.

– Zastawiłam w lombardzie, żeby mieć na życie. – Cofnęła ręce. – A dom i tak nam zabrali.

– Wiem, wybacz mi. Zbudujemy nowy, jeszcze ładniejszy. Będę się leczył, przysięgam, tylko mnie nie zostawiaj, daj mi szansę. Mama sprzeda ziemię, pomoże nam, spłacimy długi, kupimy nowe obrączki i zaczniemy wszystko od początku. Nasze nowe wyspy szczęśliwe…

– Nasze długi wykupił Daniel – powiedziała i odepchnęła go delikatnie. Upokarzała ją sytuacja, gdy skulony niczym żebrak tkwił u jej stóp i prosił o wybaczenie. – Tomek, usiądź, nie chcę, żebyś klęczał.

Posłuchał do razu. Przesunął palcami po długich włosach i przypalił kolejnego papierosa. Ręce trzęsły mu się jeszcze bardziej, a na wychudzonej twarzy pojawiło się jeszcze większe przygnębienie. Widać było, ile go kosztuje to wyznanie win.

– Daniel... – powiedział w zamyśleniu. – To źle. Kiedyś miałem z nim spółkę.

– Ty?

– Dawno. Dziesięć lat temu. – Głęboko wciągnął dym w płuca. – To znaczy ja i taki jeszcze jeden. Daniel był wspólnikiem utajonym. Dawał kasę, czyli ją prał, a my nadstawialiśmy karku. Ale to on wymyślił cały plan. Z początku szło dobrze, zarabialiśmy niezłe pieniądze, ale w końcu sprawa się wysypała o podatki. Daniel się ze wszystkiego wymigał, miał jakieś wejścia w prokuraturze. Mnie też się udało, a tamten beknął. A kiedy wyszedł z więzienia...

– Nieważne – przerwała mu. – Nie chcę słuchać o tych przekrętach. Mam na razie dość. Opowiesz mi innym razem.

– Dobrze. – Wziął ją za rękę. – Zrobię, co tylko chcesz, tylko mi wybacz.

– Myślisz, że to takie proste? – Uwolniła rękę. – Czy wiesz, co ja przez ciebie przeżyłam? Myślałam, że zwariuję. Zaczynałam mieć urojenia, wydawało mi się, że ktoś za mną chodzi, śledzi mnie...

– To ja – wpadł jej w słowo.

– Co?

– To ja za wami... chodziłem – wyznał szeptem. – Chciałem choć z daleka na was popatrzeć, bałem się podejść. Bałem się tego, co zrobisz. Chciałem, ale zabrakło mi... odwagi.

– Ale nie zabrakło ci jej, żeby zdradzić mnie z Ewą? – rzuciła ze złością.

– Joanna, przysięgam. – Tomasz przyłożył dłoń do piersi i szeroko otworzył oczy. – Nigdy cię nie zdradziłem. Możesz mi zarzucić wszystko, tylko nie to.

– Nie kłam, widziałam wasze zdjęcie, jak się całowaliście. – Wzdrygnęła się ze wstrętem.

– Owszem, była taka sytuacja, pięć lat temu – przyznał się od razu. – Ewka spiła się i mnie podrywała. Spotkaliśmy się przypadkiem w Poznaniu na targach budowlanych. Robiła tam jakiś reportaż, wieczorem przyszła na kolację do hotelu i zaczęła mnie uwodzić. Ktoś zrobił zdjęcie, gdy rzuciła się na mnie w holu na kanapie. Potem mi je pokazała, chciała mnie nim szantażować, więc się wkurzyłem. Wyrwałem to zdjęcie i coś na nim napisałem, aha – Tomek pocierał w skupieniu czoło – już wiem, „żebyś pamiętała" czy „nie zapomniała", jakoś tak. Zagroziłem, że jeśli nie da mi spokoju, to o wszystkim ci powiem. Tak było, Joasiu, przysięgam. Dlatego Ewka tak mnie potem nie znosiła. Uwierz mi, nigdy bym cię nie zdradził. Nigdy. – Znów zaczął się trząść, płakać, dygotać. Joanna nie wiedziała, co ma o tym wszystkim myśleć. Dlatego aby dawkować mu złe emocje, rozmowę o rozwodzie odsunęła na inny dzień. Zaczęła uspokajać Tomasza.

– Już, przestań. – Starała się mówić łagodnie. – Wyjdźmy stąd na korytarz, tutaj strasznie śmierdzi. Uspokoisz się, potem skończymy tę rozmowę. Na dziś wystarczy, i tak było tego za dużo.

– Dobrze, ale powiedziałem ci prawdę.

– W porządku – odpowiedziała cokolwiek.

Wzięła torebkę, drugą ręką ujęła Tomka pod ramię i wyszli z palarni. Przemierzyli tam i z powrotem długi korytarz i Tomasz trochę się uspokoił. O dwunastej na oddział przyszła Pyrkowa.

– O, jesteś już, Joasiu. – Uśmiechnęła się przyjaźnie do synowej. – Jak się dziś czujesz, Tomeczku? – Popatrzyła z zatroskaną miną na jedynaka. Ubrana w czerń matka Tomka wydała się Joannie jeszcze bardziej sucha niż zazwyczaj.

– Tak sobie – odpowiedział. – Zaraz dostanę leki, a za tydzień może stąd wyjdę.

– Skoro mama już jest, to pojadę do domu. – Joanna wysunęła ramię spod ręki męża. – Tosia ostatnio narzeka, że ciągle ją zostawiam.

– Idź, odpocznij, teraz ja z nim posiedzę.

– Ale przyjdziesz jutro? – spytał z takim samym lękiem jak za każdym razem, gdy od niego wychodziła. Miał spuszczone ku dołowi kąciki ust, pochylone plecy. Wyglądał żałośnie.

– Przyjdę – odpowiedziała jak zwykle.

Zaczekała, aż pielęgniarka otworzy jej drzwi, i z ulgą opuściła oddział. Chciała się przejść, przewietrzyć myśli i odpocząć po tej rozmowie, która spotęgowała jej poczucie odpowiedzialności. A kruchość i rozchwianie Tomka wywoływały w niej uczucia opiekuńcze. Tego, co jej powiedział, nie była jeszcze w stanie na chłodno ocenić. Musiała ochłonąć.

Klucze! Zostawiłam je na parapecie, przypomniała sobie, gdy była już na parterze. Zawróciła na piętro.

– Tomasz Pyrka – zameldowała pielęgniarce, która jej otworzyła.

– Proszę, przed chwilą był w palarni.

Joanna pobiegła tam szybko, ale Tomasza już nie zastała. Zabrała z parapetu klucze i wyszła na korytarz, teraz dość pusty. Prawda, obiad, pomyślała i już chciała zajrzeć do dyżurki pielęgniarek, gdy zza uchylonych drzwi salki obok, gdzie zazwyczaj odbywała się terapia artystyczna, doleciała ją przyciszona rozmowa. Właściwie szepty, które dość dobrze słyszała. Poznała głos Tomasza.

– Przyznaj, mamo, dobrze udaję, co? – spytał.

Joanna przywarła do ściany przy wejściu i podsłuchiwała.

– Świetnie. Po mistrzowsku, to był najlepszy pomysł – odpowiedziała teściowa.

– Nie wiem tylko, jak długo tu wytrzymam. Pierdolca u tych czubków dostaję. Jeszcze tutaj na oddziale jak cię mogę, ale na obserwacji była ostra jazda, ledwo dałem radę – mówił normalnym głosem, tak jak kiedyś, bez łez i napięcia.

– Wytrzymasz, nie masz wyjścia. Ona musi wycofać z sądu ten cholerny wniosek rozwodowy.

– A jeśli tego nie zrobi?

– Wtedy będzie z nami krucho – odszepnęła Krystyna Pyrka. – Policja już wie, że u mnie mieszkałeś. Ten jej adwokat to niezła cholera. Swoją drogą ciekawe, skąd Joanna ma na niego pieniądze? Straszył mnie, że alimenty ze mnie będzie ściągał. Ty oficjalnie jesteś bez dochodów, więc niech fundusz płaci, ja nie zamierzam. A co będzie, jeśli dokopią się dalej i połapią, że wpłaciłeś na moje konto te pieniądze z twojej, to znaczy z jej firmy?

– Wypłać je jutro.

– Już to zrobiłam. Musimy się zabezpieczyć na wszystkie strony, żeby się w niczym nie zorientowali. A co będzie, jeśli odkryją, że kupiłeś na mnie to mieszkanie w Mławie z tej kasy, której nie oddałeś szwagrowi?

– Do tego nie dojdą – zabrzmiał lekceważący szept Tomasza. – Joannie wmówiłem, że spłaciłem nimi kredyt za dom.

– Nie byłabym tego taka pewna, że nie dojdą. Też weźmiemy dobrego prawnika, tylko musimy mieć więcej czasu, żeby się zabezpieczyć i pozacierać ślady. Dlatego zrób wszystko, żeby wycofała ten wniosek. I nie miej żadnych skrupułów. Długo na nią harowałeś, tobie też się coś od życia należy, szczególnie że twoja żona nie jest taka kryształowa. Prowadza się z jakimś bandytą o poharatanej gębie.

– Ciekawe, co to za typ?

– Teraz to nie twoje zmartwienie, skoro, jak mówiłeś, dusi cię ten związek. Będziesz miał legalny pretekst, żeby samemu wystąpić o rozwód z orzeczeniem o jej winie. Wtedy ona będzie ci płaciła alimenty. Zwłaszcza jeśli oficjalnie będziesz nadal bezrobotny, a w dodatku chory psychicznie.

– W sumie... masz rację. – Zachichotał. – Łaziłem za nią, żeby zobaczyć, czy się z nikim nie prowadza, ale teraz mam naprawdę niezły pretekst. Zdrada to cięższy kaliber niż bankructwo.

– Właśnie. Słuchaj mnie, a dobrze na tym wyjdziesz. Grunt to wiedzieć, jak się ustawić w życiu. Tylko teraz musisz tak załatwić, żeby wycofała ten wniosek. Musisz wzbudzić w niej jeszcze większą litość. Postaraj się bardziej, żeby widziała, jak cierpisz, płaczesz, przecież to nie problem depresję udawać. Policja też się nabrała na próbę samobójczą. Zapłakałam raz i drugi, ty też, i zobacz, że zadziałało.

– Aśka też się chyba na to łapie.

– Wszystko idzie po naszej myśli. Nie zostawi cię w takim stanie, na tyle już ją poznałam. Ma to swoje honorowe poczucie obowiązku i w tym twoja szansa. Tylko nie spiesz się tak z wychodzeniem stąd, żeby musiała codziennie cię odwiedzać. Działaj powoli, przywiąż ją do siebie, mów, że jest ci potrzebna, że bez niej zginiesz, że żałujesz. Pokaż, jak jesteś załamany.

– Przecież ciągle to robię.

– To dobrze, ale staraj się bardziej. I nie myj się, nieogolony wyglądałeś lepiej. Takie zapuszczenie wzbudza większe współczucie. Cel uświęca środki, synku, a ona ma miękkie serce, dlatego nasz cel już niedaleko.

Rozmowa była prowadzona szeptem. Złowieszczym, upiornym, który poraził Joannę jak wrzask. Nie mogła wytrzymać huczenia w głowie. Słyszała łomot własnego serca, szmer łez na policzkach, krzyk myśli i chichot głupiego sumienia. Śmiało jej się bezczelnie w twarz. Złapała się ręką za framugę i zmusiła nogi, by wykonały jeszcze ten jeden krok.

Stanęła w progu salki.

– Jak mogłam cię… kochać? – rzuciła do pleców Tomasza. Odwrócił się gwałtownie. Miała wrażenie, że dopiero teraz coś otworzyło jej oczy. – Jak mogłam kiedykolwiek kochać kogoś takiego jak ty? Przez to, co mi zrobiłeś, zrezygnowałam z czegoś, co mogło być najcudowniejszym odkryciem w moim życiu. Najpiękniejszymi wyspami szczęśliwymi, których nigdy tak naprawdę z tobą nie odkryłam. Jaka ja byłam… ślepa.

– Joanna, posłuchaj. – Wstał i ruszył ku niej. Już zrzucił maskę cierpiącego człowieka i pod powłoką obdartusa pojawił się prawdziwy Tomasz. – Pewnie słyszałaś naszą rozmowę, ale...

– Nie, już nie – przerwała. – Już nigdy więcej nie uwierzę w ani jedno twoje słowo. Chcę rozwodu. I zrobię wszystko, żeby nastąpił jak najprędzej.

Tomasz stanął w purpurze. Przez mgnienie chwili dostrzegła też przerażenie w oczach Pyrkowej.

– Nigdy nie dam ci rozwodu! – zawołał, gdy Joanna skierowała się do wyjścia. Wybiegł za nią do holu i krzyczał jeszcze głośniej: – Nigdy nie dam ci rozwodu! Słyszysz?! Nigdy! Żaden bandyta nie będzie dotykał mojej córki!

Przybiegło dwóch sanitariuszy, złapali go pod ręce, tak że musiał zgiąć się wpół, i poprowadzili szamoczącego się wściekle tam, skąd niedawno wyszedł, za zamknięte drzwi oddziału obserwacji.

Joanna była już na schodach, a jeszcze słyszała echa jego wrzasków. Teraz nie musisz udawać, pożegnała męża w myślach i ruszyła przed siebie, byle prędzej zapomnieć o tym miejscu i ludziach, którzy ją tu podstępem zwabili.

Padał deszcz, siekł zimny wiatr, w powietrzu wisiała ołowiana szarość. Joanna w rozpiętym płaszczu, szarpanym przez podmuchy wiatru, szła prędko do bramy. Wtem ktoś złapał ją z tyłu za rękaw. Odwróciła się. Stał przed nią Adam.

– Co ty tu robisz? – spytała zaskoczona, choć po tym, co przed momentem odkryła, nic nie powinno już jej zaskoczyć.

– Ten kutas tu się zadekował, mam rację? – Zmrużył gniewnie oczy.

– Skąd wiesz?

– Chciałem włączyć pralkę i wyjąłem z niej śmierdzącą piżamę z pewnym stempelkiem z niejakich Tworek, a że umiem dodać dwa do dwóch, więc zawiozłem małą do ciotki i postanowiłem sprawdzić na miejscu, jak się sprawy mają – mówił pełen złości. Włożył rękę do kieszeni skórzanej kurtki i wyjął kluczyki. – Zaczekaj na mnie w samochodzie. Teraz muszę sobie z kimś pogadać.

– Adam. – Joanna złapała śliski od deszczu rękaw brata. – Jeśli nie chcesz, żebym znalazła się tu jako pacjentka, to zabierz mnie teraz stąd. – Oparła głowę o jego pierś. – Potem zrobisz, co zechcesz, tylko najpierw stąd jedźmy.

– Dobra. – Poklepał ją po plecach. – Jeszcze zdążę dać mu w mordę. Jedziemy do Bliklego na pączki. Zawsze nam pomagały na życiowy wkurw. Opowiesz, co się stało, i pogadamy o Australii, coś czuję, że to będzie najlepsze wyjście.

– Tak, chyba masz rację.

Czy sprawiły to pączki, które zjadła, czy wino, które wypiła, a może to, że mogła podzielić się z kimś wreszcie swoją tajemnicą i po ludzku wyżalić – w każdym razie Joanna poczuła się trochę lepiej.

Adam, pierwotnie rozwścieczony kolejnym oszustwem Tomasza, najpierw wytknął siostrze naiwność, potem zaczął trochę żartować.

Ona też poddała się temu nastrojowi. Chwilami czuła się jak za dawnych lat, kiedy dokazywali jako dzieci, a niekiedy sobie dokuczali. Przynajmniej to udało mi się naprawić, myślała, obserwując, jak Adam zerka na jakąś ładną dziewczynę przy barze.

– To co, siostra, widzę, że już doszłaś do siebie. – Spojrzał na zegarek. – Dochodzi trzecia. Kawiarnia była, to teraz zostaje nam jeszcze kino i spacer, cytując piosenkę naszego ojczulka. Rany, robię się sentymentalny. – Adam wydął policzki. – Odbieramy Tośkę i spadamy w miasto.

– Idź sam po Tosię do ciotki, zaczekam tutaj, jakoś nie mam dziś nastroju na jej złośliwości.

– I pewnie mam jeszcze nie mówić cioteczce o Tomaszku?

– Jakbyś mógł. Nie chcę, żeby do śmierci wytykała mi kolejny błąd.

– Nie powiem. – Zmarszczył nos. – Moja ty specjalistko od błędów. Tylko teraz się nie wykpij, Australia czeka. Dobra, zaraz wracam z Tośką.

A może nie jest jeszcze za późno, by coś jeszcze naprawić, myślała, gdy została sama w kawiarni. Przynajmniej spróbować, coś więcej wyjaśnić, usłyszeć jego głos. Dlatego wyjęła komórkę z torebki i wybrała numer Wiktora. Od razu włączyła się poczta. Spróbowała jeszcze raz, bez skutku.

I choć komórka niemal przyrosła jej do rąk, gdy siedzieli po południu w multipleksie na kreskówce z Tosią, a potem poszli na pizzę, Wiktor ani nie oddzwonił, ani nie włączył telefonu. Joanna poczuła głęboki żal. Przez resztę nocy doskwierał jej bardziej niż oszustwo męża.

*

– To ty nic nie wiesz? – zdziwiła się Marta, gdy kilka dni później Joanna do niej zadzwoniła, by uprzedzić o niedzielnej wizycie.

– O czym mam nie wiedzieć? – odpowiedziała pytaniem. – Dzwoniłam do niego, chciałam powiedzieć, że przyjadę, ale nie odbiera telefonów.

– Wiktor już tu nie mieszka. Ze dwa tygodnie minęły, jak się wyprowadził.

Kolana się pod nią ugięły. Osunęła się przy ścianie i przysiadła w kucki.

– Dokąd? – spytała nieswoim głosem.

– Dokładnie to nie wiem, wiesz, jak on mało o sobie mówi. Miał do ojca jechać, a potem w jakieś góry. A co u ciebie, dziecinko, jak radzisz sobie? A zresztą nagadamy się, kiedy przyjedziecie, ale mowy nie ma, że tylko na dzień. Co najmniej na tydzień. Tak się za wami stęskniłam.

– Tylko że będę z bratem – odrzekła niewyraźnie, uderzona wiadomością, że Wiktora tam nie ma. – Przywiozę ci list od wuja, chyba że chcesz z nim porozmawiać, akurat u nich jestem.

Cisza.

– Halo, Marta?

– Tak, tak, coś przerwało, to Lutek wie?

– Sam się domyślił. Powiedział, że wszystko wyjaśnił ci w liście. Też byłaś dla niego ważna i wciąż ma twoją chusteczkę, którą mu dałaś na pamiątkę.

– Ważna, mówisz – sapnęła w słuchawkę. W głosie staruszki Joanna usłyszała uśmiech. – I chusteczkę zachował. A to i sercu lżej trochę. Przywieź ten list, Joasiu, w niedzielę. Przekaż też ode mnie pozdrowienie Lutkowi i całej rodzinie.

– Przekażę. Marta, a Wiktor nie mówił, w jakie góry jedzie? – Napięcie Joanny rosło.

– Nie, ale... – w głosie staruszki usłyszała wahanie – ...czekaj, dziś przecież dwudziesty kwietnia, Wiktor mówił, że samolot musi złapać do... jak to było... no patrz, stara głowa, no. Żeby choć Teresa była, to ona by wiedziała, tylko że do sklepu z Tadziem pojechali. Ale Karol wie, bo przy nim mówił, on na pewno spamiętał.

– Chyba... – Joanna zacisnęła mocno powieki – chyba popełniłam... błąd. Wielki błąd.

– Ludzka rzecz błądzić, ale jeśli możesz i chcesz, to spróbuj go naprawić.

Jeśli nie jest za późno, westchnęła ciężko. Siedziała wciąż w kucki w pokoju Ludwika, w drugim ciotka sprzątała ze stołu po obiedzie, Adam na podłodze budował z Tośką jakąś konstrukcję z klocków, wuj oglądał telewizję. Joannie trzęsły się ręce, gdy wybierała w komórce numer Karola.

– A tak, leci dziś do Nepalu – potwierdził od razu.

– Ale o której, skąd, z jakiego lotniska? – dopytywała się nerwowo.

– Nie mam pojęcia, chyba z Warszawy, czekaj, Maryla wróciła ze szkoły. Może ona wie, zapytam. – Joanna usłyszała przytłumioną konwersację, z której bez powodzenia starała się cokolwiek wyłapać. – Maryla mówi, że chyba z Chopina, ale pewności nie ma. Słyszała tylko, jak rozmawiał z kimś przez telefon przed wyjazdem z Małszewa, i chyba padła ta nazwa.

– Ja muszę mu coś ważnego powiedzieć, nim tam poleci... wyjaśnić, że... – Nie mogła dokończyć, gdyż zacisnęło jej się gardło.

– Joasiu, spokojnie, Maryla właśnie sprawdza połączenia. Uzbrój się w cierpliwość, zaraz podejdzie do telefonu – odrzekł ze stoickim spokojem mecenas Dębski.

Łatwo powiedzieć; Joanna zaciskała z całej siły palce, a minuty wlokły się niemiłosiernie, aż wreszcie usłyszała głos dziewczyny:

– Więc słuchaj, Asia, lotów bezpośrednich z Warszawy do Katmandu brak, tylko z przesiadkami w Brukseli i Abu Dhabi. Jeden samolot odleciał rano, a drugi startuje za dwie godziny, jeśli w ogóle o ten chodzi.

– Jadę tam – postanowiła od razu.

– Ale numer! – Maryla zachichotała i rzuciła w bok: – Tatuś, wyskakuj z kapci. Lecimy zatrzymywać samolot Wiktora, coś się chyba kroi. Widzimy się na miejscu. – Ostatnie zdanie powiedziała do Joanny.

W sekundę odzyskała zimną krew. Złapała płaszcz i ubierając się w pośpiechu, wyrzucała z siebie słowa, stojąc w progu.

– Adam, mam jedną szansę na milion, żeby naprawić błąd, o nic nie pytaj, tylko zawieź mnie na lotnisko albo pożycz samochód. Mamy dwie godziny, żeby zdążyć – mówiła na wydechu.

– Boże, a cóż to za nowe szaleństwo, Joanno? – Eleonora Krzemieniecka załamała ręce. – Toż ledwo człowiek oddechu trochę złapał, a znów czuję jakąś awanturę.

– Ciociu, potem wszystko wyjaśnię, ale teraz bardzo się spieszę. Adam? – Spojrzała na brata, który o nic więcej nie pytał, tylko poszedł wkładać buty.

– Powodzenia, Joasiu. – Wuj Ludwik uśmiechnął się ciepło. – Spróbuj naprawić ten błąd, skoro masz taką możliwość. Niewykorzystane szanse mszczą się całe życie.

Dlatego jadę wykorzystać nawet nie szansę, a jej słaby cień, odparła w duchu.

– Dokąd jedziesz, mamusiu? – Tosia podbiegła i objęła ją w pasie.

– Porozmawiać z wujkiem Wiktorem, jeśli zdążę przed odlotem jego samolotu. – Joanna na chwilę pochyliła się do córeczki.

– Mogę z tobą? – Małej od razu zaświeciły się oczka.

– Możesz.

To był ten moment, gdy Joanna przeklinała w duchu miasto, w którym mieszka, choć było jej rodzinnym. Każde czerwone światło na skrzyżowaniu, korki, roboty drogowe, zamknięte ulice i objazdy doprowadzały ją niemal do histerii. Adam jechał szybko, wciskał się w każdą lukę na pasie, raz przeskoczył na czerwonym, a i tak mieli coraz mniej czasu.

– Módl się, żebyśmy zdążyli, coś słabo to widzę – mruczał, wychylając się zza kierownicy, by zobaczyć sytuację na drodze.

Więc zaczęła odmawiać swój zwykły pacierz. Jeśli mnie słyszysz, aniele, to zrób coś, żebyśmy zdążyli albo żeby samolot miał opóźnienie, i żeby w ogóle to był ten samolot, bo jak nie, to nie wiem, co wtedy…

Wtedy nie powiem mu tego, co chcę. Kolejny raz wyjęła komórkę, by zadzwonić do Wiktora, ale wciąż słyszała tylko skrzynkę.

Wreszcie dotarli na lotnisko. Joanna mocno trzymała córeczkę za rączkę i pobiegły razem do hali odlotów, gdzie jak na złość tłoczyli się podróżni z bagażami, jakby wszyscy się umówili, by znaleźć się tu razem w ten pochmurny i deszczowy dzień. Litery zlewały jej się w oczach, gdy z wyświetlonego rozkładu lotów usiłowała wyłowić potrzebne informacje.

– Idziemy w prawo. – Adam pierwszy je wypatrzył i wziął Tosię na barana. – Szukaj tego wujka Wiktora.

– Ale jestem wysoko. – Mała rozłożyła rączki. – Samolocik robię, widzicie?

– Tak… – mruknęła Joanna, rozglądając się bezradnie w otaczającym ich zewsząd tłumie. – Chyba tylko się wygłupiłam, to jak szukanie igły w stogu siana.

– No wiesz, nie pierwszy raz się wygłupiłaś, zdążyłem już przywyknąć – odparł kpiąco Adam. – Chodźmy do bramki.

Szli prędko pośród zygzakowatych kolejek pasażerów czekających na odprawę. Choć było to irracjonalne, Joanna wszędzie wypatrywała znajomej postaci.

Przecież jest wysoki, jeśli gdzieś tu stoi, od razu go zauważę, próbowała się pocieszać. Widok zmartwionych Dębskich, Maryli i Karola odebrał jej całą nadzieję. Oboje mieli zawiedzione miny. Stali przy stanowisku, przy którym nie było już podróżnych.

– Niestety, nie zdążyliśmy. – Mecenas rozłożył bezradnie ręce. – Przed kwadransem skończyła się odprawa i wszyscy są już tam. – Wskazał głową przed siebie.

– Wiktor też? – Joannie zadrżał głos.

– Też – potwierdziła Maryla. – Czekaliśmy tylko na was.

– Widziałaś wujka Wiktora? Nie zaczekał na nas? – dopytywała z wysokości Tosia.

– Nie widziałam, był już po odprawie – tłumaczyła dziewczyna. – Jak tu przyszliśmy, właśnie się kończyła. Na końcu kolejki stało dwóch kolesi w takich samych kurtkach, mieli naszywki z klubu wysokogórskiego, więc do nich podeszłam. Powiedzieli, że lecą do Nepalu. Zapytałam, czy leci z nimi Wiktor, powiedzieli, że tak. Odprawił się z jakimś Kamilem wcześniej, a ci byli w łazience, dlatego stali na końcu. Wiktor już tam jest. – Podobnie jak ojciec wskazała ręką przed siebie.

– Będą wchodzić na Annapurnę – dodał mecenas.

– Grubo. – Adam cmoknął z uznaniem. – Niezła górka, kolega próbował ją zdobyć, ale wymiękł. – My się jeszcze nie znamy, Adam Krzemieniecki, brat tej wariatki. – Wskazał głową na Joannę.

– Karol Dębski. – Panowie uścisnęli sobie ręce. – A to moja córka, Maryla.

– Cześć. – Kiwnęli sobie głowami.

O czymś jeszcze rozmawiali, ale zdruzgotana Joanna nie słuchała. Tak, niewykorzystane szanse mszczą się przez całe życie, powtórzyła słowa wuja.

– Nie martw się, Joasiu. – Karol objął ją ramieniem. – Wracają za pięć tygodni, wtedy powiesz

Wiktorowi to, co chciałaś. Spróbowaliśmy, ale się nie udało.

To już nie będzie to samo, myślała zawiedziona. Nieśmiałe nadzieje, jakie miała, gnając na lotnisko, prysły jak bańka mydlana. A był tak blisko, za tym przejściem, a tak nieosiągalnie daleko.

– Może mnie wpuszczą na chwilę za bramkę? – Ta myśl ożywiła nadzieje Joanny. – Tylko coś mu powiem i wracam... Proszę pana! – Zatrzymała pogranicznika, który przechodził nieopodal. Podeszła do niego i chaotycznymi słowami uzasadniała prośbę.

– Tylko na chwilę tam wejdę, zostawię panu mój dowód, to dla mnie bardzo ważne, najważniejsze – przekonywała go błagalnie. Miała wypieki na twarzy i blask w oczach.

– Nie ma mowy, to wbrew przepisom – powiedział żołnierz.

– Jestem adwokatem i ręczę za tę panią. – Karol poparł prośbę Joanny. – Też mogę panu okazać swój dowód.

– To naprawdę ważna sprawa – dodała jeszcze Maryla. – Tamten pan nie może odlecieć, nim ta pani z nim nie porozmawia. Nie kuma pan, o co chodzi? – spytała młodego mężczyznę.

– Bądź człowiekiem i zrozum siłę wyższą – dorzucił od siebie Adam.

– Rozumiem tę siłę wyższą i chyba kumam, o co chodzi, ale niedługo się żenię, więc nie chcę stracić pracy, dlatego pani nie wpuszczę. Przepraszam, muszę wracać do obowiązków, a pani powie wszystko temu panu, jak wróci – zakończył sprawę.

Skąd mam wiedzieć, czy w ogóle... wróci, Joanna zacisnęła powieki. Nie chciała się rozpłakać przy ludziach. Jednak nie każdy błąd da się naprawić, choć bardzo się tego żałuje. Wolniej niż poprzednio pokonywała drogę do wyjścia. Tu, w tej potężnej hali, mogła choć oddychać tym samym powietrzem co Wiktor, słuchać tych samych komunikatów, czuć jego obecność.

– No, to chyba zostaje nam tylko zatrzymać samolot – zażartowała Maryla. – Tatuś, ty się kładziesz na pasie, a ja ściągam bluzkę.

– Obawiam się, że na pas nas nie wpuszczą, ale na taras widokowy możemy pójść i choć pomachać na pożegnanie. – Mecenas zagarnął towarzystwo w stronę schodów na górę. – Spieszmy się, za dziesięć minut mają odlot.

Joanna stała prawie nieruchomo przy przeszklonej ścianie tarasu i patrzyła na kolejne startujące samoloty. W końcu przyszedł też czas na ten Wiktora. Nie mogła znieść momentu, gdy widziała, jak wielka maszyna wzbijała się w powietrze, a wraz z nią odlatywała szansa na coś ważnego, najważniejszego, czego ona, Joanna, może nie zdoła już naprawić. Samolot Wiktora zniknął jej z oczu, gdy w końcu oderwała się od szyby, uprzednio otarłszy łzy z policzków.

– Szkoda – rzekł Adam.

Posadził sobie zasmuconą siostrzenicę na barana i niemrawo ruszyli w stronę wyjścia. Wszyscy mieli zniechęcone miny, nikomu nie chciało się rozmawiać. Przeszli przez hol, nieco przerzedzony po pierwszej fali podróżnych, i dochodzili już do głównego wyjścia z terminalu, gdy wtem Tosia zawołała z pleców Adama:

– Mamusiu, tam chyba jest… wujek. Patrz!

Joanna spojrzała w stronę, którą paluszkiem wskazywała córeczka.

Niedaleko wyjścia, kilkanaście metrów przed nimi, przy stojaku z gazetami stał… Wiktor.

W czarnej kurtce, z plecakiem przewieszonym przez jedno ramię, górował nad ludźmi wokół siebie. Nie widział ich, odwrócony tyłem. Nie musiał pokazywać twarzy, Joanna wszędzie rozpoznałaby jego sylwetkę, wyjątkowo kształtną głowę, czarne włosy i ruch, jakim poprawiał zsuwający się plecak.

– Nic już nie rozumiem. – Karol wyglądał, jakby zobaczył ducha.

– Ale numer! – Maryla powtórzyła magiczne powiedzonko. Adam zdjął Tosię z ramion, położył palec na ustach i kucnął przy dziewczynce.

– Ciiii… chyba coś się teraz stanie. Czuję, że będą prawdziwe wyświadczyny. – Dziewczynka zakryła rączką buzię i schowała głowę w ramiona.

– Zaczekajcie na mnie. – Joannę ogarnęło wzruszenie. – Tosiu, najpierw sama porozmawiam z wujkiem. Potem się z nim przywitasz.

Powoli, prawie na palcach, cichutko podeszła do Wiktora, stanęła tuż za nim i głosem z głębi serca zaczęła mówić:

– A ty mnie na wyspy szczęśliwe zawieź,
wiatrem łagodnym włosy jak kwiaty rozwiej,
zacałuj,
ty mnie ukołysz i uśpij, snem muzykalnym zasyp,
otumań,
we śnie na wyspach szczęśliwych nie przebudź
ze snu.

Pokaż mi wody ogromne i wody ciche,
rozmowy gwiazd na gałęziach pozwól mi słyszeć
zielonych,
dużo motyli mi pokaż, serca motyli przybliż
i przytul,
myśli spokojne ponad wodami pochyl miłością.

Nie drgnął, póki nie skończyła, dosłownie zastygł. Odwracał się powoli, jakby w obawie, że to tylko złudzenie. A jednak ona naprawdę tu była. Stała przed nim z rozwianymi włosami, oczy miała pełne łez, namacalnie prawdziwa i mówiła dalej:

– Chcę być z tobą, kochać się, kłócić, potem godzić, śmiać się i płakać, chcę, żebyś zabrał mnie na wyspy szczęśliwe albo odkrył je ze mną. Nie wiem, czy nam się uda, nie wiem, co będzie, mam tyle problemów, że wolę o nich nie myśleć. Nie wiem, jak się zachowa mój mąż, co zrobi Daniel, ale wiem, że nie chcę być nieszczęśliwa bez ciebie. Chcę pokochać z tobą życie na przekór wszystkim i wszystkiemu. Czasem wystarczy jedno spojrzenie na kogoś, by zrozumieć, że się za nim tęskniło, na niego czekało. Byłam głupia, że nie zrozumiałam tego wcześniej, tak jak ty.

– Co za samokrytyka. – Wiktor przyciągnął ją do siebie. – Zawsze tyle gadasz?

– Teraz ty będziesz gadał. Co tu w ogóle robisz? Miałeś jechać w góry na jakąś Annapurnę, pędziliśmy przez pół Warszawy, żeby zdążyć, zanim odlecisz, nie odbierasz telefonów. Podobno jesteś w samolocie, twoi koledzy mówili, że leci z nimi Wiktor, więc tłumacz się natychmiast, co to wszystko ma znaczyć? – Zmarszczyła brwi.

– Nie jestem samobójcą, by bez przygotowania wchodzić na ośmiotysięcznik. Tylko odprowadziłem kumpli. Wiktor to mój imiennik, który jest w ekipie. W góry jadę za tydzień, ale w Tatry. Wynająłem tam domek na miesiąc. Chciałem, łażąc po górach, obmyślić strategię, jak cię do siebie przywiązać, ja nie poddaję się tak łatwo. Liczyłem też, że jednak za mną zatęsknisz. A telefonu nie odbieram, ponieważ przed tygodniem oddałem go do naprawy – wyjaśniał jak gdyby nigdy nic. Uśmiechał się przy tym niewinnie i objął ją jeszcze mocniej.

– I jeszcze się śmiejesz. – Klepnęła go pięścią w pierś, na tyle, na ile pozwalał ciasny uścisk jego ramion. – Zdajesz sobie sprawę, co przeżyłam przed chwilą, kiedy myślałam, że jesteś w tym przeklętym samolocie?! Jak się bałam, że nie zdążę ci tego powiedzieć?! Jechałam tu z duszą na ramieniu. Nie mogłeś mnie jakoś powiadomić o swoich planach? To było za trudne, tak? – pytała rozeźlona, gdyż dopiero teraz opuszczało ją napięcie. Nabrała powietrza, aby powiedzieć coś jeszcze, ale Wiktor położył palec na jej ustach.

– Skoro ten wiersz był dla mnie, to proponuję, rudzielcu, żebyśmy teraz zaczęli się godzić, a potem możemy się dalej kłócić. Za długo na ciebie czekałem i zdążyłem się bardzo stęsknić.

Tak jak wtedy, w lesie, zatracili się w długim pocałunku, jakby nagle świat przestał istnieć. Wtedy Joanna poczuła, że właśnie zalała ją miłość, przed którą nie zamierzała dłużej się bronić.

– Wujku Adamie, wiesz co? – szepnęła Tosia. – To będzie mój nowy tatuś, sama go sobie wybrałam.

OD AUTORKI

Powieść tę dedykowałam Marcie Matyszewskiej. Marta jest bohaterką mojego reportażu dla „Gazety Olsztyńskiej", który napisałam kilka lat temu. Poznałam ją przypadkiem, gdy mój kolega Krzysztof Przybylski, pasjonat historii regionu i rowerowych wypraw, powiedział mi o zbiorowych grobach, które odkrył w lesie w okolicach Małszewa. Zainspirował mnie, bym się dowiedziała, kto jest w nich pochowany i jaka kryje się za tym historia. Jest to historia tragiczna.

W mogiłach spoczywają Mazurzy, którzy dwudziestego pierwszego stycznia tysiąc dziewięćset czterdziestego piątego roku uciekali przed Armią Czerwoną. Uciekali przez las, głównie kobiety i dzieci. Wśród nich była też Marta, jej matka, trzy siostry i dziadek. W połowie drogi wpadli na sowieckich żołnierzy. Ci nie okazali żadnej litości i rozstrzelali bezbronnych ludzi. Marta miała wtedy dziewięć lat.

Została ranna w biodro. Dziewczynka przez trzy dni leżała na trzydziestostopniowym mrozie między ciałami mamy i sióstr, czekając na ratunek. Odnalazł ją dziadek, któremu wcześniej udało się jeszcze uratować ciężarną kobietę.

Losy Marty posłużyły mi za inspirację przy pisaniu tej powieści. Ucieczka mieszkańców wioski, w której mieszkała, wyglądała mniej więcej tak, jak to opisałam. Marta rzeczywiście odmroziła stopy i dłonie, które potem same odpadły. Rzeczywiście przez kilka lat chodziła na kolanach, nim trafiła do szpitala we Wrocławiu, gdzie zrobiono dla niej protezy nóg. Dłoni nie ma nadal. Prawdziwa jest też sytuacja, w której cierpiącą z bólu dziewczynkę miał z litości dobić przysłany radziecki żołnierz. Faktem jest też to, że pomordowanych mieszkańców wioski, łącznie kilkanaście osób, pochował w lesie dziadek Marty, lecz zrobił to dopiero wiosną tysiąc dziewięćset czterdziestego piątego roku, kiedy rozmarzła ziemia. Ciała grzebał w tych miejscach, gdzie je odnalazł. Jeden grób jest pojedynczy, ten należący do czternastoletniej siostry Marty, Erny, która próbowała uciekać, ale i ją dosięgły kule.

Nade wszystko prawdziwe jest jednak bestialstwo, gwałty i grabieże, których od Sowietów doznawali mieszkańcy tych ziem, Mazurzy i Warmiacy.

Obecnie Marta ma ponad osiemdziesiąt lat i mieszka w Burdągu, kilka kilometrów od Małszewa, gdzie się urodziła, podobnie jak książkowa bohaterka, której nadałam to samo imię. Współczesne losy mojej postaci to w dużej mierze fikcja, prócz osobowości, która jest odzwierciedleniem wszystkich pozytywnych cech, jakie nosi w sobie Marta Matyszewska – kobieta ze spiżu, osoba niezwykła, która pomimo przeżytego dramatu umiała i wciąż umie cieszyć się życiem, ma niezachwianą wiarę w ludzi, nieustający optymizm i wielki hart ducha.

Dziękuję, Pani Marto, że zgodziła się Pani, bym wykorzystała w mojej powieści Pani historię. Niezmiennie dziękuję też mojemu Wydawcy, że wciąż chce mnie wydawać, oraz Wam, drodzy Czytelnicy, że sięgacie po moje książki.